Jean Rohou
Professeur honoraire à l'Université de Rennes II

Avez-vous lu Racine?

Mise au point polémique

Éditions L'Harmattan
5-7, rue de l'École-Polytechnique
75005 Paris

L'Harmattan Inc.
55, rue Saint-Jacques
Montréal (Qc) – CANADA H2Y 1K9

Du même auteur

Histoire de la littérature française du XVIIe siècle, Nathan, 1989.
L'Evolution du tragique racinien, SEDES, 1991.
Jean Racine entre sa carrière, son œuvre et son Dieu, Fayard, 1992.
Les Etudes littéraires : guide de l'étudiant, Nathan, 1993 (3e. éd. 1997).
Jean Racine : bilan critique, coll. "128", Nathan, 1994 (2e éd. 1998).
La Tragédie classique (1550-1793) : histoire, théorie, anthologie, SEDES, 1996.
L'Histoire littéraire : objet et méthodes, Nathan, coll. "128", 1996.
Le Classicisme (1660-1700), Hachette, 1996.
La Rochefoucauld, *Maximes* et *Apologie du prince de Marcillac*, Le Livre de Poche classique, 1991.
Racine, *Britannicus*, Classiques Hachette, 1993.
Lettres d'amour du XVIIe siècle, L'Ecole des Lettres/Seuil, 1994.
Racine, *Lettres à son fils*, L'Ecole des Lettres/Seuil, 1995.
Racine, *Théâtre complet*, Hachette, La Pochothèque, 1998.
Album Racine, Hachette, La Pochothèque, 1998.

Yves Stalloni a lu une première version de ce travail ; Michel Bouvier, Georges Forestier, Béatrice Guion, Eve-Marie Rollinat, Nicole Rou-Rohou, Philippe Sellier et Anne Ubersfeld en ont lu certains chapitres. Je les remercie vivement pour leurs suggestions et critiques.

Pour Camille
Denis
Cécile

Préface [1]

*« Si Dieu tenait enfermé dans sa main droite
la vérité toute entière, et dans sa main
gauche l'aspiration toujours en mouvement
vers la vérité même, avec la condition de me
tromper toujours et éternellement, et qu'il me
disait " Choisis", je saisirais humblement sa
main gauche, et je dirais : " Donne, mon
père, car la vérité n'appartient qu'à toi
seul " » (Lessing, Eine Duplik, 1778 ; trad.
Xavier Léon).*

Tous les étés de mon enfance, j'ai gardé les vaches : c'est
parmi elles que j'ai lu Racine, reçu en prix, à la fin de la
troisième. Un éblouissement [2] : la révélation d'une psychologie.

---

1 Toutes les citations de la Bible sont empruntées à la traduction que possédait
Racine : celle d'Isaac Le Maistre de Sacy, solitaire de Port-Royal, publiée avec
d'abondants commentaires de 1667 à 1693 (réédition Sellier, Robert Laffont,
1990, sans les commentaires). Afin de ne pas multiplier les notes, j'indique en
abrégé les références des citations empruntées à la *Poétique* d'Aristote (traduite
par R. Dupont-Roc et J. Lallot, Ed. du Seuil, 1980), à *La Pratique du théâtre* de
l'abbé d'Aubignac (1657), aux *Maximes* de La Rochefoucauld, aux *Essais* de
Montaigne (en indiquant la page de l'édition Villey-Saulnier), aux *Pensées* de
Pascal (selon la numérotation de Louis Lafuma) et aux *Réflexions sur la
poétique* du Père Rapin (1673).

2 On « comprend le succès exceptionnel, dans une société courtisane et dans
quelques autres qui la singent, de J. Racine, illisible à la canaille », écrit
Michaux dans *Passages*. Je faisais pourtant partie de la canaille, et je ne crois
pas être devenu un singe courtisan. S'il est difficile aujourd'hui d'étudier une
pièce de Racine dans la plupart des classes de troisième, ce n'est pas
principalement parce que sa langue ou ses idées sont trop éloignées de celles
de nos banlieues. C'est parce que l'école ne peut plus être un lieu de promotion
et de motivation comme à l'époque où les enfants de paysans, de manœuvres et

Six ans plus tard, je tombe par hasard sur un article de Montherlant. Racine ? « une langouste dont il faut enlever péniblement et interminablement la carapace, qui est de taille, pour arriver ici et là à un petit brin de chair exquise » — car il y a quand même « vingt-sept vers de lui qui sont quelque chose d'unique dans toute la poésie française ». La langouste était trop chère : j'ai relu les tragédies. Cette fois, malgré Montherlant, c'est la perfection du style qui m'a émerveillé : le sens y devient musique.

Quand vint l'heure du sujet de thèse, en 1959, je ne pus hésiter, malgré mon amour pour Eluard et Apollinaire. « Tu perds ton temps, me disait-on : sur Racine tout est dit ». Ils ne savaient pas que tout allait commencer. Moi non plus. Nourri hors des sérails, je n'avais lu ni la thèse du marxiste Goldmann (1956), ni celle du freudien Mauron (1957), qui avaient choisi Racine pour révéler, chacun à sa façon, les secrets insoupçonnés de l'œuvre la plus limpide, au moment où Picard consacrait au même Racine une thèse fort classique qui pourtant en renouvelait aussi la connaissance (1957). Je commençais à ouvrir de grands yeux quand parurent les hypothèses éblouissantes de Barthes (1963). Les évidences raciniennes étaient devenues le banc d'essai de toutes les théories. Ma lecture psychologique n'était plus qu'une illusion d'adolescent, mon amour pour sa musique prouvait que je n'avais rien entre les oreilles. Je le relus donc en nouveau philosophe polysystémique.

Après avoir subi ces révélations contradictoires, ne croyez pas que je prétende vous annoncer *la* vérité sur Racine. L'article un de mon credo est que les objets que nous étudions ne préexistent pas à la pensée qui les construit et qui les considère toujours d'un certain point de vue. Même quand il s'agit d'un objet concret, étudié par un physicien [1] ; a fortiori pour une

---

de mineurs étaient appelés à devenir des travailleurs intellectuels, dans l'enseignement, dans l'encadrement ou tout simplement dans les bureaux. La motivation était d'autant plus vive qu'en ce temps-là on croyait à l'avenir. Si la lecture de Racine était un moyen d'ascension sociale, une voie d'accès aux défunts lendemains qui chantent et au ci-devant Dieu d'Esther et de Joad, les collégiens le liraient avec passion, et les banlieusards s'appliqueraient à *singer* les nantis du centre ville.

[1] « Les objets des sciences sont les "découpages" qu'on obtient des choses en les soumettant au point de vue spécifique de cette science » (Evandro Agazzi, Président de la Société Suisse de Logique et Philosophie des Sciences,

œuvre littéraire, qui ne peut être perçue qu'à travers une sensibilité, une affectivité, une culture, une attitude face à la vie [1].

Je ne parlerai pas ici des plaisirs esthétiques ni des émotions que procure Racine. Malheureusement. Je ne sais pas le faire. Je me limite à ce qui peut s'étudier et s'exprimer sur le mode intellectuel : les structures et la signification des œuvres. Mais là non plus il n'y a pas de vérité toute faite, ni même de certitude vérifiable — sauf pour des données tellement élémentaires (comme le nombre de vers par pièce ou par personnage) qu'elles en sont absurdes si une pensée ne vient pas les mettre en perspective. La connaissance n'est pas seulement l'organisation des données perceptibles dans un système interprétatif qui leur donne sens, c'est aussi et surtout la découverte par ce système d'autres données qui n'étaient pas immédiatement visibles. Ce qu'on perçoit d'emblée, ce sont surtout les effets. Reste à en trouver les causes, qui ne figurent pas explicitement dans l'œuvre même — et notamment la vision qui en est le principe, ainsi que la situation, l'expérience existentielle à partir desquelles ou en réaction auxquelles cette fiction a été conçue.

Un train peut en cacher un autre. C'est le second que je vous montre ; mais je n'ai pas dit que le premier n'existait point. Faute de pouvoir me placer simultanément à tous les points de vue pour proférer toutes les vérités réunies en une seule, je choisis de souligner celle qui n'est pas directement visible. C'est peut-être la plus importante. C'est en tout cas celle qui donne le plus à réfléchir. Les lectures que je dénonce sont vraies d'un autre point de vue, déjà suffisamment intronisé : toute vérité bien établie est l'amorce d'une reposante sclérose.

Je comprends qu'on aime le repos du corps, la sécurité affective, la tranquille sagesse. Mais la pensée, elle, ne s'épanouit que dans la quête incessante, et ne peut s'arrêter à des vraisemblances raisonnables qu'après avoir tout essayé. Ce ne

---

L'Objectivité dans les différentes sciences, Ed. universitaires, Fribourg, 1988, p. 21).

[1] Cet engagement est déjà présent, à un moindre degré, dans les sciences « dures ». L'histoire des sciences est « une aventure qui engage l'être tout entier, et dont un récit impersonnel ne peut rendre compte, car les résultats scientifiques et leur démonstration n'ont pas de sens si on les coupe des états d'âme du chercheur » (Jacques Roger, *Pour une histoire des sciences à part entière*, Albin Michel, 1995, p. 103).

sont pas les situations moyennes qui mesurent la validité d'une hypothèse : Popper l'a suffisamment montré. Il faut la pousser vers les extrêmes pour connaître les limites de son emprise. Et s'il s'agit de susciter la réflexion, le juste milieu n'est que platitude.

Comme toute œuvre littéraire, une tragédie de Racine est une chose très complexe, dans sa réalité, comme dans ses déterminations originelles et dans ses réinterprétations possibles. Constituée de mots utilisés et combinés d'une façon particulière, elle relève d'une étude linguistique et stylistique. Ces combinaisons de mots suscitent dans notre imagination, fécondée par notre mémoire existentielle et culturelle, de plus amples unités de signification (événements, personnages, thèmes...) dont l'organisation produit une série cumulative d'idées, d'émotions, de satisfactions esthétiques. Il est donc nécessaire d'analyser ces structures (actantielle, thématique, dramaturgique) constitutives de l'œuvre. Mais aussi d'évaluer leurs effets intellectuels, affectifs et esthétiques. Car ces effets sont la cause finale de l'œuvre, sa raison d'être du côté du public. Or, ils expriment un rapport au monde, à la vie, aux valeurs, aux autres et à soi-même [1] dans la mise en scène, à travers une anecdote exemplaire, d'un problème de la condition humaine, de son appréciation morale et de sa sublimation artistique. C'est de cette problématique que résulte l'importante dimension psychologique, morale ou politique de la tragédie classique. Au-delà d'une ambition personnelle, des règles d'un genre, de l'imitation d'un modèle ou des modes d'une époque, c'est elle qui est la motivation profonde de l'auteur et la raison d'être fondamentale de l'œuvre, c'est-à-dire de la sélection et de l'organisation des signifiants qui la constituent. On ne peut donc pas se contenter d'une analyse *technique* de celles-ci, puisque leurs causes et leurs effets ont une dimension *philosophique* : elles expriment une réaction à une condition *historique* perçue à travers une idéologie. C'est pourquoi, après avoir précisé le mode de fonctionnement de la fiction théâtrale, j'insisterai sur la vision racinienne de la condition humaine en l'expliquant par ses origines historiques.

Voici un bref résumé de cet essai, qui est centré sur trois thèmes : la nature et le fonctionnement de la fiction littéraire et

---

[1] On parle généralement de « vision du monde ». Mais cette notion est incomplète et suggère à tort un projet explicite, un auteur conscient de ce qu'il veut dire.

surtout de l'œuvre théâtrale (ch. 2 à 7) ; l'origine de la vision racinienne de l'homme et de son inscription dans le texte (ch. 9 à 12) ; la critique de certaines interprétations qui ne tiennent guère compte du texte (ch. 13 et 14). Nous nous intéressons à Racine parce qu'il est l'auteur de chefs-d'œuvre. Seules importent la lecture, la représentation et l'étude de ceux-ci. La vie de leur auteur, les circonstances de leur composition n'ont d'intérêt que dans la mesure où elles aident à les comprendre et à les apprécier. Ce qui suppose qu'on ne s'attarde pas à des ragots anecdotiques et qu'on ne confonde pas l'auteur de *Phèdre* avec la personne physique et sociale qui portait le même nom (ch. 1).

L'œuvre est une fiction, c'est-à-dire le contraire d'une réalité : le sens y précède le fait qui le manifeste, les effets visés font imaginer les causes destinées à les produire ; cette fiction choisit et redistribue les éléments de son contenu référentiel, empruntés à ses sources ou inventés : c'est de leur disposition que viennent le sens, le parcours émotif et l'harmonie esthétique (ch. 2). Nous devons éprouver cette composition dans l'ordre où elle se présente, tout en comprenant qu'elle a été conçue dans l'ordre inverse et qu'il faut l'expliquer à partir de sa fin et de ses effets (ch. 3). Ainsi, dans la réalité les individus existent avant de se rencontrer, et leur caractère explique leur comportement — qui est parfois problématique et peut entraîner des catastrophes. Dans l'œuvre, c'est le problème et sa catastrophe qui sont posés d'abord et mis en scène sous forme de rapports entre des personnages dont le rôle définit le caractère, dont le comportement est calculé pour aboutir au dénouement à travers un parcours dramatique (ch. 4), et dont les paroles sont dictées par la situation et par le dramaturge qui, à travers eux, s'adresse au public (ch. 6). De la même façon, les thèmes de l'œuvre n'ont de sens que dans leur fonction (ch. 5). La méconnaissance de ces vérités a conduit à de beaux contresens (ch. 7).

L'érudition, l'objectivité, la prudence, la paresse voient surtout dans l'œuvre la mise en scène de certains événements survenus à certains personnages. Or, ce n'est pas cette réalité anecdotique qui importe, mais sa signification morale et symbolique, que le public du XVIIe siècle était plus habitué que nous à déchiffrer (ch. 8). L'on présente généralement Racine comme un disciple d'Aristote qui emprunte ses sujets aux Anciens. En fait, il ne respecte pas les préceptes d'Aristote, même quand il s'en réclame, et il redistribue les matériaux empruntés dans des structures et perspectives de son invention,

qui leur donnent un tout autre sens (ch. 9). Sa véritable source,
c'est la problématique de son temps, c'est l'anthropologie
augustinienne, qui a marqué tous les écrivains entre 1655 et
1680, voire au-delà, parce qu'elle rendait compte de la crise
historique de l'être qui caractérise cette époque, et qui fait du
siècle de Shakespeare et Marlowe, de Lope de Vega et Calderón,
de Corneille et Racine, un grand moment de théâtre et de
littérature tragique, depuis *Don Quichotte* jusqu'aux *Pensées*, au
Misanthrope ou à *La Princesse de Clèves* (ch. 10). La
problématique d'une œuvre théâtrale est inscrite principalement
dans sa structure actantielle : chaque actant figure l'un des pôles
de la contradiction. Dans ses parties tragiques, l'œuvre de Racine
est généralement le conflit insoluble de quatre principes : la
concupiscence (Néron), la loi qui la réprouve (Agrippine), la
valeur à laquelle elle aspire à s'unir (Junie) pour jouir d'un
bonheur qui n'est dans la condition tragique qu'une torturante
utopie destinée au massacre (la relation entre Junie et
Britannicus) (ch. 11).

L'amour n'est pas un thème éternel de la littérature, mais
un signifiant qui convient à l'expression de certaines visions de
la condition humaine. Ce n'est pas une force réelle qui anime les
personnages, mais un rapport entre le désir et la valeur. Il est
présent chez Racine sous plusieurs formes : la galanterie,
l'ambition de conquête, l'aspiration de l'être déchu (sujet de la
concupiscence) à une valeur qui le refuse nécessairement ;
l'union de l'être à la valeur, figurée par des couples idéaux qui
ne sont guère que des utopies torturantes (ch. 12).

Après avoir montré qu'on ne peut éviter d'interpréter, et
qu'il faut le faire aussi hardiment que possible, je rappelle la
limite : on ne doit pas contredire le texte, ni le réduire à la seule
vision de l'interprète. Anne Delbée, dans sa mise en scène de
Phèdre, avait curieusement renouvelé le sens au mépris du texte.
Celle de Luc Bondy, portée aux nues par les « grands »
journaux parisiens, a été accueillie avec quelques réserves par la
presse étrangère et régionale, et fort critiquée parmi les
universitaires. Elle ne nous présente qu'une face de Phèdre
(celle qui n'a rien à nous apprendre), ce qui supprime
l'antinomie tragique (ch. 13). Pour terminer, je reviens sur le
célèbre essai de Roland Barthes *Sur Racine* : intuitions toujours
suggestives et parfois fort éclairantes ; mais interprétations
discutables, généralisations hâtives et présentation dogmatique, à
coup de notions sacralisées et de formules magiques (ch. 14).

Je fuis donc les interprétations séduisantes voire brillantes, quand elles sont mal fondées. Mais je veux dénoncer également les études qui se bornent à l'impossible description objective et à l'analyse technique d'œuvres qui vivent de pensée, d'affectivité et d'esthétique. Et aussi les lectures littérales et réalistes, qui les réduisent au récit d'historiettes : Un jeune homme naïf et touchant, qui s'appelle Britannicus, est épris d'une pure jeune fille qui l'aime de retour ; mais le tyrannique Néron... Ce n'est là que le support anecdotique de l'œuvre. L'étude scientifique d'une œuvre consiste à expliquer les effets perçus à la lecture et les structures découvertes à l'analyse par une reconstruction hypothétique de sa fonction historique et personnelle, de son rapport à la problématique d'un auteur et à celle d'une époque.

Ce livre peut paraître subversif. Pourtant il s'appuie sur les principes de l'épistémologie contemporaine (chap. 8) : il n'y a pas d'observation valable sans hypothèse préalable ; on ne peut expliquer un phénomène humain sans une théorie qui articule l'analyse de ses structures signifiantes sur leur fonction dans une réaction à une condition humaine. Quant aux quatre hypothèses qui m'ont guidé, elles me semblent solidement pertinentes à un objet dont elles prétendent cerner les particularités et la raison d'être. Les tragédies de Racine sont des compositions poétiques disposées de façon à produire des effets affectifs, esthétiques et intellectuels, à partir de personnages et d'événements fictifs — même quand ils portent des noms historiques. Ce sont des œuvres de théâtre, c'est-à-dire des stratégies dramatiques conçues dans l'ordre inverse de leur déroulement apparent, et des structures actantielles qui définissent des rôles et des personnages de telle sorte que leurs rapports figurent le problème mis en scène. Elles ont pour principe une vision de la condition et de la personnalité humaines qui s'exprime dans les structures signifiantes constitutives de l'œuvre : moins dans tel événement ou actant que dans leurs rapports à partir de l'événement de base (celui qui provoque le dénouement) et de l'actant de base (celui qui est le sujet de la quête mise en scène). Cette vision et l'esprit de sa mise en œuvre procèdent de l'expérience vivante de Racine (la condition humaine, la vision de l'homme et la culture que lui impose son époque) bien plus que de sources vieilles de deux mille ans. L'auteur d'une tragédie classique emprunte obligatoirement à celles-ci le matériau de son expression, sa fable. Mais il la réinterprète nécessairement selon les conceptions du moment, et il la réorganise pour les signifier.

*
* *

Je n'aime pas les affirmations qui prétendent s'imposer sans démonstration, comme celles de Barthes. J'ai donc nourri mon texte d'arguments, d'exemples et de citations d'époque, au risque de l'alourdir. Pour le rendre plus vif, je lui donne un tour polémique, dans l'espoir de susciter réflexions et discussions. Le débat d'idées est tristement rare à l'Université. Chacun suit son bonhomme de chemin, et ce qu'on appelle un colloque est une juxtaposition de monologues pressés, où l'érudition l'emporte largement sur la pensée. Souvent, les auteurs des « communications » ne se soucient même pas d'énoncer leurs hypothèses, parfois inexistantes. Si chaque livre ou article était, avant publication, lu et critiqué par deux collègues qualifiés et vigilants, et modifié en conséquence par son auteur, le progrès de la connaissance en serait sensiblement amélioré.

Initialement, je ne voulais nommer personne, sauf Roland Barthes, qui en a vu d'autres. Mais pour se débarrasser de mes dénonciations, on m'aurait fait passer pour un Don Quichotte, qui enfonce des portes ouvertes et critique des interprétations que personne n'a jamais soutenues. Comment faire ? « J'aime à parler des personnes avec civilité, et des choses avec liberté », disait un contemporain de Racine, membre fondateur de la très honorable Royal Society, l'Académie des sciences britannique [1]. Pour éviter la critique facile, qui ne prouve rien, je ne cite que des chercheurs de grande autorité, pour lesquels j'ai moi-même une profonde admiration [2]. Et je ne conteste que tel point particulier de leurs travaux, sur lesquels il m'arrive de m'appuyer dans d'autres chapitres de ce livre [3].

---

[1] Robert Boyle, *Præmial Essay*, London, 1662. Cité par H. Le Bras, *Le Démon des origines*, Ed. de l'Aube, 1998, p. 12.

[2] Ceci ne vaut pas pour les essayistes visés au chapitre 1, ni pour les journalistes et les metteurs en scène dont je parle au chapitre 13. Je les connais trop peu pour porter un jugement global sur leur travail. La validité de ce que j'en dis se limite aux exemples que je cite.

[3] Puisque je ferai plusieurs réserves sur la présentation des tragédies de Racine dans la nouvelle édition de la Pléiade par Georges Forestier, je voudrais préciser ici mon jugement d'ensemble sur ce travail. Pour la lecture et l'appréciation des œuvres, le texte de la dernière édition me paraît préférable, pour l'excellente raison que Racine l'a amélioré au fil des publications ; mais pour une étude approfondie mieux vaut partir des éditions originales pour en

La dénonciation des erreurs d'interprètes qualifiés montre qu'il est difficile de s'habituer à certaines lectures, même en reconnaissant leur pertinence, de se défaire de vieux réflexes, et par exemple de renoncer à considérer les *acteurs* [1] comme de vrais personnages ayant leur caractère propre — ce qu'ils sont d'ailleurs, dans la mesure où cette apparence est une convention nécessaire au fonctionnement du théâtre classique. Je suis persuadé que les collègues critiqués ici pourraient me rendre la politesse, montrer que telle de mes interprétations est absurde d'un certain point de vue, et découvrir dans mes travaux des affirmations contraires aux principes proclamés dans ce livre. Je n'aurais d'ailleurs pas pris tant de plaisir à l'écrire si je n'y réglais pas implicitement certains comptes avec moi-même.

« Rien de précis ne correspond à ce que l'on entend communément par "vérité", sinon un processus infini de dépassement d'erreurs » [2] par de nouvelles hypothèses destinées à être remplacées à leur tour. Je ne dis donc pas la vérité sur Racine. En revanche j'espère avoir accompli un travail scientifique en expliquant les moments tragiques de son œuvre par un modèle, une structure signifiante qui tient compte des particularités organiques du théâtre, englobe les phénomènes observables et leur donne sens sur la base de la conception de l'homme qui était celle de ce temps-là. « Est "scientifique" toute élaboration théorique d'un champ de phénomènes qui réduit

---

suivre les transformations. Autre avantage, G. Forestier publie toutes les réactions des contemporains, inutiles et parfois rébarbatives pour des amateurs, mais fort utiles pour les chercheurs. Enfin sa reconstruction du travail de Racine, bien qu'inévitablement hypothétique, me semble généralement probable : elle réunit toutes les connaissances acquises, et y ajoute d'autres explications, généralement avisées. Bref, de l'excellent travail — mais fâcheusement incomplet. Dans ces quelque cinq cents pages de préface, notices et notes, il n'y a presque rien sur la beauté des tragédies, les émotions qu'elles procurent, leur signification, la vision de l'homme qui les sous-tend. C'est, dit l'auteur, pour rester objectif et pour préserver la liberté du lecteur. Mais peut-on parler objectivement d'une œuvre littéraire, qui n'existe que dans une lecture subjective (cf. chapitre 8) ? Et y a-t-il une véritable liberté d'un lecteur livré à lui-même face à une œuvre qui relève d'une condition humaine et d'une vision de l'homme révolues, et qui a fait l'objet d'un immense travail d'interprétation, si on ne lui présente ni cette condition, ni cette vision, ni ces interprétations ?

[1] C'est ainsi que l'on désignait ce que nous appelons les personnages — terme qui prête à confusion (cf. chap. 4).

[2] Jean-Paul Jouary, *Enseigner la vérité ?*, Stock, 1996, p. 9.

l'arbitraire de la description, pourvu que cette élaboration fasse appel à des procédés suffisamment formalisés pour être admis comme légitimes par le consensus collectif » [1]. Je ne souhaite pas imposer mon point de vue, mais démontrer la validité d'une lecture différente de celle où nous engage la tradition et la confusion spontanée entre fiction artistique et vie réelle. Je propose une alternative pour inviter à des interprétations réfléchies, fondées sur un examen critique d'approches différentes. On ne pense vraiment qu'en dépassant ses conceptions pour tenir compte des objections d'autrui et des réponses de l'expérience, en rectifiant ses erreurs et en replaçant ses certitudes dans un système plus large, qui en modifie le sens.

« Je conçois assez mal une forme de rapports entre maître et disciple où le premier se bornerait à tolérer la critique sans en encourager l'expression de manière active », dit Karl Popper [2]. Ce livre n'est même pas celui d'un maître : il n'attend pas de disciples, mais des lecteurs vigilants.

---

[1] René Thom, dans J. Hamburger, *La Philosophie des sciences aujourd'hui*, Gauthier-Villars, 1986, p. 55.
[2] *Conjectures et réfutations*, Payot, 1985, p. 228.

Chapitre 1

Le chef-d'œuvre ou les ragots ?
Jean Racine est-il l'auteur de Phèdre ?

Bérénice est un chef-d'œuvre : elle nous offre une épreuve affective, un parcours dramatique, une sublimation stylistique d'une rare, qualité, suivis, si nous le voulons bien, d'une enrichissante méditation sur la condition humaine. On devrait se précipiter sur une expérience aussi exceptionnelle. Pourtant certains lui préfèrent quelques petits ragots inventés tout exprès pour ébaubir les badauds.

Le 21 novembre 1670, les comédiens de l'Hôtel de Bourgogne créent la *Bérénice* de Racine : le 28, leurs rivaux — la troupe de Molière — donnent *Tite et Bérénice* de Corneille. Quel match ! D'où vient cette coïncidence ? Ce n'est qu'en 1719 (du moins à notre connaissance) qu'apparaît une explication féerique : c'est la belle-sœur de Louis XIV, Henriette d'Angleterre, la sémillante « Madame » [1], qui a mis en concurrence les deux plus grands dramaturges du moment. Pourquoi cette piquante initiative, dont on parle tant depuis, n'a-t-elle eu aucun écho à l'époque ? Certains affectent de croire que tous les témoignages ont disparu. C'est faux. Nous avons plusieurs réactions immédiates, et même trois longues dissertations sur ces deux pièces : elles ne soufflent mot d'Henriette d'Angleterre. Six ou sept ans plus tard, deux auteurs expliquent cette concurrence par le « hasard ». Et si jamais ce terme cachait une insinuation maligne, ce serait contre l'un des auteurs et non pas contre une grande princesse.

Mais, dit-on, Madame a peut-être voulu garder le secret jusqu'à la création, et elle est morte cinq mois avant — à vingt-

---

[1] Sous l'Ancien Régime, *Monsieur*, *Madame* et *Monseigneur* désignent le frère, la belle-sœur et le fils du roi.

six ans, la pauvre, et tout soudain ; empoisonnée bien sûr : par qui ? pour quelle sombre histoire passionnelle ? Non : les princesses étaient sans cesse entourées de suivantes, de confidentes et de galants. Une belle-sœur de Roi-Soleil se devait de donner à ses idées la publicité qu'elles méritaient. Et l'ambitieux qui avait déjà dédié *Andromaque* à Madame pour « éblouir les yeux de [s]es lecteurs » n'aurait pas manqué d'invoquer ce prestigieux patronage d'un duel dont il sortit brillamment vainqueur. Car lui au moins était nécessairement dans le « secret ». Il ne vous reste qu'à imaginer que la princesse, sur son lit de mort, renonçant aux méchancetés de ce monde, commande à tous

> qu'en un profond oubli
> Cet horrible secret demeure enseveli.
> (*Phèdre*, v. 719-720)

Bref, ce miroir aux alouettes a longtemps empêché de voir la très probable réalité : l'ambitieux Racine, qui venait d'agresser violemment Corneille dans la préface de *Britannicus* (où il traitait un sujet historique et politique pour s'imposer sur le terrain de son rival) a su que celui-ci travaillait sur la séparation de Titus et de Bérénice : il a décidé de le battre sur son propre sujet. Cette hypothèse n'a pas pour seul avantage d'être plus solide que l'autre. Elle a le mérite de servir à quelque chose. Elle explique les principaux caractères d'une pièce où Racine s'est appliqué à se démarquer de son rival : la poésie de l'amour et de la tristesse, et cette fameuse simplicité dont sa préface prétendra faire une règle de l'art dramatique.

Mais revenons aux bobards à badauds. Savez-vous d'où vient le sujet de *Bérénice* ? C'est une transposition de la nécessaire et douloureuse séparation de Louis XIV et de Marie Mancini, l'une des charmantes nièces du cardinal Mazarin, qui s'aimaient ardemment. Cette fois, l'anecdote est véridique. Cet amour se prolongea de décembre 1656 au plus tard jusqu'en septembre 1659 au moins. On rêva mariage, paraît-il. Mais quelle mésalliance pour un roi de France ! Mazarin et la reine-mère imposèrent la séparation. Non sans difficulté. « Je vous en conjure pour votre gloire, pour votre honneur, pour le service de Dieu, pour le bien de votre royaume », écrivait le cardinal.

La situation est évidemment analogue à celle de Titus et Bérénice. Mais une ressemblance ne prouve pas une transposition. Outre qu'elle n'est pas nécessaire, puisque l'histoire romaine fournissait un sujet pleinement satisfaisant, cette hypothèse se heurte à deux objections décisives. Le premier témoignage que nous ayons est postérieur de trente-neuf ans et favorise le scepticisme. Le 15 octobre 1709, la nouvelle belle-sœur de Louis XIV écrit : « Je ne savais pas que le roi et Madame Colonne [1] en eussent fourni le sujet ». Mais si cette gazetière friande d'anecdotes, arrivée à la cour un an après la création de *Bérénice*, ignorait ce croustillant potin, c'est bien la preuve que personne n'en parlait. De plus, quand Corneille et Racine s'intéressent à l'héroïque séparation de Titus et Bérénice, Louis XIV, outre les quatre bâtards que lui a donnés Mlle de La Vallière, a depuis 1667 une nouvelle maîtresse attitrée, la brillante Mme de Montespan, dont le mari a fait tant de bruit qu'il a fallu l'enfermer en septembre 1668, et le pousser en Espagne en décembre 1669. Etait-il judicieux de rappeler au roi l'époque où il maîtrisait sa passion ? [2]

Je signalerai sans m'y attarder cinq autres hypothèses de même acabit. « La véritable Andromaque » serait Henriette de France, fille d'Henri IV et veuve de Charles Ier d'Angleterre, exécuté en 1649 : elle était venue en exil chez nous avec son fils. Toutefois ce modèle d'Astyanax avait dix-huit ans à la mort de son père, il était remonté sur le trône en 1660, et l'on ne retrouve pas dans cette histoire les rôles de Pyrrhus, d'Hermione ni d'Oreste. Personne ne semble avoir proposé ce rapprochement avant 1924, bien que la pièce fût dédiée à la fille de cette princesse. Alors, Andromaque ne serait-elle pas plutôt Anne d'Autriche, étrangère et persécutée, restée veuve en mai 1643 avec un précieux orphelin de quatre ans et demi qui descend d'Astyanax-Francus et que la Fronde met en péril ? Racine a choisi son sujet au moment où elle venait de mourir (20 janvier 1666) : excellente façon de faire sa cour.

Ne trouvez-vous pas étrange que Racine, en pleine pudibonderie classique, ait l'audace d'écrire une tragédie de l'inceste ? N'y aurait-il pas « transporté » « quelque coupable tentation » (R. Jasinski) ? La Du Parc, son ancienne maîtresse,

---

[1] En 1661 on avait marié Marie Mancini au prince italien Colonna.

[2] Puisque l'empereur de Rome pourrait représenter le roi de France, l'on a aussi supposé que Bérénice était sa fameuse belle-sœur, qu'il regardait d'un œil coquin. Comme celle-ci eut une aventure avec le comte de Guiche, voilà le modèle d'Antiochus. Et puisque Racine écrit une douloureuse histoire d'amour, ne se souvient-il pas de sa chère Marquise Du Parc, dont la mort l'a séparé un an avant qu'il ne choisisse le sujet de *Bérénice* — créée par la Champmeslé, qui sans doute n'était pas encore devenue sa maîtresse.

avait deux filles : quand il écrit cette tragédie, elles ont seize et dix-huit ans. Vous avez tout compris : vous n'avez donc plus besoin de lire *Phèdre*. Abonnez-vous à *Paris-Match* ou à l'*Almanach Vermot*.

Esther serait un plaidoyer pour la congrégation toulousaine des Filles de l'Enfance, supprimée par le Conseil du roi en mai 1686 et défendue par le grand Arnauld ; *Athalie* un « manifeste interventionniste de Racine » appelant Louis XIV à chasser du trône d'Angleterre l'impie usurpateur Guillaume d'Orange pour y rétablir le catholique Jacques II [1]. Dans les deux cas, les analogies sont nombreuses, précises, frappantes. Seulement personne n'y fait allusion à l'époque — ce qui est bien étrange pour un manifeste officieux, qui fut joué en privé devant Jacques II lui-même, mais que le roi et son épouse décidèrent de ne pas montrer au public. Et de toute façon ces hypothèses ne peuvent guère modifier la lecture d'*Esther* et d'*Athalie*, tellement le texte y donne peu de prise — à moins de remplacer systématiquement la signification par l'allusion cryptée, ce qui revient à détruire les œuvres.

Car ma principale objection contre ces explications ne vient pas du fait qu'elles sont très probablement fausses, malgré des ressemblances apparentes. L'erreur scandaleuse, la faute contre l'esprit, est de croire qu'un chef-d'œuvre puisse être copié sur les apparences de la réalité. C'est congeler l'universalité de l'art, disponible pour de multiples interprétations, dans une anecdote ponctuelle, qui a pu tout au plus fournir une occasion à la réflexion et à l'imagination. C'est réduire un problème fondamental de la condition humaine à un événement conjoncturel, qui n'a d'importance que pour ceux qui y furent impliqués. Même si elles en étaient inspirées, *Andromaque*, *Bérénice* ou *Phèdre* ne seraient pas la transposition d'une histoire réelle, c'est-à-dire unique : ce sont des fictions poétiques et mythiques, destinées à mettre en scène un aspect majeur de la condition universelle des hommes [2].

---

[1] Ces deux hypothèses extrêmement invraisemblables ont été soutenues avec un luxe de détails par Jean Orcibal, par ailleurs auteur de travaux remarquables : les moyens de l'érudition et de l'intelligence peuvent être mis au service du meilleur comme du pire, et briller dans les deux cas (*La Genèse d'*Esther *et d'*Athalie, Vrin, 1950).

[2] Dans la mesure où il y a une condition humaine universelle... Mais bien des auteurs se comportent comme s'ils le pensaient . Les classiques croyaient même à une nature humaine universelle.

Mais pourquoi parler de telles stupidités, au risque de les propager ? Parce que ces oripeaux ressortent périodiquement. Je tente une vaccination. En 1958, quand René Jasinski, professeur à la Sorbonne et à Harvard, rassembla toutes les anecdotes et tous les fantasmes possibles en deux gros volumes intitulés *Vers le vrai Racine* (1050 pages au total), la réprobation des spécialistes fut vigoureuse et unanime. Pour une fois, même les ennemis étaient d'accord pour dénoncer « ce roman historique » qui « s'abandonne aux facilités de la fabulation » (Raymond Picard) et où « les ressemblances prolifèrent un peu comme les alibis dans le langage paranoïaque » (Roland Barthes). Mais les vieux démons peuvent se réveiller : aujourd'hui, bien plus qu'alors, un intellectuel c'est quelqu'un qui cause dans le poste sans avoir le temps de vérifier ce qu'il dit. Et n'importe qui peut lancer n'importe quoi sur internet. Or, l'on peut être fort intelligent et dire des sottises parce qu'on répète ce qu'on a lu sans l'avoir vérifié. Dans le dernier numéro d'*Œuvres et critiques*, qui veut faire le point sur la connaissance de Racine, je lis qu'il « est tombé en disgrâce du jour où, étourdiment, il a mentionné à l'adresse du Roi le nom et la personne du poète Scarron, premier époux de Madame de Maintenon » (p. 27). Les sources anciennes, elles-mêmes suspectes, attribuent cette étourderie à Boileau. Et en tous cas Racine ne fut jamais disgrâcié.

Voici donc quelques mises au point sur des problèmes qui ne se posent pas, mais pour lesquels on vous proposera peut-être de vieilles solutions romanesques :

> — *Le tendre Racine se montre-t-il sous son vrai jour dans* Andromaque, Bérénice *et* Iphigénie — *sans oublier* Alexandre *et* Esther ? Pas plus qu'ailleurs. A l'époque, on n'écrit guère avec son cœur. Si l'on a parlé du *tendre* Racine, c'était, conformément au sens de ce mot, pour dire qu'il était particulièrement émotif, et surtout sensible aux critiques, vulnérable. Si son œuvre recèle une dimension personnelle, ce n'est pas dans la peinture de l'amour et des beaux sentiments, mais dans celle des orphelins et des innocents persécutés, dans celle des frustrations affectives et des violentes ambitions, et, plus profondément, dans sa vision tragique (cf. chap. 10). Au demeurant ce fut pour l'époque un mari et un père exceptionnellement attentif.

— *A-t-il transposé dans ses pièces sa passion pour Marquise du Parc et pour la Champmeslé ?* Non. Encore une réduction anecdotique, à partir d'une idée probablement fausse. Racine eut pour ces remarquables actrices le désir et l'admiration qu'elles méritaient. Il leur fut sans doute attaché. On parla même de sa passion jalouse pour Marquise. Mais leur liaison ne dura sans doute qu'une année, pendant laquelle il écrivait... *Les Plaideurs*. Quant à sa relation joyeusement sensuelle avec la Champmeslé, elle n'eut probablement rien d'une passion tragique. C'est sans drame qu'elle avait parallèlement d'autres amants, et même un mari encore moins soucieux qu'elle de fidélité [1].

— *A-t-il empoisonné la Du Parc ?* Non. Elle est sans doute morte en couches, naturelles ou provoquées. C'était fréquent. Onze ans plus tard, lors de la grande enquête sur l'Affaire des poisons, la Voisin, principale inculpée, qui cherche à compromettre un maximum de gens bien placés, accuse le dramaturge d'avoir empoisonné la comédienne. « Les ordres nécessaires pour faire arrêter » le « sieur Racine vous seront envoyés aussitôt que vous les demanderez », écrit Louvois à l'un des rapporteurs, le 11 janvier 1680. Il n'y eut pas de suite. N'invoquez pas les hautes protections qui entravent le cours de la justice. Louis XIV avait décidé de faire toute la lumière, sans épargner personne. Le maréchal duc de Luxembourg, l'un des plus grands seigneurs du royaume, et le meilleur chef de guerre depuis la mort de Turenne et la retraite de Condé, fort apprécié du souverain, passa quatorze mois à la Bastille sur de fausses accusations.

---

[1]   De six amants, contents et non jaloux,
        Qui tour à tour servaient madame Claude,
        Le moins volage était Jean son époux.
        Un jour pourtant, d'humeur un peu trop chaude,
        Serrait de près sa servante aux yeux doux,
        Lorsqu'un des six lui dit : « Que faites-vous ?
        Le jeu n'est sûr avec cette ribaude ;
        Ah ! voulez-vous, Jeanjean, nous gâter tous ? »
C'est sans aucune certitude que certains ont attribué cette épigramme à Racine. Mais peu importe. D'autres témoignages permettent d'assurer que c'est une simple exagération de la réalité.

C'est seulement en 1682 que le roi, effrayé par la mise en cause de sa maîtresse, Mme de Montespan, étouffe l'affaire. Au cours de l'enquête, une inculpée « raconte fort au long l'empoisonnement de la Du Parc » : mais il s'agit d'une homonyme, et non pas de l'actrice.

— *Racine était-il un ange, calomnié par des rivaux jaloux et des historiens mesquins ?* Non. Il était violemment agressif, par réaction d'ambitieux et d'homme anxieux, vulnérable. De nombreux témoignages le montrent. Après son retour à la foi, cette tendance ne s'atténuera que lentement. J'espère qu'on ne ressortira plus la « société des quatre amis » (Boileau, Racine, Molière, La Fontaine), comme à l'époque où la France était plus belle qu'aujourd'hui, et apprenait à ses enfants qu'une corneille, assise sur une racine de bruyère boit l'eau à la fontaine de Molière. Racine est né à La Ferté Milon, comme la femme de La Fontaine, qui était, lui, de Château-Thierry, à vingt-huit kilomètres. Ils se fréquentèrent beaucoup à Paris pendant leur jeunesse et resteront assez liés toute leur vie. A la même époque, le dramaturge rencontre dans les cabarets Boileau, qui n'apprécie guère ses tragédies jusqu'à *Bajazet*. Mais à partir de 1674 ce seront d'intimes amis. Molière avait monté *La Thébaïde*, après que les deux autres théâtres parisiens avaient refusés les deux premières pièces de Racine. Ce fut plutôt un échec. Il créa aussi *Alexandre*. Dès qu'il constata le succès, Racine, par une trahison sans précédent, donna sa pièce à la troupe de l'Hôtel de Bourgogne, plus appréciée pour la tragédie. Ce fut la brouille définitive. Enfin, il est hautement invraisemblable que Racine ait demandé conseil à Corneille ou qu'il ait lu son *Alexandre*. Il était trop conscient du fait qu'il prenait le contrepied de l'anthropologie et de l'esthétique cornéliennes, et trop fin pour demander conseil à celui qu'il rêvait de supplanter.

— *De 1667 à 1677, Racine écrit sept chefs-d'œuvre. Et après le plus beau d'entre eux, il s'arrête soudain. Quelle paralysie, quel drame intime peut expliquer ce silence ?* Il n'y eut ni crise, ni silence [1]. Peu après

---

[1] Il est regrettable de retrouver ce thème dans un ouvrage tout récent, publié dans une collection sérieuse. « Pourquoi, après avoir atteint un tel degré de

Phèdre, Racine fut chargé, avec Boileau, d'écrire l'histoire du plus grand roi de tous les temps depuis Alexandre. Ce n'était plus le moment de gribouiller pour des comédiens. Un incendie nous a débarrassé de ce gros ouvrage, auquel il travailla pendant vingt ans.

— *Quelles sont les causes de la disgrâce finale et comment Racine y a-t-il réagi ?* Il n'y a pas eu de disgrâce. Seulement une alerte passagère. Les souverains ont parfois leurs humeurs. Racine a cru qu'on l'avait « fait passer pour janséniste dans l'esprit du Roi ». Il écrit à Mme de Maintenon pour se justifier (4 mars 1698). Mais il le fait de Marly, où Louis XIV n'invitait qu'un petit nombre de privilégiés. Et nous ne savons pas si cette lettre fut jamais envoyée. La faveur de Racine fut éclatante jusqu'à sa mort.

— *A partir de 1682 environ, Louis XIV devient dévot, Racine aussi : hypocrisie de courtisan ?* Non. Son retour à la foi est sincère et de plus en plus profond. Parler d'hypocrisie, c'est contredire de nombreux témoins pour s'appuyer sur un seul et sur des chansonniers, dont le métier est de dénoncer les apparences, qu'elles soient fausses ou pas. Et c'est insulter à la mémoire de celui qui écrivait en secret l'*Abrégé de l'histoire de Port-Royal*, au lieu de se consacrer entièrement à celle du roi, qui persécutait Port-Royal.

Ces réponses expriment la position de tous les spécialistes, de tous ceux qui ont pris le temps de remonter aux sources et d'examiner les arguments avancés de part et d'autre. De plus, aucune de ces questions sur Racine n'aide à mieux comprendre et apprécier les seules choses qui importent : ses chefs-d'œuvre. Si vous entendez parler d'un livre qui traite de ces problèmes, achetez plutôt un bon polar.

Mais ce chapitre n'a pas pour seul but de faire la liste des questions qui n'ont aucun intérêt. C'est aussi une introduction à l'une des thèses majeures de ce livre, qui est un plaidoyer pour l'exemplarité des chefs-d'œuvre, un pamphlet contre ceux qui

---

perfection dans son art, Racine observa-t-il un silence de douze ans [...] ? Nul ne le sait, et les hypothèses les plus variées ont été avancées par les commentateurs » (L. Acher, *Jean Racine, Phèdre*, P.U.F., coll. Etudes littéraires, 1999, p. 16).

les lisent comme des récits d'événements singuliers survenus à des personnes réelles. Contre ceux qui vont en pèlerinage à la Montagne Sainte Victoire sans comprendre que ce paysage ne fut pour Cézanne qu'un support qu'il réorganisa en œuvre d'art, en rapports de formes et de couleurs producteurs d'effets esthétiques et affectifs. L'essentiel n'était pas dans le paysage, mais dans le travail qui a inscrit dans sa représentation à la fois un problème — un rapport à l'homme et au monde — et sa solution : un ordre harmonieux.

Bérénice n'est ni l'histoire de Louis XIV et Marie Mancini, ni celle de Titus et Bérénice, déjà transformée par Suétone en formule littéraire, c'est-à-dire en problème humain énoncé sous forme de paradoxe harmonieux : « *dimisit invitus invitam* » : « il la renvoya malgré lui malgré elle ». Le travail de Racine ne consiste pas à reproduire cette histoire, mais à en raffiner la composition pour en faire un cas exemplaire qui suscite le maximum d'émotion, de satisfaction et de réflexion. Auteur tragique, il montre en général que nous ne pouvons être heureux parce que nos passions d'êtres déchus, condamnées par notre propre conscience, et rejetées par les figures idéales qui en sont les objets, se retournent en fureurs funestes. Dans l'histoire de Titus et Bérénice, il a trouvé un exemple complémentaire : même chez des êtres de haute qualité morale, le bonheur est impossible parce que leur conscience leur impose de renoncer volontairement à leurs plus chers désirs : héroïsme admirable et funeste. *Bérénice* est la mise en scène et en style, sous forme de poème dramatique, de cette idée générale, de ce schéma fondamental, à travers l'aventure fictive de figures poétiques qui vivent intensément dans notre imagination, mais qui n'ont aucune réalité en dehors d'elle.

*
* *

Une erreur élémentaire de raisonnement consiste à prendre un mot pour un autre, c'est-à-dire à se tromper d'objet ou de concept sans même s'en apercevoir. Dans nos soliloques d'intellectuels, les conséquences de telles erreurs sont invisibles. Je regrette que la formation de tout étudiant ne comporte pas un stage de voile pour faire l'expérience de ce qui arrive quand on confond « lofe » et « abats », qu'on ne sait pas le nom précis de tous les bouts de ficelle, et qu'on remplace *tribord* et *babord* par les notions toutes relatives de *droite* et de *gauche*. L'un des principaux efforts des maîtres de Port-Royal était d'habituer leurs élèves « à ne se pas éblouir par un vain éclat de paroles vides de sens, à ne se payer pas de mots ou de principes obscurs » [1].

Le problème se pose notamment quand il s'agit des êtres humains, bien plus complexes que les objets ou même les concepts. On croit désigner précisément M. Untel, parce qu'on dit son nom, le nom propre qui le distingue. Mais en fait il n'a d'unité, d'*identité* qu'en apparence : chacun de nous a autant de facettes que de casquettes. Je me souviens d'avoir pris deux jours de taule pour avoir répondu « Jean Rohou » à quelqu'un qui me demandait mon nom. La bonne réponse était « 2e C. S. T. Rohou, mon capitaine » [2].

Qu'est-ce qu'une nouvelle ? C'est ce à quoi l'on ne s'attendait point. A l'heure de l'information reine du monde, le bobard qui dément les vérités les mieux établies a quelque chance d'être un *scoop*. L'astucieux illuminé qui a soutenu, en 1988, que Corneille avait écrit les comédies de Molière a eu les honneurs d'un débat sur TF1. Et la réédition d'un pamphlet de 1688 prétendant que la femme de Molière était sa propre fille a entraîné, en 1997, un long article dans *Le Monde des Livres* [3]. N'avez-vous jamais rencontré l'un de ces obsédés qui, au lieu de méditer sur ces chefs-d'œuvre, n'a qu'une angoisse : savoir si l'auteur de *Hamlet* et de *King Lear* était vraiment Shakespeare. Question doublement stupide. Car les documents ne permettent aucun doute : c'était bien lui. Ou plutôt c'était son imagination, appuyée sur sa culture, ses réactions intimes à la vie et son expérience d'acteur : toutes choses sur lesquelles son patronyme ne peut rien nous apprendre et qui — sauf la dernière — seraient même invisibles sur le film de sa vie si nous pouvions en avoir un. Conclusion : si l'on découvrait demain que l'auteur de *Hamlet* s'appelait Tartampion, ce serait un *scoop* pour les badauds, mais pour ses lecteurs cela aurait la même importance que si votre *Monoprix* devenait soudain *Prisunic*, tout en offrant les mêmes produits à la même place et au même prix.

---

[1] Nicole, *De l'éducation d'un prince* (1670), I, 19.

[2] Ça veut dire : cannonier, servant, tireur de deuxième classe. C'était dans l'artillerie antiaérienne, pendant les « évènements » d'Algrie. Un corp d'élite, où j'ai appris à ne confondre nulle chose avec rien. Dommage que les rebelles n'aient pas eu d'avions : on gagnait la guerre

[3] J'emprunte ces informations à Jean Emelina, *Racine infiniment*, SEDES, 1999, p. 49.

Supposons qu'un voisin de Racine ait survécu jusqu'à nous. Son témoignage nous éclairerait-il ? Oui si vous croyez que votre curé est tout à fait le même quand il fait sa popote et quand il prêche l'Evangile. Mais vous vous trompez : il ne mobilise pas les mêmes capacités ni la même vision de l'homme dans ces actes si dissemblables. L'auteur de *Bérénice* écrit pour émouvoir et séduire afin de satisfaire son ambition, tout comme le courtisan de Louis XIV et l'amant de la Champmeslé, mais c'est par une thématique et un art bien différents. « Un livre est le produit d'un autre moi que celui que nous manifestons » dans notre vie observable : « le moi de l'écrivain de se montre que dans ses livres », comme Proust l'a rappelé à Sainte-Beuve. Celui-ci n'appréciait pas un homme qu'il avait approché sous le nom d'Henri Beyle. « Si vous l'aviez connu, comme moi ! » disait-il aux admirateurs de *La Chartreuse* — qui n'en avaient rien à faire, car c'est à un autre homme qu'ils pensaient : un certain Stendhal qu'ils imaginaient à partir de son œuvre. Chaque individu change non seulement selon les domaines, mais, pour un même domaine, selon les époques. L'ambitieux de vingt-huit ans qui écrit *Andromaque* pour flatter les mondains, en 1667, n'est pas le même que le dévot de cinquante et un ans qui compose *Athalie*, en 1690, pour édifier sévèrement ses contemporains. Et le monde qui entourait ces deux hommes était lui aussi différent, comme il l'est presque toujours à vingt trois ans de distance. Transposons pour mieux voir : la vie était-elle la même en 1990 qu'en 1967 (avant le chômage, mai 68 et la pilule et quand plus d'un Français sur cinq votait communiste) ? Ou en 1967 qu'en 1944, en 1944 qu'en 1921 ? Il est vrai que notre siècle va plus vite que le XVIIe. Mais la différence n'est que relative.

Les biographies sont à la mode : la curieuse anecdote se vend mieux que la pensée, trop dangereuse en temps de crise. Mais méfions-nous. « Toute la passion du monde, tous les incidents, même les plus émouvants, sont incapables du moindre beau vers », et le processus de la création « est indépendant des aventures, du genre de vie, des incidents et de tout ce qui peut figurer dans une biographie » (Paul Valéry). Or, bien que la vie et la personnalité sociale d'un orphelin de basse origine devenu un favori du roi, l'amant des deux plus célèbres tragédiennes de l'époque et l'un des plus grands auteurs de tous les temps, ne soient pas en elles-mêmes sans intérêt, personne n'y consacrerait de livres s'il n'y avait d'abord ses chefs-d'œuvre.

Pour la plupart des gens, le problème est simple : ils ne connaissent Racine que par les titres de ses œuvres et de vagues souvenirs sur certaines d'entre elles. Mais d'autres prennent la plume pour nous rappeler des anecdotes qui n'ont rien à voir avec l'art ni la pensée de l'auteur de *Phèdre*. Ou bien l'on attribue à l'homme ce que l'on voit dans l'œuvre : un tempérament passionné, une admirable connaissance du cœur humain, et pour couronner le tout du génie — ce qui explique tout par un mystère incompréhensible.

Nous n'avons pas une ligne de confession de Racine pour la période qui va d'*Alexandre* à *Phèdre* ; toute sa correspondance de ces années-là a été détruite par lui-même ou par ses fils. Pourtant une biographie utile — c'est-à-dire qui reconstitue l'auteur pour expliquer l'œuvre — n'est nullement impossible, à condition de voir ce qu'était l'écriture littéraire au XVIIe siècle : un travail soumis à des traditions, à des règles et à une demande sociale, et animé par la vision contemporaine de l'homme, et, accessoirement, par une problématique personnelle. Or, dans le cas de Racine nous connaissons bien toutes ces données, sauf la dernière que nous pouvons reconstituer avec une solide probabilité.

L'auteur classique cherche moins l'originalité que la conformité aux règles d'un art dans l'adaptation d'un patrimoine. Racine est un artisan de la tragédie classique, de l'alexandrin, de la langue française, du style noble et de la composition rhétorique. Toutes ces choses étaient alors soumises à des règles que nous connaissons, et nous en avons de nombreux exemples antérieurs ou contemporains. Nous savons quelles étaient les finalités esthétiques, affectives et morales de la tragédie selon Aristote, selon les théoriciens du XVIIe siècle et dans la pratique de l'époque.

Nous connaissons aussi précisément les sources des diverses pièces de Racine, qu'il suit d'assez près. Enfin une tragédie exprime, plus ou moins nettement, une vision de la condition humaine, qui peut, à l'époque, être épique, héroïque, romanesque, galante, pathétique ou tragique. On trouve tout cela chez Racine, mais ce sont les trois dernières catégories qui dominent, et c'est la vision tragique, rare chez les dramaturges antérieurs, qui constitue son originalité. Ce n'est pas une invention à partir de rien, mais une utilisation de l'anthropologie augustinienne alors largement dominante : elle lui avait été particulièrement inculquée à Port-Royal. On peut donc comparer sa vision à celle qu'on lui avait enseignée et à celles des écrivains et moralistes contemporains. Bref, nous pouvons, sur tous les plans, mesurer son originalité. Reste à l'expliquer.

Elle est due en partie à l'attente des pouvoirs, des théoriciens et du public, qui s'imposait alors beaucoup plus aux auteurs qu'elle ne le fait depuis le romantisme, et qui variait selon les époques et les genres. Elle n'est pas la même en 1667, quand il rédige *Andromaque* qu'en 1636, quand Corneille composait *Le Cid*. Pour un même genre, à la même époque, elle varie selon que l'on écrit pour les gens du monde, avides d'émotions agréables, pour les doctes, soucieux de vraisemblance historique et d'édification morale, ou à la demande de la fondatrice d'une institution pieuse, épouse d'un roi devenu dévot. Racine est ambitieux, avide de plaire aux puissants et au public, particulièrement habile à répondre aux attentes. Pourtant ses œuvres ne sont pas entièrement conformes aux modèles antiques qu'il admirait ni aux demandes qu'il voulait satisfaire. Ce sont ces particularités qu'il faut isoler. Car c'est seulement en partant des effets que l'on a quelque chance de repérer leurs causes dans la multiple complexité d'une époque, d'une vie, d'une personnalité.

La biographie se justifie dans la mesure où elle ne se borne pas au récit anecdotique des événements survenus dans la vie d'un homme social qui est par ailleurs un auteur de fictions littéraires. Sa tâche est de reconstituer les apprentissages existentiels et culturels qui ont abouti à la vision de l'homme et à la compétence psychologique, dramaturgique et stylistique fondatrices de l'œuvre. Elle est surtout de retrouver, sous le travailleur socio-culturel, les motivations personnelles, en distinguant les stratégies conscientes (imiter tel modèle ou s'en distinguer, s'inscrire dans tel courant, répondre à telle attente du public) des aspirations intimes, parfois inconscientes, et dont le rapport à l'expérience existentielle est à construire. Car la fiction imaginaire peut raconter une expérience et reproduire le goût d'une vie, ou être inventée pour les fuir et les contredire. Et toutes les solutions intermédiaires sont possibles. Il s'agit somme toute (en tenant compte de la différence de possibilités et de contraintes entre réalité sociale et fiction littéraire) de définir le degré de réaction créatrice, l'angle selon lequel s'articulent l'expérience d'une condition humaine, d'une culture, d'un genre, d'une langue, et la réutilisation de tout cela en fonction des tendances d'une époque, réfractées à travers celles d'un individu.

« Les vraies conditions du travail littéraire tiennent à un système de forces et de contraintes dont l'esprit créateur n'est que le lieu de rencontre, somme toute accidentel et d'influence négligeable », écrit Genette, s'inspirant de Valéry. Je crois que cette formulation d'une vérité fondamentale est excessive dans ses derniers mots. La violence choquante d'Etéocle, Polynice et Créon, de Néron et Narcisse, la hardiesse des portraits d'Eriphile, de Phèdre, d'Athalie ne s'explique ni par les sources ou le genre, ni par l'attente du public : c'est la mauvaise conscience de l'ancien élève de Port-Royal qui y règle ses comptes avec les passions qui le travaillent.

*
*   *

Les honorables spécialistes de Racine ont été tantôt sceptiques et tantôt indignés par les essais récemment parus pour bénéficier du tricentenaire . On ne peut pas dire en tout cas que le souci de construire dans sa complexité le rapport entre l'homme et son œuvre y triomphe. Anne Delbée a publié dès 1997 un volume de 495 pages, intitulé *Racine. Roman.* Malgré ce dernier mot, l'ouvrage se présente comme une biographie. La quatrième de couverture énumère les questions auxquelles il prétend répondre : « Pourquoi Racine et Molière se sont-ils séparés si brutalement ? Racine a-t-il eu une responsabilité dans la mort de la Du Parc, sa maîtresse au moment de l' "affaire des Poisons" ? [1]. Après *Phèdre*, a-t-il abandonné le théâtre pour se rapprocher de la Cour ou par remords pour sa liaison scandaleuse avec la Champmeslé ? A-t-il trahi la marquise de Montespan au profit de Mme de Maintenon ? Est-il tombé en disgrâce pour avoir écrit une lettre " politique" au Roi après *Esther* et *Athalie* ? »

Certaines de ces questions sont historiquement absurdes ; d'autres ont déjà reçu une solide réponse. Ne parlons que de la première. Pour Anne Delbée, Racine a quitté Molière par jalousie — ils étaient tous deux amoureux de Marquise du Parc — et à cause des intrigues de la troupe contre lui. Aucun document ne corrobore ces hypothèses. En revanche, le registre de la troupe et divers contemporains donnent une explication précise : en pleine guerre des théâtres, à un moment difficile pour Molière (problèmes de santé, interdiction du *Tartuffe* puis de *Dom Juan*), Racine profite du succès d'*Alexandre*, créé par

---

[1] Marquise du Parc est enterrée le 13 décembre 1668 ; l'affaire des poisons dure de mars 1679 à juillet 1682.

Molière le 4 décembre 1665, pour donner aussitôt cette pièce à la troupe rivale, parce qu'elle avait meilleure réputation pour le jeu tragique. Scandaleuse trahison, dont il n'y a guère d'autre exemple. Pourquoi imaginer un roman puisque la réalité dépasse la fiction ?

A vrai dire, je serais ravi d'apprendre que ce *Racine* est excellent comme roman. Ce que je reproche à son auteur c'est de confondre l'histoire et la fiction, sans les articuler dans une honnête restitution romancée, comme le fait Rose Vincent, à partir d'une solide documentation, dans *L'Enfant de Port-Royal* [1]. Ce défaut devient scandale dans *La Suprême déclaration d'amour* [2], où Anne Delbée parle de Racine sur le ton de l'historien sans se soucier de correspondance entre ses affirmations et la vérité des faits.

« Plusieurs fois le jeune poète a essayé de se rapprocher de son aîné de 33 ans, Pierre Corneille », écrit-elle. « Racine lui-même est allé rendre visite au vieux roi de la scène, mais entêtement, pudeur, Pierre Corneille est resté sourd aux avances de son jeune rival ». En fait, la première préface de *Britannicus* atteste la violente agressivité de Racine envers Corneille. En revanche nous n'avons aucun document ni aucun témoignage sur d'éventuelles tentatives de rapprochement. Anne Delbée raconte que Racine avait sollicité l'avis de Corneille sur son *Alexandre*, et elle cite la réponse de celui-ci, telle que la « raconte Racine lui-même ». En fait cette citation est du fils cadet du poète, qui parle par ouï-dire : il avait six ans et demi à la mort de son père. *Alexandre*, qui transforme en galant le plus grand héros de tous les temps, va tout à fait à l'encontre de l'orientation de Corneille, et fut vivement critiqué par ses partisans : cette démarche de Racine paraît très improbable.

Le même Louis Racine rapporte que lors de la concurrence entre les deux *Phèdre*, les partisans de Pradon « retinrent les premières loges pour les six premières représentations de l'une et de l'autre pièce et par conséquent ces loges étaient vides ou remplies quand ils voulaient ». Pour la pièce de Pradon, les registres du théâtre démentent cette affirmation. Il serait donc prudent de ne pas l'étendre *à toute la salle* pour le théâtre où se jouait la tragédie de Racine et dont les registres ont disparu.

---

[1] Editions du Seuil, 1991.
[2] J. et D. éditions, Biarritz et Paris, 1996.

Les ennemis de l'auteur de *Phèdre* « menacent même [...] "d'avoir sa peau" dans une ruelle », écrit Mme Delbée. Elle fait allusion aux réactions suscitées par un sonnet attribué (probablement à tort) à Boileau et Racine, qui était gravement injurieux pour la duchesse de Bouillon et pour son frère, le duc de Nevers. Selon Tallemant des Réaux, contemporain généralement bien informé, un de leurs amis dit « qu'il fallait couper le nez » aux deux poètes. Effrayés, ils se retirèrent chez Condé, qui accommoda rapidement l'affaire. L'affirmation de Mme Delbée est une extrapolation... qui me rappelle l'agressivité de son cher Racine, qu'elle dit calomnié par les universitaires. Selon un témoin, qui lui aussi, sans doute, force un peu sa formule, à la veille de *Britannicus*, il était si nerveux qu'il « ne menaçait pas moins que de mort violente tous ceux qui se mêlent d'écrire pour le théâtre ».

Si Mme Delbée [1] insiste sur les attaques « des comédiens hostiles, des auteurs jaloux, des poètes envieux, des critiques mesquins » contre le pauvre Racine, c'est pour consolider sa conclusion : l'auteur de *Phèdre* « se sentit atteint comme jamais par cette cabale qui s'ajoutait à une profonde lassitude de ce monde agité de querelles. Peu à peu, il lâche, tourne le dos à la vanité, à la bêtise, à la noirceur de certaines âmes humaines. Une plus grande blessure s'ouvre au fond de son cœur ».

Elle répond ainsi à la question à laquelle est consacrée la première de ses trois pages d'historienne : « Qu'était-il donc arrivé à ce poète pour qu'il cesse ainsi d'écrire brutalement au lendemain de *Phèdre* [...] ? Je l'imaginais, le visage creux [...] au-dessus d'abîmes infernales [...]. Il commençait à déchiffrer l'Enigme [...]. Et c'était comme si la clôture d'un couvent désormais l'isolait [...]. Il renonçait au théâtre [...]. Je le devinais [...] rassemblant en silence toute une vie pour mieux s'en dépouiller [...]. Ce silence dans lequel il entrait, je voulais m'y glisser ».

Je croyais que la querelle entre Roland Barthes et Raymond Picard avait fait assez de bruit pour que nul de ceux qui étudient cet auteur ne pût ignorer *La Carrière de Jean Racine*, où Picard fait une remarquable mise au point sur toutes les étapes de sa vie. Il y dénonce notamment le mythe

---

[1] Projette-t-elle sur Racine un problème personnel ? Elle semble obsédée par ce drame du renoncement consécutif à « trop de calomnies, de moqueries, de critiques, de jugements hâtifs », comme elle le dit encore dans sa dernière page.

postromantique que ressuscite le lyrisme de Mme Delbée. Aucun témoignage contemporain ne fait allusion à ce drame intime, qui ne correspond nullement à la mentalité d'un auteur du XVIIe siècle. Racine n'est pas entré dans le silence. Il a cessé d'écrire des tragédies — jusqu'au moment où Louis XIV et son épouse lui en redemanderont pour Saint-Cyr — parce qu'il a été nommé, avec Boileau, historiographe de Sa Majesté. Chargé de rédiger l'histoire du plus grand roi de tous les temps, il ne pouvait plus écrire pour des comédiens. « Le roi a donné deux mille écus à Racine et à Despréaux en leur commandant de tout quitter pour travailler à son histoire », écrit Mme de Sévigné le 13 octobre 1677. L'auteur de *Phèdre*, ravi de cette promotion inespérée, qui couronnait son ambition, renonça au théâtre sans aucun tourment. Depuis quarante ans, cette démonstration de R. Picard n'a été sérieusement contestée par personne ; elle a été reprise par les biographes de Racine comme par les éditeurs de *Phèdre*.

Serge Koster est plus prudent — à défaut d'être modeste. *Racine, une passion française* (P.U.F., 1998) ne fait que 178 pages. Il y parle de son enfance, semblable à celle du génial dramaturge, de ses études au lycée Lakanal et en Sorbonne, de la mort de son père, de la mort de sa mère, de la mort de son ami Ponge, de l'enterrement de son ami Louis Marin, de la mort d'Ella Fitzgerald, et de « la *bat mitzvah* de [s]a nièce chérie ». Et encore de son ami Michel Tournier, de Proust et de tant d'auteurs qu'il connaît bien, et de la beauté de la langue française, et de tant d'événements culturels qu'il a marqués de sa présence. Et aussi de Racine : rien de neuf, mais une agréable promenade.

Je suis attristé de voir que journaux et même télévision exaltent le petit essai biographique agressif de Jean-Michel Delacomptée, *Racine en majesté* (Flammarion, 1999), alors qu'ils ne disent mot de travaux fondamentaux parus au même moment sur l'œuvre de cet auteur. Malgré le prestige de la Pléiade et l'influence de Gallimard, l'édition de Georges Forestier a dû attendre des semaines pour avoir dans *Le Monde* et dans *Le Figaro* des compte-rendus qui n'en disent rien : les auteurs de ces articles se bornent à développer leurs petites idées personnelles. Centré sur les quinze dernières années du poète, l'essai de J.-M. Delacomptée est allègrement écrit et très bien documenté. Mais il est parfois animé d'une hargne revancharde qui est scandaleuse. On a toujours le droit, et peut-être le devoir, de critiquer les autres, même si nul citoyen d'une démocratie pacifique ne peut être parfaitement assuré qu'il eût été grand résistant en période difficile. Il faut signaler l'arrivisme de Racine, et dénoncer certains comportements envers ses maîtres, Corneille, Molière ou d'autres concurrents. Il faut dire qu'il fut un peu plus flatteur qu'il n'était nécessaire. Tous ses biographes le font.

Mais on ne peut, sans un anachronisme qui frise l'inconscience ou la malhonnêteté, lui reprocher de ne pas exposer gravement sa situation, ses amis, sa famille, en volant au secours de causes qui n'étaient nullement les siennes. Ou de ne pas protester contre ce qui paraissait à tous parfaitement normal. Il ne s'élève pas contre la censure. Il ne plaint pas les Huguenots persécutés, ni les Bretons pendus pour s'être révoltés contre la tyrannique pression fiscale, ni les Allemands ou les Génois massacrés par nos armées. Il se réjouit même de leurs pertes. « Que l'ennemi puisse défendre une cause légitime, il paraît l'ignorer » (p. 33). Bref, « Racine a fait corps avec le régime le plus religieux et le plus policier qu'ait connu la France, le plus intolérant, le plus belliqueux, le plus hiérarchique, le plus explicitement fondé sur le culte du chef. Il s'est uni à cette hydre, il l'a aimée avec ardeur » et avec « la bonne conscience qu'inspire à tout le monde la pire des passions, celle du maître » (p. 42). Est-il possible de soutenir sérieusement que le régime de Louis XIV fut pire que ceux de la Ligue, des Terreurs rouge et blanche, des deux Napoléons ou de Pétain, ou que la répression de la Commune ? Pouvons-nous savoir ce que pensait vraiment Racine à partir de quelques discours officiels et d'une correspondance soumise au « régime […] le plus policier qu'ait connu la France » ? Et un universitaire [1] qui parle du XVIIe siècle peut-il oublier que monarchie et religion étaient alors, de l'avis quasi unanime, les meilleures choses au monde ? La révocation de l'édit de Nantes, qui mettait fin à l'hérésie, passa pour le plus grand exploit d'un règne exceptionnel. Si vous voyez que votre frère humain fait un choix qui va l'envoyer en enfer pour l'éternité, vous devez absolument tout faire, persécution comprise, pour le ramener dans la voie du salut. Il faut commencer à douter de sa foi — ou du moins de l'enfer — pour devenir tolérant, c'est-à-dire complice de suicides éternels.

L'ennui, c'est que cette hargne scandaleusement injuste sinon malhonnête contribue au succès du livre : critiques et

---

[1] J.-M. Delacomptée est maître de conférences à l'Université de Bordeaux III.

lecteurs savourent leur revanche sur la trop belle réussite de l'orphelin de La Ferté-Milon. Et même sur celle de l'auteur de *Phèdre*. Car J.-M. Delacomptée applique d'emblée à l'œuvre son rejet de l'homme tel qu'il le conçoit. « Il faut se demander ce que signifie pour nous, les modernes, cette élévation acquise par une servitude dont l'idée révolte notre idéal d'hommes libres [1]. Et en quoi nous conviennent les œuvres d'un thuriféraire inféodé à un monarque dont les pratiques, en forçant le crayon, prendraient les traits d'Ubu sous des latitudes exotiques. A lire certains admirateurs de l'art racinien, il semble que cet aspect ne compte pas, gommé, indifférent, jugeant sans doute que l'art n'a que faire des considérations politiques et sociales, qu'il relève d'un registre supérieur, dans un empyrée extérieur à l'histoire et aux souffrances du monde » (p. 43).

S'il y a une position dont on ne me suspecte pas, c'est bien celle-là. Mais je crois que tout le monde considère aujourd'hui que la fiction imaginée par un auteur n'est nullement la reproduction du caractère et du comportement de l'homme correspondant. Ce ne sont pas des choses du même ordre. Elles sont liées, mais par une relation complexe, à reconstruire avec prudence. Si l'on appliquait à M. Delacomptée le regard hostile qu'il porte sur Racine, on l'accuserait d'oublier quelques évidences, au mépris de sa déontologie, pour mieux vendre son livre. Je me contenterai d'être surpris : comment peut-il écrire que certains pensent que la poésie tragique n'a aucun rapport avec les « souffrances du monde » ?

---

[1] M. Delacomptée me paraît avoir suffisamment de talent pour ne pas manifester la servitude dont certains font preuve aujourd'hui pour faire carrière à l'Université — et peut-être dans d'autres corps de métiers.

Chapitre 2

La nature de l'œuvre littéraire :
réalités aléatoires ou fiction stratégique et allégorique ?

Tout le monde connaît le pompier de service qui se précipite sur scène pour sauver l'héroïne [1]. Peu importe que l'histoire soit inventée. Cette plaisanterie n'est qu'une façon de se distinguer, de signaler que « moi je ne fais pas d'aussi stupides confusions ». Mais pourquoi ai-je besoin de le signaler ? Tout en huant le bouc émissaire, on devrait toujours se demander de quel problème personnel on se décharge sur lui. En l'occurrence, il est facile de ne pas confondre la scène et la rue, comme l'a fait ce brave homme. Il l'est moins de distinguer dans le texte la fiction de la réalité dont elle s'applique à revêtir l'apparence, dans une littérature dominée par le principe de vraisemblance. Retournons donc notre ironie contre nous-mêmes.

Vous trouverez facilement de zélés secouristes pour vous expliquer comment il fallait faire *en réalité* pour éviter la catastrophe qui est la raison d'être de *la fiction* — c'est-à-dire pour détruire l'œuvre. Déjà Bussy-Rabutin faisait la leçon à Titus : « S'il eût parlé ferme à Paulin, il aurait trouvé tout le monde soumis à ses volontés. Voilà comment j'en aurais usé,

---

[1] Nous sommes bien habitués, aujourd'hui, à ne pas imputer à un comédien le caractère du personnage dont il joue le rôle. Ce n'était peut-être pas tout à fait le cas au XVIIe siècle. Dans *Britannicus*, le rôle de l'empereur fut créé par Floridor. « C'était un acteur aimé du public ; tout le monde souffrait de le voir représenter Néron, et d'être obligé de lui vouloir du mal » (*Boloena*, recueil de propos attribués à Boileau). Selon Corneille, lorsqu'une pièce représente les « infortunes » d'un « honnête homme », nous en sortons avec « une espèce d'indignation contre l'auteur et les acteurs » (*Discours du poèmes dramatique* ; *Œuvres*, Pléiade, t. III, p. 122).

Madame, et ainsi j'aurais accordé la gloire avec l'amour » [1]. En clair il aurait résolu le problème en supprimant le sujet même de la tragédie.

Chacun d'entre nous donne peu ou prou dans ce contresens réaliste. Si l'on nous demande de parler de *Britannicus*, nous exposons la situation et nous racontons l'histoire, privilégiant logique et chronologie, et oubliant qu'il s'agit d'une fiction, de théâtre, d'une vision tragique et de poésie. Voici un exemple curieusement significatif. Jacques Schérer est l'auteur de l'ouvrage de base sur *La Dramatique classique* (1950). Une « édition avec analyse dramaturgique » de *Bérénice* a été publiée sous sa direction en 1974. Elle est rédigée par six de ses « étudiants de l'Institut d'Etudes Théâtrales de l'Université de Paris III intéressés par la dramaturgie ». Or, c'est surtout une paraphrase réaliste et psychologique de l'évolution de la situation et des sentiments et comportements des personnages, auxquels on attribue des intentions, des savoirs ou des ignorances, comme s'il s'agissait de personnes réelles, existant en dehors du texte, qui ne nous dirait pas tout à leur sujet. « Chaque personnage de *Bérénice* ignore constamment les projets des autres, ou les motifs qui les poussent à agir » (p. 77). Après la grande scène de l'acte IV, où Titus a réussi à confirmer à Bérénice qu'il la renvoie, « Paulin, voulant éviter un revirement, s'empresse de parler de gloire. Il sait qu'après tout effort héroïque, une dépression et un abattement s'ensuivent généralement » (p. 119). « Antiochus rêve puis raisonne, puis se remet à rêver ; c'est pourquoi sans arrêt il passe du désespoir à l'espoir, puis à nouveau sombre dans le désespoir » (p. 87). Si Arsace commet des bourdes ce n'est pas parce que le dramaturge l'utilise pour faire réagir Antiochus, mais parce qu'il « méconnaît profondément le caractère amoureux » [2]. Même certaines observations qui concernent vraiment la dramaturgie sont fâcheusement réalistes : « L'exiguïté des lieux ne permet pas toujours aux personnages de rencontrer la personne de leur choix » (p. 65). Comme si des *acteurs*, dans le cadre de leurs rôles, étaient libres de leur choix et responsables de leurs erreurs !

---

[1] Lettre du 13 août 1671.

[2] Malgré l'absence de point d'exclamation je considère la phrase suivante comme humoristique : « N'ayant point lu *Andromaque*, il ignore que la colère de la femme abandonnée se reporte contre le messager » (p. 89).

Plus généralement, les éditeurs des tragédies de Racine se montrent attentifs à leur dimension pseudo-référentielle. Ils n'omettent pas de rattacher Néron, Agrippine et Britannicus, et même des personnages plus légendaires comme Andromaque ou Iphigénie aux personnes réelles qui portèrent jadis ces noms. Et parfois ils se montrent beaucoup moins soucieux de les définir par leur rôle dans la pièce, qui est leur seul cadre d'existence.

J'ai eu la surprise de trouver ce contresens réaliste jusque chez Giraudoux. Hermione ou Phèdre se présentent sur scène dans leur « nudité animale », écrit-il, sans « souci du spectateur » : « une impression de gêne vous étreint quand Phèdre se place face à Hippolyte, quand Roxane agrippe Bajazet, et la discrétion en effet consisterait alors à partir et à les laisser seuls » — comme si c'étaient des êtres réels dans leur intimité, et non pas des *acteurs*, qui *jouent* pour le *public*. Ce n'est sans doute qu'une façon de parler, chez un homme aussi subtil, lui-même auteur de théâtre. Mais les façons de parler ne sont pas innocentes : elles impliquent une perspective qu'elles induisent chez les lecteurs.

*

*   *

Même quand elle est empruntée, au prix d'une recomposition plus ou moins importante, à des historiens (qui étaient eux-mêmes plus soucieux d'effets littéraires et d'exemplarité morale que de stricte véracité), même quand elle est vraisemblable, comme elle le prétend dans la tragédie classique, l'action théâtrale n'est pas une histoire vraie, mais une fiction. Or, quelles que soient les ressemblances apparentes, il y a une radicale opposition entre le processus producteur de la fiction et celui de la réalité. Dans celle-ci les causes précèdent leurs effets, les événements leur signification et les caractères leur manifestation. Dans la fiction dramatique au contraire, l'auteur pose d'abord le dénouement, avec sa signification et avec l'émotion et l'impression esthétique qu'il laissera ; puis il calcule le parcours qui y conduira par une alternance d'événements positifs et négatifs, favorisant tour à tour l'espoir et la crainte. Et souvent la situation initiale, tout en impliquant la possibilité de ce dénouement, annonce surtout le contraire (cf. chapitre 3).

Cette stratégie ne concerne pas seulement la succession des événements sur l'axe diachronique, mais aussi bien leurs aspects synchroniques. Dans la réalité, les faits sont les causes des impressions, émotions et réflexions qu'ils suscitent. Ce sont au contraire les effets intellectuels, affectifs et esthétiques que l'écrivain vise d'abord, et il invente ou choisit et dispose les événements afin de les produire. Et pour justifier ces événements, pour assurer leur crédit auprès du public, il les met sous couvert d'une situation, d'une vérité générale ou de caractères eux aussi convoqués ou inventés à cette fin.

Dans la réalité, 1) je me suis couché fort tard après avoir bien bu ; 2) mal réveillé, j'accroche l'estrade et j'atterris dans la poubelle ; 3) certains ont ri : je les ai vus. L'auteur comique, lui, suit le cheminement inverse. Il veut d'abord faire rire ; puis il invente un gag pour cela ; et enfin il imagine une situation qui aboutisse à ce gag. Dans la réalité, 1) les personnes A et B existent, parmi des milliers d'autres ; 2) il n'est pas impossible qu'elles se rencontrent, et même qu'elles se croient faites l'une pour l'autre ; 3) mais leur amour se heurtera éventuellement à une incompatibilité qui conduira parfois à une issue funeste ; 4) cela suscitera peut-être émotions et réflexions dans leur entourage. Le processus productif de la fiction littéraire est inverse, et n'a rien d'aléatoire, même quand il s'en donne les apparences pour nous surprendre. De façon mi-consciente, mi-spontanée, l'auteur de *Phèdre* ou de *Madame Bovary* a d'abord voulu susciter telle émotion et telle réflexion ; pour cela, il a choisi un dénouement funeste ; c'est pour les provoquer qu'il a calculé tels rapports entre des événements (l'intrigue) et entre des personnages (la structure actantielle) ; ces rapports ont défini non seulement la rencontre entre les personnages mais la nature de chacun d'entre eux — même s'ils sont empruntés aux inépuisables magasins du passé, où l'on trouve tout ce qu'on veut bien y chercher.

Ce processus n'est pas entièrement conscient et délibéré. L'auteur — et surtout l'auteur d'une œuvre novatrice — ne connaît pas précisément d'avance les impressions et significations qu'il vise. Il est porteur d'un rapport au monde, aux autres et à soi-même dont il n'a pas une entière conscience, mais dont le charme ou l'insatisfaction anime son imagination créatrice et sa sensibilité, qui en contrôle les propositions. Il écoute son œuvre, il en teste sur lui-même les effets, au long de sa composition et de sa rédaction. Et c'est en fonction de ces effets, en fonction des satisfactions éprouvées, qu'il confirme ou modifie ce qu'il vient d'écrire. L'écriture, ce n'est pas une main guidée par une claire conscience, c'est une aspiration tâtonnante, rétroactivement contrôlée à l'oreille.

Confondre le processus aléatoire et progressif de l'existence réelle et le processus stratégique et rétroactivement calculé de la fiction, c'est commettre un contresens sur l'essence même de l'œuvre littéraire. C'en est un autre que d'accorder une importance majeure aux phénomènes visibles de cette fiction (les événements et les personnes) : car ils ont moins d'importance fondamentale que leur cause première (la vision de l'auteur) et que leurs effets qui sont leur cause finale (les émotions, les réflexions et le plaisir esthétique du public). Non seulement parce que ces causes et ces effets invisibles déterminent les moyens visibles imaginés pour manifester les unes et provoquer les autres, mais parce que l'œuvre n'est que le moyen fictif pour établir une communication, à travers des conditions réelles (le texte, la représentation), entre l'auteur et le public — ou entre une problématique réelle et une façon de l'aborder réellement à travers la représentation réelle d'une fiction. Il est évidemment plus simple de s'obstiner à croire que c'est l'histoire fictive qui est la base de l'œuvre et de ses effets. C'est reposant ; mais c'est faux.

En tant que lecteur ou spectateur, je dois « croire » à la fiction, y adhérer naïvement et l'éprouver dans son déroulement — tout en jouant néanmoins au détective sur le mode mineur : mon plaisir en sera pimenté. Mais quand j'étudie l'œuvre, je dois partir du fait qu'elle est construite selon des processus logiques et chronologiques inversés. C'est ainsi que je me plais à contempler le soleil levant et le soleil couchant — tout en sachant depuis Copernic qu'il ne tourne pas autour de la terre, mais que c'est l'inverse. Par nos sens, nous connaissons les effets perceptibles ; par notre intelligence, nous restituons les causes invisibles. Ces deux modes de connaissance ont leur pleine validité, mais en deux domaines différents : le premier pour l'existence immédiate, le second pour la science. L'important est de ne pas les confondre, surtout quand il s'agit d'un mécanisme dans le fonctionnement duquel nous sommes englobés, si bien que le témoignage des sens nous apprend _l'inverse_ du fonctionnement que restitue notre intelligence. C'est le cas du système solaire, ou du train et du bateau dans lesquels, si mon cerveau ne rectifie pas le témoignage de mes yeux, je vois défiler les berges vers l'arrière. C'est aussi le cas de l'œuvre littéraire qui n'existe pour moi qu'au moment où je m'y introduis pour éprouver les effets de son fonctionnement. Adhérer, éprouver affectivement et comprendre, analyser intellectuellement, voilà notre double tâche : la première attitude est une soumission au processus de l'œuvre, la seconde une domination qui le déconstruit.

*
*   *

Les contemporains de Racine étaient peut-être plus conscients que nous de tout cela. Car, n'ayant pas encore commencé à mettre en œuvre le programme cartésien de se « rendre comme maîtres et possesseurs de la nature »[1], ils n'avaient pas un esprit aussi réaliste, aussi soucieux des faits, de la vérité objective, de la logique productive. Même quand ils écrivaient l'histoire, tout cela leur paraissait moins important que les effets esthétiques et moraux de leurs ouvrages. Nommé historiographe du roi, Racine traduit pour sa gouverne une page de Denys d'Halicarnasse dont voici la première phrase : « La première chose que doit faire celui qui veut écrire l'histoire, c'est de choisir un sujet qui soit beau et agréable aux lecteurs ». Le public d'alors accordait plus d'importance que nous à la vérité morale et à la lecture symbolique. Et les auteurs se considéraient encore comme des artisans, des fabricants de « machines » pleines de beaux « artifices »[2].

Aristote oppose l'historien, « chroniqueur » du « particulier », de « ce qui a eu lieu », au poète, compositeur de modèles généraux, universellement valables, qui montrent « le type de chose qu'un certain type d'homme fait ou dit vraisemblablement ou nécessairement ». « Le rôle du poète est de dire non pas ce qui a lieu réellement, mais ce qui pourrait avoir lieu dans l'ordre du vraisemblable ou du nécessaire ». La cohérence de la signification commande « la composition des actions », c'est-à-dire « la fable »[3]. C'est pourquoi le poète doit

---

[1] *Discours de la méthode*, VI.

[2] On trouve à plusieurs reprises ce terme dans les appréciations de Racine en marge des auteurs grecs.

[3] L'une des difficultés de la traduction est de choisir, pour rendre un mot polysémique, entre plusieurs termes dont les diverses significations et connotations ne sont jamais identiques. R. Dupont-Roc et J. Lallot, dont je cite la traduction de la *Poétique* d'Aristote, rendent *muthos*, qui a donné *mythe* et qui équivaut exactement au latin *fabula*, par *histoire*. Dans mon

composer des « fables bien constituées [qui] ne doivent ni commencer au hasard ni s'achever au hasard », et dont les parties « doivent être agencées de telle sorte que, si l'une d'elles est déplacées ou supprimée, le tout soit disloqué et bouleversé » [1].

Nous venons de rencontrer deux notions fondamentales qui demandent explication parce que nous les comprenons aujourd'hui dans un sens tout différent sinon opposé. Dans notre mentalité scientiste, soucieuse de vérité concrètement démontrée, dans notre monde individualiste amateur de particularités, voire d'originalité, le vrai est nettement supérieur au vraisemblable, qui n'en est pour ainsi dire qu'un certain pourcentage. Pour l'idéalisme des Anciens et des classiques, le vraisemblable, conforme aux lois générales du réel et de l'esprit, est au contraire un modèle supérieur à la réalité événementielle, qui s'en écarte par ses particularités accidentelles. « La vérité ne fait les choses que comme elles sont ; et la vraisemblance les fait comme elles doivent être. La vérité est presque toujours défectueuse, par le mélange des conditions singulières qui la composent. Il ne naît rien au monde qui ne s'éloigne de la perfection de son idée [2] en y naissant. Il faut chercher des originaux et des modèles dans la vraisemblance et dans les principes universels des choses, où il n'entre rien de matériel et de singulier qui les corrompe », écrit le père Rapin (I, 24), qui est le plus subtil analyste de la poétique à l'époque de Racine. Chapelain, qui a joué le rôle principal dans l'élaboration de la doctrine classique, proclamait dès 1623 que la « vraisemblance étant une représentation des choses comme elles doivent arriver [...], la vérité se rédui[t] à elle, non pas elle à la vérité ».

Si la tragédie doit emprunter son sujet à l'histoire ou à une légende bien attestée, ce n'est pas pour reproduire la vérité factuelle d'un moment du passé. Ce n'est qu'un moyen d'accroître l'autorité du sujet, et par conséquent du problème dont il est une illustration exemplaire. C'est pourquoi l'on préfère la vraisemblance au vrai [3]. Chapelain parle même de la

---

raisonnement, qui oppose la fiction littéraire à l'histoire vraie, je rétablis, ici, comme dans les pages suivantes, la traduction traditionnelle, qui garde beaucoup de partisans : *fable*.

[1] *Poétique* 1450 b et 1451 a.

[2] Au sens platonicien de prototype idéal.

[3] « Il n'y a [...] que le vraisemblable qui puisse raisonnablement fonder, soutenir et terminer un poème dramatique ». C'est « l'essence du poème

« juste et nécessaire fausseté des poèmes ». L'idée principale des *Sentiments de l'Académie sur « Le Cid »* (1637) est que « l'art, se proposant l'idée universelle des choses, les épure des défauts et des irrégularités particulières que l'histoire [...] est contrainte d'y souffrir ». S'il est confronté à un sujet dont la vérité n'est pas conforme aux exigences logiques et morales de l'esprit et de la conscience, le poète doit se résoudre à la « changer tout entière ».

De la même façon, l'idéalisme moraliste du XVIIe siècle valorisait la notion de fable, dont sourit notre scientisme matérialiste. Pour les Anciens et les classiques, « l'usage de la fable est si essentiel à la poésie qu'il n'y a pas de poésie sans fable » (Rapin, I, 22) [1]. Elle n'est pas seulement « la fiction qui sert de sujet aux poèmes épiques et dramaturgiques et aux romans » [2], elle est véritablement « l'âme du poème » [3] — entendez : de l'œuvre littéraire. En particulier, « le principe et pour ainsi dire l'âme de la tragédie, c'est la fable » (Aristote, 1450a).

Or, contrairement aux mots que nous employons — sujet, thème, histoire, action, intrigue, scénario —, le terme de *fable* insiste sur le caractère *fictif* de l'histoire, qui permet de la *composer* de façon à lui donner une *vérité morale exemplaire*. « La fable [...] comprend l'invention et la disposition du sujet » [4]. C'est « l'agencement des faits en système » [5] de façon à

---

dramatique », « la première et la fondamentale de toutes les règles, et sans laquelle toutes les autres deviennent déréglées » (D'Aubignac, II, 2 et II, 7). Seul Corneille, partisan d'une dramaturgie de l'étonnement — qui est l'équivalent émotionnel du dépassement héroïque — préfère la vérité extraordinaire à la vraisemblance normalisatrice. « Les grands sujets qui remuent fortement les passions [...] doivent toujours aller au-delà du vraisemblable » et doivent par conséquent être soutenus par « l'autorité de l'histoire », sans laquelle ils « ne trouveraient aucune croyance parmi les auditeurs » (*Discours de l'utilité et des parties du poème dramatique*, 1660). A vrai dire, contrairement aux théoriciens, qui sont normalisateurs, tous les créateurs aiment ce qui est frappant et original, c'est-à-dire quelque peu extraordinaire : la passion de Pyrrhus pour sa captive, celle d'Eriphile et de Phèdre, le revirement de Titus le jour prévu pour son mariage...

[1] Cf. Françoise Graziani, La poétique de la fable : entre *inventio* et *dispositio*, *XVIIe siècle*, 182, janvier-mars 1984, p. 83-93.

[2] Furetière, *Dictionnaire*, 1690.

[3] *Dictionnaire* de Richelet, 1680.

[4] Chapelain, *Sentiments de l'Académie sur "Le Cid"*, 1637.

[5] Aristote, *Poétique*, 1450a.

satisfaire l'esprit, l'affectivité et le sens esthétique [1]. Bien que, dans la tragédie comme dans l'épopée, elle ait pour point de départ une grande action historique ou prétendue telle, la fable est avant tout une fiction bien composée. « La fable est une fabrique artificielle, composée d'événements feints et inventés, mais vraisemblables et fondés sur la vérité d'une action illustre et héroïque » ; sa particularité, sa « nature » propre est d'être « l'assemblage, la structure ou la composition des choses feintes » [2]. « La vérité et la fiction » sont « les deux parties essentielles qui composent la fable » : « elle est feinte et elle contient allégoriquement une vérité morale » [3].

L'on a beaucoup répété, depuis un tiers de siècle, que l'œuvre est une structure. Malgré les apparences, cette idée n'est pas nouvelle. Pour le XVIIe siècle, c'est la cohérence de la structure qui fait la beauté [4], et c'est en bonne partie la justesse de sa disposition qui rend la fable vraisemblable, conférant ainsi à cette fiction sa vérité morale. C'est par la modification de cette disposition que les auteurs expriment leur vision : la seconde Préface d'*Andromaque* s'achève sur une citation d'un scoliaste selon lequel « il ne faut point s'amuser à chicaner les poètes pour quelques changements qu'ils ont pu faire dans la fable », mais « considérer [...] la manière ingénieuse dont ils ont su accommoder la fable à leur sujet ».

Pour nous, depuis deux siècles, la poésie est un art du langage qui se distingue par l'originalité de sa vision subjective et de son style imagé, rythmé, phonétiquement expressif. C'est pourquoi, pensons-nous, sa particularité, depuis l'origine, était d'être écrite en vers. Pour Aristote au contraire, le poète est un « fabricant de fables et non de vers » (1451b). Tel est aussi l'avis des théoriciens du XVIIe siècle. C'est « le dessein » de l'œuvre, c'est-à-dire sa juste organisation en vue des effets recherchés,

---

[1] Le *Dictionnaire* de Richelet donne une définition plus précise, en insistant sur les dimensions dramatique et esthétique : « C'est l'action qu'on a choisie pour sujet du poème, embarrassée de quelque obstacle et accompagnée de ses plus belles circonstances et de ses incidents les plus naturels et les plus vraisemblables, rangés dans un ordre qui produise un bel effet » (1680).

[2] Le Moyne, *Dissertation du poème héroïque*, 1671, p. 10.

[3] Le Bossu, *Traité du poème épique* (1675), I, 7.

[4] Elle « ne consiste pas en telle chose, mais dans l'accord et l'équilibre de toutes, de façon qu'aucune partie ne puisse être déclarée supérieure, sans que l'harmonie des autres, aussitôt bouleversée, soit accusée d'imperfection », écrit Descartes dès 1628, reprenant une idée d'Aristote (cf. plus haut).

« qui donne la qualité de poète à celui qui a bien mis ses matériaux en œuvre », écrit Chapelain [1]. « La pureté de la diction [2], le nombre des vers et la richesse de la rime ne font que l'habillement du corps poétique », qui, une fois bien composé, « ne serait pas moins poème quand il ne serait point écrit en vers ». Et de rappeler « le mot de ce fameux comique, qui, ayant dressé le plan d'une pièce de théâtre dont il était pressé, dit à ses amis [...] : N'en soyez pas en peine, c'est une chose faite ; il n'y manque plus que les vers » [3].

C'est la même boutade que Louis Racine attribue à son père, que nous apprécions principalement pour sa vision tragique, sa psychologie et son style, mais qui accordait moins d'importance à tout cela qu'à la composition de son œuvre. « Quand il entreprenait une tragédie, il disposait chaque acte en prose. Quand il avait ainsi lié toutes les scènes entre elles, il disait : "Ma tragédie est faite", comptant le reste pour rien » [4]. La dernière formule est sans doute excessive, mais en juin 1661, préparant une pièce sur Ovide, Racine écrivait en effet : « J'ai fait un beau plan de tout ce qu'il doit faire et [...], ses actions étant bien réglées, il lui sera aisé après cela de dire de belles choses ». C'est ainsi qu'il travailla pendant toute sa carrière : nous avons le plan du début d'une *Iphigénie en Tauride*, qu'on suppose de 1673, et Mme de Caylus, qui jouait dans *Esther*, écrit elle aussi, vers 1728, soit près de vingt ans avant le fils du

---

[1] C'est, à l'époque, une idée courante, que F. Graziani retrouve aussi chez Le Tasse : « La principale fatigue du poète, après avoir choisi un sujet capable de perfection, consiste à savoir donner à son ouvrage la vraie forme et la disposition poétique. C'est en cela que se découvre pour ainsi dire toute la vertu de son art » (*Discorsi dell'arte poetica*, trad. Baudoin [1632], revue par F. Graziani).

[2] A l'époque *diction* signifie ce que nous appelons le style.

[3] Préface aux livres XIII-XXIV de *La Pucelle*. Cet auteur comique est Ménandre, d'après Plutarque, *De gloria Atheniensium, Moralia*, 347 f. Cette même conception est implicite dans les *Discours* de Corneille et les *Réflexions* de Rapin. On la retrouve aussi dans la correspondance de Poussin : « J'ai trouvé la pensée, je veux dire la conception de l'idée, et l'ouvrage de l'esprit est conclu » (décembre 1647). « Pour ce qui est de votre Vierge [...], la pensée en est arrêtée, qui est le principal » (1653). « J'ai arrêté la disposition de *La Conversion de saint Paul*, et je la dépeindrai en temps d'élection » (mars 1658).

[4] *Mémoires [...] sur la vie et les ouvrages de Jean Racine*, dans Racine, *Œuvres complètes*, t. I, Pléiade, éd. Picard, p. 42, ou édition Forestier, p. 1148.

dramaturge : « Il avait coutume de les faire [ses tragédies] en prose, scène par scène, avant d'en faire les vers » [1].

« Le sujet et le dessein doit tenir le premier lieu dans les parties de l'art », écrit le P. Rapin. L' « unité scrupuleuse » du « dessein [...] est la vertu principale qui doit régner dans un sujet pour qu'il soit juste et accompli ». C'est « la partie la plus difficile de l'art », « car il faut qu'un même esprit y règne partout, que tout y aille au même but, et que les parties aient un rapport secret les unes aux autres : tout dépend de ce rapport » (I, 19) [2]. Ailleurs, il insiste de nouveau sur « le dessein, l'ordonnance, la proportion des parties [...], l'arrangement général des matières », et conclut que « ceux qui mettent l'essentiel de la poésie dans la grandeur et dans la magnificence des paroles, comme Stace parmi les Latins et Du Bartas parmi nous, quand ils aspirent à la gloire de la poésie par de si faibles moyens, en sont bien éloignés », tout comme ceux qui « font leur capital de leur imagination », comme Théophile de Viau (I, 18).

Ainsi, l'œuvre littéraire classique — plus encore que toute autre — est une fiction stratégiquement composée [3], où la disposition (le dessein d'ensemble) définit chacun des éléments qui la constitue. Elle les transforme ainsi en signifiants producteurs d'effets sémantiques, affectifs et esthétiques, dont l'ensemble successif et cumulatif constitue l'harmonie de l'œuvre et sa signification, qui n'est pas d'ordre historique et factuel, mais d'ordre moral et symbolique.

Je viens d'insister sur le premier point : l'œuvre est une histoire fictive. Je montrerai plus loin (ch. 8) ce que cela implique pour sa signification ; sous couvert d'une histoire

---

[1] *Souvenirs*, éd. B. Noël, Mercure de France, 1965, p. 96-97.

[2] Comme souvent, Marmontel exprimera fort bien la position des classiques : « Un poème est une machine dans laquelle tout doit être combiné pour produire un mouvement commun. Le morceau le mieux travaillé n'a de valeur qu'autant qu'il est une pièce essentielle de la machine, et qu'il y remplit exactement sa place et sa destination » (Article *Invention poétique* de l'*Encyclopédie*).

[3] Ce caractère fictif et stratégique est encore plus important dans une œuvre de théâtre — sans y être plus visible à la lecture. Comme le rappelait Molière au lecteur de *L'Amour médecin*, un an avant *Andromaque* : les pièces de théâtre « ne sont faites que pour être jouées » ; seuls peuvent les interpréter correctement ceux « qui ont des yeux pour découvrir dans la lecture tout les jeux du théâtre ».

précise, elle a une portée symbolique. En attendant, je développerai les conséquences de sa composition stratégique : tout y est conçu à partir du dénouement dans l'ordre inverse du déroulement apparent (ch. 3) ; chaque élément y est défini par sa fonction plutôt que par sa nature : les rôles précèdent et produisent les caractères (ch.4), bien plus que l'inverse, et les thèmes ont une fonction dramatique qui peut parfois réduire à néant leur vérité référentielle (ch. 5) ; enfin la structure de cette fiction est travaillée par les rapports entre son destinateur et ses destinataires réels : les dialogues des personnages fictifs sont calculés par le dramaturge pour agir sur le public (ch. 6). L'ignorance ou l'oubli de ces vérités fondamentales peut conduire à de beaux contresens (ch. 7).

Chapitre 3

La stratégie du dramaturge et la composition régressive de l'œuvre

Corneille et Racine ne nous donnent rien à voir : ce ne sont « que des parleurs », disait Rousseau. Ce reproche fut souvent repris, surtout à l'encontre du premier, accusé par Hugo d'avoir « relégué dans la coulisse » le spectaculaire empoisonnement de Britannicus et soupçonné par Jean Vilar de ne pas être « vraiment un auteur dramatique ». Il est vrai que chez nos classiques « toute la tragédie ne consiste qu'en discours » : « les actions ne sont que dans l'imagination du spectateur », écrit l'abbé d'Aubignac (IV, 2). Renonçons donc à notre manière d'expliquer les récits des personnages par les actions qu'ils racontent. Dans la réalité, les événements sont véritables et antérieurs aux discours qui les rapportent ou les commentent avec plus ou moins de fidélité. Mais en littérature c'est l'inverse : seul le texte est réel et c'est à partir de lui que chacun imagine rétroactivement les événements qu'il évoque. De plus, dans la vie, parler c'est souvent commenter une action antérieure, tandis qu'au théâtre on parle pour provoquer des effets, des réactions postérieures (ch. 6).

Andromaque s'ouvre sur ces deux vers d'Oreste :
Oui, puisque je retrouve un ami si fidèle,
Ma fortune va prendre une face nouvelle.
« Pourquoi dit-il cela ? » demandé-je à l'étudiant Epsilonne. « Parce qu'il est content de retrouver son ami », me répond-il. Avouez que nous ferions tous la même réponse : faites le test autour de vous.

À l'école primaire je lui aurais mis vingt : il comprend ce qu'il lit ! À l'université , je devrais lui mettre zéro, au nom des contribuables qui lui ont payé tant d'années d'études pour en arriver là. Car cette simple répétition de ce qu'on vient de lire n'est pas seulement d'une triste platitude. C'est une explication radicalement fausse, qui témoigne d'une totale incompréhension du fonctionnement de l'œuvre littéraire et même de sa nature : l'étudiant Epsilonne confond l'ordre stratégique de la fiction composée en vue de son dénouement avec l'ordre chronologique d'une histoire réelle, où les causes précèdent leurs effets, et les événements leur narration.

Dans la réalité, 1) je retrouve mon meilleur ami, 2) je suis content, 3) je proclame ma joie. Mais ici *le texte* commence par cette proclamation : il n'y a rien avant. C'est seulement à partir du texte que notre imagination enregistre l'idée d'une rencontre. Et personne ne s'attarde sur cette information d'importance secondaire : l'événement n'est ni joué ni décrit. Il est faux d'en faire la cause réelle de cette joyeuse conversation ; ce n'est qu'une occasion fictive pour permettre le dialogue d'exposition et provoquer le premier élément de la composition affective : une joie prometteuse d'un heureux avenir. C'est par cet espoir que l'auteur voulait commencer le parcours dramatique. La rencontre qu'il présente comme sa cause antérieure n'est qu'une justification *a posteriori*. Pour le dramaturge et même pour le public. Car j'ai vu cette joie sur le visage d'Oreste avant qu'il n'ait ouvert la bouche et parlé de rencontre ; ou bien, simple lecteur, je l'ai repérée d'un rapide coup d'œil sur l'ensemble de la première phrase, destiné à savoir dans quel esprit je devais en commencer la lecture. Avouez-le : expliquer le texte réel par un événement à peine esquissé dans la fiction qu'il évoque, c'est léger.

Mais il ne suffit pas de rejeter une explication comme fausse : il faut la remplacer par une autre qui soit juste. En voici trois. D'abord, les retrouvailles d'Oreste et de Pylade sont un prétexte fictif qui permet la scène d'exposition, nécessaire dans la dramaturgie classique pour que l'auteur fasse connaître au public la situation présente, ses origines, ses enjeux, ses développements prévisibles. Racine imagine que les deux amis se retrouvent « après plus de six mois » [1]. Ils vont donc

---

[1] Dans une telle expression, la forme phonétique ou culturelle décide de la « réalité » évoquée. Elle impose un chiffre monosyllabique exprimant une unité usuelle : le mois, le trimestre, le semestre, selon la durée requise par l'émotion encore plus que par les événements. Sur les vingt emplois de *mois* dans les douze pièces de Racine, on trouvera donc quatre fois « un mois », quatre fois « trois mois », douze fois « six mois », et notamment « depuis plus de six mois » (3), « depuis près de six mois » (1) et « depuis six mois

s'empresser de se raconter ce qui s'est passé pendant ce temps là. Or, l'un se trouvait à la cour de Pyrrhus, et l'autre y arrive avec l'ultimatum des Grecs : quelle heureuse coïncidence ! Il suffit de lire les récits qu'ils se font, et où chacun rappelle parfois à l'autre ce qu'il sait fort bien, pour constater que ce dialogue est organisé par le dramaturge pour l'information du public et la préparation de l'action à venir.

Comme le dit l'abbé d'Aubignac, le travail du dramaturge consiste à agir sur le public réel, qui est à l'extérieur de l'action fictive, par des récits et des spectacles qui aient l'air de s'y faire tout naturellement. Pour cela, « il faut qu'il cherche dans l'action, considérée comme véritable, un motif et une raison apparente que l'on nomme couleur, pour faire que ces récits et spectacles soient vraisemblablement arrivés de la sorte. Et j'ose dire que le plus grand art du théâtre consiste à trouver toutes ces couleurs ». Regardez nos maîtres grecs et romains : « il n'y a point d'action sur leur théâtre, point de parole, point de récit, point de passion, point d'intrigue qui n'ait sa couleur » [1]. Les retrouvailles d'Oreste et Pylade sont une couleur, un prétexte inventé pour permettre que l'indispensable information du spectateur se fasse sous forme de dialogue vraisemblable, c'est-à-dire de façon conforme aux usages du théâtre classique. Et comme la scène d'exposition doit motiver le spectateur tout en l'informant, l'émotion et la joie communicatives des deux amis sont particulièrement bien imaginées.

Une deuxième explication, également fonctionnelle, permet de rendre compte de la seconde information donnée par ces deux vers : l'annonce de l'heureux revirement du sort d'Oreste, après une longue période de malheurs. *Andromaque* est une tragédie, c'est-à-dire une composition dramatique aboutissant au malheur après divers revirements. Or, Andromaque étant sauvée, et Hermione et Pyrrhus déjà morts, c'est Oreste qui subit la catastrophe, et qui prononce la déploration finale :

Grâce aux dieux ! Mon malheur passe mon espérance !
Oui, je te loue, ô ciel, de ta persévérance !
Appliqué sans relâche au soin de me punir,
Au comble des douleurs tu m'as fait parvenir.
Ta haine a pris plaisir à former ma misère ;

---

entiers » (1). Parce que c'est le temps qui s'est réellement écoulé ? Non : parce que cela fait un hémistiche.
[1] *La Pratique du théâtre* (1657), I, 6.

J'étais né pour servir d'exemple à ta colère,
Pour être du malheur un modèle accompli.
Hé bien ! je meurs content, et mon sort est rempli.
                              (dernière scène, v. 1613-1620)
Pour que cette déploration prenne tout son relief, pour que
l'œuvre soit un revirement dramatique, avouez qu'il est habile de
la faire commencer sur une prédiction de bonheur par ce même
Oreste. C'est d'ailleurs un schéma usuel. Comme le dit son
principal théoricien, l'abbé d'Aubignac, dans la tragédie,
« l'ouverture du théâtre doit se faire sur une situation pleine
d'espoir ».

N'importe quel enfant, voyant le personnage de la
première vignette d'une b.d. s'écrier « Chic alors, je vais enfin
être heureux » se dit aussitôt, en termes moins choisis : « Ça va
être sa fête, à cet innocent ! » Il faut des années de rééducation
logico-réaliste dans nos écoles rationnelles pour se débarrasser
de ce juste pressentiment. A vrai dire, je crois que l'étudiant
Epsilonne avait bien perçu spontanément la fonction de la
première phrase d'*Andromaque*. Mais dès l'instant où le maître
l'a interrogé, il s'est mis au garde à vous rationnel : il a supprimé
la dimension ludique du texte, il a étouffé sa perception
spontanée. L'assujettissement au système scolaire ou
universitaire, la contrainte de la situation d'examen ne lui ont
permis de penser qu'à ce qui paraît solidement sérieux dans
notre culture : la causalité réaliste. Triste « formation » !

Je viens d'expliquer les premiers mots d'Oreste comme
une préparation *a contrario* de sa dernière tirade. Il n'était pas
nécessaire d'aller si loin — et voici donc une troisième
explication. Cette phrase est aussi le lancement d'une première
étape ascendante de la pièce, conçue pour être ruinée dès que le
bonheur annoncé semblera confirmé. Redevenu amoureux,
Oreste a sollicité la charge d'ambassadeur auprès de Pyrrhus
pour venir en réalité « chercher Hermione » (v. 89-99 ; cf. 142).
Le fait de retrouver ici son meilleur ami est pour ce fataliste un
bon présage. De plus, Pylade renforce son espérance :
« quelquefois » Hermione « appelle Oreste à son secours » (v.
132). Et il l'aide à mettre au point une stratégie (v. 135-140).

Oreste harangue donc Pyrrhus qui, comme il l'espérait,
refuse l'ultimatum des Grecs, c'est-à-dire la main d'Hermione. Il
l'invite même à la voir — en espérant qu'il va le débarrasser
d'elle (v. 245-256). Oreste la rencontre et elle conclut : si
Pyrrhus « y consent, je suis prête à vous suivre » (v. 590). Il
exulte :

Oui, oui, vous me suivrez, n'en doutez nullement :
Je vous réponds déjà de son consentement.

(v. 591-592)

C'est à ce moment précis que Pyrrhus revient... pour annoncer qu'il épouse Hermione et qu'il charge le malheureux Oreste de lui porter cette heureuse nouvelle :

Voyez-la donc. Allez. Dites lui que demain
J'attends, avec la paix, son cœur de votre main.

(v. 623-624)

Pourquoi ce revirement ? Parce que j'ai réfléchi, dit Pyrrhus ; j'avais réagi avec « violence » à une exigence que je reconnais « légitime » : je livre Astyanax et j'épouse Hermione pour « assurer » « la paix ». Cette explication est fausse. Mais ce mensonge s'explique par ses effets avantageux : il permet à Pyrrhus de se dégager de toute responsabilité, de présenter sa décision comme juste et raisonnable, d'en faire porter la responsabilité à Oreste et aux Grecs. Sa véritable motivation n'apparaîtra qu'à la scène suivante : il vient de se faire bafouer par Andromaque (v. 644-663), au moment où il croyait enfin la contraindre en utilisant l'ultimatum des Grecs (cf. v. 281-296, 380-384 et 645-647). Furieux, il a réagi à cette humiliation en décidant d'épouser Hermione : non par amour pour elle, mais pour se venger d'Andromaque (v. 669-670), pour écraser au passage un rival et pour se prouver à lui-même qu'il n'est pas « le jouet d'une flamme servile », mais un héros libre et triomphant, fidèle à son père, à son passé, à sa patrie (v. 625-642). C'est dans ces trois effets avantageux et jouissifs que se trouvent, au niveau du personnage et de l'histoire fictive, les véritables raisons de ce revirement.

Il en va de même au niveau du dramaturge et de la composition du texte réel. L'œuvre dramatique est une succession de péripéties qui inversent les craintes et les espérances dont l'alternance provoque l'émotion principale du public et l'un de ses plaisirs. Tel est bien l'effet de cette fin de l'acte II. Oreste, qui venait de passer de l'espoir à la certitude du bonheur, est accablé au moment même où il croyait triompher ; Pyrrhus, qui se réjouissait d'avoir enfermé Andromaque dans un dilemme dont son mariage était la seule solution, est bafoué ; mais il réagit par un élan triomphal en sens inverse, et sa réaction fait passer Hermione du désespoir au plus grand des bonheurs. Bref, ce revirement a pour effet de relancer toute l'action dans une nouvelle direction et telle est bien la véritable cause de son invention et de sa disposition : les justifications psychologiques qui en sont données ont leur vérité propre, à leur niveau. Mais pour la composition dramatique, qui est plus spécifique de l'œuvre théâtrale que la psychologie, ce ne sont guère que des « couleurs ».

La suite de la pièce est construite selon cette même stratégie où événements et sentiments ont pour principale raison d'être leurs conséquences déceptives, qui provoquent l'émotion des personnages et des spectateurs, et qui manifestent la vision tragique selon laquelle on ne peut échapper au malheur, malgré d'illusoires espérances. C'est maintenant au tour d'Hermione, principale victime avec Andromaque de l'étape antérieure, de triompher (cf. III, 2 et 3) : mais c'est pour qu'elle en soit ensuite plus cruellement humiliée (IV, 2 à 5).

Car la décision d'Andromaque d'épouser Pyrrhus renverse une dernière fois toute la situation : elle change radicalement d'attitude, du moins en apparence ; elle provoque un revirement complet de Pyrrhus ; elle rejette Hermione dans le malheur, et la réaction de celle-ci redonne espoir à Oreste. Tout cela est conçu pour aboutir une nouvelle fois à l'inverse de ce que disent et croient les personnages. Pyrrhus, qui « est au comble de ses vœux » (IV, 5-6 et V, 2, v. 1431-1457), sera poignardé en plein défi triomphal (v. 1500-1520). Hermione, qui s'était flattée du « plaisir » de se « venger » (v. 1188-1190, 1256-1270), n'aura plus qu'à se tuer. Oreste, qui avait repris espoir, et à qui Hermione s'était promise (IV, 3), sera maudit par elle (v. 1533-1564) et sombrera dans la folie. Enfin, l'autre face de ces revirements, c'est le triomphe des victimes désignées, Andromaque et son fils : l'esclave qui s'apprêtait à mourir redevient « reine » et parle de « venger Troie » (v. 1587-1592).

Pour mieux percevoir la stratégie du dramaturge, et le parcours affectif qu'il veut nous imposer, il est bon de réduire la pièce à un schéma : l'attention ne sera pas encombrée par les événements et les sentiments des personnages, qui ont été en fait adaptés ou inventés pour composer ce parcours comme un ensemble à plusieurs voies [1] :

---

[1] Il est souvent bon d'accorder plus d'importance à la structure de l'œuvre d'art qu'à son contenu, même si la littérature n'en est pas aussi démunie que la musique qui est, selon Leibniz, « un exercice inconscient de mathématiques dans lequel l'esprit ne sait pas ce qu'il compte ».

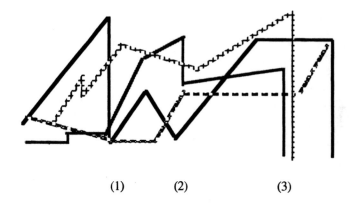

(1)   (2)   (3)

Parcours d'Oreste : ━━━━━ , de Pyrrhus : ┼┼┼┼┼┼ ,

d'Hermione : ━━━━━ et d'Andromaque : ▬▬▬▬

Les revirements d'ensemble se situent dans la seconde moitié de l'acte II (refus d'Andromaque) au début de l'acte IV (acceptation d'Andromaque) et au milieu de l'acte V (meurtre de Pyrrhus). Le même revirement est positif pour les-uns et négatif pour les autres. Chaque lecteur ou spectateur parcourt un itinéraire différent, selon son degré d'identification à tel ou tel personnage, et selon que domine en lui, aux divers moments, l'adhésion affective, la lucidité critique ou le plaisir esthétique.

Ce schéma montre que le parcours dramatique, affectif et philosophique d'*Andromaque* se compose de trois élans d'espoir cruellement déçus. Sur les trois plans, c'est bien cette déception qui importe principalement, et ce qui précède en est surtout la préparation. Chaque moment du parcours doit s'expliquer en partie par cette préparation, qui en est la cause dans l'histoire fictive : on n'oublie jamais de le faire. Mais dans le texte — qui, lui, est réel — les moments qui précèdent celui que l'on étudie

n'en constituent que les conditions de possibilité, la justification
apparente. Sa véritable raison d'être est dans les effets qu'il
produit : principalement dans ses conséquences pratiques sur la
suite du processus s'il s'agit d'un moment intermédiaire ;
principalement dans les effets affectifs sur les personnages et les
spectateurs s'il s'agit du moment final de l'une des étapes.

La stratégie qui compose l'œuvre à partir de sa fin, n'est
pas propre à la tragédie classique. La préparation d'effets à la
fois attendus et surprenants est la base de l'art dramatique.
L'auteur veut d'abord émouvoir ou réjouir. Pour cela, il imagine
un aboutissement catastrophique ou libérateur, puis le
revirement qui le provoque, et enfin le cheminement qui y
conduit à partir d'une situation qui en inclut la possibilité, et le
laisse craindre ou espérer, tout en permettant d'espérer ou de
craindre le contraire. Mais ce mécanisme est particulièrement
important dans la tragédie classique pour deux raisons. D'abord
parce que l'intrigue y est particulièrement finalisée : « l'action
principale » y est celle qui constitue le dénouement, et c'est une
« action historique », que le dramaturge ne doit pas modifier,
tandis qu'il peut transformer ou inventer les événements qui
précèdent,   qui   ne   sont   que   « des   acheminements
vraisemblables » organisés pour aboutir à cet « *effet* » final, des
« *moyens* de parvenir à l'action » terminale [1]. Ensuite parce que
le processus fondamental du genre est le revirement, qui
souligne le caractère illusoire des causes calculées pour aboutir
à un effet inverse de celui qu'elles semblent préparer. Mais en
même temps cette stratégie est peut-être moins visible
qu'ailleurs, car la tragédie classique est étroitement soumise à
une exigence de vraisemblance, si bien que ce revirement « ne
doit pas être prévu, encore qu'il soit préparé », comme dit l'abbé
d'Aubignac (II, 8) : la stratégie de composition à l'envers et de
préparation *a contrario* est soigneusement recouverte par la
justification à l'endroit. « Il se faut toujours souvenir que toutes
les choses qui se disent et qui se font pour être les préparatifs
[...] de celles qui peuvent arriver, doivent avoir une si apparente
raison [...] pour être dites et faites en leur lieu qu'elles semblent

---

[1] Corneille, *Discours*, 1660 ; *Œuvres complètes*, éd. Couton, Pléiade, t. III,
p. 159, 203, 196 et 159. G. Forestier repère ce « modèle génétique dans les
deux tiers des tragédies de Corneille » (*Essai de génétique théâtrale, Corneille
à l'œuvre*, Klincksieck, 1996, p. 138-147).

n'être introduites que pour cela, et que jamais elles ne donnent ouverture à prévenir [1] les incidents qu'elles préparent » (II, 8).

Parfois, bien entendu, l'auteur oublie ces justifications fictives. Du point de vue que je défends ici, ces oublis n'ont aucune importance et lecteurs ou spectateurs ne les perçoivent même pas. Mais il se trouve jusqu'à aujourd'hui des commentateurs pour voir dans ces inadvertances négligeables de véritables « problèmes dramaturgiques ». Nous avons toutefois progressé depuis l'époque où Subligny reprochait à Racine de ne pas respecter les usages sociaux. « Je vous cherchais, Seigneur », dit Pyrrhus à Oreste (v. 605). Voilà « une grande faute » s'exclame l'auteur de *La Critique d'Andromaque* (1668) : les rois sont « un peu plus jaloux de leur rang » ; il aurait dû « le mander dans son cabinet ». Je propose de signaler une fois pour toutes l'importance de ces rapports délicats entre logique réaliste et stratégie dramatique par une formule emblématique : « Je vous cherchais, Seigneur. Et fort heureusement je vous trouve : ni cinq minutes trop tôt ni un quart d'heure trop tard ». Les dramaturges avaient parfois l'audace d'attribuer ces merveilleuses coïncidences à « un heureux destin » (*Andromaque*, v. 603 ; cf. p. 000).

*

* *

Je me suis attardé sur l'exemple d'*Andromaque*. On pourrait faire le même travail sur les autres pièces. Ainsi, la grande nouvelle sur laquelle s'ouvre *Bérénice*, à savoir que le mariage aura lieu aujourd'hui même (v. 55-60, 135-150, 167-177, 259-260,...), annonce en fait qu'il ne se fera jamais, et l'insistance avec laquelle cette nouvelle est répétée (v. 55-60, 135-150, 167-177, 259-260) a de plus pour but immédiat de torturer Antiochus, c'est-à-dire d'être déjà une première forme de malheur. C'est aux vers 297-326, juste avant que Titus n'annonce la séparation définitive, que l'illusion de Bérénice s'affirme en certitude lyrique. L'exemple d'*Iphigénie* est également fort intéressant : les revirements y sont particulièrement nombreux ; leurs causes sont parfois accidentelles, et leurs effets fort pathétiques ; il en va de même

---

[1] C'est-à-dire : que jamais elles ne donnent la possibilité de prévoir les incidents.

dans les actes IV et V de *Bajazet* et dans l'acte V de *Mithridate*, caractérisés par des péripéties romanesques.

A l'exception de certains dénouements radicaux, comme ceux de *La Thébaïde*, *Britannicus*, *Bajazet* et *Phèdre*, les revirements ne sont pas absolus : catastrophiques pour les-uns, ils sont avantageux pour leurs adversaires. De même, dans les meilleures préparations, l'espoir ou la crainte ne l'emporte pas entièrement. Britannicus va être assassiné. Pour rendre l'événement plus frappant, le moment précédent annonce donc la réconciliation solennelle [1]. Et pour que le meurtre soit plus odieusement pathétique, et l'espérance tournée en dérision, c'est la victime elle-même qui fait cette heureuse annonce et qui en développe les joyeuses conséquences (v. 1481-1498). Mais à cette joie bien argumentée s'oppose l'inquiétude diffuse de Junie, sans qu'elle sache exactement ce qu'elle a lieu de craindre (v. 1499-1504). Intuitive finesse féminine par opposition à la naïveté de Britannicus ? Oui, si l'on veut. Mais cela n'explique que la répartition des rôles. Leur raison d'être est d'un autre ordre : le dramaturge a voulu maintenir conjointement les deux sentiments de la dialectique dramatique, l'espoir et la crainte, tout en insistant sur celui qui n'est qu'une illusion. Alors que les cœurs sont partagés, Agrippine, c'est-à-dire l'autre victime, surgit pour balayer toute inquiétude :

Il suffit, j'ai parlé, tout a changé de face.
Mes soins à vos soupçons ne laissent point de place.
(v. 1583-1584)

Mais au moment où elle achève de parler de ce « jour autant heureux que je l'ai cru funeste », on entend le « tumulte » qui annonce la mort de Britannicus (v. 1608-1609).

Considérons les deux premiers vers d'une autre tragédie :
On nous faisait, Arbate, un fidèle rapport :
Rome en effet triomphe, et Mithridate est mort.

---

[1] La composition régressive alternée est particulièrement nette dans *Britannicus*. En voici le schéma : meurtre (V, 4), réconciliation (V, 1-3), annonce très inquiétante (IV, 4, surtout le dernier vers), réconciliation (fin de IV, 3), rupture menaçante (début de IV, 3), réconciliation (IV, 1 et 2), arrestation générale (III, 8-9), heureuses retrouvailles (III, 7), désespoir de Britannicus (III, 6), mélange de crainte et d'espoir (III, 1 à 5), menaces (II, 3 fin à II, 8), résistance de Junie (II, 3), projets menaçants de Néron (II, 2).

Cette phrase peut faire l'objet de quatre explications complémentaires d'importance inégale. Apparemment, il s'agit de l'annonce d'un événement. Mais cet événement n'existe que dans la fiction, il appartient déjà au passé, il est extérieur au texte, qui l'évoque seulement par la confirmation d'une nouvelle antérieure et n'en donne qu'un récit rapide et imprécis. Dès ce moment seules importent les conséquences de l'événement. Nous apprenons bientôt que la nouvelle était fausse : mais les conséquences en demeureront véritables et capitales.

Nous arrivons ainsi à la seconde interprétation, la plus adéquate. Cette annonce est une invention du dramaturge pour ouvrir un espace d'illusoire liberté afin que les passions secrètes des fils et de la fiancée de Mithridate se déclarent, et deviennent fautes dès son retour, un quart d'heure plus tard. Racine reprendra la même stratégie dans *Phèdre* pour donner occasion à la déclaration de la reine et à celle d'Hippolyte, et transformer aussitôt ces aveux en crimes.

Pour masquer cette ruse textuelle, le dramaturge donne une explication de cette fausse nouvelle au plan de la fiction. C'est Mithridate qui a semé lui-même l'annonce de sa mort pour échapper à ses vainqueurs : bonne ruse de guerre, et qui correspond au caractère du roi. L'auteur se hâtera de faire cette mise au point dès le retour du personnage. Mais ne soyons pas dupes, et ne confondons pas la logique de l'histoire fictive avec celle du texte réel. Enfin — quatrième explication —, cette fausse nouvelle attire d'emblée l'attention sur ce que sera le dénouement, et qui était nécessairement, pour les contemporains, l'événement majeur d'une tragédie consacrée à ce personnage : la vraie mort de Mithridate dénouera les tragiques antagonismes suscités par la fausse nouvelle de sa disparition. Ces quatre lectures de la première phrase du texte ne sont pas exclusives l'une de l'autre, mais il importe de préciser la pertinence de chacune d'elles. La fausse information, fictivement justifiée, produit des effets non seulement dans l'histoire fictive, mais dans le texte et sur le public réels.

La distinction des plans est encore plus nette dans *Phèdre*, parce que la fausse nouvelle de la mort de Thésée est l'objet d'une explication plus symbolique (v. 383-388, 623-626 et 956-970). Dans l'exposition de cette tragédie, le nombre des contre-informations ou annonces *a contrario* est particulièrement remarquable. « Le dessein en est pris : je pars », annonce Hippolyte ; « je pars et vais chercher mon père » (v. 1

et 138) [1]. Son père a disparu, il l'aime, il va s'efforcer de le retrouver. Voilà qui est conforme à la logique de la réalité. Dans la logique de la fiction dramatique, c'est donc le contraire qui va se passer. Le jeune homme ne partira pas pour sauver son père de la mort. C'est celui-ci qui va revenir pour provoquer la mort de son fils.

Nous apprenons aussi qu'Hippolyte veut fuir Aricie (v. 49-51). Or, loin de la fuir, il va lui déclarer son amour et décider d'unir sa vie à la sienne. En revanche, il ne songe pas à s'éloigner de Phèdre :

Sa vaine inimitié n'est pas ce que je crains.
(v. 48)

On sait ce qu'il en adviendra. Cette scène évoque aussi les inconstances passées de Thésée, mais elle rassure sur le présent : « enlevée [...] sous de meilleurs auspices » que ses précédentes conquêtes (v. 90),

Phèdre depuis longtemps ne craint plus de rivale.
(v. 26)

Enfin, l'on annonce avec insistance que la reine se meurt (v. 44-46, 144-146, 172-175...). Mais elle ne mourra pas — ou du moins pas tout de suite. Elle va bientôt revenir à la vie et à ses furieuses avidités, avant de plonger vainement dans une mort bien différente de celle qu'elle prévoyait :

Je mourais ce matin digne d'être pleurée.
J'ai suivi tes conseils, je meurs déshonorée.
(v. 837-838)

*
* *

Le travail du poète dramatique consiste à fabriquer une combinaison thématique et stylistique qui agit sur le public. En général, il n'en explique pas le fonctionnement, laissant ce travail aux scoliastes. Racine ne l'a fait que deux fois.

Connaissez mieux du ciel la vengeance fatale :
Toujours à ma douleur il met quelque intervalle ;
Mais, hélas ! quand sa main semble me secourir,
C'est alors qu'il s'apprête à me faire périr.
Il a mis, cette nuit, quelque fin à mes larmes,
Afin qu'à mon réveil je visse tout en armes.

---

[1] Tout au long des actes I et II, il répète l'annonce de ce départ : v. 138-140, 464, 578, 584.

S'il me flatte aussitôt de quelque espoir de paix,
Un oracle cruel me l'ôte pour jamais.
Il m'amène mon fils, il veut que je le voie,
Mais combien chèrement me vend-il cette joie !
Ce fils est insensible et ne m'écoute pas,
Et soudain il me l'ôte et l'engage aux combats.
Ainsi, toujours cruel, et toujours en colère,
Il feint de s'apaiser et devient plus sévère,
Il n'interrompt ses coups que pour les redoubler,
Et retire son bras pour me mieux accabler.
(Jocaste dans La Thébaïde, v. 675-690)

Cette mise au point de néophyte est maladroite par sa longueur, par son caractère didactique et par son insistance à imputer au ciel le mécanisme conçu par le dramaturge. Racine reprendra ce thème une seule fois, à travers une réaction plus vivante et plus dense :

Qu'ai-je donc fait, grands dieux ! Quel cours infortuné
A ma funeste vie aviez-vous destiné ?
Tous mes moments ne sont qu'un éternel passage
De la crainte à l'espoir, de l'espoir à la rage.
(Antiochus dans Bérénice, v. 1297-1300)

*
* *

Ecrire, c'est prévoir, consciemment ou intuitivement, les effets que l'on va produire. Lecteurs et spectateurs doivent éprouver ces effets, et pour cela adhérer à l'histoire fictive et croire à ses justifications. Mais celui qui étudie l'œuvre doit déconstruire ce mécanisme pour en analyser le fonctionnement et chercher ses causes, qui sont souvent l'inverse de ses effets, ainsi que ses raisons d'être. Les émotions que me donnent le soleil levant et le soleil couchant ne m'empêchent pas de savoir que c'est la terre qui tourne autour de lui. Dans la vie réelle, l'entrelacement de multiples processus brouille les parcours et les significations. La fiction dramatique est au contraire une combinaison unifiée et finalisée, où thèmes, événements et personnages, y compris dans leurs complexités, contradictions ou paradoxes, sont conçus pour remplir leur place et leur fonction. Nous venons de le voir pour les événements. Je le montrerai dans les chapitres suivants pour les personnages et pour les thèmes.

Cette composition d'ensemble exprime une vision de la condition humaine qui peut varier d'une œuvre à l'autre, par suite de l'évolution historique ou simplement de la stratégie de l'auteur. Corneille, qui croit, comme la plupart des contemporains de Richelieu et de Descartes, que l'homme peut maîtriser ses passions et surmonter l'adversité dans une histoire régie par la divine Providence, conduit généralement au dénouement par un revirement spectaculaire. Même quand elle n'est pas l'expression directe de son optimisme humaniste et providentialiste, ce sublime dramatique qui provoque l'admiration correspond à son anthropologie héroïque. Et quand il se ralliera à la vision pessimiste de la condition humaine, il y renoncera : *Suréna* s'achève sur la mort prévisible de ce héros — et sans éclat, d'une flèche « parti[e] d'une main inconnue » (v. 1714).

Au contraire, dans la perspective véritablement tragique de Racine, l'intrigue conduit au malheur appréhendé d'emblée, et les péripéties ne sont que d'éphémères illusions. C'est « une action [...] qui, s'avançant par degrés vers sa fin, n'est soutenue que par les intérêts, les sentiments et les passions des personnages » [1]. Mais il sait pratiquer également la dramaturgie du revirement salutaire. Non seulement quand il emprunte à Corneille le sujet de *Bérénice*, où la catastrophe est surmontée par l'ultime effort héroïque de la reine, mais quand il se situe dans une perspective optimiste, que ce soit pour plaire aux mondains (*Alexandre*, et même *Andromaque*, dans la mesure où les victimes désignées y sont sauvées au dernier moment) ou pour concurrencer l'opéra et satisfaire l'Académie, le roi et les doctes admirateurs de Corneille (*Mithridate* et *Iphigénie*) ou pour exprimer une vision providentielle de l'histoire (*Esther*).

---

[1] Première Préface de *Britannicus*.

Chapitre 4

Sous l'apparent caractère du personnage : le rôle de « l'acteur »

> ARGANTE
> A moins que l'épouser...
> ORONTE
> J'y consens ; il faut bien qu'enfin je me marie,
> Pourrions nous autrement finir la comédie ?
> DOROTHÉE
> Vous réduire à l'hymen, qui l'aurait pu prévoir ?
> ORONTE
> C'est la fin de mon rôle, il faut bien le vouloir.
>
> *(Thomas Corneille, L'Amour à la mode, 1651, scène dernière)*

Chacun de nous a une constitution physiologique particulière qui définit son *tempérament* personnel, et qui lui donne une *humeur* prépondérante — pour reprendre le vocabulaire de nos ancêtres [1]. D'autre part chacun a pris l'habitude d'avoir certaines attitudes en fonction des rapports au monde et aux autres auxquels l'ont accoutumé son statut, ses relations avec son entourage depuis son enfance. Bref, nous avons un caractère parce que nous avons un corps et une

---

[1] Au XVIIe siècle, conformément à la psychologie d'Hippocrate, on considérait les gens comme sanguins, flegmatiques (à partir de 1818 on dira aussi lymphatiques), bilieux ou mélancoliques (on disait également atrabilaires) selon que dans leur *tempérament*, c'est-à-dire dans le mélange de leurs *humeurs* (des éléments *humides*, liquides de leur corps) prédominait le sang, le flegme (ou lymphe ou pituite), la bile jaune ou la bile noire (atrabile). Cette conception s'est maintenue jusqu'à la fin du XIXe siècle.

histoire, et parce que nous sommes inscrits dans un système de relations interpersonnelles.

Mais il faut voir les limites de l'explication des comportements par les caractères, qui ne sont après tout que des suppositions. « Notre personnalité sociale est une création de la pensée des autres », écrit Proust [1]. De moi, par exemple, on dit que j'ai mauvais caractère. Mais ce n'est pas vrai. Seulement je ne supporte pas l'injustice et le mensonge. Je réagis vivement. Les autres expliquent ma conduite par un naturel agressif : ça leur est plus facile que de reconnaître leurs torts. Au fait, pourquoi attribuer le comportement visible des gens à leur caractère invisible que nous imaginons à partir de lui ? Ce caractère a-t-il une réalité ? Ou s'agit-il d'une cause imaginaire, d'une notion nominaliste qui permet d'imputer à la nature d'un individu des comportements qui peuvent être induits par la situation, par le *personnage* que les circonstances et les autres lui imposent ? Avez-vous tout à fait le même caractère face à toutes les personnes, qu'il s'agisse de vos parents, de votre conjoint, de vos enfants, d'hommes ou de femmes, de supérieurs ou de subordonnés ? Et selon que vous êtes admiré ou bafoué ?

Ceux qui étudient les tragédies classiques parlent tous, plus ou moins, de la psychologie des personnages. Inévitablement et à juste titre. Car les personnages sont les unités de base d'un texte constitué uniquement de répliques et destiné à être représenté par des comédiens qui leur donnent vie. Ils ressemblent à des êtres réels, le texte les présente comme tels et tend à expliquer leur comportement par leur caractère [2]. Andromaque, Néron, Bérénice et Phèdre vivent plus intensément que des individus réels dans l'imagination des lecteurs, qui complète les indications du texte, et enrichit ces personnages de nouvelles anthropologies (freudienne par exemple) et de nouvelles expériences historiques. Bref, la psychologie est l'un des niveaux de l'œuvre ; chez Racine, c'est même, à première vue, le plus important. Une partie du texte est consacrée à l'analyse de personnalités en proie à des crises intimes ou emportés par leurs passions, et la dramaturgie consiste souvent dans l'affrontement des subjectivités. La psychologie est l'un des charmes de ses tragédies et leur plus grande richesse, que ce soit par la qualité des caractères

---

[1] *A la recherche du temps perdu*, II, *Du côté de chez Swann*, I, 1.
[2] Même la comédie de cette époque s'applique à réduire sa liberté ludique pour s'élever à la dignité de comédie de caractères.

(Andromaque, Junie, Monime, Iphigénie), par leur vigueur (d'Hermione à Athalie) ou par leur complexité (Pyrrhus, Néron, Agrippine, Roxane, Mithridate, Eriphile, Phèdre, Athalie). En apparence, les caractères expliquent tout, y compris les choix que les personnages semblent faire en fonction de leurs entraînements passionnels (de Pyrrhus et Néron à Phèdre et Athalie) ou de leur haute conscience morale (d'Andromaque et Junie à Hippolyte et Joad, et même à l'enfant Joas). Tout en étant une composition à rebours déterminée par le dramaturge, chaque tragédie se présente comme le résultat de la confrontation de caractères donnés dans une situation donnée. Mais il faut bien voir que cette situation et ces caractères sont inventés pour donner figure au problème traité, et justification vraisemblable au parcours dramatique prévu.

Dans une fiction littéraire, les causes psychologiques apparentes ne sont pas des réalités originelles. Si le caractère procède du tempérament physiologique et de l'expérience sociale, comment les personnages de théâtre pourraient-ils en avoir un ? Car ils n'ont pas de corps — sauf quand leur statut et leur rôle le commandent : Roxane, Eriphile, Phèdre. Ils n'ont pas non plus d'habitudes, d'expérience personnelle, ni d'autre passé que celui que le dramaturge veut bien leur attribuer, et qui est plus fonctionnel que réel. Rares sont ceux dans le passé desquels se profile un événement vraiment déterminant : une naissance incestueuse (Etéocle et Polynice), une frustration affective (Eriphile, Aman), une éducation étouffante qui contraint à une révolte fourbe et violente (Néron).

Ce ne sont pas seulement les événements qui sont fonctionnels dans l'art dramatique : ce sont également les personnages — et aussi les thèmes, comme nous le verrons au chapitre suivant. Une idée fondamentale de la rhétorique, qui était la véritable théorie de la création littéraire, c'est que l'intention de l'auteur dicte non seulement ses arguments, mais le choix des thèmes, des événements et des caractères qu'il met en œuvre. C'est indispensable pour convaincre le public : « La narration sera vraisemblable [...] si l'on accorde le caractère des personnes avec les choses que l'on veut faire croire » [1], même s'il s'agit, comme dans un procès, de personnes réelles.

Ce qui distingue un homme réel d'un personnage de théâtre, c'est que le premier a un caractère individuel, une personnalité indépendante, qui se manifeste par des attitudes

---

[1] Quintilien, *Institution oratoire*, éd. Didot, p. 110.

plus ou moins adéquates aux situations où il se trouve. Tandis que le second a d'abord un rôle, auquel ses actes et ses paroles sont toujours parfaitement adaptés, puisqu'ils sont conçus pour l'actualiser.

Le principe fondateur d'une tragédie, c'est une vision de la condition humaine, illustrée par le problème traité. Ce problème n'y est pas analysé abstraitement comme dans un traité philosophique ou dans certains passages de romans. Il est représenté par la confrontation de plusieurs personnages dont chacun incarne une position dans la situation mise en scène, et une attitude par rapport au problème traité, qui est figuré par le conflit entre ces attitudes, et qui va vers une solution à travers leur évolution, c'est-à-dire à travers les rôles.

Thésée, Phèdre, Hippolyte et Aricie ne sont pas des individus indépendants, réunis par hasard comme le seraient en bonne partie, dans la vie réelle, un homme, sa nouvelle femme, son fils d'un premier mariage et celle dont celui-ci vient de s'éprendre. Ils ont été conçus pour figurer des positions différentes face à un même problème, celui de l'amour, tout comme Horace, Curiace et Camille figuraient des attitudes contradictoires face à l'exigence patriotique.

Les caractères des individus réels sont personnels et indépendants : lorsqu'ils se mettent en couple ou en groupe, ils s'aperçoivent souvent qu'ils n'étaient pas faits l'un pour l'autre. Même pour que les querelles de ménage démarrent au quart de tour et se développent avec une précision merveilleuse, il faut des années d'adaptation mutuelle ! Tandis que les *personnages* de théâtre sont d'emblée parfaitement adaptés à leurs *rôles*, et ceux-ci au *fonctionnement de la pièce* et à la *problématique* mise en scène. Pour l'excellente raison que le tout a été conçu pour l'essentiel dans l'ordre inverse de cette énumération — même si souvent le dramaturge n'avait pas claire conscience du problème qu'il traitait. « Lorsque mon sujet me saisit, j'évoque tous mes personnages et les mets en situation [...]. Ce qu'ils diront, je n'en sais rien, c'est ce qu'ils feront qui m'occupe. Puis, quand ils sont bien animés, j'écris sous leur dictée rapide, sûr qu'ils ne me tromperont pas » [1].

Au théâtre, l'unité première n'est pas l'individu, comme dans la vie réelle, où ils existent indépendamment avant de s'unir en couples, en groupes, en associations — ou de s'affronter. C'est, comme sur un terrain de sports, l'équipe, qui

---

[1] Beaumarchais, Préface du *Mariage de Figaro*.

définit la place et le comportement de chacun. Dans un monde fait de dialogues et d'affrontements à deux plus souvent qu'à trois, cette équipe est elle-même constituée de couples, et secondairement de trios, parce qu'un prétendant veut entrer dans un couple, en éliminant son rival. L'auteur de *Phèdre* veut montrer que nous ne pouvons échapper au malheur, qui est inhérent à notre condition. Pour que l'exemple soit plus frappant, il choisit (intuitivement) pour thème l'amour, c'est-à-dire l'aspiration au bonheur [1]. Il met en scène un couple désuni aussitôt que marié (Phèdre et Thésée), un couple impossible et scandaleux (Phèdre et Hippolyte), un couple parfait mais destiné à être massacré dès sa naissance (Hippolyte et Aricie), plus deux autres couples destructeurs (Thésée-Hyppolite et Phèdre-Œnone) et des couples internes aux personnages : Phèdre déchirée entre conscience et concupiscence, Hippolyte devenu le contraire de lui-même, Thésée exterminateur de monstres, mais nourrissant un monstre en son propre foyer, et se rendant lui-même coupable d'une malédiction monstrueuse.

Britannicus fonctionne sur les couples antagoniques Agrippine-Néron (la mère abusive et le fils rebelle), Néron-Britannicus (le fourbe usurpateur du trône et du cœur de Junie contre leur vertueux possesseur légitime), Néron-Junie (la concupiscence de l'être déchu et la pureté de l'être idéal), Narcisse-Britannicus (le fourbe et le naïf) et Burrhus-Narcisse (vertu et vérité contre vice et fourberie). Seuls sont unis le couple des bourreaux (Néron-Narcisse) et celui des victimes (Junie-Britannicus), tous deux destinés à être détruits au dénouement.

Plutôt qu'à un caractère individualisé, chaque position ou attitude correspond à un type psychologique, qui n'est pas seulement quelque chose de plus vaste et de plus vague, mais aussi une catégorie morale, qui implique un jugement. C'est bien dans ce sens qu'Aristote parle d'*èthos*, que l'on traduit, faute de mieux, par *caractère* : « Nécessairement les personnages sont nobles ou bas — les caractères relèvent presque toujours de ces deux seuls types » (1448a) ; « les caractères sont ce qui nous permet de qualifier les personnages en action [...]. Il y aura caractère si les paroles ou l'action

---

[1] C'est aussi le choix que fera, délibérément, l'auteur de *Madame Bovary*. Et après avoir ainsi sabordé l'espoir du bonheur individuel, il appliquera le même réalisme dévastateur à la politique qui prétend assurer le bonheur collectif (*L'Education sentimentale*).

révèlent un choix déterminé : le caractère aura de la qualité si ce choix est de qualité » (1450a et 1454a, trad. Dupont-Roc et Lallot). La typologie morale est encore plus nette dans la traduction que donne Racine des deux derniers passages : « Les mœurs ou autrement le caractère, c'est ce qui rend un homme tel ou tel, i. *bon ou méchant.* [...]. Un personnage a des mœurs lorsqu'on peut reconnaître, ou par ses actions ou par ses discours, l'inclination et l'habitude qu'il a *au vice ou à la vertu.* Ses mœurs seront *mauvaises* si son inclination est *mauvaise,* et elles seront *bonnes* si cette inclination est *bonne* » [1]. Plutôt que de caractères individuels, il faudrait parler de types éthiques, correspondant à des catégories de comportement.

C'est d'ailleurs à une typologie plutôt qu'à la recherche de caractères originaux que les gens du XVIIe siècle étaient habitués par une longue tradition religieuse, morale, littéraire, judiciaire et théâtrale. La plupart des personnages principaux de Racine sont par avance des types célèbres sinon mythiques. Conditionnés d'un côté par leur héritage légendaire, de l'autre par le rôle auquel ils doivent s'adapter, ce sont des « êtres de prescience et de mémoire ». De plus, les pièces étaient conçues pour des troupes constituées d'un nombre fixe de comédiens [2] habitués à des *emplois* un peu stéréotypés. C'est la complexité du rôle, et, surtout chez Corneille ou Racine, la subtile richesse du texte, puis enfin l'imagination du lecteur et du spectateur qui donnent aux personnages des sentiments et comportements plus précis, qui permettent de leur *supposer* un caractère individualisé.

Ainsi, le caractère des personnages de théâtre n'est pas la véritable cause de leurs comportements, de leurs sentiments et passions, de leur attitude face au problème traité. Tout cela est défini par la place qui leur est attribuée dans l'équipe, dans la structure actantielle, et précisé par le déroulement de leur rôle. Leur psychologie, même quand elle est spontanément conçue d'emblée ou empruntée à la tradition, est en fait une justification *a posteriori* de cette place et de ce rôle —dont l'évolution peut d'ailleurs, comme nous le verrons, la modifier jusqu'à la contradiction. Elle est nécessaire pour rendre les comportements vraisemblables, et pour nous intéresser à des problèmes fondamentalement politiques, moraux ou

---

[1] C'est moi qui souligne.
[2] C'est pourquoi par exemple une tragédie classique comporte presque toujours deux rôles féminins principaux.

métaphysiques, en les faisant vivre par des êtres qui nous ressemblent, et dont l'exemple peut à la fois nous émouvoir et nous servir de leçon. Comme on le voit, cette justification à la même raison d'être que la présentation à l'endroit, selon la succession normale des causes et des conséquences, d'une œuvre composée à l'envers. Il s'agit de donner apparence naturelle à des signifiants dont la véritable raison d'être n'est pas dans une substance dont ils sont dépourvus, mais dans leurs effets. Bref, « c'est le sujet qui détermine le caractère conféré au héros, et c'est la structure de l'action qui détermine ses qualités et ses humeurs » [1], au point qu'elles peuvent varier radicalement selon les divers moments de son rôle.

Aristote affirmait déjà clairement qu'au théâtre les comportements importent plus que les caractères, dont ils sont non seulement les révélateurs, mais les véritables principes. Les personnages « n'agissent pas pour représenter des caractères, mais c'est au travers de leurs actions que se dessinent leurs caractères [...]. Sans action, il ne saurait y avoir tragédie, tandis qu'il pourrait y en avoir sans caractères. [...]. Si un poète met bout à bout des tirades qui peignent des caractères, parfaitement réussies dans l'expression et la pensée, il ne réalisera pas l'effet qui est celui de la tragédie, au contraire d'une tragédie qui se montrerait inférieure sur ces points mais qui comporterait une histoire et un système de faits [...]. Ainsi, le principe et, si l'on peut dire, l'âme de la tragédie, c'est l'histoire ; les caractères viennent en second. [...] ; c'est qu'il s'agit avant tout d'une représentation d'action et par là seulement d'hommes qui agissent » (1450a), c'est-à-dire d'*acteurs* plutôt que de personnages.

Peu après 1675, Saint-Evremond répétera cette idée avec vigueur : « J'ai soutenu que pour faire une belle comédie [2] il fallait choisir un beau sujet, le bien disposer, le bien suivre et le mener naturellement à sa fin ; qu'il fallait faire entrer les caractères dans les sujets, et non pas former la constitution des sujets d'après celle des caractères ; que nos actions devaient précéder nos qualités et nos humeurs ; qu'il fallait remettre à la philosophie de nous faire connaître ce que sont les hommes, et à la comédie de nous faire voir ce qu'ils font ; et qu'enfin ce n'est pas tant la nature humaine qu'il faut expliquer que la

---

[1] G. Forestier, *Œuvres* de Racine, Pléiade, p. XLIII.
[2] Au sens classique de pièce de théâtre, comique ou tragique. En fait, il ne pense guère qu'à la tragédie.

condition humaine qu'il faut représenter sur le théâtre [...]. Il y
a eu des temps où il fallait choisir de beaux sujets et les bien
traiter ; il ne faut plus aujourd'hui que des caractères [...].
Racine est préféré à Corneille et les caractères l'emportent sur
les sujets » [1].

    Ce dernier point est relativement inexact. Il est vrai qu'il y
a moins d'action chez Racine que chez son aîné, par suite d'une
importante transformation historique. Les années 1624-1642
environ sont une époque de reconstruction politique
(Richelieu), philosophique (Descartes) et religieuse (Saint-
Cyran), qui dynamise et exalte même ceux qui luttent contre un
pouvoir ressenti, surtout à partir de 1635, comme de plus en
plus tyrannique. C'est par conséquent, chez la grande majorité
des écrivains et des moralistes, un moment de confiance en
l'homme. A cette époque de grandes entreprises où l'on affirme
ses capacités dans ses actes, l'auteur du *Cid*, d'*Horace* et de
Polyeucte pouvait choisir des sujets dont la théâtralité était dans
l'action, dans le surprenant dépassement des obstacles. Par la
suite, il est resté fidèle à cette tendance. Mais quand Racine écrit,
il n'y a plus rien de grand à faire : l'ordre politique et l'ordre
idéologique sont achevés. Les hommes sont assujettis par l'un et
culpabilisés par l'autre. Au lieu de se lancer dans la résolution
de conflits extérieurs, ils se replient sur les contradictions de
leur nature : ils se sentent emportés malgré eux par une avidité
passionnelle qu'ils n'arrivent pas à satisfaire, que leur conscience
réprouve et qui leur sera funeste. Ce sont donc les problèmes de
psychologie morale qui deviennent les sujets des tragédies. Mais
contrairement à ce que croit Saint-Evremond, ce sont bien ces
problèmes, ces sujets qui définissent les caractères, et non pas
l'inverse. Les deux nouveautés, c'est que sujets et caractères sont
maintenant de même nature, et que la différence entre ceux-ci
est plus frappante, parce que ce ne sont plus seulement des
rivaux, mais des êtres moralement antagoniques [2], comme
Néron et Britannicus ou Phèdre et Hippolyte. Ce sont ces
changements fort apparents qui ont trompé Saint-Evremond.
Mais en fait, ce n'est pas l'opposition des caractères personnels
de Néron, d'Agrippine et de Junie que traite *Britannicus*, mais, à
travers elle, les antinomies constitutives de la condition humaine,
prise entre la concupiscence, la loi qui la réprouve et la valeur

---

[1] *Œuvres en prose*, éd. Ternois, t. IV, p. 429-431.
[2] Sauf dans *Bérénice* — dont Racine a emprunté le sujet à Corneille — et
dans *Alexandre*.

qui lui est inaccessible. Les caractères sont aménagés, et parfois même inventés pour donner figure à ces trois forces constitutives de notre condition et de notre personnalité tragiquement contradictoires.

Dans cette nouvelle problématique de la condition humaine, chaque personnage tend à incarner une position morale, qui fait de lui le représentant d'un certain type psychologique : Andromaque ou la fidélité de la veuve et le dévouement de la mère, Pyrrhus ou la séduction (par la galanterie si possible, par la violence au besoin), Hermione ou l'ardeur passionnelle, Oreste ou l'amour chevaleresque dolent [1]. Chaque type correspond bien à un rôle dans le sujet, à une place dans la problématique. On pourrait même les déduire d'une structure géométrique. Andromaque, figure de la nouvelle valeur morale, occupe le sommet, le point fixe inébranlable. Hermione incarne l'ancienne héroïne glorieuse. Entre les deux, Pyrrhus hésite entre son ancienne nature et sa nouvelle aspiration. Oreste, qui est excentré dans la structure, est également hors course par son idéalisme vieillot, son amour chevaleresque, sa grandiloquence désuète. Sa mentalité fataliste tout comme sa place le prédestinent à l'abandon.

Quant aux passions, elles se développent et se transforment en fonction de la situation où l'évolution dramatique place les personnages. C'est ainsi que l'on voit naître la fourbe violence de Néron à partir de la tyrannie que lui impose sa mère (v. 91-110 et 496-510) et du refus que lui oppose Junie (v. 659-684). C'est ainsi que Pyrrhus, Hermione, Oreste, Roxane ou Phèdre passent de l'amour intense ou respectueux à la haine la plus violente. Au théâtre, écrivait le P. Rapin, « tout [...] doit être dans l'agitation par l'opposition des passions qui se forment des intérêts différents qui y naissent » (II, 21) [2].

---

[1] Dans la culture antique, médiévale et classique, la typologie des caractères et comportements avait une grande importance ; elle offrait pour chaque cas des figures emblématiques (cf. Les *Vies parallèles* de Plutarque, *La Cour sainte* du P. Caussin, les œuvres des moralistes et prédicateurs ou la comédie).

[2] M'intéressant ici à la dramaturgie, je montre que les situations, les intérêts, les passions et les actes précèdent les caractères imaginés pour les justifier. Si je me plaçais au plan stylistique, je pourrais montrer pareillement que la passion tragique est en partie un discours rhétorique plutôt qu'une réalité psychique : la réalité de l'œuvre est d'être un texte.

Enfin, certains personnages ne sont pas seulement des agents de la dramaturgie : ce sont de véritables metteurs en scène. Créon organise partiellement l'intrigue de *La Thébaïde*. Il appuie « l'injustice » d'Etéocle, qu'il a « mis » sur le trône « afin de l'en chasser » : il se prononce pour la paix parce qu'il sait que l'entrevue des deux frères ne fera qu'irriter leur haine ; mais ensuite c'est lui qui fait « rompre la trêve », et il se promet d'entretenir leur « fureur » : « Je saurai si bien l'envenimer Qu'ils périront tous deux », promet-il. Voyez les vers 848-890, où il résume son plan. Pyrrhus, Hermione et Oreste ont chacun une stratégie pour laquelle ils utilisent les autres ; et même Andromaque se décide à en adopter une et à berner Pyrrhus. Néron, Agrippine et Narcisse veulent faire évoluer la situation dans le sens de leurs intérêts, et Burrhus selon la voix de sa conscience (ou les réactions de son amour-propre !), et c'est ce projet qui explique assez souvent leur conduite. De plus, Néron organise des spectacles (v. 385-404, 664-684, 1471-1478, 1586-1598, 1620-1626). Acomat a inventé à la fois l'intrigue politique et l'intrigue amoureuse de *Bajazet* (v. 83-209). C'est lui qui organise la scène d'exposition (I, 1), qui réoriente ce qu'il vient d'apprendre (v. 213-224) et qui suggère aussitôt les mesures qui s'imposent (v. 225-250). Plus tard, il intervient pour relancer l'action (II, 3 et III, 2) ou pour en rectifier le cours (IV, 6 et 7 ; V, 9 à 11). De son côté, Roxane imagine des mises en scène pour impressionner Bajazet (v. 421-450), et pour confondre Atalide (IV, 3) puis Bajazet (V, 4) ou pour se venger de tous deux (v. 1316-1329). Enfin, les deux amants ont organisé un véritable complot où ils se déguisent en permanence. Atalide voudrait même pouvoir préparer le visage de Bajazet pour le rendre plus convaincant. De son côté, c'est par de véritables mises en scène que Mithridate expose son grand dessein (III, 1), démasque Pharnace (*ibid.*), et surprend le secret de Monime (III, 5). Enfin, Œnone, Aman, Mathan, Joad s'appliquent à organiser l'action. Phèdre met en scène son aveu (v. 246-264), Mardochée l'accession d'Esther au trône, Aman le triomphe de son ennemi, Esther la dénonciation d'Aman (v. 49-76, 600-612, 694-698), Joad le couronnement de Joas (IV, 2 à 5) puis le piège où il attire Athalie (V, 3 à 6), après avoir au passage manipulé Abner (V, 2). A chaque fois ces attitudes sont susceptibles d'une justification psychologique ; cependant, elles ont surtout une raison d'être dramaturgique et ce sont des comportements d'acteurs et de metteurs en scène, plutôt que la manifestation de caractères.

*
*   *

Pour faire du bon travail, il faut avoir les outils adéquats — c'est-à-dire, dans le travail intellectuel, des mots et des concepts qui correspondent précisément à ce qu'on veut dire. Or, le terme de base de l'anthropologie théâtrale, *personnage*, étymologiquement tout à fait adéquat, est aujourd'hui fâcheusement ambigu.

En latin, *persona* désigne d'abord le masque porté par les acteurs, puis le rôle de théâtre, ensuite, par analogie, le rôle social, l'attitude qui y correspond, le type de personnage qui l'occupe, et seulement enfin la personnalité, le caractère de quelqu'un. Quand *personnage* apparaît en français, c'est d'abord pour désigner une personnalité identifiée à sa fonction ecclésiastique (1250) ou civile (1566) ou à son rôle théâtral (1403). Bien qu'il puisse toujours être employé pour désigner un individu considéré dans son rôle social ou dans son comportement spectaculaire ou affecté, ce terme est aujourd'hui perçu comme fort proche de *personne*. C'est surtout le cas à propos de la littérature parce que l'on pense principalement aux personnages de roman, perçus comme plus réalistes que ceux du théâtre. Ce mot favorise donc la confusion entre l'être social, voire intime et l'acteur d'une fiction. Or, ce n'est pas la personne de Néron, ni même son personnage social qui apparaît dans *Britannicus* : c'est un agent de fiction dramatique conçu à partir d'eux mais surtout à partir de son rôle.

Pour désigner cet agent, cet être fonctionnel, qui n'existe que dans son rôle et dans ses répliques, il faut un terme approprié : celui d'*actant*. Moins inélégant que d'autres néologismes, il permet une modélisation qui est une étape indispensable pour faire de l'analyse des œuvres littéraires une discipline scientifique. Il permet de réduire toute intrigue racontée ou mise en scène à quatre actants : un *sujet* (Néron) en quête d'un *objet* (Junie) [1] est aidé par un *adjuvant* (Narcisse) et se heurte à un *opposant* (Britannicus, Agrippine, Burrhus). Cette typologie dramatique a l'avantage de regrouper sous un seul terme plusieurs personnages qui assument la même

---

[1] Un objet peut être double : pour Pyrrhus, c'est à la fois le bonheur d'amour avec Andromaque et la satisfaction de la puissance, par l'imposition de sa volonté à tous ses opposants.

fonction. Et inversement, de distinguer les fonctions différentes d'un même personnage. Ainsi, Oreste intervient comme ambassadeur des Grecs résolument opposés au projet de Pyrrhus d'épouser la veuve d'Hector. Mais cet opposant officiel est à titre personnel un adjuvant secret : il souhaite ardemment ce mariage, qui lui permettra de repartir avec Hermione ; de plus, son ultimatum, suscitant la réaction de Pyrrhus et lui donnant un moyen de pression décisif, fonctionne comme la démarche d'un adjuvant ; mais Hermione le transforme finalement en opposant, qui fait assassiner Pyrrhus. Agrippine a été l'adjuvant et même l'auteur de l'ascension de Néron ; mais elle est aujourd'hui son principal opposant à la fois parce que son ambition s'oppose à la sienne, et, à un autre niveau parce qu'elle figure la Loi, la mauvaise conscience qui réprouve ses désirs. Enfin, ce terme d'*actant* ne désigne pas seulement les personnages mais toute force agissante de l'intrigue : Dieu, Vénus, le destin, l'honneur, la patrie...

Introduite par L. Tesnière en 1965, par A. J. Greimas en 1966, la notion d'actant est aujourd'hui usuelle dès le collège. A ceux qui parlent de nouveau charabia, j'opposerai deux réponses. *Actant* est l'équivalent exact du terme utilisé par Aristote : « puisque la tragédie est représentation d'action et que les agents en sont des personnages en action » (1449b), il désigne ceux-ci par le participe présent du verbe agir : πράττων, parfois renforcé par un synonyme de même forme : πράττων καὶ ἐνεργῶν, πράττων καὶ δρῶν. Quant aux dramaturges du XVIIe siècle, ils parlent parfois de *personnage*, pour désigner l'être représenté dans l'histoire mise en scène et souligner sa dimension référentielle, mais, pour désigner le même être en tant qu'il intervient dans l'intrigue, et pour indiquer son activité fonctionnelle, ils l'appellent *acteur*. C'est le terme qu'emploie cinq fois sur sept Corneille dans ses *Discours* [1], et c'est sous ce titre que figure la liste de ceux que nous appelons personnages au début de ses trente-deux pièces. Il en va de même pour dix-neuf des vingt-quatre pièces publiées par Molière. En revanche quatre de ses six œuvres imprimées pour la première fois en 1682 parlent de

---

[1] Sauf erreur, quarante-neuf emplois d'*acteur*, contre 18 de *personnage*. Plus souvent que du *héros* de sa pièce, il parle de son *premier acteur*, de son *principal acteur*.

personnages [1]. Est-ce parce qu'une évolution se dessine vers 1680 ? Elle n'est guère sensible en tout cas. « On dit mieux *les acteurs* d'une pièce que *les personnages* », écrit Furetière vers cette date [2].

Toutes les pièces de Racine jusqu'à *Phèdre* (1677) sont précédées d'une liste d'*acteurs* ; dans *Esther* et *Athalie* (1689 et 1691), elle s'intitulera « noms des personnages ». Mais c'est fort probablement parce que l'auteur de ces « tragédies tirées de l'Ecriture sainte » considère qu'il met en scène les personnages authentiques d'une histoire véritable, et non pas les acteurs d'une intrigue fictive. Dans cette position, *acteur* continue à l'emporter très nettement jusque vers 1750. Puis les deux appellations s'équilibrent pendant une décennie et *personnage* l'emporte par la suite. J'emploierai donc désormais ce terme d'*acteur* pour signifier la nature plus fonctionnelle que substantielle de ces agents de la dramaturgie. Pour son autre acception, nous disposons d'un autre mot : *comédien*.

*
* *

Ne me dites pas que je coupe inutilement les cheveux en quatre. Comment pourrez-vous raisonner juste si vous utilisez un mot-clé qui oriente votre attention à contresens, et si vous prenez l'effet pour la cause et inversement ? Il est capital de ne pas imputer au caractère ce qui vient du rôle — surtout lorsque nous portons un jugement sur la conduite de ces acteurs-personnages — ce qui arrive souvent.

Voici un exemple [3]. Tout le monde répète que Judas était par nature, par caractère, un horrible traître, responsable du

---

[1] Encore faut-il préciser qu'en 1683 l'une d'entre elles, *Dom Juan*, est republiée avec la liste des *acteurs*.

[2] *Dictionnaire*, publié en 1690, article *personnage*.

[3] Il s'agit d'un exemple pédagogique, qui ne prétend pas à la moindre véracité historique. Toutefois, le dernier ouvrage sur la question, signé d'un savant théologien, soutient que selon les sources les plus anciennes, Judas n'aurait pas trahi Jésus ; il aurait été chargé par lui de prendre contact avec le grand-prêtre qu'il voulait rencontrer. Les autorités auraient profité de cette négociation pour tendre un piège au Christ (William Klassen, *Judas. Betrayer or Friend of Jesus ?* Minneapolis, Fortress, 1996, 238 p.). La revue *Novum Testamentum* considère cet ouvrage comme une contribution intéressante au débat sur Judas (avril 1997, p. 196-197). D'autres ont supposé que Judas a

tourment et de la mort du Fils de Dieu, qu'il a vendu pour quelques sous. Mais acceptez un instant de considérer l'affaire de cet autre point de vue, selon lequel ce sont les rôles et non pas les caractères qui dictent les conduites. Dieu, le grand metteur en scène, voulait que son Fils fût mis à mort. Ce sacrifice était nécessaire pour le rachat, pour le salut de l'humanité. Il fallait donc le livrer. Judas accepta ce rôle infâme, mais indispensable, voire providentiel. Il ne pouvait ignorer qu'il irait en Enfer pour l'éternité. Quelle magnifique abnégation, supérieure à celle du Christ, qui n'a sacrifié que la vie éphémère de son corps ! Vous voyez bien qu'il ne faut pas confondre l'explication psychologique et l'analyse fonctionnelle des rôles : d'une même histoire elles donnent deux interprétations bien différentes. Mais trêve de paradoxes pédagogiques : revenons à Racine.

Selon Phèdre, Œnone est coupable par sa nature personnelle — c'est un « monstre exécrable » et « perfide » (v. 1317 et 1629) — comme par sa nature générique : elle appartient à la catégorie des « détestables flatteurs » (v. 1325). Mais bien qu'elle dise elle-même l'avoir « mérité[e] » (v. 1328), cette accusation ne peut s'autoriser que de la dernière réplique de la nourrice (v. 1295-1306). Jusque là, Phèdre avait approuvé ou du moins accepté tout ce que celle-ci proposait, y compris la calomnie. L'étude du texte montre qu'Œnone est surtout une victime de son « zèle » (v. 894), de son dévouement excessif, qui veut protéger même par le crime l' « honneur menacé » de sa maîtresse :

> Votre vie est pour moi d'un prix à qui tout cède,
> --
> Madame, et pour sauver votre honneur combattu,
> Il faut immoler tout, et même la vertu.
>   (v. 898-908)

---

voulu organiser la confrontation décisive entre les forces illusoires de ce monde et l'invincible Fils de Dieu, qu'il croyait venu pour régner sur Israël. « Il se rend chez les chefs religieux pour les inciter à envoyer leurs soldats, sachant bien qui l'emportera ». Et s'il accepte leur argent, c'est « pour ne pas éveiller les soupçons » (Lucette Woungly-Massaga, *Judas mon frère*, 1993, p. 27-28). Cf. aussi *Judas*, dir. C. Soullard, *Autrement*, 1999 ; Emile Gillabert, *Judas, traître ou initié ?* Dervy Livres, 1989 ; Pierre Leyris, *Judas mon prochain*, Toulouse, Ombres, 1990 ; G. Lethé, *Juda et Judas*, Golias, 1998 ; et Rémy Bijaoui, qui en fait un martyr (*Le Procès Judas*, Imago, 1999).

Monstre perfide ou nourrice trop aveuglément dévouée ? Telle est l'insoluble contradiction à laquelle on se heurte si l'on traite Œnone comme une personne réelle. Si on la considère comme une *actrice*, assumant les diverses étapes d'un rôle, l'analyse est nettement plus pertinente : elle est l'auxiliaire dont le dramaturge se sert pour faire réagir Phèdre en des sens qui varient selon les étapes de la pièce. Il s'agit d'abord de l'amener à l'aveu de sa passion devant les spectateurs : Œnone se fait pressante, suppliante ; puis elle va jusqu'aux reproches, au chantage (v. 227-236). Il faut ensuite la préparer à se déclarer ; la nourrice affirme donc que la mort de Thésée a tout changé :
> Votre flamme devient une flamme ordinaire.
> (v. 350)
Elle conseille de s'allier avec Hippolyte contre Aricie (v. 361-362).

Jusque là, Phèdre était réticente : elle devait l'être pour ménager ce qu'on appelait la suspension dramatique. Le rôle d'Œnone était de la pousser, de la « ranimer » par ses « conseils flatteurs » (v. 771). Après la déclaration, le dramaturge veut au contraire montrer que la reine est devenue la proie de la passion et qu'elle a même le fol espoir de séduire l'insensible (v. 768). Pour que le débat se poursuive, pour pousser jusqu'au bout les propos de Phèdre, le rôle d'Œnone s'inverse : elle doit maintenant se montrer raisonnable et réticente, multiplier objections et mises en garde. C'est ainsi que leur dialogue aboutit à la célèbre injonction de la reine :
> Enfin, tous tes conseils ne sont plus de saison :
> Sers ma fureur, Œnone, et non point ma raison.
> (v. 791-792)
Au retour de Thésée, le rôle de la nourrice va subir une nouvelle inflexion, qui ne procède plus des besoins de la dramaturgie, mais de l'idéologie. Pour préserver la reine des accusations d'Hippolyte, il faut les retourner contre lui. Mais, explique Racine dans sa Préface, j'ai « pris soin » de rendre mon héroïne « un peu moins odieuse qu'elle n'est dans les tragédies des Anciens, où elle se résout d'elle-même à accuser Hippolyte. J'ai cru que la calomnie avait quelque chose de trop bas et de trop noir pour la mettre dans la bouche d'une princesse qui a d'ailleurs des sentiments si nobles et si vertueux. Cette bassesse m'a paru plus convenable à une nourrice, qui pouvait avoir des inclinations plus serviles » [1].

---

[1] La « haute naissance » des princes leur donne de nobles tendances « qui

A partir de cet exemple, nous pouvons revenir sur les précédents comportements d'Œnone, et comprendre qu'ils n'étaient pas dictés seulement par les besoins de la dialectique dramatique, mais déjà aussi par ceux de la morale et de l'idéologie. Racine veut nous présenter une héroïne qui ne soit « ni tout à fait coupable ni tout à fait innocente ». Or, sa culpabilité est évidente ; c'est sa part d'innocence qu'il faut consolider. D'où l'idée de la montrer déterminée à mourir — ce qui ne doit pas arriver pour que l'intrigue se développe. C'est à Œnone qu'il revient de l'empêcher : par dévouement sur le plan dramaturgique et pour préparer déjà son rôle de bouc émissaire sur le plan socio-idéologique. Les deux dernières raisons l'emporteront nettement sur la première quand, à l'annonce de la mort de Thésée, elle présentera la passion adultère et incestueuse comme « une flamme ordinaire ».

Quant aux dernières paroles de la nourrice, qui reconnaît sa pleine culpabilité à la fin de l'acte IV, elles ne relèvent pas de son caractère, mais des besoins de la dramaturgie et de l'idéologie qui la sous-tend. Leur raison d'être n'est pas en elles-mêmes, mais dans le sursaut de conscience qu'elles permettent de susciter chez Phèdre :

    Qu'entends-je ? Quels conseils ose-t-on me donner ?
                                                (v. 1307)

C'est pour provoquer cette réaction qu'il faut pousser ces conseils jusqu'à l'odieux : tant pis pour l'image de l'*actrice* chargée de les prononcer.

Une comparaison avec Euripide et Sénèque confirme la validité de cette approche dramaturgique et idéologique. Le principe même de l'histoire mise en scène par Euripide est la vengeance d'Aphrodite contre Hippolyte qui refuse orgueilleusement l'amour, prétendant s'exempter ainsi de la condition humaine. Pour cela, elle le souille en le rendant l'objet d'une passion incestueuse. Phèdre est l'instrument de cette vengeance, de cette leçon, à laquelle elle s'associe, en réaction au violent mépris du jeune homme. C'est le sens des derniers mots qu'elle prononce avant de rédiger la dénonciation calomnieuse et de se pendre : Aphrodite « consomme ma perte [...]. Mais à

---

dessous leurs vertus rangent leurs passions ». Si l'on constate chez eux « quelques dérèglements », c'est quand les conseils d'une « âme basse » « corrompt leurs sentiments » (Corneille, *Pompée*, v. 370-380). L'auteur de *Cinna* avait reporté la responsabilité de la trahison de Maxime sur les conseils de l'ancien esclave Euphorbe (v. 1407-1424).

un autre aussi ma mort sera funeste, pour lui apprendre à ne pas s'enorgueillir de mes infortunes ; associé à mon mal, il prendra, en le partageant une leçon de mesure » [1]. La réaction calomnieuse de Phèdre est ici suffisamment justifiée au plan idéologique pour qu'il ne soit pas nécessaire de la reporter sur la nourrice par un artifice dramaturgique.

Sénèque se place beaucoup plus qu'Euripide sur le plan humain : le principe essentiel n'est plus la vengeance de Vénus, mais l'ardeur sensuelle de Phèdre. Le rôle initial de la Nourrice sera donc d'y résister longuement, contrairement à l'Œnone de Racine, dont la fonction initiale est de s'opposer aux réticences de sa maîtresse : car le dialogue dramatique ne peut exister qu'à partir d'un désaccord entre les interlocuteurs. C'est seulement quand elle voit sa maîtresse à l'article de la mort que la nourrice latine se fait sa complice, non sans une réticence que Racine ne pouvait reprendre, à une époque dominée par l'idéologie aristocratique et monarchiste : « Il n'est pas facile d'oser commettre un crime pour obliger autrui : mais quand on craint la puissance des rois, il faut renoncer à tout sentiment d'honneur et le proscrire de son âme : c'est un mauvais serviteur des rois que le scrupule » [2].

Dans la perspective de Sénèque, la calomnie n'a plus les mêmes excuses que chez Euripide, et ce n'est plus le moyen d'une salutaire leçon. C'est donc à la Nourrice que l'idée en est imputée. Cependant, c'est Phèdre elle-même qui l'accomplit. Sénèque n'avait pas le même souci que Racine de préserver la moralité d'une princesse, et surtout il voulait présenter l'illustration frappante d'une violence criminelle, plutôt que les déchirements intimes d'une humanité « ni tout à fait coupable ni tout à fait innocente ».

Œnone, direz-vous n'est qu'un personnage secondaire : son caractère n'a pas assez de poids pour se maintenir semblable à lui-même à travers les péripéties. C'est une utilité manipulable plutôt qu'un personnalité autonome. Considérons donc les personnages principaux de cette pièce, pour déceler les raisons dramaturgiques de certains comportements. Nous avons déjà vu que la plupart des déclarations d'Hippolyte dans la première scène, sa décision de partir, son inquiétude sur le sort de son père, s'expliquaient en bonne partie par les besoins de

---

[1] Vers 725-731, traduction Méridier, Les Belles Lettres.

[2] Vers 427-430, traduction Herrmann, Les Belles Lettres ; mais je traduis le dernier mot, *pudor*, par *scrupule* au lieu de *remords*.

l'exposition et par la préparation *a contrario* de la suite. Puis arrive Phèdre qui veut mourir sans avouer la cause de sa décision. Ce silence a certes une raison morale : elle veut cacher une passion criminelle. Mais il a aussi deux raisons dramaturgiques : l'aveu qu'elle en fera quand même sera d'autant plus frappant, et cette volonté de mourir innocente est une préparation *a contrario* de son prochain retour à la vie, qui la conduira à se donner la mort après avoir bafoué cette innocence.

Je montrerai plus loin à quel point, sans contredire la vraisemblance des événements ni celle de la psychologie, l'enchaînement qui conduit à la déclaration d'Hippolyte puis à celle de Phèdre et le déroulement de ces aveux, sont calculés par le dramaturge, sous couvert de coïncidences et de malentendus. A la fin de sa déclaration, Phèdre se saisit de l'épée d'Hippolyte. Pour s'en frapper, dit-elle. On comprend en effet qu'elle veuille une nouvelle fois mourir — et de plus ce serait « un supplice si doux » que d'être transpercée par Hippolyte, ou du moins par son épée. Pourtant, elle ne se frappe pas ; c'est impossible : nous ne sommes qu'à l'acte II ! Quant au jeune homme, il ne fait rien pour reprendre cette épée dont un noble ne se séparait jamais. Par la suite Phèdre donnera une explication morale à cette attitude :

Il suffit que ma main l'ait une fois touchée,
Je l'ai rendue horrible à ses yeux inhumains,

Et ce fer malheureux profanerait ses mains.
                    (v. 750-752)

Mais la première raison est d'ordre dramaturgique : cette « épée en vos mains heureusement laissée » (v. 889) deviendra la pièce à conviction décisive (v. 1083-1084) : c'était l'« instrument de sa rage », dira Thésée (v. 1009). Cette explication est sans doute sommaire, mais fondamentale : l'art du penseur et du poète consiste à y superposer d'autres raisons, à en tirer d'autres partis. Apprécions ces broderies : mais discernons la trame.

Je parlerai plus loin de la réaction de Phèdre à l'arrivée de son mari, qui a donné lieu à un beau contresens. Quant aux réactions finales de Thésée, elles sont trop opportunes pour être explicables par la seule vraisemblance psychologique.

*
*   *

Jusqu'à présent, je me suis contenté de souligner la dimension fonctionnelle des paroles ou du comportement des protagonistes dans certaines conjonctures précises. Mais c'est aussi leur caractère fondamental qui est largement déterminé par leur rôle — lui-même défini par sa fonction dramatique et, comme nous le verrons, par sa place dans une structure actantielle exprimant une vision de l'homme (chap. 11). Tout le problème est de distinguer ce qui relève du rôle, de la typologie morale, sociale ou idéologique, d'une tradition ou d'une psychologie personnelle. Car le créateur de ces personnages est à la fois un dramaturge, un moraliste et un psychologue qui dépeint des individualités. Parfois, sa tâche est d'autant plus difficile que les raisons se superposent : la tradition présente Oreste comme un homme voué au malheur ; son nom rime avec *funeste* ; sa place, à l'extrémité de la chaîne des amoureux, le met en situation de quémandeur, qui, contrairement à Hermione et à Pyrrhus, n'a pas de solution de rechange en cas de refus : d'où cette alternance chez lui entre dévouement et fureur masochiste. Cette même situation qui fait que son salut ou sa perte viendront de l'extérieur tend à en faire une personnalité passive, toujours en quête de signes annonciateurs de l'avenir, et qui oscille facilement entre l'enthousiasme illusoire et le désespoir. Mais d'un autre côté l'amoureux transi et le fataliste relèvent d'une typologie. Et il semble que Racine ait voulu individualiser le portrait d'un personnage qui correspond à une tendance de sa jeunesse. « Mon nom fait tort à tout ce que je fais », écrivait-il. « Il semble que je gâte toutes les affaires où je suis intéressé » [1].

Essayons de distinguer les causes théâtrales et dramatiques de certains aspects de la psychologie dans *Britannicus*, et de retrouver leur principe philosophique, dans le cadre de la vision tragique. Cette œuvre a pour fondement une vision sombre et manichéenne ; d'où les deux catégories psychiques en présence : des innocents tyrannisés par des scélérats. Le personnage de base, qui déclenche, domine et achève le processus est donc un monstre. Mais pour que ce processus soit dramatique, c'est un « monstre naissant », tiraillé entre ses nouvelles tentations encouragées par Narcisse et ses scrupules renforcés par Burrhus. La définition de ceux-ci est d'abord dramaturgique (surtout pour le premier qui joue de surcroît le rôle d'espion et de traître) bien qu'ils correspondent

---

[1] Lettres du 28 mars et du 30 avril 1662.

aussi à deux types psychologiques et à deux modèles idéologiques (la vertu et le machiavélisme, le bon pédagogue et le funeste flatteur). J'ai précisément démontré ailleurs [1] que les réactions psychologiques de Burrhus dans les confrontations dramatiques lui font renier sa figure idéologique : confronté aux accusations d'Agrippine, ce modèle de vertu et de franchise travestit sa pensée pour défendre les violences de Néron, alors qu'il les condamne et qu'elles l'inquiètent (I, 2 ; III, 2 et 3).

Le Néron de Racine est encore plus fourbe que celui de Tacite ou du moins il l'est plus constamment. Pourquoi ? Principalement parce que le dramaturge, conformément aux tendances du genre qu'il pratique, le soumet à des confrontations qui avaient bien moins d'importance chez l'historien. Face à sa mère, il ne peut se libérer que par la soumission hypocrite suivie de violences destinées à prévenir le retour de telles situations — et elles-mêmes parfois dissimulées sous des apparences favorables (cf. v. 88-90, 99-110, 483-489, 496-510, 1269-1272). Aujourd'hui encore, il a dû capituler devant Agrippine (v. 1295-1304), mais en jurant à part lui de se venger aussitôt par derrière (v. 1313-1324). Pour endormir sa défiance, il affecte de la cajoler, de lui confier des secrets, de la consulter (v. 1586-1598). Puis il fait assassiner Britannicus, mais par un moyen invisible, et en présentant sa mort comme une crise d'épilepsie : il ne veut pas apparaître comme un brutal tyran.

Cette fourberie n'est pas seulement une conséquence de la dramaturgie. C'est aussi une participation à son fonctionnement. Néron aime les déguisements avantageux — la galanterie qu'il affecte face à Junie (v. 531-552), l'ironie avec laquelle il aborde Britannicus (v. 1025-1044) ou même Agrippine (v. 1651-1656). Il choisit la dissimulation, il y manifeste même une remarquable maîtrise (v. 1638-1640 et 1710-1712) et nous devons ici nous rappeler qu'*hypocrite* vient du mot grec qui désigne l'acteur, le mime. Enfin, il organise volontiers des mises en scène, comme on l'a vu, et le reproche le plus vif qu'on lui fait c'est de n'être qu'une marionnette qui joue les histrions (v. 1469-1478). Ces attitudes sont explicables par la psychologie :

---

[1] Cf. J. Rohou, « Etude d'un personnage racinien : les complaisances du vertueux Burrhus », *L'Information littéraire*, 1974, p. 41-47 (republié dans *Racine : Britannicus*, éd. P. Ronzeaud, Klincksieck, 1995, p. 163-175, et résumé dans Racine, *Théâtre complet*, Hachette, La Pochothèque, 1998, p. 928-930).

on parlera de fantasmes extravertis, de maîtrise machiavélique, de sadisme, de voyeurisme. Tout cela est juste. Mais n'oublions pas que l'*acteur* n'est pas un être autonome. C'est, au moins pour une part, un agent de la dramaturgie, un moyen dans le travail d'un auteur de théâtre, un intermédiaire qui lui permet de pousser le public à participer à sa vision. Racine veut par exemple nous obliger à vivre une scène où l'élan amoureux de Britannicus, ses encouragements, ses questions anxieuses et dépitées sont autant de tortures pour Junie qui l'aime et qui ne peut lui répondre que de façon à le désespérer. C'est ce fonctionnement insoutenable d'une scène qui nous met en position de complices sinon de voyeurs qui est le but premier du dramaturge. Bien que le voyeurisme de Néron lui ait été révélé d'avance (v. 679-684), ce n'est pas d'abord ni surtout à cela que pense un spectateur : il est trop pris par les effets de la situation pour se concentrer sur la cause comme le fera, à distance, celui qui étudie la scène et qui n'est plus assez imprégné par le sentiment de morbide complicité, de dérision, de tragédie qui est la principale finalité de cette implication théâtrale.

On présente habituellement Agrippine comme une ambitieuse intrigante, c'est-à-dire comme une personnalité psychique et politique. Mais c'est aussi une personnalité théâtrale, une *actrice* comme le montre, dans le style et dans le contenu, son grand récit de l'acte IV. C'est elle qui a tout mis en scène jusqu'à présent — non sans grandiose théâtralité parfois (v. 1184-1194) —, et elle prétend continuer à le faire :

Approchez-vous, Néron, et prenez votre place.

(v. 1115)

Mais elle n'y parvient plus. Et ce n'est pas seulement parce que ses initiatives sont désormais contrées par un fils dont le pouvoir est supérieur au sien. C'est aussi parce qu'elle n'est plus la même. Tacite montre qu'elle était efficace et qu'elle est devenue subtilement prudente à partir du moment où Néron l'a emporté, afin de préserver son influence, puis de sauver sa vie. Chez Racine, elle n'était intelligemment efficace qu'avant le moment tragique. Maintenant, elle est au contraire suffisante jusqu'à l'aveuglement, en particulier dans cette scène de l'acte IV où son « triomphe indiscret » incite Néron à lui infliger « un éternel regret » (v. 1425-1426). Chez Tacite, dans une situation analogue, elle se gardait bien d'accuser son fils et même de lui rappeler tout ce qu'il lui devait, et elle obtenait satisfaction [1]. Racine se souvient de cette heureuse prudence : juste avant l'entrevue, il met dans la bouche de Burrhus des conseils de modération qu'Agrippine affecte ostensiblement de ne pas écouter (v. 1099-1114).

Les causes de ce changement de personnalité ne sont pas psychologiques, mais philosophiques et dramatiques. L'entrée dans la condition tragique est une chute dans l'impuissance funeste. On la percevait chez Pyrrhus : on la retrouvera chez Mithridate et Athalie, jusque là, eux aussi, d'une remarquable efficacité. Elle est ici d'autant plus théâtrale que les échecs d'Agrippine résultent d'initiatives spectaculaires, de prétentions hautaines et d'affirmations absolues. Elle court à sa perte par les voies qu'elle croit celles de son triomphe. C'est en partie parce qu'elle protège Junie et Britannicus que Néron entreprend de leur nuire (v. 57-58) ; c'est parce qu'elle veut lui opposer celui-ci qu'il l'assassine (v. 1315-1320). C'est parce que, une fois de plus (cf. v. 496-510), il n'a pu soutenir la confrontation avec elle, parce que son arrogante domination l'a humilié, qu'il doit l'accabler à travers Britannicus ; et c'est en renouvelant cette vexation que Narcisse le décide définitivement au crime (v. 1414-1422 et 1461-1479). Enfin, cette suffisance autoritaire d'Agrippine est un moyen pour le dramaturge d'accentuer le coup de théâtre de l'annonce du meurtre (V, 3 et 4).

Cette transformation, qui inverse la nature du personnage, s'inscrit dans la psychologie, mais n'en procède pas : elle exprime la vision fondatrice de la tragédie. Agrippine retrouvera une remarquable lucidité au dénouement, quand son rôle ne sera plus d'être un exemple de nos funestes passions, mais le porte-parole du dramaturge, prédisant l'avenir de Néron. Nous rejoignons ici une autre fonction d'Agrippine, dans la structure actantielle qui exprime la vision tragique racinienne. Elle figure la loi morale, l'autorité qui réprouve et inhibe les désirs de Néron et qui hante sa mauvaise conscience (v. 483-506). Ce rôle est parfaitement inconnu de Tacite, où l'on ne trouve donc pas les traits de caractère correspondants, contraires à la nature de cette femme machiavélique, qui ne rêvait que puissance et jouissance, et n'hésitait pas devant les compromissions pour parvenir à ses fins. Quand elle constate qu'elle s'oppose en vain aux débauches de son fils avec l'affranchie Acté, elle lui propose sa complicité.

---

[1] *Annales*, XIII, 21.

La pureté de Junie n'est pas surtout un caractère individuel. Elle vient du fait que ce personnage est l'antipode du monstre Néron dans la vision qui est la base de l'antinomie tragique, et aussi dans la dramaturgie, où elle figure l'objet idéal et inaccessible du désir monstrueux, en même temps que la victime du tyran : si elle est innocente et admirable elle sera plus touchante et sa persécution plus odieuse. Quant à sa finesse, c'est un trait de caractère moins personnel que générique (l'intuition féminine) et fonctionnel ou distinctif : c'est ce qui la différencie de Britannicus et qui permet d'utiliser ce couple pour susciter à la fois deux émotions différentes, comme la crainte et l'espoir (II, 6 et surtout III, 7 et V, 1). Britannicus et Junie n'ont pas tout à fait le même rôle ; l'un est la victime dérisoire : la naïveté lui convient ; l'autre déjoue toutes les entreprises de Néron : la finesse lui est nécessaire. Si Junie, Monime, Iphigénie et même Atalide ont plus de personnalité que leurs partenaires masculins, ce n'est pas seulement parce que Racine serait plus apte à peindre l'âme féminine. C'est surtout parce que le rôle de résistance morale à la violence passionnelle, dévolu aux femmes, peut se développer pleinement dans ses tragédies, contrairement au rôle d'affirmation héroïque de soi qui devrait être celui des hommes.

La naïveté que Racine attribue à Britannicus est contraire à la vérité historique. Sa première Préface le présentait comme « un jeune prince de dix-sept ans, qui a beaucoup de cœur, beaucoup d'amour, beaucoup de franchise et beaucoup de crédulité, qualités ordinaires d'un jeune homme ». Mais quand il reprend cette phrase dans sa seconde Préface, il supprime la crédulité. Citation de Tacite à l'appui, il écrit au contraire que ce jeune homme « avait beaucoup d'esprit ». De fait, selon l'historien, c'est une réaction dangereusement subtile de Britannicus, dans une occasion où Néron croyait se jouer de son inexpérience, qui décida l'empereur à se débarrasser de lui.

C'est pour les besoins de sa dramaturgie pathétique et tragique que Racine choisit de contredire ici Tacite, qu'il prétend suivre fidèlement. La naïveté de Britannicus est fonctionnelle : d'une part c'est ce qui l'oppose à la fourberie de Néron et de Narcisse, dans le cadre de la bipolarité dramatique ; de l'autre elle se justifie par les effets qu'elle permet : elle rend la victime plus touchante et plus facile à tromper, et plus odieux ses lâches persécuteurs. Mais à plusieurs moments cette ingénuité excède toute vraisemblance et fonctionne comme une cruelle dénonciation de cette malheureuse victime, qui met sa confiance exclusive dans le traître, et qui se rend avec un allègre empressement au banquet de la mort. Ici, ce n'est plus le dramaturge qui adapte le caractère aux besoins du rôle, c'est la vision tragique qui fait violence à l'un et à l'autre pour souligner la dimension dérisoire de la condition humaine, et pour imposer au spectateur un regard cruel sur l'innocente victime, au lieu de s'identifier entièrement à elle, comme dans un mélodrame.

*
*   *

Mais, direz-vous, Britannicus n'est pas toujours naïf. Non, en effet. Il fait même preuve d'acuité intellectuelle dès qu'il passe du rôle de victime à celui d'accusateur : quand, renonçant soudain à une confiance ingénue (v. 895-906), il dénonce la politique d'Agrippine (v. 908-914), et surtout dans sa confrontation avec Néron, que la précision de ses attaques fines et courageuses oblige à jeter le masque (III, 8).

Vous, qui ne manquez pas de personnalité, êtes-vous bien certain de rester identique à vous-même quand la situation s'inverse : selon que vous êtes automobiliste ou piéton, en position de supérieur ou de subordonné ? Songez donc à ceux qui sont soumis aux revirements dramatiques et aux dilemmes ou antinomies tragiques, jusqu'à y perdre leur identité. Souvenez-vous d'Hermione :

> Où suis-je ? Qu'ai-je fait ? Que dois-je faire encore ?
> ---
> Ah ! ne puis-je savoir si j'aime ou si je hais ?
> (v. 1393-1396)

Souvenez-vous de son revirement si stupéfiant que son interlocuteur en perd tout repère :

> Que vois-je ? Est-ce Hermione ? Et que viens-je d'entendre ?
> ---
> Est-ce Pyrrhus qui meurt ? Et suis-je Oreste enfin ?
> (v. 1565-1568)

Souvenez-vous de Mithridate :

> Qui suis-je ? Est-ce Monime ? Et suis-je Mithridate ?
> (v. 1383)

Pyrrhus, Néron, Titus, Mithridate, Agamemnon, Phèdre ont pour caractère deux principes contradictoires. Andromaque et Bajazet sont soumis à un terrible chantage qui les font hésiter entre deux conduites opposées. La situation d'Iphigénie, la personnalité même d'Hippolyte se transforment brusquement, tout comme celle d'Athalie, que Dieu conduit à sa perte par les voies qu'elle croit celles de son triomphe. Tout cela est assez évident pour qu'il soit inutile d'insister.

Mais de plus il nous arrive, à nous qui existons réellement, d'assumer tel rôle, de jouer tel personnage qui ne correspond pas à notre caractère habituel. Ces avatars sont évidemment fréquents chez les personnages de théâtre, dont l'identité peut être purement nominale, car ce ne sont que des *acteurs* à la disposition du dramaturge. Parfois, celui-ci a un si grand besoin de telle attitude, ou bien il est tellement tenté par certains effets, qu'il renonce à la cohérence psychique de son personnage pour lui imposer un écart. Voici quelques exemples.

Le premier montre que le jeune auteur de *La Thébaïde* est encore malhabile dans l'art difficile de concilier dramaturgie et psychologie. C'est Créon qu'il charge de faire le récit de la mort d'Hémon devant Antigone qui l'aime (v. 1325-1345). Mais il n'y inscrit nullement l'ambiguité des sentiments de ce père cynique face à la disparition d'un fils qui était son heureux rival. Et l'on n'y trouve pas d'avantage les indices du déguisement d'une satisfaction qu'Antigone dénonce (v. 1396-1404) et que Créon avoue en effet peu après avec cynisme (v. 1437-1461). A l'instant qui suit, il faut, pour ne pas choquer le public et surtout les moralistes, éliminer ce père dénaturé : Racine lui attribue donc un soudain désespoir qui le conduit au suicide, mais qui ne correspond pas du tout à son caractère machiavélique.

Andromaque est l'incarnation exemplaire de la fidélité qui, plus que tout autre caractère, implique que l'on reste invariablement identique à soi-même. Malgré toutes les pressions, elle est fidèle à son mari, à sa patrie, dévouée à son fils, prête à se sacrifier pour eux. Et cette constance détermine une opposition irréductible entre la veuve d'Hector et le fils d'Achille. Mais au dénouement on la retrouve soudain en « veuve fidèle » de celui-ci !

Aux ordres d'Andromaque ici tout est soumis,
Ils la traitent en reine, et nous comme ennemis.
Andromaque elle-même, à Pyrrhus si rebelle,
Lui rend tous les devoirs d'une veuve fidèle,
Commande qu'on le venge, et peut-être sur nous
Veut venger Troie encore et son premier époux.

                    (v. 1587-1592)

Voilà ce que dit le texte modifié dès la seconde édition.
Dans la première, ce revirement était encore beaucoup plus net.
Andromaque revenait elle-même sur scène et déclarait
notamment, s'adressant à Hermione, instigatrice du meurtre de
Pyrrhus :

> Vous avez trouvé seule une sanglante voie
> De suspendre en mon cœur le souvenir de Troie.
> --
> Et ce que n'avaient pu promesse ni menace,
> Pyrrhus de mon Hector semble avoir pris la place.

Cherchera-t-on à sauver l'explication psychologique et morale
en disant qu'Andromaque se contente d'être fidèle, comme elle
le doit, à l'engagement qu'elle vient de contracter, et qui ne sera
pas une trahison : elle ne se donnera pas à Pyrrhus puisqu'il est
mort ? Cette justification peu théâtrale, qui supprime le
paradoxe dramatique, est insoutenable pour qui lit bien le
texte : Pyrrhus n'a pas pris place *à côté* d'Hector ; il semble
avoir *pris sa place*, et l'obsédant « souvenir de Troie » a
disparu — au moins pour un temps. Il s'agit bien d'une
transformation radicale, qui ne peut s'expliquer que par le goût
des revirements spectaculaires auxquels était habitué le public
du théâtre héroïco-romanesque de l'époque. *Andromaque* est
l'œuvre d'un jeune ambitieux avide de séduire les mondains par
la galanterie, l'ironie, les déguisements et enfin par un
dénouement paradoxal : les victimes désignées sont sauvées ;
Pyrrhus est assassiné à l'instant même où il triomphait ;
Hermione, qui avait ordonné ce meurtre et qui s'était promise à
Oreste à ce prix, quand il annonce que sa mission est accomplie,
lui réplique le fameux « Qui te l'a dit ? » (v. 1543). L'analyse
psychologique par laquelle on justifie ce dernier retournement
est juste, subtile, profonde : mais dans une œuvre théâtrale, ses
premières raisons d'être sont bien l'effet produit sur le public et
les conséquences dramatiques pour Oreste comme pour
Hermione elle-même.

L'on a vu plus haut que Britannicus était étrangement naïf
ou subtilement mordant selon les besoins de la situation. Cette
transformation du caractère en fonction des rôles et des effets
recherchés est encore plus nette chez Iphigénie. Même en
invoquant spontanéité enfantine et naïveté virginale, on ne
réussit pas à expliquer tout à fait son premier dialogue avec son
père :

IPHIGENIE
Quel plaisir de vous voir et de vous contempler.

AGAMEMNON
Vous méritiez, ma fille, un père plus heureux.
IPHIGENIE
Quelle félicité peut manquer à vos vœux ?

Les dieux daignent surtout prendre soin de vos jours !
AGAMEMNON
Les dieux depuis un temps me sont cruels et sourds.
IPHIGENIE
Calchas, dit-on, prépare un pompeux sacrifice ?
AGAMEMNON
Puissé-je auparavant fléchir leur injustice !
IPHIGENIE
L'offrira-t-on bientôt ?
AGAMEMNON
Plus tôt que je ne veux.
IPHIGENIE
Me sera-t-il permis de me joindre à vos vœux ?
Verra-t-on à l'autel votre heureuse famille ?
AGAMEMNON
Hélas !

IPHIGENIE
Vous vous taisez !
AGAMEMNON
Vous y serez, ma fille.
Adieu.

(v. 569-579)

Même favorisée par une malchance systématique ou par je ne sais quel pressentiment inconscient, la naïveté ne saurait frapper aussi juste, avec une aussi cruelle insistance. Une fois de plus, l'explication de ces paroles n'est pas du côté des causes apparentes, dans la fictive personnalité de l'*actrice* chargée de les prononcer. Elles procèdent de l'effet recherché par leur inventeur : le dramaturge veut soumettre le public à une gêne exquise en faisant torturer le bourreau par les déclarations d'amour de son innocente victime.

Or, quelques instants plus tard, Iphigénie abandonne ce rôle d'invraisemblable ingénue pour devenir d'une lucidité tout aussi incroyable quand le dramaturge a besoin d'elle pour dévoiler l'inconscient masochisme d'Eriphile :
Oui vous l'aimez, perfide.
Et ces mêmes fureurs que vous me dépeignez,

Ses bras que dans le sang vous avez vus baignés,
Ces morts, cette Lesbos, ces cendres, cette flamme,
Sont les traits dont l'amour l'a gravé dans votre âme.
(v. 678-682)

Mais comme l'auteur veut nous régaler de plusieurs émotions à la fois, Iphigénie termine cette dénonciation si pénétrante en redevenant la petite fille qui menace sa rivale de l'intervention de son cher papa :

Il commande à la Grèce, il est mon père, il m'aime.

S'il était triste, c'est parce qu'il savait que tu m'avais trahie ! Et moi qui « osais me plaindre à lui de son peu de tendresse ! » (v. 717-722).

L'une des tirades les mieux calculées de Racine, c'est la fameuse prière d'Iphigénie. Et si la spécificité du texte littéraire est sa polysémie, c'est aussi une grande leçon de littérature. Agamemnon vient de constater que son horrible projet est découvert. Il est troublé, il se déclare « trahi ». C'est alors que sa victime, avec une digne et sereine fermeté, le rassure par ce qui est à la fois une profession de complet dévouement et la dénonciation de sa lâcheté louvoyante et dissimulatrice. En l'assurant de son entière et respectueuse soumission, elle le place devant ses responsabilités dans un véritable défi : il sera pleinement obéi... dès qu'il donnera l'ordre de l'infanticide :

Mon père,

Cessez de vous troubler, vous n'êtes point trahi.
Quand vous commanderez, vous serez obéi.

Vos ordres sans détour pouvaient se faire entendre.

Je saurai, s'il le faut, victime obéissante,
Tendre au fer de Calchas une tête innocente.
(v. 1170-1178)

Ce serment d'obéissance est une « réponse terrible », d'une « impertinence royale » (Péguy).

Chapitre 5

Les thèmes de la tragédie : vérité référentielle ou fonction dramatique ?

Dante, pourquoi dis-tu qu'il n'est pire misère
Qu'un souvenir heureux dans les jours de douleur ?
(Musset, Poésies nouvelles, Souvenir)

Le problème de la détermination des signifiants par leur rôle ne se pose pas seulement pour les personnages, mais aussi bien pour les thèmes ou les événements. Ils ne sont pas là en tant que vérités ou réalités autonomes, mais comme supports fictifs et fonctionnels des effets idéologiques, affectifs et esthétiques d'une organisation dramatique qui définit leurs natures à travers leurs rôles. Toute notion dont il est question dans une œuvre dramatique — c'est-à-dire dans un monde divisé en facteurs antagonistes — n'apparaît qu'à une place et dans une fonction qui en modifient plus ou moins la signification. Sa valeur sera bien différente selon qu'on la trouvera chez ceux qui ont la force ou chez ceux qui ont la pureté : c'est ce qui distingue l'amour de Néron de celui de Britannicus. De plus, elle peut être à la base ou au cœur de la situation ou seulement à la périphérie : certains disent que *Britannicus* et *Bérénice* sont des tragédies essentiellement politiques : ils confondent le problème avec les circonstances dans lesquelles il se pose, le sujet et le cadre. Telle notion peut même être à l'extérieur de l'univers mis en scène, objet utopique d'une aspiration irréalisable : c'est le cas, dans les passages tragiques, du bonheur et peut-être de l'innocence et de l'amour réciproque : ce serait alors un contresens radical de considérer Britannicus et Junie, au même titre que Néron et Agrippine, comme l'une des deux moitiés de l'humanité racinienne. Une même notion peut être fondamentale dans la vision dont procède la pièce , ou n'exprimer que l'illusion d'un personnage ou n'être qu'un artifice du dramaturge ou du poète, qui ne croit nullement à sa véracité, mais qui veut en tirer des effets intéressants. Une tragédie est dramaturgique dans son fonctionnement, affective et esthétique dans ses effets, philosophique dans sa signification : ne confondons pas ces différents registres. Ne prenons pas un *deus ex machina* ni la poétique Vénus de *Phèdre* pour de véritables divinités ; quand Racine utilise l'impact du destin sur notre affectivité, ne croyons pas qu'il veut convaincre notre raison de croire à la fatalité. A la limite, une notion peut être présente pour produire par sa fonction le contraire de ce qu'elle signifie par nature : ainsi, dans un monde de passions frustrées, l'évocation du bonheur sert souvent à irriter dangereusement la douleur et à provoquer la vengeance. Et parfois c'est un bonheur imaginaire, inexistant, qui produit ces effets cruellement réels.

*
*   *

Commençons par la fatalité, souvent considérée comme le principe même de la tragédie. C'est déjà discutable pour la tragédie grecque. C'est insoutenable pour celle du XVIIe siècle, conçue dans une culture pour laquelle tout dépend de la Providence divine et de l'action humaine. Le malheur auquel aboutissent la majorité des tragédies de Racine procède des comportements des hommes conformément à leur nature. C'est l'effet de leurs passions ou de celles des autres ou c'est la juste punition qu'elles suscitent. Le problème vient du fait que ce processus s'impose à eux malgré leur propre volonté. Tomber dans la condition tragique, c'est perdre la maîtrise de ses actes et de leur cadre : le temps. Jusqu'à ce jour, Athalie était dominatrice, et « d'un instant perdu connaissait tout le prix ». Mais la voici paralysée par « la peur ». « Elle flotte, elle hésite », dit Mathan :

> J'ai trouvé son courroux chancelant, incertain,
> Et déjà remettant sa vengeance à demain.
>   (v. 870-886)

Joad, au contraire, héros épique qui échappe à la condition tragique organise l'action et maîtrise le temps.

> Les temps sont accomplis, Princesse, il faut parler
> --
> Je veux même avancer l'heure déterminée,

Avant que de Mathan le complot soit formé

Grand Dieu, voici ton heure, on t'amène ta proie.
(v. 165, 1096-1097 et 1668)
Il lit même dans l'avenir (v. 1142-1174).

Parce que le malheur est annoncé d'avance et qu'il se produit au terme d'un enchaînement rigoureux, malgré des efforts faits pour l'éviter ou même à travers eux, nous avons tendance à parler de fatalité, c'est-à-dire à donner à cet enchaînement la caution irréelle mais impressionnante d'une force transcendante. C'est de cette tendance que profite parfois l'auteur. Il utilise le destin pour cautionner les péripéties qu'il invente et pour impressionner son public.

Pour montrer que le malheur est inévitable, les œuvres (ou partie d'œuvres) véritablement tragiques de Racine le font pressentir d'emblée puis y conduisent à travers les efforts mêmes faits pour l'éviter, et malgré de soudaines espérances qui se révèlent aussitôt cruellement illusoires. Pour accroître le crédit poétique de cette ironie tragique, le dramaturge l'impute volontiers aux « malices du sort » (*Esther*, v. 898) :

Mais admire avec moi le sort dont la poursuite
Me fait courir alors au piège que j'évite [1]

déclare Oreste (*Andromaque*, v. 65-66). Un peu plus loin, le voici au comble de ses vœux : si Pyrrhus « y consent, je suis prête à vous suivre » vient de lui dire Hermione (v. 590). Or, il sait que l'amant d'Andromaque ne demande qu'à être délivré d'une encombrante fiancée. Il suffit donc de le revoir pour confirmation. Et justement « un heureux destin le conduit en ces lieux » (v. 603). La suite montre qu'il n'y avait dans cette arrivée ni destin ni hasard : Pyrrhus *cherchait* son rival pour se venger sur lui du refus d'Andromaque, et lui annoncer tout le contraire de ce qu'il croyait assuré. Cet « heureux destin » n'était qu'une projection du naïf espoir d'Oreste (que sa situation d'exclu, toujours en quête d'espoir, voue à être une personnalité faible et affective, qui voit partout des signes) et surtout une cruelle ironie du dramaturge, qui fait présenter par la victime elle-même comme le bienfait d'une puissance supérieure la catastrophe qui va l'accabler [2].

---

[1] *Admire* : considère avec étonnement. *Que j'évite* : que je cherche à éviter.

[2] Yves Stalloni me fait observer que l'invocation du destin et de la colère des dieux est également une façon de replacer les personnages de *La Thébaïde*, Oreste, Eriphile et Phèdre dans l'ambiance de la tragédie grecque.

L'expression *heureux destin* apparaît trois fois chez Racine et toujours pour annoncer *a contrario* une mauvaise nouvelle. « Ah quel heureux destin en ces lieux vous renvoie ? », demande Arsace à Antiochus : « mon seul désespoir », répond-il (*Bérénice*, v. 1259-1261) [1]. « Si ma fille vient, je consens qu'on l'immole », dit Agamemnon, qui a chargé un homme sûr d'empêcher cette arrivée.

> Mais malgré tous mes soins si son heureux destin
> La retient dans Argos ou l'arrête en chemin,
> Souffrez [---]
> Que j'ose pour ma fille accepter le secours
> De quelque dieu plus doux qui veille sur ses jours.
>   (*Iphigénie*, v. 330-336)

Trois vers plus loin on annonce qu'elle est là.

Il arrive ainsi que l'auteur reporte sur le destin ou sur les dieux, pour la rendre plus impressionnante, la responsabilité de l'alternance de bonheur et de malheur, d'espoirs et de déceptions qui est la dialectique même de sa dramaturgie, et l'expression de son ironie tragique. C'est ainsi qu'Antiochus attribue aux « dieux » et Jocaste à « la vengeance fatale » du « ciel » l'alternance d'illusions et de déceptions d'une vie qui n'est « qu'un éternel passage De la crainte à l'espoir, de l'espoir à la rage » [2]. Il est évident que le ciel et les dieux sont invoqués, dans une justification *a posteriori*, pour cautionner de leur prestige idéologique et poétique un processus construit par le dramaturge, et que ces notions n'ont ici aucune véracité référentielle.

Ailleurs, Racine utilise leur charge affective et poétique pour impressionner personnages et spectateurs. Le deuxième acte de *Bajazet* s'ouvre sur cette phrase de la sultane :

> Prince, l'heure fatale est enfin arrivée
> Qu'à votre liberté le ciel a réservée.

Roxane et Racine croient-ils au destin ? Là n'est point la question. Car la justification de ces paroles n'est pas dans la pensée de celle qui les prononce ou de celui qui les écrit, mais dans l'effet visé : par l'une sur un partenaire réticent, qu'il s'agit d'impressionner pour l'entraîner ; par l'autre sur le public. Les deux vers suivants montrent que ce n'est pas le Destin qui est à l'œuvre, mais la volonté au service de la passion :

---

[1] Il est vrai qu'Arsace, lui, a une bonne nouvelle à lui annoncer — mais elle se révélera cruellement illusoire vingt vers plus loin.
[2] *La Thébaïde*, v. 675-690, et *Bérénice*, v. 1297-1300.

> Rien ne me retient plus, et je puis dès ce jour
> Accomplir le dessein qu'a formé mon amour.

La vie et la personnalité même d'Hippolyte ont complètement changé depuis qu'il est tombé amoureux d'Aricie, que son père a placée à Trézène sous sa garde. Dans un premier temps, il ne veut pas avouer la cause toute simple de ce changement. Ou plutôt l'auteur, seul responsable du texte, veut retarder cet aveu. Ce qu'il choisit de nous présenter, c'est l'impressionnante entrée dans le tragique : un changement funeste et total, provoqué par une diabolique envoyée du ciel :

> Cet heureux temps n'est plus. Tout a changé de face
> Depuis que sur ces bords les dieux ont envoyé
> La fille de Minos et de Pasiphaé.
>   (v. 34-36)

Telle n'est pas la véritable cause de la transformation d'Hippolyte. Mais, inadéquat dans l'explication de l'histoire fictive, cette réplique est parfaitement à sa place dans le parcours affectif et poétique que doit faire le public.

Ainsi, dieux et destin ne sont souvent que la caution prestigieuse mais imaginaire de l'habileté dramatique de l'auteur, de son imagination poétique ou de la stratégie machiavélique ou passionnelle des personnages. « Dans le déroulement tout psychologique » de *Phèdre*, « non seulement l'efficacité du destin n'apparaît guère, mais encore il semble que le personnage utilise l'image de la fatalité tantôt comme un moyen d'action, tantôt comme une excuse ou un déguisement de ses faiblesses » [1].

*   *   *

Comme il est normal pour des œuvres qui ne mettent guère en scène que des souverains ou des membres de familles royales, les tragédies raciniennes comportent des problèmes politiques fort importants : luttes pour le trône, menaces sur l'indépendance nationale, conflits entre l'éthique et la politique ou entre l'amour et le devoir d'Etat, recours du prince à la force pour assouvir sa passion. Et parfois ces problèmes sont de l'invention de Racine. Une monographie qui en ferait la liste sans se préoccuper de leur place et de leur rôle dans la structure signifiante des pièces concluerait que la politique a décidément

---

[1] R. Picard, Racine, *Œuvres complètes*, t. I, p. 760.

une grande place dans ces tragédies. Mais une place à quel endroit, dans quelle fonction ? S'agit-il du problème essentiel, ou seulement d'un moyen pour le poser, le résoudre ou le soumettre à une urgence. S'agit-il du principe de la tragédie, du sujet central de la pièce, de sa base occasionnelle ou de ses circonstances périphériques ? Toute tragédie procède d'une crise des structures qui assurent la cohésion d'une communauté humaine — ce que les Grecs appelaient la *polis*. C'est seulement en ce sens qu'elle est essentiellement politique, comme certains le répètent en oubliant que cet adjectif a aujourd'hui une autre signification. Il peut s'agir plutôt d'une crise de la structure socio-politique, comme chez Shakespeare ou Corneille. Ou plutôt de la structure éthico-religieuse comme chez les Grecs. C'est dans ses manifestations morales, au niveau des sentiments et des comportements relationnels que Racine met en scène la crise historique de la condition humaine au XVIIe siècle.

La politique est la gestion ou la tentative de transformation d'une société. Elle n'a d'intérêt pour un dramaturge que par les problèmes qu'elle pose ou qu'elle résout. Or, au moment où Racine écrit, tout semble résolu. Dans l'absolutisme triomphant, généralement admiré comme un régime parfait, la politique ne peut plus avoir la même importance qu'à l'époque où Richelieu le construisait à travers de violents affrontements, et imposait, à la grande indignation des dévots, l'indépendance de la politique par rapport à la morale et à la religion ; à l'époque où, dans *Le Cid*, *Horace* et *Cinna*, le souverain résolvait au dénouement les tragiques antagonismes [1].

Après la paix des Pyrénées (7 novembre 1659), qui met fin à vingt-quatre ans de guerre et consacre la suprématie française, après l'arrivée au pouvoir d'un jeune roi séduisant, qui succède à trente-sept années de ministériat détesté (mars 1661), après la fin des remous suscités par l'arrestation de Fouquet (5 septembre 1661) et par sa condamnation (20 décembre 1664), après la fin du conflit avec le pape (février 1664), et avec les « jansénistes » (septembre-octobre 1668), la politique de Louis XIV ne pose plus aucun problème. On adhère avec plus ou

---

[1] « Il me semble, quand je rêve ou raisonne sur la conduite des Etats, que je fais la plus noble action qui tombe sous la capacité de l'homme. Il me semble qu'en cela je contribue au bien de la société », écrivait alors Chapelain à Balzac, le prince des critiques, auquel il allait succéder (lettre du 25 septembre 1632). Personne, en 1670, ne songerait à écrire pareille chose.

moins d'enthousiasme à l'ordre établi, et les gens de lettres sont particulièrement satisfaits du nouveau mécénat culturel. Une profonde insatisfaction subsiste, mais ce n'est pas dans les structures sociales qu'on en cherche les causes, comme certains le feront à partir des années 1680. C'est dans les graves imperfections de la nature humaine, comme y invite l'anthropologie augustinienne, largement dominante.

De plus, les Français de 1670 ne croient plus, comme ceux de 1635, que l'homme puisse transformer sa condition et réaliser de grands projets ; ce qui les préoccupe, c'est au contraire l'analyse de problèmes personnels et relationnels qu'ils ne peuvent résoudre. C'est pourquoi leur littérature n'est plus héroïque et politique, mais morale et pessimiste sinon tragique. Enfin Racine n'a vraiment rien d'un philosophe. Il est même allergique à la pensée abstraite, en politique comme ailleurs. Dans ce qui subsiste de son travail d'historiographe, on ne trouve aucune vue générale, et dans son *Abrégé de l'histoire de Port-Royal* il explique tout par des motivations personnelles [1]. Alors que les problèmes politiques étaient fondamentaux dans la tragédie du XVIe et de la première moitié du XVIIe, qui imputait le malheur à l'ambition transgressive des puissants, et le bonheur à l'intervention de la Providence ou à l'action des héros et des bons souverains, la structure politique n'est guère chez Racine qu'un cadre occasionnel, le pouvoir n'est qu'un moyen au service de passions privées, et des grandes maximes de naguère il ne reste que quelques lieux communs (notamment contre les flatteurs) sauf lorsqu'il s'agit d'analyser le fonctionnement *psychologique* du système absolutiste (*Britannicus*, IV, 4 ; *Esther*, v. 844-881 ; *Athalie*, v. 927-944). Je ne saurais donc croire, comme Catherine Spencer [2], que le pouvoir soit la cause première du malheur pour ses détenteurs — ni même pour leurs victimes.

La dimension politique de *La Thébaïde* est nettement moins importante que dans ses sources. Les frères ennemis se disputent le trône ; ils débattent de leur légitimité, mais à coup de lieux communs. Ce n'est pas surtout l'ambition qui les anime (v. 113-114), c'est la frénésie de destruction mutuelle des enfants de l'inceste : « la soif de se baigner dans le sang de leur frère » (v. 1313). « J'eusse accepté le trône avec moins de

---

[1] Cf. J. Rohou, *Jean Racine entre sa carrière, son œuvre et son Dieu*, Fayard, 1992, p. 95-108.
[2] *La Tragédie du prince*, Biblio 17, 1987.

plaisir » que ce duel à mort, dit Etéocle (v. 1074). Le ressort de cette tragédie c'est à la fois la violence criminelle du désir, et, à travers ce meurtre mutuel des jumeaux, la réaction de haine autodestructrice qu'il suscite dans la mauvaise conscience de celui qu'il anime.

Racine ajoute à *Andromaque* une dimension politique absente de ses sources, où Pyrrhus profitait de son esclave sans lui offrir un trône, ni surtout protéger Astyanax, mort devant Troie. Mais cette dimension est surtout un moyen pour intensifier les conflits et créer une situation d'urgence, consécutive à l'arrivée d'Oreste porteur de l'ultimatum des Grecs. C'est l'amour qui est au cœur et au principe de tout. C'est lui qui a déguisé Oreste en ambassadeur politique si peu convaincu de sa mission qu'il ne demande qu'à la trahir. C'est lui qui a rendu Pyrrhus traître à sa patrie, et la menace des Grecs n'est introduite que pour aviver sa passion et lui fournir un moyen de pression décisif. Enfin, c'est par l'amour assoiffé de vengeance qu'il va être assassiné. Hermione tient à ce qu'il sache

Qu'on l'immole à [sa] haine et non pas à l'Etat. (v. 1268)

Après quoi, bien que la Troyenne soit devenue reine d'Epire, il n'est plus question d'une intervention des Grecs — du moins dans la version définitive.

Chez Tacite, l'auteur de *Britannicus* n'a trouvé qu'une lutte temporelle pour le pouvoir et la jouissance. Il en réduit nettement l'importance : ici, ni Agrippine, malgré ses menaces, ni Britannicus, abandonné de tous, n'ont plus les moyens de mettre en péril la suprématie de Néron. Il y ajoute une rivalité amoureuse, qui est prioritaire : Britannicus préfère Junie au trône (v. 1489-1495). Et ces deux conflits sont l'occasion de mettre en scène l'antagonisme entre le désir, son objet idéal et la loi. Dans *Bérénice*, ce n'est pas l'hostilité de Rome contre les reines orientales qui est déterminante, mais le dilemme moral suscité dans la conscience de Titus par son passage de l'état de désir à l'état de responsabilité, et seulement accentué par cette pression extérieure. C'est ce qui permet à Bérénice de se rallier à la décision de l'empereur : elle n'aurait pu le faire s'il s'était agi d'une résolution politique à son encontre.

Dans *Bajazet*, le complot politique inventé par Racine est l'origine de l'intrigue amoureuse, qu'il soumet à l'urgence et dont il précipite l'issue. Mais c'est bien cette intrigue qui est l'antagonisme principal, et qui conduit nécessairement à un dénouement tragique précisément parce que la passion amoureuse, rapport entre l'être et son indispensable raison d'être, ne peut accepter les compromis qui caractérisent la politique : entre Roxane et Bajazet, l'antinomie est insurmontable, contrairement à ce que croit l'homme politique de la pièce, Acomat. Dans *Phèdre*, la question de la succession ouverte par la nouvelle de la mort de Thésée n'est vraiment que l'occasion accidentelle des rencontres entre Hippolyte et Aricie, puis entre Phèdre et Hippolyte. C'est une invention opportune et ponctuelle pour permettre des entrevues où il est question de tout autre chose. Et dès qu'elle les a permises, cette nouvelle se révèle fausse.

Dans toutes ces tragédies, le problème politique n'est pas central, parce que la vision dont elles procèdent se focalise sur les antinomies intimes ou interpersonnelles — celles-ci n'étant à mon avis qu'une figuration de celles-là (cf. chap. 11). Ce n'est pas l'homme dans la cité qui est mis en scène : l'empereur « Néron est ici dans son particulier », et s'il recourt à la force c'est pour régler des problèmes personnels. « Les Grecs, les Romains, les jansénistes, les ancêtres, Rome, l'Etat, le peuple, la postérité, ces collectivités n'ont aucune réalité politique, ce sont des objets qui ne servent qu'à intimider ou à justifier, épisodiquement et selon les besoins de la cause »[1].

En revanche, dans les tragédies héroïques et providentielles, la politique prend une plus grande importance, parce que la focalisation et la perspective y sont différentes. Nous ne sommes plus dans les contradictions internes à la personnalité, ni dans les antinomies entre le désir et l'idéal qu'il se donne pour objet : là, le pouvoir n'était que le moyen de la passion ou la source de son malheur (dans *Bérénice*) ou de son urgente aggravation ; on nous montrait la tyrannie des souverains sur leurs proches ; on ne parlait pas de leur attitude face à leurs sujets. Ici au contraire nous sommes dans des problèmes d'Etat, dans la sphère publique, où l'action des hommes et celle de Dieu changent ou tentent de changer la répartition du pouvoir et le cours de l'histoire. Encore faut-il distinguer, pour certaines de ces tragédies, le sujet concret, dominé par la politique, de sa signification symbolique, essentiellement morale.

C'est surtout leur engagement patriotique qui unit Porus et Axiane et qui les oppose à Taxile, discrédité par sa trahison. C'est la qualité de leur résistance qui est la source principale d'admiration. Et c'est la générosité politique d'Alexandre qui

---

[1] R. Barthes, *Sur Racine*, p. 38.

fait le dénouement. Dans *Mithridate* l'antinomie tragique est enveloppée jusque vers la fin de l'acte III dans la subordination à l'engagement familial et politique. Monime et Xipharès ont tous deux sacrifié leurs sentiments à l'obéissance filiale, et trouvent quelque compensation dans leur admiration pour le champion de la résistance à la tyrannie romaine, dont le grandiose projet occupe le début de l'acte III. L'affrontement tragique qui se développe ensuite devrait conduire le roi à faire périr son fils. Mais il le préserve pour des raisons politiques (v. 1387-1396) et ne se décide à le sacrifier que lorsqu'il croit qu'il a trahi. Cette information se révèle fausse, et c'est encore l'unisson politique qui conduit à une fin aussi heureuse que possible. Il me semble toutefois que l'aspect le plus important de ce dénouement est la conversion morale du roi, caractérisé jusque là par un désir tyrannique.

Eriphile est le seul personnage d'*Iphigénie* à être enfermé dans la condition tragique : fruit de la concupiscence, elle a pour ressort un désir perverti et — hormis la généreuse Iphigénie — les hommes lui refusent l'amour et les dieux le salut. Pour les autres, les enjeux sont fondamentalement politiques, et tous les acceptent comme tels. Le seul problème est celui des moyens nécessaires pour ouvrir la possibilité de l'épopée troyenne : les dieux semblent y mettre une condition tragique, mais ce n'était qu'une épreuve passagère, ou plutôt une mauvaise interprétation de leur oracle. Et de toute façon chacun, sauf la mère de la victime, s'apprêtait à répondre à cette exigence par une attitude politique : la ruse (Ulysse et Agamemnon), la résistance (Achille) ou un engagement patriotique en même temps que religieux (Iphigénie). Toutefois plutôt que ces moyens de leur mise en œuvre, ce sont les diverses attitudes morales des personnages face à l'exigence des dieux qui constituent, au plan symbolique, le véritable sujet de cette tragédie.

C'est dans les tragédies religieuses que la dimension politique devient vraiment importante parce qu'elles montrent comment Dieu conduit l'histoire, à travers l'action de ses serviteurs providentiels, malgré les entreprises des politiques machiavéliens. Les antagonismes moraux sont fondamentaux dans *Esther*. Mais ils ne prennent corps qu'à travers le conflit entre la fière résistance de Mardochée (soutenu par son dévouement vigilant au roi et par sa prévoyante promotion d'Esther) et le projet politique d'Aman qui, après avoir réussi à passer de l'état d'esclave à celui de premier ministre tout puissant, veut massacrer tous les Juifs parce que l'un d'eux ne se prosterne pas devant lui. Le dénouement viendra de la décision politique d'un roi éclairé par une juste information après avoir été longuement trompé.

Athalie enfin est à première vue le conflit entre la politique de cette reine contre la lignée de David et le Dieu des Juifs, et la politique de Dieu pour faire subsister et triompher cette lignée qui conduit au Sauveur, à travers la politique du grand-prêtre, qui n'hésite pas à recourir à la force et à la ruse. Ce conflit pose même peut-être le délicat problème du tyrannicide, et en tout cas celui du rapport entre pouvoir politique et pouvoir religieux : Joas devra se souvenir

qu'au rang de ses ancêtres
Dieu l'a fait remonter par la main de ses prêtres.
(v. 279-280)

Toutefois, dans la signification symbolique de ce chef-d'œuvre, l'antagonisme entre les deux principes de l'être humain — l'ambition temporelle et l'amour de Dieu — a sans doute plus d'importance que sa mise en œuvre dans le conflit qui fait le sujet concret de la pièce.

*
* *

Revenons à l'une des distinctions fondamentales nécessaires pour une juste analyse des œuvres littéraires : la différence entre un texte de fiction et un compte-rendu véridique. Si je dis : « j'étais sur la terrasse », cette phrase est la transcription verbale d'une réalité antérieure. Si la même affirmation apparaît dans un poème dramatique, sa raison d'être ne sera pas dans sa vérité référentielle, mais dans son effet sur l'imagination du lecteur, où elle crée un état d'agréable sérénité (sieste, vacances, soleil, pays du Sud...) afin que la catastrophe qui suit en soit plus frappante : « j'étais sur la terrasse, quand tout à coup... ». La vérité référentielle, extérieure et antérieure à son énonciation, fait place à un effet dramatique et affectif, postérieur à l'énonciation et interne au fonctionnement du texte dans l'imagination du lecteur.

Ainsi, un thème est souvent moins la transcription de la réalité du moment où il apparaît, que la préparation *a contrario* de ce qui va suivre . Ceci peut être vrai non seulement à l'échelle de l'intrigue d'ensemble (nous l'avons vu à propos de la joie initiale d'Oreste) mais à l'échelle d'une scène, d'une tirade, d'un

récit, comme je viens de le montrer pour l'*heureux destin*. Voici
le début du récit de Théramène :
>   A peine nous sortions des portes de Trézène,
>   Il était sur son char. Ses gardes affligés
>   Imitaient son silence, autour de lui rangés.

Pourquoi cet ordre (« rangés »), cette uniformité (« imitaient »),
ce « silence » ? Parce que c'était vrai ? Non, car ces phrases ne
sont pas la transcription d'une scène réellement préalable : elles
en sont la création dans l'imagination de l'auditeur. La seule
raison d'être de ce premier moment est de préparer *a contrario*
le bruyant désordre qui va suivre, de lui donner un surprenant
relief tout en le faisant pressentir et redouter :
>   Un effroyable cri, sorti du fond des flots,
>   Des airs en ce moment a troublé le repos.

Or, il y a trois thèmes *a contrario* qui sont
particulièrement importants dans la tragédie, parce que ce genre
est caractérisé par l'impuissance, la culpabilité et le malheur : ce
sont l'efficacité, l'innocence et le bonheur.

Il est vrai qu'avant le moment tragique Pyrrhus était « le
fils d'Achille et le vainqueur de Troie », révéré, admiré, aimé
pour ses exploits. Il est vrai qu'Agrippine était toute-puissante et
terriblement efficace, que Mithridate tenait héroïquement tête
aux Romains, que l'ambition d'Agamemnon, roi des rois, était
pleinement satisfaite. Mais l'important, en l'occurrence, n'est pas
la vérité historique de ces prépondérances ; c'est l'impact
dramatique de leur renversement. Dans le fonctionnement de
l'œuvre, le rôle de la puissance d'hier est de souligner
l'impuissance d'aujourd'hui, de torturer la victime de cette chute,
et de faire réfléchir ceux qui en sont spectateurs. Sa véritable
raison d'être est dans cette fonction, et il n'y a guère de
différence entre les exemples cités et les cas où cette efficacité
préalable est inventée par le dramaturge, comme dans *Athalie*,
où il attribue à cette reine une réussite éclatante jusqu'au
cauchemar qui la paralyse, et dans *Phèdre*, où Thésée, jusqu'à
présent glorieux exterminateur de monstres [1], va découvrir qu'il
en élève un chez lui, et va le préserver aux dépens de la vie de
son fils.

Plus nettement encore que la puissance, le bonheur et
l'innocente pureté, fréquente chez Racine, sont généralement de

---

[1] C'était une réalité attestée dans sa légende. Mais Racine la souligne à
plusieurs reprises, alors qu'Euripide et Sénèque n'y faisaient aucune allusion.

son invention et ont une raison d'être fonctionnelle sinon *a contrario*. *Félicité, bonheur, heureux, bienheureux, joie, plaisir* se rencontrent en moyenne une fois tous les 44 vers dans ses tragédies. C'est une fréquence remarquable pour des œuvres consacrées au malheur. Cette fréquence est sensiblement plus élevée que dans les tragédies de Corneille, pourtant moins pessimistes (un emploi pour 55 vers), encore bien plus que chez Molière (un emploi pour l'équivalent de 76 vers environ) et cinq fois plus que dans la comédie de Racine (*Les Plaideurs*). L'idée s'impose d'emblée que le bonheur n'est si souvent évoqué que pour être regretté, pour être désiré en vain dans un supplice de Tantale, ou pour être saccagé.

L'analyse des textes confirme largement cette hypothèse. Souvent, le bonheur, les aspects positifs de l'existence, les signes encourageants appartiennent au passé : c'étaient des illusions qui ont rendu d'autant plus douloureuse l'entrée dans le tragique ; ce ne sont plus que des souvenirs qui accroissent l'amertume présente. Polynice, cet homme « doux » (v. 1033), « ce prince magnanime » dont « l'âme généreuse » « montrait tant d'horreur pour le crime », est devenu un être féroce qui « ne se plaît qu'à répandre du sang » (v. 510-513). Néron, qui se révèle un monstre, semblait devoir être « un empereur parfait » (v. 26) : son passé se caractérisait par le « repos », le « bonheur », l' « innocence » (v. 1356-1358). Il va empoisonner son propre frère, dont il sait l'innocence, alors que naguère « le sang le plus abject [lui] était précieux » : il résistait au « sénat équitable » qui le « pressait de souscrire à la mort d'un coupable » (v. 1366-1368). Comme dit Burrhus, qui rapporte cette anecdote : « Quel changement, ô dieux ! ». L'essentiel n'est pas que les faits évoqués soient exacts : ils ne sont rappelés et parfois inventés qu'à partir du présent, pour que la transformation soit frappante et affligeante.

C'est pour aggraver la douleur présente que l'auteur de *Bérénice* insiste sur le bonheur d'hier — « Que je vivais heureux ! » (v. 601). Celui de *Mithridate* rappelle

> Les plaisirs d'un espoir qui ne vous dura guère [1].

Celui d'*Iphigénie* transforme la mère de la victime en poétesse élégiaque :

> Et moi qui l'amenai triomphante, adorée,
> Je m'en retournerai seule et désespérée ?
> Je verrai les chemins encor tout parfumés

---

[1] Vers 683, texte des éditions de 1673, 1675 et 1687.

Des fleurs dont sous ses pas on les avait semés ?
(v. 1301-1304)
C'est pour souligner son malheur que l'auteur de *Phèdre* invente
le bonheur auquel la nouvelle épouse de Thésée venait tout
juste d'accéder :
Mon bonheur, mon repos semblait être affermi,
Athènes me montra mon superbe ennemi.
Je le vis, je rougis, je pâlis à sa vue ;
Un trouble s'éleva dans mon âme éperdue.
(v. 271-274)
Après des mois de tourment, elle avait obtenu qu'Hippolyte fût
exilé à Trézène :
Mes jours moins agités coulaient dans l'innocence ;

Vaines précautions ! Cruelle destinée !
Par mon époux lui-même à Trézène amenée,
J'ai revu l'ennemi que j'avais éloigné.
(v. 298-303)
Pourtant, j'observe qu'Hippolyte ni ses interlocuteurs ne
décrivent Trézène comme un lieu d'exil. Le dramaturge tient au
contraire à souligner d'emblée le charme de « l'aimable
Trézène » (v. 2), de « ces paisibles lieux, si chers à votre
enfance » (v. 30). C'est pour mieux souligner que
Cet heureux temps n'est plus. Tout a changé de face.
« Ces bords heureux » (v. 358) sont devenus des « bords
dangereux » (v. 268), des « lieux que je n'ose plus voir » (v.
28).
Ce rôle dramatique de l'illusion favorable, fondamental
dans le rapport entre le présent et le passé, fonctionne
également vers l'avenir. Quand un personnage parle de
bonheur, c'est souvent l'auteur qui annonce par sa bouche un
prochain malheur : nous l'avons déjà vu pour l'évocation de
l' « heureux destin ».
Me voici donc tantôt au comble de mes vœux,
dans « un bonheur où je n'osais penser », déclare Jocaste pour
ouvrir l'entrevue de ses deux fils... qui aboutit à leur décision
d'un duel à mort (*La Thébaïde*, IV, 3). Dès la fin de la scène,
elle n'aura plus qu'à se décider au suicide.
Ah ! Seigneur, vos vertus m'ont toujours rassurée,
dit Junie à Néron à l'instant où il va lui annoncer qu'elle devra
recevoir Britannicus pour le désespérer (v. 663). Celui-ci arrive
plein d'allégresse pour se jeter dans le piège où le tyran l'épie :
Madame, quel bonheur me rapproche de vous ?

Parlez ! Nous sommes seuls. Notre ennemi trompé
Tandis que je vous parle est ailleurs occupé.
Ménageons les moments de cette heureuse absence.
(v. 693 et 709-711)

Burrhus, inquiet de l'évolution de Néron souhaite le soutien de sa mère. Justement « la voici : mon bonheur me l'adresse ». Elle va l'accabler de reproches (v. 808). Ménageons « le reste d'un jour autant heureux que je l'ai cru funeste » dit Agrippine (v. 1608). Elle n'a pas fini sa phrase qu'elle entend le tumulte qui annonce le meurtre de Britannicus.

Bonheur : ce terme est trois fois répété dans les soixante-dix vers qui précèdent la scène où Arcas révèle qu'Agamemnon attend sa fille « à l'autel pour la sacrifier » (v. 912).

Approche, heureux appui du trône de ton maître,

dit Assuérus (v. 578) à son ministre tout joyeux — qu'il va soumettre à un « supplice affreux » (v. 844). Le malheur s'abat sur Titus et Bérénice au moment qui devait couronner leur bonheur :

Lorsqu'un heureux hymen, joignant nos destinées...

Dans le temps que j'espère un bonheur immortel,
Quand votre heureux amour peut tout ce qu'il désire...
(v. 443 et 1082-1083)

Ainsi, dans la diachronie de la fiction, le bonheur n'est le plus souvent qu'un souvenir qu'aggrave la douleur présente, ou bien une espérance illusoire, un mirage qui prépare une cruelle déception. Dans la réalité — c'est-à-dire dans le fonctionnement de l'œuvre, dans la vision de l'auteur, dans la perception du public —, ce n'est donc qu'un moyen imaginaire, inventé pour faire souffrir [1]. La même fonction se retrouve dans la synchronie : la joie qu'apportent les événements n'est parfois que l'occasion de ressentir plus cruellement une angoisse infinie :

Mais parmi ce plaisir quel chagrin me dévore ?
(*Britannicus*, v. 695)

Hélas ! durant ces jours de joie et de festins,
Quelle était en secret ma honte et mes chagrins !

---

[1] Toutefois, sur le plan esthétique, il en résulte un plaisir chez le spectateur, partagé entre l'espoir et la crainte, entre l'adhésion affective et la lucide méfiance de la prévision rationnelle.

(*Esther*, v. 81-82)

Au moment où le héros s'enfonce dans la souffrance, des témoins « naïfs » s'appliquent à souligner son bonheur :

L'heureux Aman a-t-il quelques secrets ennuis ?

demande Hydaspe. Je suis, répond-il,

                                    plus misérable
Que tous les malheureux que mon pouvoir accable !

(*Esther*, v. 411-414)

« Un calme heureux nous remet dans le port », et je suis « trop heureux d'avoir pu » vous le faire savoir : voilà les expressions qui encadrent le récit par lequel Acomat annonce à la princesse Atalide ce qui est pour elle une catastrophe. Avant qu'Iphigénie ne vienne accabler de sa joie admirative le père qui l'a condamnée à mort (cf. chap. 4), deux autres personnages l'ont déjà torturé de leurs compliments béats : « roi, père, époux heureux » (v. 17), « jamais père ne fut plus heureux que vous l'êtes » (v. 358).

Pour un processus inverse, mais pour le même résultat, la machination dramatique peut occulter un bonheur réel pour en faire une douleur. Britannicus est malheureux parce qu'il se croit trahi par Junie. En fait elle l'aime encore plus que jamais. Mais Néron s'applique à transformer ce bonheur en souffrance ;

Par de nouveaux soupçons va, cours le tourmenter ;
Et tandis qu'à mes yeux on le pleure, on l'adore,
Fais-lui payer bien cher ce bonheur qu'il ignore.

(v. 754-756)

Derrière le sadisme de Néron, on reconnaît la vision tragique du dramaturge. Dans *Mithridate*, il imaginera que Monime opère sur elle-même et sur celui qu'elle aime cette étrange alchimie de la douleur. Xipharès ne connaît pas mes sentiments, dit-elle ; mais c'est préférable pour lui, car s'il vient à les apprendre,

Je lui vendrai si cher ce bonheur qu'il ignore
Qu'il vaudrait mieux pour lui qu'il l'ignorât encore.

(v. 419-420)

Après son aveu, elle répétera cette affirmation avec une détermination accrue : oui, je vous aime ; mais s'il vous arrive

De me faire chérir un souvenir si doux,
Vous n'empêcherez pas que ma gloire offensée
N'en punisse aussitôt la coupable pensée ;
Que ma main dans mon cœur ne vous aille chercher
Pour y laver ma honte et vous en arracher.

(v. 734-738)

La simple évocation du bonheur conduirait ainsi au suicide.

Cette cruelle utilisation du bonheur se retrouve dans le style. *Bonheur, heureux, joie, plaisir* voisinent souvent avec les termes du malheur ou de la douleur, parfois jusqu'à former avec eux des oxymores délicieux pour un public complice : une « heureuse cruauté », un « divorce heureux », un « heureux criminel », un « bienheureux coupable », une « heureuse rigueur », une « cruelle joie », un « plaisir funeste », un « funeste plaisir », « le plaisir de leur nuire », « rire de ma douleur », « un supplice si doux », « un supplice trop doux » [1]. *Joie* rime avec *proie* [2] ou avec *se noie* [3].

*

* *

J'ai multiplié les exemples pour montrer que presque toujours, du moins dans les parties tragiques de son œuvre, le bonheur n'est pas chez Racine une réalité. Paradis perdu, espoir trompeur, rêve illusoire, idéal inaccessible, il n'existe le plus souvent qu'à l'extérieur de l'univers tragique, ou s'il y apparaît, c'est pour être rapidement déçu, ou pour faire souffrir les autres et être finalement broyé, sauf dans les pièces à fin heureuse : *Alexandre, Mithridate, Iphigénie, Esther* et *Athalie*. Bref, c'est une cruelle contre-réalité. Un bonheur, dit Créon « n'est pas un bonheur s'il ne fait des jaloux » (*La Thébaïde*, v. 1444). La principale raison d'être du bonheur dans la tragédie, c'est la douloureuse frustration et la réaction vengeresse qu'il suscite.

Il était fort important de corroborer cette hypothèse pour aborder une question capitale : l'amour, le bonheur, l'innocence de Junie et Britannicus et de leurs semblables sont-ils des réalités dans l'univers racinien, dans la vision racinienne de la nature et de la condition humaines ? C'est ce que l'on dit généralement : il y aurait deux sortes de personnes et deux formes d'amour dans l'humanité qui nous est présentée, et qui ne correspondrait donc pas à l'anthropologie augustinienne. Mais mon hypothèse me conduit à me demander si ces figures idéales et heureuses ne sont pas des utopies dont la présence se

---

[1] Références : *And.* 643, *Brit.* 478, *Mith.* 656 et 671, *Ph.* 435 ; *Bér.* 1315, *Mith.* 1495, *Iph.* 485, *Esth.* 944 ; *And.* 1249, *Ph.* 1248, *Brit.* 56 ; *And.* 1328, *Ph.* 708 et 1631.

[2] *Théb.* 127-128, 1071-1072, 1353-1354 ; *And.* 597-598 ; *Esth.* 942-944 et 1176-1177 ; *Ath.* 867-868.

[3] *And.* 81-82 et 1621-1622 ; *Bér.* 1315-1316.

justifie surtout, sinon exclusivement, par leur fonction dramatique : par le massacre auquel ils sont destinés et par la douleur qu'ils suscitent chez les véritables sujets de la condition tragique [1].

Notons qu'il ne s'agit pas en tout cas de réalités historiques : les couples Junie-Britannicus, Bajazet-Atalide, Monime-Xipharès, Achille-Iphigénie, Hippolyte-Aricie sont des inventions de Racine — ou de ses prédécesseurs immédiats pour les deux derniers. C'est d'abord pour plaire au public qu'ils ont été imaginés. Mais cette explication externe ne répond nullement à une autre question : quel rôle jouent-ils dans le fonctionnement de l'œuvre et dans la vision dont elle procède ? S'agit-il de réalités ou de contre-réalités ? Au dénouement de *Mithridate* et d'*Iphigénie*, la première réponse s'impose : ces réalités l'emportent. Mais ces passages-là ne prouvent rien en ce qui concerne la vision tragique, à laquelle ils échappent — en bonne partie sans doute par une complaisance de l'auteur. Dans le premier cas envers l'Académie où il va entrer ; dans le second envers le public de l'opéra, auquel il veut montrer que la tragédie peut, elle aussi, susciter des émotions enthousiasmantes.

Dans les rapports qu'entretiennent Néron avec Junie et Britannicus, Roxane avec Atalide et Bajazet, Mithridate avec Monime et Xipharès, Phèdre avec Hippolyte et Aricie, c'est le premier nommé qui est le personnage de base du couple, et les autres sont conçus à partir de lui — l'un comme objet de son désir et l'autre comme rival — bien plus que l'inverse. Les couples heureux sont donc fonctionnels, au moins en bonne partie. Or, alors que leur nature est d'être heureux, leur fonction est au contraire de susciter une douloureuse frustration et de s'attirer une cruelle répression.

Quand Pyrrhus décide d'épouser Hermione puis Andromaque, ce n'est pas à elles qu'il l'annonce mais à ceux que cette nouvelle va torturer : à Oreste dans le premier cas, à Hermione dans le second. Et si la joie de celle-ci est mise en scène c'est surtout comme moyen de torturer Oreste. Le bonheur n'apparaît guère en lui-même, mais surtout dans ses effets douloureux. Parfois même, ces effets, qui ont de lourdes conséquences réelles, résultent d'un bonheur purement imaginaire. Rien de tel que « l'image douloureuse » d'une

---

[1] Ceux-ci relèvent au contraire d'une vision réaliste et sont représentatifs de la nature humaine telle que presque tous les écrivains et moralistes se la représentent à cette époque.

« rivale heureuse » pour susciter les « fureurs des amants »,
déclare Atalide (*Bajazet*, v. 685-688). Or, cette folle douleur
réelle a pour cause un bonheur qui n'existe que dans son
imagination : Roxane n'est pas encore heureuse, et elle ne le
sera jamais.

> Pouvez-vous m'imposer une loi plus funeste
> Que de rendre mes yeux les tristes spectateurs
> De la félicité de mes persécuteurs ?

demande Eriphile à Achille (v. 882-884). Mais cette félicité des
Grecs n'est pour le moment qu'une illusion : Iphigénie est
promise à la mort et l'annonce de son sacrifice risque de
provoquer la guerre civile. L'amour triomphera au dénouement,
mais pour le moment, dans la partie tragique de la pièce, ce n'est
qu'un leurre : c'est le piège imaginé par Agamemnon pour faire
venir sa fille au sacrifice. Sa raison d'être est de conduire à cette
catastrophe. Et de plus cette apparence d'amour heureux
produit chez Eriphile une frustration douloureusement jalouse
qui la pousse à une criminelle vengeance — comme Taxile,
Hermione, Néron, Roxane ou Phèdre. Je ne peux supporter
« l'aspect d'un bonheur dont je ne puis jouir » (v. 420). Il me
faut absolument

> Traverser son bonheur que je ne puis souffrir.
> (v. 508)

Telle sera aussi la motivation de la plus intense douleur de
Phèdre :

> Tout ce que j'ai souffert, mes craintes, mes transports,
> La fureur de mes feux, l'horreur de mes remords,
> Et d'un refus cruel l'insupportable injure
> N'était qu'un faible essai du tourment que j'endure.
> (v. 1226-1230)

C'est cette « jalouse rage » (v. 1258) qui l'empêchera de sauver
Hippolyte, la rendant définitivement criminelle :

> Non, je ne puis souffrir un bonheur qui m'outrage.
> (v. 1257)

Or, ce bonheur, dont l'idée suscite une réaction si violente, et
dont les conséquences réelles sont si funestes, n'est pas tout à
fait, lui, une réalité [1]. Le couple Hippolyte-Aricie, né il y a

---

[1] Ajoutons que, contrairement à Phèdre, Thésée n'a pas cru à sa réalité. Ou
plutôt — car c'est le seul dramaturge qui pense à travers tous les
personnages —, d'un côté Racine a utilisé cet amour comme vérité pour
empêcher Phèdre de sauver Hippolyte, de l'autre il l'a réduit en faux prétexte
pour empêcher Thésée de douter de la culpabilité de son fils : deux

quelques heures à peine est aussitôt confronté aux pires difficultés. Leur bonheur radieux n'existe que dans l'imagination de Phèdre : c'est un fantasme destiné à mettre le comble à sa douloureuse frustration :

Le ciel de leurs soupirs approuvait l'innocence ;
Ils suivaient sans remords leur penchant amoureux ;
Tous les jours se levaient clairs et sereins pour eux.
Et moi, triste rebut de la nature entière,
Je me cachais au jour, je fuyais la lumière.
La mort est le seul dieu que j'osais implorer.

(v. 1238-1243)

De même le bonheur d'Eriphile n'est qu'une douloureuse erreur d'Iphigénie (v. 693-700 et 710-714). Et dans une certaine mesure celui de Monime et Xipharès, qui ont renoncé l'un à l'autre aussitôt après s'être avoué leur amour, n'est qu'une lancinante angoisse de Mithridate, qui s'imagine à tort qu'ils l'ont trahi : ce fantasme le poursuit obsessionnellement (v. 1014, 1028, 1031, 1116-1121, 1283-1289, 1311, 1384-1386, 1408, 1442-1446, 1452).

Certes, le bonheur de Junie et de Britannicus, celui de Bajazet et d'Atalide existent bien, et depuis fort longtemps, dans le passé de l'histoire fictive. Mais dans la réalité présente, dans le fonctionnement de l'œuvre réelle, il est persécuté, et il sert surtout à susciter la douloureuse fureur de ceux qui vont le massacrer. Dans la vision qui anime les moments pleinement tragiques de l'œuvre racinienne (*La Thébaïde*, *Britannicus*, *Bajazet*, *Mithridate* sauf le dénouement, l'histoire d'Eriphile, *Phèdre*), dans la dramaturgie qui la concrétise, les personnages innocents figurent un idéal plutôt qu'une réalité de la condition humaine. Et plutôt qu'un modèle à imiter, c'est une utopie, un idéal inaccessible aux sujets du désir, seuls représentants de l'homme réel tel que le voit Racine, conformément à l'anthropologie de son temps. Leur bonheur, même quand il existe vraiment dans la fable fictive, est instrumentalisé jusqu'à être dénaturé dans le fonctionnement de l'œuvre réelle : c'est un moyen pour provoquer la douleur des autres puis, en réaction, leur propre destruction.

Si *Bérénice* n'est pas seulement le malheur accidentel de deux personnes particulières, mais une exemplaire tragédie de la condition humaine, elle signifie que le bonheur est

---

instrumentalisations contradictoires pour aboutir à la seule chose qui importe : la même conséquence tragique.

impossible en ce monde, même pour des êtres de la meilleure qualité, qui s'aiment profondément. Non seulement parce que le bonheur est un épanouissement autonome de l'individu auquel s'oppose l'exigence collective qui requiert son assujettissement. Mais surtout parce que le bonheur est une satisfaction du désir, principe corrompu et corrupteur auquel s'oppose, dans la vision augustinienne de l'homme, la conscience même du sujet. Titus et Bérénice doivent renoncer au désir qui anime leur nature pour satisfaire à l'exigence de la loi inscrite dans leur conscience. Si la vision d'où procède cette tragédie est bien la même que celle de *Britannicus, Bajazet, Phèdre* et *Athalie*, voilà une raison supplémentaire d'affirmer que le bonheur, dans l'univers racinien (tant qu'il n'est pas accommodé à l'attente des mondains comme dans *Alexandre* et *Iphigénie*, ou réorienté par la Providence), n'est qu'un cruel mirage.

Chapitre 6

Qui parle ?

« Tu ferais un merveilleux avocat, un grand homme politique », disait-on au dramaturge latin Accius : « tu as une capacité de réplique exceptionnelle ». « Oui, dit-il, parce que je réponds à des objections que je me fais moi-même. Parfois, j'écris d'abord la réplique pour mieux calculer l'objection. Le problème, quand on discute avec les autres, c'est qu'ils n'envoient jamais la balle où on l'attend » [1].

D'un point de vue naïvement réaliste, la question de savoir qui s'exprime à tel moment ne se pose vraiment pas dans le théâtre classique : sauf quelques rares didascalies, tout le texte consiste en répliques précédées, en lettres majuscules, du nom de celui qui les prononce. Mais on s'aperçoit bientôt qu'au théâtre encore plus qu'ailleurs, le propre de l'écriture littéraire « est d'empêcher de jamais répondre à cette question : *Qui parle ?* » [2] — et peut-être à cette autre : à qui s'adresse t-on ? Incertitude fâcheuse face à un texte entièrement composé de paroles dont le sens vient de l'intention de cet énonciateur difficile à préciser, dans son rapport à un destinataire également obscur. Le sens d'un dialogue est clair quand on peut le replacer dans son contexte et restituer le rapport entre son émetteur et son destinataire. Ici nous n'avons que le texte, et c'est à partir de lui que nous imaginons tout le reste. C'est toujours un *acteur* précis qui parle, et c'est effectivement le comédien correspondant qui prononce son texte — mais c'est à partir du texte qu'il a imaginé son personnage et sa façon de

---

[1] Libre adaptation de Quintilien, *Institution oratoire*, V, XIII, 43.
[2] Roland Barthes, *S/Z*, éditions du Seuil, 1970, p. 146.

parler, de donner sens à ses répliques. Dans cette opération, chaque lecteur, acteur ou metteur en scène aboutit à un résultat différent, pour ranimer le texte réel à partir d'un énonciateur conjectural. La solution est peut-être que cette parole qui permet d'inventer le locuteur dont elle paraît procéder a été conçue par son auteur en vue de ce travail d'imagination ?

Même si nous en restons au niveau du personnage, les choses ne sont pas si simples, car il a lui-même plusieurs voix. Tantôt c'est la passion qui parle en lui, et tantôt la raison ou l'honneur ou l'amour-propre ; et sa passion même est souvent divisée — à la limite elle est amour et haine à la fois, comme chez Hermione. Son discours est donc contradictoire, comme le montrent notamment les monologues. Et les diverses motivations qui animent sa parole ne s'expriment pas toujours l'une après l'autre : son discours est parfois ambivalent, qu'il en soit conscient ou pas — ce qui accroît d'ailleurs sa puissance d'évocation poétique.

*
* *

Mais le problème principal de la parole théâtrale, c'est qu'elle procède toujours — plus ou moins — d'une double énonciation [1] : tout le texte est écrit par l'auteur [2] pour émouvoir, séduire et faire réfléchir le public, à travers des dialogues où tout ce même texte est oralement adressé par un *acteur* à un autre *acteur*. Dans la représentation, comme dans l'imagination du lecteur, ceux-ci sont présents, mais fictifs, tandis que l'auteur, le texte et le public sont réels. Mais l'auteur, qui fut le seul maître du texte, est absent, et son texte, réduit à sa littéralité, est réinterprété par d'autres ; lecteur et spectateurs sont présents, et c'est pour eux que tout se fait, mais ils sont muets, et ce ne sont jamais les mêmes. Etrange situation ! « Tout auteur a un sens auquel tous les passages contraires s'accordent ou il n'a

---

[1] Puisque je parle pour le moment du texte, et non de la représentation (ni de la lecture), je n'évoquerai pas le troisième énonciateur : le comédien (ou le simple lecteur).

[2] Cet auteur lui-même n'a pas d'unité, même dans une seule œuvre. Dans toutes les pièces de Racine, on reconnaît sa manière. Toutefois c'est du Racine modifié par la vision, la thématique, la problématique de chaque pièce. Le style d'*Alexandre* ou de *Bérénice* est bien différent de celui de *Phèdre* ou d'*Athalie*. Et dans chaque pièce il varie peu ou prou selon les personnages et les moments.

point de sens du tout », écrit Pascal (Laf. 257). Cette affirmation peut elle s'appliquer à une polyphonie dialogique dont les exécutants se déguisent souvent et vivent un conflit permanent, que le dramaturge harmonise plus ou moins, tout en utilisant leur partition pour faire passer ses propres messages ?

La parole a une importance capitale dans un théâtre où il y a peu d'action factuelle, où le malheur peut venir de n'avoir pas su se taire ou dissimuler ses sentiments, où le salut ou bien la catastrophe vient d'une révélation longtemps différée, et où la sublimation poétique joue un rôle essentiel. Or, dans la mesure où il est le discours des acteurs, le texte n'est pas toujours facile à interpréter : nombreux sont ceux qui se déguisent, par ruse, par habileté ou par prudence. Mais la difficulté est encore plus grande dans la mesure où le texte est le discours de l'auteur. Contrairement à l'essayiste et au poète, dont la parole directe occupe tout le texte, contrairement au romancier, qui délègue partiellement la sienne à un narrateur ou à des personnages, mais qui intervient, à travers le narrateur, pour les présenter, pour commenter leurs actes et leurs discours, pour analyser leurs plus intimes états d'âme, l'écrivain de théâtre ne prend jamais la parole [1] dans un texte qui est entièrement le sien, et que les contraintes du genre l'amènent à composer très soigneusement. Or — complication supplémentaire — c'est, plus que les autres, un écrivain multiple. C'est un peintre et un psychologue, qui fait le portrait et l'analyse de personnages qu'il fait vivre à travers leurs discours ; c'est un narrateur, qui met en récits, eux-mêmes transformés en dialogues, les événements antérieurs ou extérieurs à la scène ; c'est un dramaturge, qui organise une intrigue, avec ses péripéties soigneusement préparées pour être à la fois vraisemblables et surprenantes ; c'est un philosophe qui exprime, le plus souvent implicitement, une vision de l'homme, et un idéologue qui se fait le porte-parole d'un certain nombre de notions ou manières à la mode ; c'est un poète qui fait vivre tout ce qu'il évoque, et qui sublime la douleur dans la noblesse, l'harmonie, la séduction du style. Et

---

[1] C'est particulièrement net à l'époque de Racine. C'est beaucoup moins vrai à notre époque, chez les Anciens — où l'auteur s'exprime notamment dans les chœurs — et au XVIe, où la tragédie comporte encore des chœurs, un grand nombre de sentences — en moyenne plus de 200 par pièce chez Garnier, jusqu'à 300 chez Jodelle —, et de longs récits ou débats où les interlocuteurs sont fort peu individualisés.

toutes ces fonctions interfèrent dans une parole unique, qui doit paraître celle d'un autre — en toute spontanéité !

Ainsi, souvent double ou pluriel par lui-même, le discours des *acteurs* est de plus investi et travaillé ou parfois manipulé par une autre parole aux fonctions multiples, qui la charge d'intentions qui échappent à leur conscience possible. La parole de l'acteur qui s'adresse spontanément en ce moment à un autre acteur sur scène, est calculée par l'écrivain pour préparer une péripétie qui va la contredire à un autre moment, et pour s'adresser au public dans la salle, et même aux doctes, critiques et autres intellectuels au fond de leur cabinet. Plus le personnage, perturbé par sa passion, est incapable de contrôler son discours, plus l'écrivain le maîtrise pour l'organiser habilement et l'exprimer clairement.

Le travail de l'écrivain-psychologue est assez simple tant qu'il s'agit de prêter aux personnages l'expression de telle idée, sentiment ou passion : car sa parole s'identifie alors à la leur. Rappelons seulement que ces expressions peuvent varier, selon les moments du rôle, au point qu'elles semblent, chez un même personnage, procéder de caractères différents. Mais l'auteur doit aussi décrire et analyser son personnage : il le fait faire par lui-même dans les monologues ; ou bien par ses interlocuteurs. Dans ce dernier cas, l'écriture du psychologue vient s'inscrire dans celle du dramaturge : la finesse d'un adversaire, aiguisée par la jalousie ou le dépit, décèle les motivations et intentions que l'autre s'applique à déguiser. C'est implicite dans la confrontation initiale entre Pyrrhus et Oreste (I, 2) ; c'est explicite dans les rencontres entre Oreste et Hermione (v. 517-544) ou Pyrrhus et Hermione (v. 1309-1340 et 1375-1380), ou dans la remarquable analyse que fait Iphigénie des sentiments secrets d'Eriphile. Mais les moments stylistiquement les plus complexes sont ceux où l'écrivain analyse et critique le personnage à travers sa propre parole : à son insu et à ses dépens. C'est peut-être quand la contradiction entre la parole du personnage et la signification que l'écrivain y introduit à l'intention du public, est la plus forte que l'effet produit est le plus intense : nous l'avons vu pour la naïveté prêtée à Iphigénie ; nous le verrons plus loin pour l'ironie tragique.

*
*   *

L'écrivain de théâtre est entre autres choses un narrateur, surtout dans la tragédie classique. Celle-ci ne met en scène qu'une partie de l'histoire qui en fait le sujet. Elle en raconte le reste : ce qui est antérieur à la pièce, et ce qui se passe à l'extérieur de la scène ou pendant les entractes ou dans l'intimité des personnages. De plus, elle décrit sobrement le décor, les acteurs et leurs comportements dans le texte même plutôt que par des didascalies. L'auteur doit transformer ces narrations et descriptions en discours motivés, et si possible en dialogues d'apparence spontanée.

Ce travail est particulièrement délicat dans les premières scènes. Elles doivent exposer la situation conflictuelle et les positions de chaque personnage, avec son caractère, expliquer comment l'on en est arrivé là et suggérer la suite, dans ses versions positive et négative. Elles doivent le faire sous la forme d'un dialogue vivant, qui anime la scène, amorce l'action et motive le public. Racine a l'art de problématiser les expositions : souvent surpris par une situation ou une information insolite, un confident interroge avec insistance un personnage principal qui ne lui répond que peu à peu, avec réticence et parfois de façon incomplète :

Quand nous serons partis, je te dirai le reste.

(*Bérénice*, v. 132)

Toutefois, ce dialogue sent un peu l'exposé dans *Britannicus*, *Bérénice*, *Mithridate*, *Iphigénie* et *Esther*, qui commencent par un échange inégal — en qualité comme en étendue — entre un personnage principal porteur d'un secret explosif, et un confident dont les questions ou les affirmations naïvement erronées le conduisent à s'expliquer. Seule *Phèdre* réussit à équilibrer un tel dialogue entre le désarroi réticent d'Hippolyte et l'ironique finesse de Théramène, puis entre la reine et le zèle harcelant d'Œnone. Dans ces deux scènes, les arguments par lesquels les *acteurs* se *répliquent* [1] l'emportent sur l'exposé

---

[1] Pour y montrer la vie des répliques, on pourrait résumer ainsi la première scène : Je vais chercher mon père, dit Hippolyte. — Je l'ai déjà cherché partout, réplique Théramène ; peut-être s'est-il caché pour se donner à « de nouvelles amours ». — « Arrête et respecte Thésée ». — Mais pourquoi quittez-vous ces « lieux si chers à votre enfance » ? — « Cet heureux temps n'est plus », depuis l'arrivée de Phèdre — Vous n'avez plus rien à craindre d'elle. — Ce n'est pas elle que je fuis, c'est Aricie. — Parce que vous aussi vous la haïssez ? — « Si je la haïssais, je ne la fuirais pas ». — « Aimeriez-vous » ? — « Ami, qu'oses-tu dire ? » Hélas oui, dit

d'informations. Comme dans *Andromaque* et plus que dans *Athalie*, nous pouvons oublier que c'est l'auteur qui a écrit ce qu'ils disent.

Dans *Bajazet* et surtout dans *Andromaque* l'exposition procède d'un échange mieux équilibré : la rencontre de deux personnages dont chacun détient la moitié de l'information. L'amitié qui unit Oreste et Pylade et l'émotion de leurs retrouvailles inespérées permettent un dialogue plus vivant que celui d'Acomat avec son confident, qui ne consiste guère qu'en deux longs récits périodiquement interrompus. *La Thébaïde* commençait par deux dialogues de ce type, mais ils étaient fort brefs (trente-quatre et neuf vers) et laissaient heureusement la place à l'affrontement de deux personnages majeurs. Une confrontation analogue occupait les deux premières scènes d'*Alexandre*. Mais Racine ne reprendra ce procédé que dans *Athalie* : la confrontation des perspectives opposées d'Abner et de Joad, bien qu'elle commence par de longs exposés, est l'une de ses meilleures scènes d'exposition.

Les récits se retrouvent à divers moments de la pièce — notamment au dénouement — pour décrire tout ce dont la représentation serait difficile, oiseuse ou choquante, et parce que la tragédie, genre noble, s'adresse à l'esprit, dans une société soucieuse de distinction hiérarchique [1]. Or, le récit est différent du dialogue (même quand il en prend la forme) et de la poésie dramatique, surtout telle que Racine la pratique : c'est un genre réaliste et distancié, non seulement dans son style, caractérisé par le passé simple, par un vocabulaire concret et souvent par la troisième personne, mais dans sa vision. Ainsi, Racine élimine les relations sexuelles, qui étaient explicites dans les sources d'*Alexandre*, d'*Andromaque*, de *Bérénice*, et de *Bajazet*, et plus que vraisemblables chez un Néron ou un Mithridate. Ce n'est

---

Hippolyte, et il raconte la naissance de ce « fol amour ». — Mais c'est normal, réplique Théramène.

[1] « Même dans les tragédies, où d'ordinaire la licence est plus grande que dans l'art oratoire, il ne saurait être approuvé, surtout aux yeux des doctes, que les choses soient exprimées par simulacres et représentations visuelles, qui le plus souvent ne répondent pas à la majesté du sujet, et ôtent beaucoup de dignité à l'action. Je dis aux yeux des doctes, car le peuple grossier, dont l'esprit et l'intelligence ne volent par très haut, réclame au théâtre des jouissances visuelles, et non pas des plaisirs médiatisés par les oreilles » (Nicolas Caussin, *Eloquentiae sacrae et humanae parallela*, 1619, l. VIII, p. 317 ; cité et traduit par M. Fumaroli, *Revue d'Histoire du Théâtre*, 1972, p. 231).

pas seulement par bienséance : plus profondément c'est parce que ses acteurs sont des figures morales plutôt que des êtres physiques. Mais le *lit* conjugal ou même adultérin ou incestueux est nommé quinze fois [1], dont quatorze dans des récits, et il ne s'agit généralement pas d'une innocente métonymie. Pour arriver à mes fins, je voulais épouser l'empereur, raconte Agrippine à Néron. Mais c'était mon oncle : il hésitait devant un « lit incestueux » :

> Le Sénat fut séduit : une loi moins sévère
> Mit Claude dans mon lit, et Rome à mes genoux.

Il vous adopta et vous choisit pour successeur. Par la suite, il fut pris de regrets en faveur de son fils. Mais « trop tard » :

> Ses gardes, son palais, son lit m'étaient soumis.
>   (v. 1127-1178)

Est-il possible d'être plus clair ? [2]

Souvent le réalisme des récits, sans être aussi piquant, est d'autant plus net qu'ils restituent un univers antérieur à la tragédie, une époque où le héros, aujourd'hui tourmenté, voire réduit à l'impuissance, maîtrisait les événements. Ou bien, dans *Mithridate* et *Iphigénie*, ils présentent un avenir où le tragique sera dépassé. On pourrait dire que la tragédie est conçue par un poète moraliste, mais qu'elle inclut des récits faits par un peintre historien.

Mais d'un autre côté, contrairement à la représentation directe des événements, le récit soumet leur restitution à la stratégie du narrateur. On les a souvent critiqués : « Ce qu'on expose à la vue touche bien plus que ce qu'on n'apprend que par un récit », avoue Corneille lui-même [3]. Hugo regrette fort que Racine, « paralysé par les préjugés de son siècle » ait « relégué dans la coulisse cette admirable scène du banquet où l'élève de Sénèque empoisonne Britannicus dans la coupe de la réconciliation » [4]. Mais (outre qu'il est difficile d'en donner une exécution théâtrale qui sonne juste, faute d'avoir les moyens du cinéma et de pouvoir introduire des coupures et des

---

[1] *Britannicus*, 1127, 1134, 1137, 1178, 1216 ; *Bérénice*, v. 410 et 411 ; *Bajazet* v. 468 ; *Mithridate* v. 59 et 1351 (seul emploi en dehors d'un récit) ; *Iphigénie*, v. 248 et 1284 ; *Phèdre*, v. 1048 et 1340 ; et même *Esther*, v. 34.

[2] C'est aussi un récit qui nous apprend qu'avant « d'offrir [...] un hymen » à Monime, Mithridate « tenta sa vertu », espérant qu'« elle lui céderait une indigne victoire » (v. 49-54).

[3] Examen du *Cid*, 1660.

[4] Préface de *Cromwell*, 1827.

changements d'angle et de plan), ces spectacles concrets privilégieraient les effets sensibles et mélodramatiques. Dans le récit, le sens et le style prédominent sur l'événement visible. L'œil du cœur et de la conscience y remplace la réalité brute par sa perception affective et morale ; il la transmet à l'imagination de chaque lecteur ou spectateur, qui la modèle à son gré ; il intègre le spectacle aux antagonismes idéologiques constitutifs de la tragédie et aux conflits psychiques qui leur donnent vie.

Ainsi, l'angoisse de Phèdre « croi[t] voir » Minos qui regarde de son cœur de « père » « épouvanté » et de son œil « sévère » de « juge » sa fille avouant tous ses « forfaits », et qui cherche pour elle, en imagination, « un supplice nouveau » (v. 1278-1288). Onze vers dégagent fermement les fondements et les enjeux affectifs et moraux qui ne seraient guère perceptibles sous la représentation pittoresque de l'arrivée de Phèdre aux Enfers — à supposer qu'une telle scène fût concevable dans le théâtre classique. « Ce ne sont pas les intrigues admirables, les événements surprenants et merveilleux, les incidents extraordinaires qui font la beauté d'une tragédie, ce sont les discours quand ils sont naturels et passionnés »[1].

Dans un conflit où chacun cherche à imposer son point de vue et à justifier sa conduite, le récit a l'avantage de travestir ou de tronquer les événements, pour y substituer une interprétation orientée. « Tu l'as vu, comme elle m'a traité », déclare Pyrrhus, rapportant son entrevue avec Andromaque (v. 644). Il est évident qu'à ce moment-là, dans la scène « réelle », celle-ci se préoccupait bien plus d'embrasser son fils, image de son cher Hector, que de bafouer Pyrrhus. Mais le récit permet de tout recentrer sur l'irritation provoquée par le nom du rival :

Cent fois le nom d'Hector est sorti de sa bouche.

(v. 650)[2]

De la réalité, le récit ne retient que la réaction qu'elle suscite : la motivation dramatique des personnages. Voyez comment Thésée réinterprète *a posteriori* l'accueil que lui a fait son fils :

---

[1] Rapin, *Réflexions sur la Poétique*, II, 21.

[2] En fait, Andromaque parle de « mon fils » bien plus souvent que du « fils d'Hector » : dix-sept fois contre neuf en comptant quelques exemples assimilables. Ce sont surtout Oreste, Pyrrhus et Hermione qui parlent du « fils d'Hector » (quinze fois) : ils craignent qu'il ne devienne un jour aussi redoutable que son père.

Le perfide ! Il n'a pu s'empêcher de pâlir.
De crainte en m'abordant je l'ai vu tressaillir.
Je me suis étonné de son peu d'allégresse.
Ses froids embrassements ont glacé ma tendresse.
                                        (v. 1023-1026)

Au gré de ses réactions, Phèdre revoit différemment l'attitude d'Hippolyte dans la scène de la déclaration. D'abord à travers le souvenir de l'offense :

Ciel ! comme il m'écoutait ! Par combien de détours
L'insensible a longtemps éludé mes discours !
Comme il ne respirait qu'une retraite prompte !
                                        (v. 743-745)

Puis à travers l'espoir qui revient :

Peut-être sa surprise a causé son silence.

Les charmes d'un empire ont paru le toucher.
Athènes l'attirait, il n'a pu s'en cacher.
                                        (v. 785 et 795-796)

Enfin, quand la jalousie se déchaîne, de nouveau elle ne voit plus que « ses yeux cruels » (v. 1210) et le moment où

                                        l'ingrat inexorable
S'armait d'un œil si fier, d'un front si redoutable (v. 1205-1206)

Ainsi, le récit est une interprétation de l'événement, où se peint la psychologie du témoin, qui en dégage les enjeux dramatiques. Il se fait souvent par une mise en scène mentale et par une transposition poétique.

                              *
                          *   *

En effet, l'écrivain de théâtre classique s'exprime aussi en poète. Et c'est notamment dans les récits que Racine déploie sa culture mythologique ou intertextuelle et ses talents d'évocateur, suscitant par ses fresques et ses hypotyposes l'émotion et le plaisir esthétique du public. C'est déjà le cas dans le récit du duel des frères ennemis (*La Thébaïde*, v. 1309-1384) ; ce sera remarquable dans la description du sac de Troie, de la dernière entrevue d'Andromaque et d'Hector (v. 992-1006 et 1018-1026), de l'arrivée de Junie (*Britannicus*, v. 385-404) de l'apothéose du père de Titus (v. 301-316) ou du cauchemar d'Athalie, aussi bien que dans les récits rétrospectifs d'Agrippine (v. 1115-1227), d'Antiochus (*Bérénice*, v. 187-258), de

Monime (*Mithridate*, v. 247-274), d'Agamemnon (*Iphigénie*, v. 43-157), de Phèdre (v. 269-310) et d'Esther (v. 31-114) ou dans le célèbre récit de Théramène, qui est loin d'être une simple narration des événements : avant de le commencer, le fidèle gouverneur a déjà donné l'information essentielle : « Hippolyte n'est plus ». Dès lors, comme un chant de pleureuse, ce récit est une extension poétique de la douleur, afin que Thésée comme le lecteur puisse y participer assez longuement pour la sublimer et commencer le travail de deuil.

Dans de telles évocations, le poète s'approprie plus ou moins la parole du personnage. Il est naturel que Phèdre, se mourant d'une passion malheureuse, songe à sa sœur, morte d'avoir été séduite et abandonnée. Cela ne suffit pas à expliquer cette trouvaille si bien élaborée :

> Ariane, ma sœur ! de quel amour blessée,
> Vous mourûtes aux bords où vous fûtes laissée ?
>
> (v. 253-254)

C'est le poète qui parle et qui s'adresse directement au public pour le mettre en condition : cette invocation magique ne concerne que secondairement Phèdre qui la prononce, et Œnone qui l'écoute. Lorsqu'Andromaque s'indigne, devant Céphise, à l'idée d'épouser le destructeur de sa patrie, elle exprime certes sa répulsion, sa « haine » pour ce « barbare » qui menace son fils après avoir massacré presque toute sa famille. Mais elle appuie son raisonnement sur une célèbre hypotypose de la nuit du carnage, où c'est aussi le poète qui s'adresse au public. C'est seulement dans la mesure où le passage est assez bien écrit pour être intensément émouvant que nous pouvons adhérer à la douleur de l'*actrice* au point d'oublier l'auteur.

Il n'y a pas dans ces récits d'invraisemblance gênante, et ce n'est pas seulement par acceptation des conventions littéraires. Le poète chez Racine est généralement au service du narrateur, du dramaturge et du peintre psychologue : parfois sa poésie fonctionnelle semble être l'expression la plus juste, voire la plus simple, de ce qu'il convient de dire à cet instant, qu'il s'agisse de morale, de nostalgie ou d'honneur :

> Le jour n'est pas plus pur que le fond de mon cœur.
>
> (*Phèdre*, v. 1112)
>
> Dans l'Orient désert quel devint mon ennui !
> Je demeurai longtemps errant dans Césarée,
> Lieux charmants où mon cœur vous avait adorée.
>
> (*Bérénice*, v. 234-236)

Son ombre vers mon lit a paru se baisser.
Et moi je lui tendais les mains pour l'embrasser.
Mais je n'ai plus trouvé qu'un horrible mélange
D'os et de chair meurtris, et traînés dans la fange,
De lambeaux pleins de sang, et de membres affreux,
Que des chiens dévorants se disputaient entre eux.

(*Athalie*, v. 501-506)

C'est en bonne partie de leur adéquation au moment où ils sont prononcés, et de la vérité qu'ils expriment dans un style relativement sobre que ces passages tirent leur force d'évocation poétique.

La seconde raison de cette bonne intégration de la parole du poète dans celle du personnage, tient à l'intensité dramatique de la plupart de ces évocations, et à l'importance de leurs implications. Dans *Andromaque* le tableau de la dernière nuit tragique de Troie et le portrait de Pyrrhus « de sang tout couvert échauffant le carnage » (v. 1002) sont juxtaposés à la dernière image du tendre Hector, recommandant son fils à son épouse. Et elle peint ce diptyque au moment où tout la pousse à trahir celui-ci pour épouser celui-là. La restitution de la rencontre entre Néron et Junie (v. 385-406) est une cristallisation poétique des antagonismes de cette tragédie : Néron, qui croit s'offrir, dans la nuit traversée d'armes et de flammes, l'objet dénudé de sa violence érotique, se trouve confronté à une conscience dont le regard le paralyse, le réduit à l'impuissance et lui impose un respect admiratif, proche de l'*adoration*, pour reprendre son langage.

Enfin, l'intensité de ces images dramatiques s'inscrit dans l'imaginaire des personnages qui les ont subies, sous forme d'images obsédantes qui constituent leurs motivations dramatiques : l'image d'Hector et de Pyrrhus pour Andromaque, de Junie pour Néron, qui se tient devant elle comme fasciné, « immobile, saisi d'un long étonnement » (v. 397) [1] ; celle de Titus pour Bérénice [2] et celle de Bérénice pour Titus [3] ; et pour

---

[1]   De son image en vain j'ai voulu me distraire (v. 400).
[2]   Parle. Peut-on le voir sans penser comme moi
       Qu'en quelque obscurité que le sort l'eût fait naître,
       Le monde, en le voyant, eût reconnu son maître ?
                                              (v. 314-316)
[3]   Depuis cinq ans entiers chaque jour je la vois,
       Et crois toujours la voir pour la première fois.
                                              (v. 545-546)

Aman le « front audacieux », le « front séditieux » de Mardochée (v. 418 et 431) [1].

Aux images lancinantes du passé, aux éblouissements irrésistibles et aux défis intolérables du présent viennent s'ajouter les fantasmes imaginaires. Hermione, Atalide, Roxane, Phèdre sont hantées par « l'image douloureuse » d'une « rivale heureuse » (*Bajazet,* v. 685-686). Phèdre visualise immédiatement le bonheur d'Hippolyte et d'Aricie comme une sereine luminosité qui la rejette dans un sombre recoin, « triste rebut de la nature entière » (v. 1240-1242). Quand Hermione ou même Atalide pensent au mariage de leur rivale, elles le voient comme une « fête cruelle », un « spectacle » triomphal, et comme un « outrage » qui est la mise en scène de leur « honte » (*Andromaque,* v. 1215-1216 et 1441 ; *Bajazet* v. 709 et 903) :

> Dans le temple déjà le trône est élevé,
> Ma honte est confirmée, et son crime achevé.
> ---
> Pleurante après son char vous voulez qu'on me voie ;
> Mais, Seigneur, en un jour ce serait trop de joie.
>
>   (*Andromaque*, v. 1215-1216 et 1329-1330)

Néron est hanté par le regard d'Agrippine :

> Sitôt que mon malheur me ramène à sa vue,
> ---
> Mon génie étonné tremble devant le sien.
>
>   (v. 500-506)

Athalie est obsédée à la fois par l'image de sa mère réduite à « un horrible mélange d'os et de chair meurtris » que se disputent les chiens (v. 503-506), et par celle du jeune sauveur qui l'a rassurée puis soudainement poignardée, et que — « ô surprise ! ô terreur ! » — elle vient de revoir dans le temple des Juifs (v. 507-514 et 534-540).

Les rivaux, les tyrans et parfois même les simples confidents utilisent le pouvoir des images pour s'influencer mutuellement, transformant promesses et menaces en vivants tableaux. Pyrrhus oblige Andromaque à superposer à l'image du fils d'Hector celle de son cadavre : « Allez, Madame, allez voir votre fils » et, « en l'embrassant, songez à le sauver » (v. 380-385). Bientôt

> vous me verrez, soumis au furieux,

---

[1]   Son visage odieux m'afflige et me poursuit,
    Et mon esprit troublé le voit encor la nuit.
        (*Esther*, v. 435-436)

Vous couronner, Madame, ou le perdre à vos yeux.
(v. 975-976)

C'est par le rappel de cette image que Céphise réussit à ébranler sa maîtresse :

Hé bien allons donc voir expirer votre fils.
On n'attend plus que vous. Vous frémissez, Madame.
(v. 1012-1013)

C'est surtout par des récits qui le confrontent à son image que Burrhus puis Narcisse réussissent à influencer Néron (*Britannicus*, v. 1355-1372 et 1467-1478). C'est par les séductions' d'un récit figuratif qu'Acomat rend « la sultane éperdue » du désir de rencontrer Bajazet (v. 135-142).

Et c'est encore dans d'autres images, concrétisations de leurs fantasmes vengeurs, que les personnages cherchent compensation à leur misère : « Quel plaisir »

De retirer mon bras teint du sang du parjure,
Et pour rendre sa peine et mes plaisirs plus grands,
De cacher ma rivale à ses regards mourants !
(Hermione, dans *Andromaque*, v. 1261-1264)

Quel surcroît de vengeance et de douceur nouvelle
De le montrer bientôt pâle et mort devant elle,
De voir sur cet objet ses regards arrêtés
Me payer les plaisirs que je leur ai prêtés !
(Roxane, dans *Bajazet*, v. 1326-1329 ; cf. 1544-1545)

Oui, de tels *acteurs*, en ces moments de pathétique intensité, peuvent bien assumer à leur propre compte la parole d'un poète : la fureur de l'angoisse ou de la passion les a rendus voyants. L'intensité du texte donne présence vivante à son énonciateur.

Nous pouvons le vérifier par une récapitulation de la dimension poétique du rôle de Phèdre. La plus belle création de Racine est aussi celle qui est le plus souvent motivée par d'obsédantes images :

Je le vis, je rougis, je pâlis à sa vue.
Un trouble s'éleva dans mon âme éperdue.
Mes yeux ne voyaient plus, je ne pouvais parler,
Je sentis tout mon corps et transir et brûler.
(v. 273-276)

Pour me délivrer, je passais les journées à prier Vénus, dit-elle. Hélas !

Quand ma bouche implorait le nom de la déesse,
J'adorais Hippolyte, et le voyant sans cesse,
Même au pied des autels que je faisais fumer,

> J'offrais tout à ce dieu que je n'osais nommer.
> Je l'évitais partout. O comble de misère!
> Mes yeux le retrouvaient dans les traits de son père.
>
> (v. 285-290 ; cf. 628-629 et 640-642)

Mais depuis qu'elle a « déclaré [s]a honte » (v. 767) sous son regard indigné, c'est une autre image du jeune homme qui l'obsède : « Ciel ! comme il m'écoutait ! », « d'un œil si fier, d'un front si redoutable » (v. 743 et 1206).

> Je verrai le témoin de ma flamme adultère
> Observer de quel front j'ose aborder son père.
>
> (v. 841-842)

Les voici. « Je vois Thésée » dit Œnone. Mais Phèdre :

> Ah ! je vois Hippolyte ;
> Dans ses yeux insolents je vois ma perte écrite.
>
> (v. 909-910)

Dans son angoisse obsessionnelle, elle se voit encore poursuivie par l'œil de Caïn du Soleil et de tous les dieux du ciel. Et quand elle veut les fuir « dans la nuit infernale » (v. 1277), c'est le regard de son père, du juge Minos qu'elle rencontre :

> Que diras-tu, mon père, à ce spectacle horrible ?
> Je crois voir de ta main tomber l'urne terrible ;
> Je crois te voir, cherchant un supplice nouveau,
> Toi-même de ton sang devenir le bourreau.
>
> (v. 1285-1288)

Enfin, son ultime supplice sera la vision du bonheur lumineux d'Hippolyte avec Aricie, en opposition avec sa sombre frustration :

> Tous les jours se levaient clairs et sereins pour eux
> Et moi, triste rebut de la nature entière,
> Je me cachais au jour, je fuyais la lumière.
>
> (v. 1240-1242)

*
* *

C'est le terme de dramaturge que l'on emploie le plus souvent, à juste titre, pour désigner l'écrivain de théâtre [1]. Sa

---

[1] « Par dramaturge nous ne désignons ni l'auteur ni le metteur en scène, mais une instance interne au texte dramatique qui met en scène les discours, équivalent du narrateur dans la théorie du récit de G. Genette » (Gilles Declercq, *La ruse oratoire dans les tragédies de Racine*, Cahiers de littérature du XVIIe siècle, 6, 1984, p. 123).

tâche première est en effet de mettre en scène un conflit dans une intrigue caractérisée par de frappantes péripéties. L'auteur d'une tragédie classique doit trouver un épisode historique ou légendaire porteur du genre de conflit qui l'intéresse, le modifier et le compléter pour l'adapter à sa vision, aux contraintes du genre et aux attentes du public, et transformer les positions qui s'affrontent en engagements personnels, car il aura moins de possibilités de s'exprimer directement dans son texte que les auteurs dont il s'inspire — même quand ce sont des dramaturges et non des historiens — et ses *acteurs* devront être plus animés que leurs personnages. Il doit ensuite composer non seulement la succession des événements, mais surtout celle des discours qui les provoquent, les racontent ou en manifestent les conséquences. C'est l'ordre du texte qui importe le plus, et il est assez différent de celui des faits.

Les doutes de Thésée au moment où il est trop tard pour sauver Hippolyte ne sont pas invraisemblables : dès que l'époux offensé a satisfait sa colère, le père peut en effet entendre qu'une « plaintive voix crie au fond de [s]on cœur » (v. 1456). Et surtout, le dramaturge a soigneusement imaginé les incidents qui préparent et justifient ce revirement : les réticences et insinuations d'Hippolyte et d'Aricie, le suicide d'Œnone, l'étrange comportement de Phèdre. La réaction de Thésée paraît donc normale :

Qu'on rappelle mon fils, qu'il vienne se défendre,
Qu'il vienne me parler, je suis prêt de l'entendre.

Mais quand il prononce ces paroles (v. 1481-1482), Théramène entre déjà en scène :

Ô soins tardifs et superflus !
Inutile tendresse ! Hippolyte n'est plus.
(v. 1491-1492)

L'ordre dans lequel les deux répliques ont été conçues par le dramaturge, seul maître du texte, ne saurait faire de doute. Quant aux justifications préparatoires, elles ont été imaginées après coup — ou, ce qui revient au même, dans une sorte de prescience intuitive.

Même dans les conversations réelles, les thèmes, les grandes lignes, le ton, l'enchaînement et les proportions des répliques sont fondamentalement définis par les rapports de pouvoir, de savoir, de personnalité, de sentiment entre les interlocuteurs. Ainsi en est-il *a fortiori* pour des dialogues précisément calculés, dans des confrontations dramatiques, entre des personnages définis par leurs rôles, qui n'existent que dans leurs rapports. Les rapports de pouvoir entre un grand et son confident, l'opposition morale entre Néron et Junie ou Phèdre et Hippolyte, la différence de force de personnalité entre Hermione et Oreste, Néron et Agrippine, Roxane et Bajazet, orientent *a priori* leurs dialogues. Quand, par exception, le faible parle bien plus que le fort, c'est que celui-ci médite une riposte fulgurante, et le dramaturge un coup de théâtre. A la surprise longuement développée de Cléone, puis à la grandiloquence d'Oreste, Hermione ne répond d'abord que par un hémistiche impératif — ou dix syllabes tout au plus ; mais elle ne tarde pas à lui fermer la bouche par une tirade de trente-cinq vers (IV, 2 et 3). Roxane laisse Bajazet débiter dix-sept vers avant de l'envoyer à la mort d'un seul mot : « Sortez » (v. 1565).

Nous retrouvons ici l'importance fondatrice de la *dispositio*, dont j'ai déjà parlé au chapitre 3. En juin 1661, Racine prépare une tragédie sur Ovide. Je vous annonce, écrit-il à un ami, que « j'ai fait, refait et mis enfin dans sa dernière perfection tout mon dessein », que j'ai défini le rôle de mon héros, « que j'ai fait un beau plan de tout ce qu'il doit faire, et que ses actions étant bien réglées, il lui sera aisé après cela de dire de belles choses ». Les meilleurs passages de Racine sont parfois l'énonciation toute simple d'une idée juste, qui tire son acuité de son rapport au contexte :

Le jour n'est pas plus pur que le fond de mon cœur,

conclut Hippolyte accusé d'inceste par son père. Voyez le dialogue tout simple entre Athalie et l'enfant Joas, dont elle ignore, comme lui, qu'il est son petit-fils, échappé au massacre qu'elle a fait de sa descendance. Toute l'émouvante qualité vient de la justesse du rapport entre les angles d'attaque et de défense :

ATHALIE
Les plaisirs près de moi vous chercheront en foule.
JOAS
Le bonheur des méchants comme un torrent s'écoule.

ATHALIE
Je prétends vous traiter comme mon propre fils.
JOAS
Comme votre fils ?
ATHALIE
Oui, vous vous taisez ?
JOAS
Quel père

Je quitterais ! Et pour...

ATHALIE

Hé bien ?

JOAS

Pour quelle mère ?

(v. 687-700)

En tant que répliques, les parties du texte théâtral n'ont pas pour seule origine les locuteurs fictifs qui les prononcent ni le penseur qui en médite les arguments, ni l'écrivain qui leur donne forme, mais d'abord le dramaturge, organisateur du parcours de l'action et du texte, qui définit à chaque instant la place, les sentiments, le degré d'information, la stratégie et les réactions de chaque locuteur, dans une configuration de rapports de pouvoirs et de désirs. Ici encore la notion de rôle permet d'articuler la relation entre les personnages qui les assument et l'auteur-metteur en scène qui les définit.

Loin d'être autonomes (comme elles le sont dans une conversation réelle où des locuteurs indépendants, bien que relativement tenus par leur sujet et par leurs relations, peuvent passer du coq à l'âne ou tirer à hue et à dia sans nul souci d'une dialectique commune, d'unité de ton et de rythme), les répliques sont des étapes d'un texte à plusieurs voix, rigoureusement unifié, entièrement calculé par le dramaturge, dont le psychologue et l'écrivain ne font que modifier légèrement le plan en le mettant en œuvre. L'effet d'une réplique ne procède pas seulement de la qualité de son argumentation et de son style mais de leur adéquation à sa place dans le parcours dramatique. Fondamentalement, c'est la situation qui dicte les paroles du personnage à travers la réaction qu'elle suscite chez lui ; c'est elle qui s'exprime, à travers le rapport qu'elle crée entre les interlocuteurs. Plus encore que le psychologue, c'est le dramaturge en quête d'un revirement frappant et d'une issue catastrophique pour tous (sauf pour Andromaque) qui a imaginé le fameux « Qui te l'a dit ? » qu'Hermione adresse à Oreste tout heureux de lui apporter la nouvelle du meurtre qu'elle exigeait.

Racine est habile à créer ces mises en situation, ces rapports à la fois révélateurs et pathétiques, parfois jusqu'à en être insoutenables : entre Pyrrhus et Oreste qu'il accable sous la pleine satisfaction de sa propre demande (II, 4), entre Hermione et Oreste, chargé de lui faire une annonce qui le désespère (III, 2), entre la suppliante Andromaque et l'insolent refus d'Hermione (III, 4). Il multiplie les remerciements élogieux de

Britannicus au fourbe qui le trahit, il fait torturer Agamemnon par l'admiration et l'amour de sa fille. La remarquable acuité de la protestation de Monime vient surtout de la position dans laquelle le dramaturge la place par rapport à Mithridate, de l'angle d'attaque de sa réplique : son argumentation et son style en découlent :

> Toujours je vous croirais incertain de ma foi ;
> Et le tombeau, Seigneur, est moins triste pour moi,
> Que le lit d'un époux qui m'a fait cet outrage,
> Qui s'est acquis sur moi ce cruel avantage,
> Et qui me préparant un éternel ennui,
> M'a fait rougir d'un feu, qui n'était pas pour lui.
>
> (v. 1349-1354)

La pénétrante acuité de la prière d'Iphigénie ne vient pas seulement de la qualité du style, mais d'abord du juste calcul du psychologue et du dramaturge, qui a su mettre face à face, en même temps que le père et la fille tendrement respectueuse, le bourreau lâchement hésitant et la victime résolument déterminée :

> Mon père
> Cessez de vous troubler, vous n'êtes point trahi.
> Quand vous commanderez, vous serez obéi.
> --
> Fille d'Agamemnon, c'est moi qui la première,
> Seigneur vous appelai de ce doux nom de père.
>
> (v. 1170-1172 et 1189-1190)

Enfin, c'est encore la qualité du face à face qui fait la force du dialogue entre Thésée et son fils noblement respectueux, qu'il voit s'approcher en criminel incestueux :

> THESEE
> Ah ! le voici. Grands dieux ! A ce noble maintien
> Quel œil ne serait pas trompé comme le mien ?
> --
> HIPPOLYTE
> Puis-je vous demander quel funeste nuage,
> Seigneur a pu troubler votre auguste visage ?
> N'osez-vous confier ce secret à ma foi ?
>
> (v. 1035-1043)

La difficulté de cette composition est d'autant plus grande que le dramaturge doit construire le parcours unifié d'une seule œuvre, d'un même texte en faisant intervenir des interlocuteurs nettement différents, en des dialogues souvent conflictuels, dont chacun constitue néanmoins une scène qui a son unité et sa progression, et où aucune intervention ne doit ruiner la suspension dramatique. Les péripéties du drame doivent être préparées, pour qu'elles soient possibles et même vraisemblables. Mais cette préparation doit rester discrète — voire secrète à l'égard de certains *acteurs* — et parfois même leur possibilité doit être déniée, afin qu'elles soient surprenantes. Le dramaturge va donc insérer ces annonces et ces dénégations dans le discours des *acteurs*, qui les transmettent au public, souvent sans en percevoir la signification : les dénégations peuvent être de véritables annonces *a contrario*.

Ainsi, toute fin d'acte s'achève sur une annonce réconfortante ou inquiétante (ou les deux à la fois), destinée à tenir le spectateur en haleine durant l'entracte — pendant lequel la représentation était effectivement interrompue au XVIIe siècle. Tantôt cette annonce est confirmée, tantôt elle est démentie — ce que le spectateur pressent, même quand il espère le contraire. A la fin de l'acte I, Pyrrhus est sûr de faire fléchir la mère d'Astyanax : il sera bien déçu (v. 644-656). A la fin de l'acte II, il confirme son engagement envers Hermione : il fera tout le contraire. A la fin de l'acte I, Bérénice proclame sa joie ; à la fin de l'acte II, malgré une entrevue fort inquiétante avec Titus, elle retrouve espoir et allégresse. A chaque fois, c'est le besoin stratégique d'une telle annonce qui est premier : c'est ensuite que l'évolution psychologique est calculée pour lui donner un support, pour lui trouver un énonciateur.

Les critiques du XVIIe siècle guettaient les manquements à la vraisemblance et à la bienséance avec une vigilante mesquinerie. Racine pressent par exemple qu'on lui reprochera le meurtre sacrilège d'un roi par un ambassadeur : il imagine donc qu'Oreste, débordé par la « rage » de ses compagnons contre le traître n'a « pu trouver de place pour frapper » (v. 1513-1517). On aurait également objecté qu'un ambassadeur, avec sa maigre suite, n'aurait pu, au cours d'une cérémonie solennelle, arriver jusqu'à un roi qui se savait menacé. Il imagine donc que Pyrrhus s'est démuni de sa garde, malgré les avertissements de Phœnix, pour la ranger autour d'Astyanax, loin du temple : le texte signale ce fait trois fois (v. 1218-1220, 1391 et 1449-1457). « Bévue insupportable », dit Subligny, en incriminant le comportement du personnage fictif [1]. « Utile précaution », répondrai-je, en pensant au dramaturge, qui devait se prémunir contre le reproche d'invraisemblance, et qui, de plus, présente ce geste comme un signe de l'aveuglement funeste de la passion et de la prétention.

Le dramaturge classique n'utilise que rarement les didascalies : pour des jeux de scène exceptionnels (dans *Athalie*) ou pour signaler que tel passage s'adresse précisément à tel personnage. C'est dans le discours des *acteurs* qu'il insère quelques indications de mise en scène. Ce sont eux qui décrivent le lieu de l'action, parfois emblématique de ce qui va s'y passer : « la pompe » de « ce cabinet superbe et solitaire » qui « des secrets de Titus est le dépositaire » (*Bérénice*, v. 1-4) est annonciatrice de la « tristesse majestueuse » d'une séparation déjà décidée dans la solitude et encore gardée secrète. Ces indications passent facilement par la parole spontanée des personnages pour signaler un comportement anormal, parce qu'il est douloureux pour l'intéressé ou surprenant pour les témoins. C'est notamment le cas lors d'une première apparition (cf. *Britannicus*, v. 3 et 377-830 ; *Bajazet*, v. 3-5 ; *Iphigénie*, v. 3-6, *Esther*, v. 159-160 ; *Athalie*, v. 430-435). C'est à quoi sont consacrés les sept premiers vers prononcés par Phèdre :

N'allons point plus avant. Demeurons, chère Œnone.
Je ne me soutiens plus, ma force m'abandonne.
Mes yeux sont éblouis du jour que je revoi,
Et mes genoux tremblants se dérobent sous moi.

Que ces vains ornements, que ces voiles me pèsent !
Quelle importune main, en formant tous ces nœuds,
A pris soin sur mon front d'assembler mes cheveux ?
(v. 153-160) [2]

De même, les changements d'attitude frappants sont signalés tout naturellement, notamment par une expression qui revient trois fois : « Vous vous troublez, Madame, et changez de visage », déclare Néron rencontrant Junie (v. 527). La formule se retrouve chez Bérénice qui vient de confirmer à Antiochus

---

[1] *La Folle Querelle, ou La Critique d'Andromaque*, 1668.
[2] Cf. un passage analogue dans *Bérénice*, v. 967-973.

que Titus l'épouse [1]. Et surtout chez Monime qui a cru que Mithridate la poussait vers Xipharès :

Avant que votre amour m'eût envoyé ce gage,
Nous nous aimions... Seigneur, vous changez de visage.
                                    (v. 1111-1112)

Mais à d'autres moments, l'inscription des indications du dramaturge dans la parole des personnages se fait moins heureusement ; ou bien elle est moins facile à déceler, et peut donner lieu à de regrettables erreurs de lecture. Parfois, en effet l'analyse psychologique déploie sa subtilité pour expliquer à contresens des paroles imposées par le dramaturge à un *acteur* et pour en tirer des conclusions lourdes de conséquences. Voici un cas où Racine lui-même a donné le mauvais exemple. Mais on sait que ses Préfaces sont en bonne partie des apologies plus ou moins sincères, où il répond à ses critiques sur leur propre terrain : celui de la psychologie morale. Phèdre, écrit-il, n'accepte la calomnie proposée par Œnone « que parce qu'elle est dans une agitation d'esprit qui la met hors d'elle-même ». C'est ce qu'elle dit en effet. Quand arrive Thésée accompagné de son fils, elle n'a d'yeux que pour celui-ci :

Ah ! je vois Hippolyte.
Dans ses yeux insolents je vois ma perte écrite.
Fais ce que tu voudras, je m'abandonne à toi.
Dans le trouble où je suis, je ne peux rien pour moi.
                                    (v. 909-912)

« Nous voudrions le croire, mais ce n'est pas vrai », écrit Jean Pommier, professeur au Collège de France, et réputé pour la finesse de ses analyses. « De ce trouble émerge presque aussitôt la réponse la plus calculée. A Thésée qui l'aborde avec de "doux empressements", "je ne [les] mérite plus", dit-elle [2] :

Vous êtes offensé. La fortune jalouse
N'a pas en votre absence épargné votre épouse.
Indigne de vous plaire et de vous approcher,

---

[1]   Prince, vous vous troublez, et changez de visage ?
                                    (v. 180)

[2] Signalons au passage une erreur analogue dans l'ouvrage fondamental de Maurice Delcroix : « N'est-il pas déplacé que Phèdre contrite reconnaisse, fût-ce pour les repousser, le charme et la douceur des transports de Thésée, et fasse cette concession à peine impersonnelle à un amour qui ne la touche plus ? » (*Le Sacré dans les tragédies profanes de Racine*, Nizet, 1970, p. 191).

Je ne dois désormais songer qu'à me cacher.
                                        (v. 917-920)
[...] On ne saurait nier que l'héroïne de Racine ne sache
conduire sa langue ». Elle connaît « l'art de préparer la voie à la
calomnie sans calomnier soi-même [...]. Cette maîtrise de soi, je
la reconnais : c'est celle des grandes dames de Versailles, trop
accoutumées à se contraindre, à dissimuler, pour qu'on les
déconcertât aisément. Mais elles n'ont pas prétendu, trois
secondes plus tôt, qu'elles "ne [pouvaient] rien pour elles" [...]
Le "jansénisme" de Phèdre ? Dites plutôt son "jésuitisme" » [1].

Bien qu'on trouve aussi dans cette page cette petite phrase
complètement isolée : « Racine ou le trop habile », le contresens
est évident. J. Pommier accuse le personnage, assimilé à un être
réel (une dame de la cour), d'une contradiction imputable au
dramaturge et à l'auteur tragique. Le premier doit non
seulement préparer Thésée à recevoir la calomnie mais, en ce
tournant de la pièce, et en cette fin d'acte, l'alarmer sans
l'éclairer, et effrayer Hippolyte sans le désespérer : c'est sur leurs
monologues pleins d'appréhension que l'acte va se clore.
Eclaircissons ce « doute qui m'accable », dit le père.

De noirs pressentiments viennent m'épouvanter
Mais l'innocence enfin n'a rien à redouter
conclut le fils. L'attitude de Phèdre participe à la construction
de cette suspension dramatique qui doit semer l'inquiétude dans
le public tout en maintenant quelque espoir à la faveur du
doute. De plus, le moraliste tragique, en disciple d'Aristote, ne
veut nous présenter ni un monstre machiavélique, ni une
innocente injustement persécutée, mais une personne « ni tout à
fait coupable ni tout à fait innocente », qui nous ressemble assez
pour que son sort nous concerne. Tout cela enrichit le portrait
de Phèdre. Mais un portrait et surtout le portrait d'un être fictif
est-il responsable de l'attitude et des expressions que le peintre
lui attribue ? Expliquer ce passage par l'intention du
personnage, c'est lui donner sa profondeur psychologique, mais
c'est s'interdire d'y voir l'art du dramaturge et la vision de
l'auteur tragique.

---

[1] *Aspects de Racine*, Nizet, 1954, p. 218-219. On retrouve ce contresens, avec
plus de discrétion, chez G. Forestier : Phèdre « profère devant Thésée des
mots qui l'accusent elle-même mais avec tant de pudeur qu'ils en deviennent à
double entente » (Racine, *Œuvres*, t. I, p. 1629).

*
*   *

Enfin, Racine exprime aussi dans son œuvre sa vision de l'homme. Contrairement aux Grecs — qui disposaient pour cela de la voix doxale du chœur — il le fait généralement sans recourir aux déclarations philosophiques. Cette vision se manifeste par les antinomies de la structure actantielle (cf. chap. 11) comme par l'ironie tragique d'une dramaturgie qui avance vers la catastrophe à travers les efforts, pour y échapper. Mais elle se communique aussi par la double énonciation, qui introduit la dérision dans la parole des personnages.

Nous l'avons déjà rencontrée à plusieurs reprises. Par exemple dans l'utilisation des termes qui évoquent le bonheur mais qui annoncent le malheur, comme le public, contrairement au locuteur, le pressent aussitôt (cf. chap. 5). Les paroles de Britannicus à Narcisse, calculées par l'auteur, au mépris de la vraisemblance psychologique, comme de la vérité historique, pour dire le contraire de l'évidente fourberie dont il va être victime, l'ingénuité torturante d'Iphigénie (cf. chap. 4) relèvent de cette double énonciation ironiquement tragique, tout comme la joyeuse méprise de Junie quand Néron lui annonce qu'elle va bientôt revoir Britannicus :

Ah, Seigneur, vos vertus m'ont toujours rassurée.

(v. 663)

Quand elle aura compris la nature de cette entrevue, elle exprimera le souhait « de ne le voir jamais » (v. 686). Il est clair que c'est ici le dramaturge tragique qui s'exprime, tout en construisant une situation qui lui permette d'attribuer ces paroles au personnage sans trop d'invraisemblance.

Pour ouvrir la possibilité de cette torturante dérision, Racine imagine des situations où celui qui parle se trompe d'attitude et ne perçoit pas la portée de ses paroles parce qu'il ignore le secret de son interlocuteur. C'est ce qui permet les discours de Britannicus et d'Iphigénie, ou l'ironie tragique dont est victime Antiochus, secrètement amoureux de Bérénice, et par conséquent dépité par le mariage de cette amie, qu'on lui présente comme un grand bonheur pour lui (I, 1 ; I, 3 ; et v. 135-177, 695-700 et 757-762). De même Xipharès, ignorant que Monime l'aime, lui présente sa passion comme un « grand crime » et un « malheur [...] des plus funestes » (v. 166-178) ; plus loin, faute de savoir que c'est elle qui s'est trahie devant Mithridate, il vient se plaindre à elle du « secret ennemi » qui a

dévoilé leur amour, et dont il veut « percer le traître cœur » (v.
1222-1226). Faute de connaître les véritables sentiments de
Phèdre mourante, Œnone l'exhorte à vivre par « amour », par
« devoir », pour ne pas *trahir* « la foi » conjugale, pour
s'opposer à son « ennemi » Hippolyte ou pour s'unir avec lui
contre Aricie (v. 198-209 et 361-362) [1].

Dans la première moitié d'*Iphigénie*, la situation permet
encore plus qu'ailleurs cette double énonciation cruelle. En
apparence, nous sommes à la veille d'une glorieuse expédition,
et la fille du Roi des Rois épouse le plus célèbre des héros. Mais
la secrète réalité c'est que son père s'apprête à la mettre à mort.
Aux exemples déjà cités, j'en ajouterai ici quelques autres,
presque tous introduits par Racine.

J'ai fait gloire à ses yeux de ma félicité,

déclare Iphigénie, sans savoir l'effet qu'elle produit sur son père
à qui elle s'adresse, ni chez la jalouse Eriphile dont elle parle (v.
564). Agamemnon et Ulysse craignent l'opposition d'Achille.
Mais non : il ne sait pas que l'annonce de son mariage n'est
qu'un leurre pour préparer la mise à mort de sa fiancée. Pressé
d'aller se battre, il vient demander qu'on se hâte d'accomplir le
sacrifice qui apaisera les dieux et permettra le départ de
l'armée :

Remplissez les autels d'offrandes et de sang.

Mais moi, qui de ce soin sur Calchas me repose,
Souffrez, Seigneur, souffrez que je coure hâter
Un hymen dont les dieux ne sauraient s'irriter.
                                        (v. 199-204)

Aussitôt après le départ de son père, qui l'a si froidement
accueillie, Iphigénie exprime son inquiétude : « Je me sens
frissonner »,

Je crains malgré moi-même un malheur que j'ignore
Justes dieux, vous savez pour qui je vous implore.
                                        (v. 581-582)

Pas pour elle-même, bien sûr, mais pour son cher Achille. Mais
celui-ci ne sait pas qu'elle est là, ni surtout qu'elle est venue pour
l'épouser. Et quand il la rencontre, il s'écrie :

---

[1] Rappelons aussi quelques déclarations d'Hippolyte : je ne redoute pas « la
vaine inimitié » de Phèdre, qui, de son côté, « ne craint plus de rivale » ;
quant à mon père, « Neptune le protège » et « ne sera pas en vain invoqué »
par lui (v. 48, 26 et 621-622).

Vous en Aulide ? Vous ? Hé ! qu'y venez-vous faire ?
                                            (v. 725) [1]
Cet étonnement est d'autant plus cinglant que Racine a choisi
une syntaxe exceptionnellement familière, teintée d'insultante
vulgarité.
       Cependant, Achille dissipe ce malentendu, et Clytemnestre
revient rendre son époux à « la joie » : le fiancé de notre fille
              presse cet hymen qu'on prétend qu'il diffère,
       Et vous cherche brûlant d'amour et de colère.
       Prêt d'imposer silence à ce bruit imposteur,
       Achille en veut connaître et confondre l'auteur [2].
       Bannissez ces soupçons qui troublaient notre joie.
                                            (v. 773-777)
Agamemnon ne la détrompe pas. Mais il exige qu'elle n'assiste
pas à la cérémonie.
       D'un spectacle si doux ne privez point mes yeux,
supplie-t-elle (v. 812). Cependant, elle finit par s'incliner :
       Ma fille, ton bonheur me console de tout.
                                            (v. 828)
Achille revient et ne parle que de « bonheur » : Agamemnon
« vient de m'accepter pour gendre », et de plus
       Les dieux vont s'apaiser : du moins Calchas publie
       [Qu'ils] n'attendent que le sang que sa main va verser.
                                            (v. 834-840)
Parallèlement, l'ironie tragique s'exerce également aux dépens
d'Eriphile. Successivement, sa confidente puis Achille lui
parlent du bonheur que lui apportera le mariage d'Iphigénie —
dont elle est la secrète rivale (v. 409-411, 461-462, 894-896).

---

[1] Juste auparavant, Iphigénie a appris qu'Achille ne souhaitait plus se marier.
Elle s'est alors hâtée de donner de la froideur de l'accueil paternel une
explication pathétiquement erronée :
                     Il est mon père, il m'aime ;
       Il ressent mes douleurs beaucoup plus que moi-même
       Mes larmes par avance avaient su le toucher.
       J'ai surpris des soupirs qu'il me voulait cacher.
       Hélas ! de son accueil condamnant la tristesse,
       J'osais me plaindre à lui de son peu de tendresse.
                                       (v. 717-722)
[2] Qui n'est autre qu'Agamemnon lui-même.

Les exemples que je viens de citer sont évidemment imputables au dramaturge, mais peuvent s'expliquer, au plan de la fiction, par des élans spontanés dans une situation trompeuse. Dans d'autres cas, la dérision, plus subtile, ne fonctionne que par un plus long détour, à partir d'une plus forte complicité entre l'auteur et le public, au détriment de l'énonciateur immédiat. C'est notamment le cas pour le rapport entre Iphigénie et son double Eriphile :

Je lui prête ma voix, je ne puis davantage,

dit la première (v. 865) : elle ne peut imaginer qu'elle lui prêtera bientôt, avec son identité, un rôle autrement plus important.

Quand je devrais comme elle expirer dans une heure...

s'exclame la seconde, ne croyant pas si bien dire (v. 1101)

Plus de raisons, il faut ou la perdre ou périr,

dit-elle encore (v. 1491). Elle veut dire : périr de douleur. L'auteur qui la fait ainsi parler a autre chose en tête. Enfin, au moment de marcher à la mort, Iphigénie adresse à Clytemnestre cette phrase de consolation :

Vos yeux me reverront dans Oreste mon frère.
Puisse-t-il être, hélas ! moins funeste à sa mère !

(v. 1657-1658)

On sait qu'il sera son meurtrier [1].

*
* *

J'ai essayé de montrer que les divers rôles de l'auteur, qui doit assumer plusieurs pratiques, s'expriment dans l'œuvre par diverses formes de langage. Ajoutons pour terminer qu'il écrit en réponse à une demande implicite du public : il dit en partie ce qu'on attend de lui, dans le style à la mode, surtout dans les passages galants. De plus, son initiative personnelle est limitée par des règles et conventions assez étroites. Dans une certaine mesure ce sont aussi ces conventions qui parlent dans la tragédie. Elles imposent une langue noble, organisée en alexandrins, et dont les discours sont composés selon les règles de la rhétorique. Elles excluent tout ce qui pourrait choquer, et ce qui est contraire à l'idée qu'on se fait des époques et des

---

[1] Ajoutons un autre exemple aussi net. Mithridate demande à Xipharès de plaider sa cause auprès de Monime, qu'il croit éprise de Pharnace : « *Juge sans intérêt*, vous la convaincrez mieux » que moi, dit-il (v. 630).

personnages mis en scène. C'est une mémoire et une culture collectives qui s'expriment dès qu'il s'agit des héros et des épisodes les plus connus. De plus, l'auteur de *Britannicus*, d'*Iphigénie* et de *Phèdre* imite de près des œuvres anciennes, et même ailleurs il est nourri d'une riche culture qui interfère très souvent avec sa parole propre et avec la parole circonstancielle de ses personnages. Certains estiment que 40 % des vers d'*Athalie* ont une source plus ou moins précise dans la Bible — souvent bien loin des passages qui parlent de cette reine. Et l'on y a repéré aussi des imitations ou réminiscences de Flavius Josèphe, Sulpice Sévère, Léon de Modène, Bossuet et Lightfoot, aussi bien que d'Eschyle, Sophocle, Euripide, Corneille et Tristan.

*
* *

Bien qu'un texte correctement construit ait un sens en lui-même, un énoncé — et a fortiori un énoncé oral pris dans un échange dialogique voire conflictuel, une *réplique* — n'a de sens que dans l'intention de celui qui l'émet, et dans la perception, dans la réaction de celui qui le reçoit, même s'il n'en est pas le destinataire. Un élève qui déchiffre un texte de théâtre ou des acteurs qui le répètent sans le jouer, pour l'apprendre par cœur, peuvent le prononcer sans y mettre le ton, dans un acte simplement locutoire : ils combinent des éléments lexicaux qui constituent une signification et véhiculent une information, sans intention particulière. Mais ce n'est jamais dans ce seul esprit qu'une réplique théâtrale est écrite, même dans les récits faits par les plus obscurs confidents, ni surtout dans les discours et répliques des protagonistes, qui sont à la fois une expression, souvent passionnée, de l'énonciateur, et une pression qu'il exerce sur le destinataire, pour modifier ses sentiments ou son comportement, à la limite pour lui donner un ordre ou lui imposer une obligation.

Trois bons siècles avant qu'Austin ait parlé d'actes illocutoires et perlocutoires dans l'ouvrage traduit en 1970 sous le titre *Quand dire c'est faire* [1], l'abbé d'Aubignac (IV, 2) affirmait que les discours dont se compose le poème dramatique « doivent être comme des actions » : au théâtre, « parler c'est agir », c'est-à-dire manifester ses idées, projets,

---

[1] Edition originale, *How to do things with words*, Oxford, 1962.

émotions et sentiments, par une attitude, une physionomie, des gestes, des effets de voix de nature à communiquer aux allocutaires la signification et la charge émotive du discours. « Depuis que le premier acteur a paru sur la scène jusqu'à ce que le dernier en sorte, il faut que les principaux personnages soient toujours agissants et que le théâtre porte continuellement et sans interruption l'image de quelques desseins, attentes, passions, troubles, inquiétudes et autres pareilles agitations, qui ne permettent pas aux spectateurs de croire que l'action du théâtre a cessé » (II, 4).

Cette affirmation se retrouve chez Corneille : « Les actions sont l'âme de la tragédie, où l'on ne doit parler qu'en agissant et pour agir » [1]. C'est une idée tout à fait normale à l'époque, chez des gens formés par la rhétorique, et que nous risquons de mal comprendre aujourd'hui, le sens du terme clé ayant disparu. *L'action* est la quatrième et dernière partie de l'art rhétorique, celle par laquelle l'orateur, le poète ou l'acteur transforme en acte le texte qui a été inventé, disposé et rédigé à cette fin. Ce terme « se dit plus particulièrement des gestes, du mouvement du corps et de l'ardeur avec laquelle on prononce ou on fait quelque chose » (Furetière, 1690). Au théâtre, l'*action* c'est le jeu de l'*acteur*. La déclamation de l'époque, les gestes, les jeux de physionomie, qui nous paraîtraient codifiés et excessifs, trouvent ici leur justification : le comédien ne jouait guère en relation avec ses partenaires, se déplaçait peu sur la scène et parlait souvent face au public. Mais il *agissait* d'une autre manière. Il faut s'en souvenir notamment pour ces grandes joutes oratoires qui opposent Pyrrhus et Oreste (I, 2), Agrippine et Néron (IV, 2), Mithridate et ses fils (III, 1), Iphigénie, Agamemnon et Clytemnestre (IV, 4) ou encore pour le récit de Théramène (*Phèdre*, V, 6). Mais aussi pour des interrogations pressantes (*Mithridate*, v. 481-482), des révélations fulgurantes — « Il l'attend à l'autel pour la sacrifier » (*Iphigénie*, v. 912) — ou des formules meurtrières : le « Qui te l'a dit ? » d'Hermione, le « Sortez » de Roxane.

Parler c'est donc manifester dans son comportement comme dans son discours ses convictions et sentiments afin d'influencer ses auditeurs : l'information que je leur donne est conçue en fonction de ce qu'ils savent déjà et de ce que je veux qu'ils apprennent ou continuent à ignorer ; le contenu et le ton de l'argumentation dépend de nos rapports affectifs et sociaux,

---

[1] *Discours du poème dramatique*, 1660.

mon investissement affectif de la réaction que je prévois. « Le style c'est l'homme... à qui on s'adresse » (Lacan). Or, à l'époque, les habitués des salons, de la cour, d'une société fortement hiérarchisée, d'une stratégie séductrice de flatteurs et de galants, étaient bien plus entraînés que nous, avec nos relations égalitaires et décontractées, à déceler les réactions de l'allocutaire. « Il faut observer tout ce qui se passe dans le cœur et dans l'esprit des personnes qu'on entretient, et s'accoutumer de bonne heure à connaître les sentiments et les pensées, par des signes presque imperceptibles. Cette connaissance qui se trouve obscure et difficile pour ceux qui n'y sont pas faits, s'éclaircit et se rend aisée à la longue », écrit le chevalier de Méré, dans son *Discours de la conversation* (1677). Si bien parler c'est modeler son discours en fonction de l'interprétation de l'interlocuteur », ces gens là excellaient à le faire. Et Racine était réputé, en tous domaines, pour sa prévoyante et séduisante finesse stratégique. L'expression qu'il prête à Néron me semble révélatrice : « J'entendrai des regards que vous croirez muets » (v. 682).

C'est par conséquent en fonction de l'interlocuteur que je parle. A la limite, dans la stratégie d'un dialogue conflictuel, je cache mes motivations contestables pour en afficher d'autres, et je dis moins ce que je pense que ce qu'il faut dire pour convaincre, séduire ou écraser l'autre. Souvenez-vous de l'ultime conseil de Pylade à Oreste, porteur de l'ultimatum des Grecs contre l'amant d'Andromaque :

Plus on les veut brouiller, plus on va les unir.
Pressez. Demandez tout pour ne rien obtenir.

(v. 139-140)

Oreste débite donc, pour impressionner Pyrrhus, un beau discours radicalement contraire à ses mobiles et à ses vœux personnels. Et celui-ci lui répond avec une paternelle hauteur, en déguisant ses véritables motivations sous d'honorables raisons : la miséricorde pour les vaincus, la protection d'un enfant, d'un orphelin, le refus d'un diktat. Plus loin, il travestira de même les raisons de son revirement : seul compte l'effet, avantageux pour lui, écrasant pour son rival (II, 4). Entre temps, son dialogue avec Andromaque a été plus stratégique que véridique, même de la part de celle-ci, que l'on a pu accuser de coquetterie (cf. chap. 7).

Cette dimension stratégique d'un discours calculé en vue de ses effets est encore plus nette dans la seconde rencontre entre Hermione et Oreste (III, 2). Celui-ci commence par une proclamation parfaitement mensongère, mais qui le place en position de supériorité :

J'ai vu Pyrrhus, Madame, et votre hymen s'apprête.

De son côté, Hermione, tout en jouant les innocentes pour éviter les reproches (v. 819-822), feint de douter de l'attitude de Pyrrhus (« Qui l'eût cru »... ?, v. 810-815) pour que ce soit Oreste qui lui affirme la délicieuse vérité, comme il ne tarde pas à le faire :

Non, Madame, il vous aime et je n'en doute plus.

Cette douce assurance ne lui suffit pas encore : elle voudrait se régaler de la fureur impuissante du rival bafoué, comme le prouve le v. 833. C'est pour aviver sa frustration et le faire réagir qu'elle termine ses répliques en insistant sur son amour pour lui, avec qui elle allait partir, ou plutôt elle « partai[t] » déjà, malgré son « devoir ».

Ainsi c'est souvent l'effet visé sur l'interlocuteur qui définit la stratégie de celui qui parle, les arguments et le ton qu'il emploie. Et certaines répliques ne sont pleinement compréhensibles, dans leur intention, dans leur esprit, qu'à travers la réaction de l'interlocuteur. Cette particularité du dialogue rejoint une vérité plus générale sur laquelle j'ai déjà insisté : c'est qu'en littérature les effets visés sont les véritables causes des moyens imaginés pour les produire. En particulier, c'est la conclusion d'une séquence qui définit le parcours construit pour y parvenir : la fin que doit avoir un dialogue est donc à l'origine de son déroulement, et chaque réplique est conçue pour être contredite par la suivante. Malgré ses apparences de progression spontanée, le dialogue théâtral est plus ou moins calculé dans l'ordre régressif. C'est la dernière affirmation de la séquence qui est posée la première, l'étape précédente allant dans l'autre sens pour maintenir la suspension dramatique. Et chaque étape est constituée de répliques contradictoires conçues pour arriver à la conclusion prévue au terme de ce mouvement de balancier.

Voici une série d'exemples, empruntés à la fin de *Britannicus*, dont j'ai analysé plus haut la composition régressive (chap. 3). Dans cette pièce qui s'achèvera par une catastrophe, les actes II, III et IV se terminent sur des annonces inquiétantes. Pour que la suspension dramatique soit néanmoins maintenue, l'acte IV commence de façon rassurante : Agrippine croit avoir tout arrangé. Plus précisément, elle a contraint Néron à capituler, mais celui-ci est secrètement décidé à se venger. C'est à partir de ce moment là que les oscillations dramatiques et par conséquent la composition stratégique des séquences deviennent plus nettes.

Un simple coup d'œil sur la disposition du dialogue entre Néron et Burrhus en révèle la composition. Il s'achève sur la victoire de celui-ci, au terme d'une démonstration gravement pathétique et solidement raisonnée. Il commence donc par l'expression joyeusement naïve de son illusion (5 vers), suivie d'un vigoureux *contre* de l'empereur (11 vers). Puis le gouverneur se ressaisit et l'échange s'équilibre et s'intensifie. Enfin Burrhus domine, par une tirade de cinquante trois vers, interrompue par un seul hémistiche de Néron, qui accepte de se réconcilier avec son frère :

Dans mon appartement qu'il m'attende avec vous.

Excellente introduction *a contrario* à l'arrivée de Narcisse qui, dès le vers suivant annonce qu'il a « tout prévu pour une mort si juste ». Néron va céder — mais au terme d'une progression dialectique. Dès le début, il ne résiste que faiblement, sourdement, sans s'exprimer explicitement (voyez les deux emplois de « on ») : aux quinze vers du traître, il n'en oppose que quatre, en quatre répliques. Mais il faut que la scène ait un relief dramatique ; l'échange s'équilibre donc : 2 vers — 2 vers ; 1 vers — 1 vers. Puis Narcisse l'emporte peu à peu dans l'argumentation et aussi dans la longueur des répliques — ce qui est plus révélateur de l'évolution des rapports, et de la stratégie formelle qui préside à la composition. L'avant-dernière tirade de l'affranchi comporte 23 vers, la réponse de l'empereur 6 ; Narcisse réplique par 19 alexandrins, et Néron ne répond que par un vers de soumission :

Viens, Narcisse, allons voir ce que nous devons faire.

Il suffit de comparer ce dernier vers à celui de la scène précédente pour comprendre que les deux dialogues sont conçus pour aboutir à ces conclusions opposées.

L'étape suivante s'achèvera sur l'annonce du meurtre, dont la première manifestation explicite sera un cri de Junie : « O ciel ! sauvez Britannicus ». Les dialogues qui précèdent seront donc une confrontation entre l'appréhension véridique de celle-ci et les proclamations illusoires des deux futures victimes. Ils sont composés selon l'habituelle stratégie dialectique conçue régressivement à partir du but visé. C'est la joie de Britannicus qui s'affirme d'abord (22 vers). Puis l'échange devient très équilibré : successivement 6, 9, 3 et 6 syllabes ; 1, 1, 1 et 3 vers ; 8, 8 et 7 vers ; 1 et 1 vers ; 11 et 14 vers ; 2, 1, 9 et 12 syllabes. Junie a le dernier mot, mais Agrippine survient et dans la dernière séquence de cette étape, la jeune fille est largement dominée (une réplique de 6 vers, contre quatre qui en totalisent 41) avant que ou plutôt afin que son appréhension se révèle dramatiquement juste.

« L'interaction est la réalité fondamentale du langage », écrivait Bakhtine [1]. C'est particulièrement net au théâtre, genre interactif, principalement constitué de *répliques* dont le ton est un rapport à l'interlocuteur encore plus qu'une expression de soi. L'alternance des répliques ou de tirades — avec certains déséquilibres révélateurs — est nécessaire pour constituer l'unité bien articulée de la confrontation de positions contradictoires. La réplique est conçue non seulement pour que chacun exprime son témoignage, son idée ou sa passion, mais surtout (car c'est la spécificité du genre) pour que l'autre réponde, renvoie le pendule en sens inverse, alimente la dialectique dramatique : « Ah ! dame, interrompez-moi donc [...] : je ne saurai disputer si l'on ne m'interrompt » [2]. Il faut renvoyer la balle, et de telle façon que l'autre soit incité à réagir, à remettre la question en jeu, sous une face nouvelle ou non, avec une vigueur égale, inférieure ou supérieure, selon l'évolution prévue du rapport des forces.

« La parole est moitié à celui qui parle, moitié à celui qui l'écoute », dit Montaigne [3]. Je crois même que parfois le sens de ce que je dis n'existe que pendant quelques minutes dans ma pensée, tandis que l'interprétation du destinataire va peut-être l'obséder pendant des mois et s'inscrire dans des actes. C'est particulièrement net dans le dialogue théâtrale, qui doit former une séquence continue. Pour que sa réplique soit adéquate, l'auditeur, futur intervenant, doit être bien *servi* ou bien provoqué. « Le sens d'un énoncé, ce n'est pas quelque chose qui s'y trouverait intrinsèquement clos, ni même que L y a effectivement déposé: c'est ce que A croit que L a voulu dire » [4]. C'est son interprétation qui va influencer la suite du texte ; c'est sa réaction qui orientera la suite — et non pas l'intention du locuteur si elle n'a pas été comprise ou si elle est refusée. Et dans sa réplique l'expression de soi et même la

[1] Todorov, *Mikhail Bakhtine. Le principe dialogique*, Le Seuil, 1981, p. 71.

[2] Sganarelle, dans *Dom Juan*, III, 1. « Voyons, Gogo, il faut me renvoyer la balle, de temps en temps » (Beckett, *En attendant Godot*, p. 15).

[3] *Essais*, III, 13 ; éd. Villey-Saulnier, p. 1088.

[4] C. Kerbrat-Orecchioni, *L'Implicite*, Colin, 1986, p. 321. L désigne le locuteur, A l'auditeur.

réponse à ce qui précède seront subordonnées à la préparation de ce qui va suivre. Ce rôle de passeur ou de renvoyeur de balle est souvent celui des confidents, dont l'intervention n'a guère d'intérêt que par la réponse qu'elle suscite. Mais on le retrouve à un moindre degré chez les protagonistes : toute parole est *réplique* à ce que l'autre vient de dire, *action* sur cet interlocuteur, et *provocation* destinée à susciter et orienter sa réaction. Ce dialogisme est beaucoup plus sensible chez Racine que chez Corneille, où les répliques sont moins nombreuses [1] et plus massives ou autarciques, moins marquées par la pulsion passionnelle et par la stratégie dramatique.

Bien parler, c'est donc prévoir l'interprétation et la réaction de l'autre. Mais à certains moments, la situation et son attitude me conduisent à dire autre chose que ce que je voudrais — ou même le contraire. Nous avons vu plus haut comment Burrhus, pressé par le besoin urgent de confier à la mère de Néron une vérité essentielle, est tellement contrarié par son attitude qu'il affirme d'emblée l'inverse, et conclut en ce sens avec fierté. C'est évidemment le dramaturge qui a voulu ce renversement et qui a calculé le comportement d'Agrippine à cette fin. La finalisation psychologique de la réplique par le personnage est incluse dans la finalisation stratégique de la scène par le dramaturge. Dans l'affrontement entre Néron et Britannicus, il ne faut pas seulement que celui-ci profère des vérités qu'il pense, mais surtout des vérités qui blessent son rival, et qu'elles soient disposées pour ménager une progression dramatique à travers le remarquable équilibre des répliques. Alors que Junie est évidemment au cœur du conflit, le dramaturge a choisi de parler d'abord du lieu, puis du passé, puis de l'opinion publique, avant d'en revenir au plus sensible — le jugement de Junie — et de terminer par le reproche le plus blessant, réservé pour la fin parce qu'il oblige Néron à rompre le dialogue pour recourir à la violence.

Dans la déclaration de Phèdre à Hippolyte, c'est un plaisir de voir avec quelle subtilité Racine calcule les enchaînements des répliques pour que la scène aille à son terme, tout en ménageant la vraisemblance de chaque personnage. Psychologiquement, chaque réplique d'Hippolyte est une expression de sa noblesse de caractère : elle éloigne de lui

---

[1] On compte 195 répliques dans *Horace* (1782 vers) et 204 dans *Cinna* (1780 v.) contre 246 dans *Iphigénie* (1792 v.) et 237 dans *Phèdre* (1654 v.), soit une différence située entre 17 et 24 %.

Phèdre et le discours de sa passion. Mais du coup, relationnellement, théâtralement, elle fonctionne comme une provocation qui oblige son interlocutrice à insister pour l'obliger à entendre ce qu'elle veut dire. Je voudrais montrer ce fonctionnement en m'appuyant sur la fin de chaque réplique et le départ de la suivante.

Racine a imaginé que la mort de Thésée entraînait des problèmes de succession. La reine se doit de défendre les droits de son fils contre Hippolyte et Aricie : les deux tiers des commentaires qui suivent l'annonce de la mort du roi (v. 325-366) sont consacrés à ce problème (28 vers sur 42). Phèdre vient donc dire au jeune homme qu'elle craint qu'il ne transporte sur le fils sa « juste colère » contre « une odieuse mère ». Il la rassure et même il élude cette possibilité : il est trop noble pour avoir « des sentiments si bas ». Il faut qu'elle réagisse, qu'elle établisse un contact, qu'elle lui fasse comprendre qu'il n'a pas lieu de la haïr pour de bonnes raisons qui la concernent et pas seulement parce qu'il est au-dessus de cela, au-dessus de la région où elle est ravalée :

Jamais femme ne fut plus digne de pitié
Et moins digne, Seigneur, de votre inimitié.

Il ne perçoit pas cette volonté de se distinguer : il replace Phèdre dans le cas général ; il parle des jalousies, des soupçons, ombrages et outrages, qui « sont.d'un second hymen les fruits *les plus communs* ». Et cette volonté de l'excuser la contraint au contraire à réagir, à souligner son originalité, c'est-à-dire à poursuivre sur la pente funeste. Sa réplique est un bel exemple d'ambiguïté involontaire — calculée par l'autre énonciateur qui habite sa parole :

Ah, Seigneur! que le ciel j'ose ici l'attester
De cette loi commune a voulu m'excepter !
Qu'un soin bien différent me trouble et me dévore !

Hippolyte comprend naturellement le dernier vers comme une douleur de veuve. Peut-être votre époux vit encore, dit-il. C'est le tournant décisif ; cette gentillesse consolatrice ranime le fantasme : non, il est mort, mais « il respire en vous », « je le vois, je lui parle ». Malgré la clarté du dernier vers — « ma folle ardeur malgré moi se déclare » — Hippolyte ne comprend toujours pas. Au niveau du personnage, est-ce par naïveté ou par refus ? L'explication se situe surtout au niveau du dramaturge : le contresens insistant du jeune homme, qui célèbre l'amour « prodigieux » de Phèdre pour Thésée la pousse à une rectification décisive : « Oui [...] je l'aime [...] mais [...] tel que je vous vois ».

Cette explication de la dialectique de la scène peut s'autoriser de ce qu'en dit Racine lui-même par la bouche de Phèdre :

Ciel ! comme il m'écoutait ! Par combien de détours
L'insensible a longtemps éludé mes discours !
(v. 743-744)

Revenons au texte. Cette fois, la déclaration de Phèdre est sans ambiguïté. Si Hippolyte était un personnage réel, il l'interromprait rapidement. L'*acteur* soumis au dramaturge la laisse se développer sur 29 vers, avant de réagir par une réprobation qui relance de nouveau sa partenaire : c'est encore une provocation, que la fierté de la femme et de la reine ne peut supporter sans répliquer : « Aurais-je perdu tout le soin de ma gloire ? » Belle occasion pour une retraite stratégique : Hippolyte s'excuse d'accuser « à tort un discours innocent », et va s'échapper. Mais cette fuite est insupportable : non seulement pour la passion de Phèdre qui y perdrait sa proie, mais pour son amour-propre : il lui faut s'imposer une bonne fois à qui refuse de l'entendre. C'est ensuite seulement que sa conscience honteuse va se justifier : les dieux m'ont imposé cet amour dont j'ai tant souffert. Punis-moi. Et ici la sensualité réussit à s'exprimer dans la parole de la conscience : « Voilà mon cœur [...]. Frappe » ; pénètre-moi de ton épée.

*
*　*

Comme elle a deux énonciateurs, la parole théâtrale a deux destinataires fort différents par leur fonction comme par leur nature. Le personnage fictif s'exprime dans son discours et s'efforce d'agir sur son interlocuteur fictif. Mais l'auteur a également calculé ce texte pour émouvoir, séduire et influencer le public. Tel est son véritable but, par la médiation du pseudo-dialogue scénique. Le bon texte théâtral c'est celui qui passe la rampe. Il faut distinguer le plan de la fable, où « les spectateurs ne sont point considérables au poète », et celui « de la représentation » théâtrale, dans lequel ils sont essentiels, et savoir que celui-ci domine celui-là : la fable a été aménagée pour être représentée (D'Aubignac, I, 6 et 7) [1].

C'est pour satisfaire le public que l'on écrit — surtout quand on a pour motivation de devenir célèbre, et quand on estime que « la principale règle est de plaire et de toucher » [2]. On se soumet par avance à son attente intellectuelle, affective et esthétique — tout en la dépassant un peu pour le surprendre et l'émoustiller. C'est donc l'image que l'auteur se fait du public qui dicte une partie du texte. On pourrait dire en simplifiant que la mauvaise conscience de Racine parle par la bouche de Néron, Roxane et Phèdre, et son ambition de suivre la mode par celle d'Alexandre, de Pyrrhus et des couples amoureux.

Il y a un moment où l'on voit l'auteur contredire la vision qui anime l'œuvre et le caractère de certains *acteurs* pour consoler les âmes sensibles et rassurer les moralistes. Je veux parler des bonnes nouvelles et des vertueuses résolutions qui suivent les fâcheux dénouements. A la fin de *Britannicus*, Néron abandonne son cher Narcisse à la foule qui vient de le massacrer. Un spécialiste généralement mieux avisé voit dans cette lâcheté le signe du « vrai caractère » de l'empereur : cela montre « jusqu'à quelle profondeur de dépravation et de déloyauté il peut sombrer » [3]. Je crois plutôt que cet exemple de justice immanente, cette élimination du bouc émissaire était indispensable pour le public, et qu'un personnage interne à la fiction ne pouvait l'empêcher. D'autres s'appuient sur le texte pour souligner le « désespoir » du monstre — « on craint » qu'il « n'attente sur ses jours » — ou bien ses « remords » : peut-être qu' « il voudra désormais suivre d'autres maximes » (v. 1759-1767). Ni l'histoire, dont Agrippine vient de prédire la suite (v. 1675-1683), ni la vision tragique, ni l'esprit de cette pièce consacrée à la naissance d'un monstre n'inclinent à donner crédit à ce badigeonnage moral de dernière minute, compensation factice offerte au public d'une œuvre trop noire pour le goût de l'époque. Autre exemple : est-ce vraiment Œnone qui, pour conclure son rôle, maudite par Phèdre,

---

[1] Le théâtre de Racine est certes très « écrit ». Mais n'oublions pas que ses pièces, conformément aux habitudes du temps, ont été répétées puis jouées vingt-cinq ou trente fois avant d'être publiées. Il a donc pu tenir compte des réactions des acteurs puis de celles des spectateurs.

[2] Préface de *Bérénice*.

[3] H. T. Barnwell, *The Tragic drama of Corneille and Racine*, Oxford, 1982, p. 170.

déclare : « Je l'ai bien mérité » ? Ou est-ce, à travers la prévoyance de l'auteur, la *vox populi* en quête de bouc émissaire ? Les remords du tyran et du coupable, thèmes obligatoires du dénouement, prennent ici une allure factice.

Je ne suis pas de ceux qui accordent grand crédit au dernier vers de *Phèdre*, où Thésée annonce qu'il adopte Aricie, qu'il persécutait jusqu'alors [1]. Certes, à l'intérieur de la fable, cette décision émouvante peut paraître sincère, mais, outre qu'Hippolyte ne sera pas ressuscité, ni Phèdre innocentée par ce geste trop tardif, sa justification fonctionnelle de compensation ultime destinée au public est trop importante pour que je m'attarde sur sa réalité substantielle, et que j'y voie, comme certains, un retour à l'ordre légitime et la fin d'affrontements tragiques qui ne seraient du coup que fâcheux épisodes, et non pas la vérité permanente de la condition humaine.

Ma méfiance envers les belles envolées finales, qui se justifient mieux par leurs effets que par leur véracité, s'étend aux derniers vers de *Bérénice*, qui me semblent plus émouvants et plus admirables moralement, pour le public, que psychologiquement vraisemblables chez les personnages :

Adieu. Servons tous trois d'exemple à l'univers

De l'amour la plus tendre et la plus malheureuse

Dont il puisse garder l'histoire douloureuse.

(v. 1502-1504)

Dans quelle mesure la raison d'être de cette phrase est-elle d'énoncer une vérité et de nous convaincre que Bérénice en est pénétrée sinon consolée ? Elle convient si bien à une autre fonction : clore l'œuvre et la relation entre public et personnages sur un mélange de compassion et d'admiration. L'une des fonctions majeures de la littérature n'est-elle pas de sublimer le malheur en beauté, en cultivant « cette tristesse majestueuse qui fait tout le plaisir de la tragédie » : « le plaisir de pleurer et d'être attendris » (Préface) ?

« Idéal littéraire, finir par savoir ne plus mettre sur sa page que du "lecteur" », écrit Valéry, pour qui « la considération du lecteur le plus probable est le premier ingrédient de l'écriture ». C'est le public qui est le véritable destinataire du dialogue théâtral, et sa compétence de récepteur et d'interprète surclasse largement celle des destinataires apparents. Outre qu'il est fictif,

---

[1] Thierry Maulnier estime la dernière réplique de Thésée « indigne et désastreuse à force d'insignifiance [...]. Ces vers ne méritent certes pas d'être dits » (*Lecture de Phèdre*, Gallimard, 1943 ; éd. de 1967, p. 121-122.

chaque personnage n'est énonciateur ou destinataire que d'une partie du texte, et il perçoit la situation dans les limites de sa position particulière, de son information incomplète et de sa subjectivité. Le lecteur ou même le spectateur n'éprouve certes pas les choses avec la même intensité que le héros transporté par la passion ou menacé de mort. «Le tyran dont la parole "effraie" fictivement le partenaire produit sur le spectateur des émotions diverses, mais dont aucune n'est la peur»[1]. Néanmoins, il entre dans le jeu et s'identifie suffisamment aux *acteurs* pour imaginer ce qu'ils éprouvent. Et en même temps, destinataire de tout le texte, informé de toute la situation, et sachant qu'elle est fictive, il les perçoit à distance et les maîtrise rationnellement.

Il est surtout le seul destinataire de ce que l'œuvre a de spécifique : sa dimension artistique, culturelle et philosophique. Lui seul est en mesure d'en apprécier la composition à travers la dialectique d'espoir et de crainte qui lui est destinée. Lui seul perçoit certaines connotations ou informations qui lui sont spécialement adressées à travers une utilisation proprement littéraire du langage : l'écrivain profite du fait que les significations possibles débordent toujours l'intention et la conscience du locuteur, pour mettre dans la parole des *acteurs* des messages destinés au public. Nous l'avons vu pour l'ironie tragique. Mais ce peut aussi bien être le cas pour de simples informations. Ainsi, en querellant Tirésias, Œdipe le pousse «à lui dire des vérités qu'il prend pour des calomnies. Bel artifice d'instruire le spectateur sans éclaircir l'acteur», note Racine en marge d'un exemplaire de Sophocle. Or, cette ambivalence est un caractère distinctif du langage littéraire aussi bien que de la condition tragique, qui peut par exemple procéder de l'ambiguïté d'un oracle : non seulement chez les Grecs, mais encore dans *La Thébaïde* et *Iphigénie*.

Seul à entendre, avec le sens littéral, l'intention de l'énonciateur, la réception de l'allocutaire, les connotations, les messages codés et les significations symboliques, le lecteur ou spectateur est aussi le seul à percevoir l'intertextualité, et à dissocier la situation immédiate de sa fonction énonciatrice. De plus, il est l'arbitre du débat, le juge du procès que constitue toujours, plus ou moins, l'œuvre dramatique. Il remonte même à ses fondements axiologiques, et il en tire la leçon.

---

[1] Anne Ubersfeld, *Lire le théâtre, III : Le dialogue de théâtre*, Belin, 1996, p. 100.

Enfin, dès ce qu'on appelle non sans raison la *création* de la pièce, des comédiens prennent la place des *acteurs* et raniment à leur manière leur énonciation. Plus on s'éloigne dans le temps, plus cette réappropriation, dans une conjoncture, une mentalité, une culture, une habitude linguistique de plus en plus différentes, transforme l'œuvre : le texte littéral reste le même, mais le message et le jeu, l'*action* en modifient les effets. C'est encore plus net à partir du moment où apparaît le metteur en scène, à la fin du XIXe siècle, puis quand il se considère non plus comme le serviteur du texte, mais comme celui qui lui redonne vie : il prend la place de l'auteur.

La même appropriation se fait encore plus chez le lecteur. Il est certes plus discret, mais il se situe à la place à la fois de l'auteur et de tous les *acteurs*. De surcroît, chaque lecteur est plus ou moins un investigateur. L'œuvre, ce n'est pas ce que l'auteur a voulu dire, ni ce qui est écrit sur la page, c'est ce qui est interprété par un metteur en scène et des comédiens ou par un lecteur. Le pire de ces coucous, celui que l'auteur n'avait pas prévu, c'est le spécialiste. Qui parle quand je lis *Phèdre* ? Moi ! Tout le monde reconnaît que le texte de Racine est particulièrement limpide. Mais depuis un tiers de siècle chacun veut lui imposer son interprétation.

Redevenons plus modeste pour conclure. Ce qui paraît la parole d'un personnage adressée à un autre personnage exprime certes, dans un cadre très conditionné, la réalité et sa personnalité. Mais cette parole est également dictée par son rapport à celui sur lequel il veut agir, et c'est l'interprétation qu'en fait celui-ci qui importe le plus, puisque la suite en dépend. Et tout cela est calculé par l'auteur, scripteur premier dans ses fonctions de narrateur, de dramaturge, de psychologue, de philosophe et de poète soumis à certaines conventions d'écriture et de pensée. C'est lui qui distribue la parole, qui définit les personnalités qui l'énoncent, les positions et les enjeux qui s'y expriment. Il le fait pour le public, à l'adresse duquel le texte n'est pas seulement la transposition d'une histoire, mais une œuvre littéraire à portée symbolique. Et peu à peu c'est ce public absent lors de l'écriture et muet à la représentation (mais préoccupante cause finale de l'une et de l'autre), qui s'approprie la signification et même la diction du texte, dans sa lecture comme dans sa mise en scène.

Le talent de Racine a été d'assumer ces multiples fonctions de la parole dans un texte qui donne encore envie, trois siècles plus tard, de se l'approprier. Pour le comprendre, il ne faut pas le figer dans son sens littéral et immédiat, mais le replacer dans ses diverses fonctions, chercher qui parle, pour quelle raison et dans quel but. Et pour cela s'aider des réactions de l'auditeur et des conséquences à plus long terme du passage considéré. Il faut se rappeler qu'une fiction n'a pas de véracité substantielle, et qu'on ne saurait se fier à son sens littéral, comme à celui d'un document ou d'un compte-rendu. Sa raison d'être, essentiellement fonctionnelle, est dans les effets visés à travers elle. Il est donc vain de vouloir l'expliquer par les causes événementielles ou psychologiques qui ont été imaginées pour lui servir de garantie apparente. Il faut au contraire en chercher le sens symbolique, comme je le ferai dans le chapitre 8.

Chapitre 7

Quelques beaux contresens

Puisque la tragédie est essentiellement « un conflit de valeurs », « toute tentative pour la comprendre en premier lieu à partir de la psychologie des personnages implique un malentendu et est d'avance condamnée à l'échec ». [1]

Je présente dans ce chapitre, en me limitant à *Andromaque*, quelques interprétations erronées imputables à l'oubli d'une seule donnée fondamentale : les tragédies de Racine sont des fictions dramatiques, où les paroles et les actes sont des inventions de l'écrivain en vue des effets qu'il veut produire sur le public, et non pas des réalités imputables au caractère des personnages, bien que l'auteur les justifie ainsi pour les rendre crédibles, et que ces justifications supposées soient souvent d'une subtile profondeur psychologique. Parfois, l'explication psychologique et l'explication dramaturgique se concilient heureusement. Mais d'autres passages relèvent du jeu théâtral ou de la stratégie d'auteur : les expliquer par le caractère de celui qui les prononce devient alors un contresens. Je le répète fermement : je ne cherche pas à me faire valoir aux dépens de certains collègues, mais à montrer que les meilleurs d'entre nous ne sont pas à l'abri d'un réflexe erroné auquel il m'est certainement arrivé de succomber : étudier les *fables* littéraires comme s'il s'agissait d'événements réels. Au demeurant, de telles analyses, justes et souvent subtiles en elles-mêmes, — c'est pourquoi je parle de *beaux* contresens — peuvent être utiles pour une éducation psychologique.

---

[1] Goldmann, *Racine*, L'Arche, 1956, p. 14.

Je commence par rappeler la position des critiques du XVIIe siècle, qui était aux antipodes de celle que je défends. Ils imputaient les sentiments et comportements des *acteurs* à leur conscience, à leur volonté, à leur responsabilité, comme s'il s'agissait d'individus autonomes. Dans la retentissante querelle du *Cid*, on s'en prit surtout à Chimène, « ce monstre », cette « fille dénaturée » et « parricide », dont « l'infâme passion » pour le meurtrier de son père « foule aux pieds les sentiments de la nature et les préceptes de la morale » [1]. L'Académie française jugea que « ses mœurs sont du moins scandaleuses si elles ne sont pas dépravées [...]. Nous la blâmons de ce que son amour l'emporte sur son devoir ».

A l'époque, ces reproches avaient une raison d'être : pour les doctes, le but de la tragédie c'est d'inculquer la morale ; l'histoire représentée doit donc être parfaitement vraisemblable, pour que le spectateur s'identifie aux personnages et que les conséquences de leur comportement lui servent de leçon. « La créance que l'on peut donner au sujet » d'une œuvre est un « point important sur tous autres, pour ce [...] qu'où la créance manque, l'affection manque aussi ; mais où l'affection n'est point, il n'y peut avoir d'émotion et par conséquent de purgation ou d'amendement ès mœurs des hommes, qui est le but de la poésie ». « Je pose donc pour fondement que l'imitation en tous poèmes doit être si parfaite qu'il ne paraisse aucune différence entre la chose imitée et celle qui imite, car le principal effet de celle-ci consiste à proposer à l'esprit, pour le purger de ses passions déréglées, les objets comme vrais et comme présents » [2]. C'est cette théorie qui fondait l'exigence des unités de temps et de lieu : pour que l'histoire représentée en trois heures sur une scène unique soit crédible, elle doit se dérouler en un seul lieu et en moins d'une journée.

Mais cette vision réaliste, qui conduisait à faire le procès de Chimène comme si c'était un être réel, responsable de ses actes, empêchait de voir deux dimensions essentielles de l'œuvre littéraire. D'une part l'heureux effet cathartique de cette transgression qui, permettant au public d'adhérer à un meurtre fictif du père, le libérait de cette pulsion. D'autre part la signification symbolique, plus importante dans les chefs-d'œuvre que la signification anecdotique. Symboliquement, *Le*

---

[1] Scudéry, *Observations sur* Le Cid, 1637.

[2] Chapelain, Préface de l'*Adonis* de Marino, 1623 ; et *Lettre sur la règle des vingt-quatre heures*, 1630.

Cid met en scène le passage du système féodal (dominé par l'honneur du clan) au système monarchique, dominé par le salut de l'Etat et de la nation. Celui que Chimène va épouser à l'initiative de son nouveau père, le roi, c'est le héros qui a sauvé la patrie et qui s'est mis par là au-dessus de l'ancienne loi clanique de vendetta qui obligeait l'amante de Rodrigue à poursuivre en lui le meurtrier de son père.

Ce qui fut juste alors ne l'est plus aujourd'hui.

> Quoi ? pour venger un père est-il jamais permis
> De livrer sa patrie aux mains des ennemis ?
>
> (v. 1185 et 1193-1194)

Tu dois sacrifier « au public les intérêts du sang », dit le roi à Chimène :

> Que le bien du pays t'impose cette loi.
>
> (v. 1213)

Car Rodrigue a sauvé la patrie,

> Et quoi qu'ait pu commettre un cœur si magnanime,
> Les Mores en fuyant ont emporté son crime.
>
> (v. 1423-1424) [1]

A l'époque de Racine, la théorie exposée par Chapelain — et à la finalité moraliste de laquelle les dramaturges, plus soucieux de plaire que d'instruire, n'avaient jamais adhéré — n'avait plus la même audience qu'au temps du *Cid*. En revanche, la plupart des appréciations contemporaines sur ses tragédies sont encombrées de critiques réalistes mesquines et parfaitement inadéquates. Subligny fait par exemple remarquer que l'auteur d'*Andromaque* oublie qu'Oreste était roi, et devait être traité comme tel ; Pylade également : Oreste ne devrait pas le tutoyer ; il est anormal qu'un roi soit à la recherche d'un ambassadeur : « Je n'ai point encore vu de gens qui n'aient ri à cette pièce, lorsque Pyrrhus y vient dire à Oreste : "Je vous cherchais partout, Seigneur", au lieu de le mander dans son cabinet » [2].

Personne n'aurait aujourd'hui l'idée de formuler une telle critique, ni de reprendre à son compte la théorie de Chapelain, ou les interprétations réalistes de la fin du XIXe siècle,

---

[1] Sur ce problème, cf. J. Rohou, Le mariage de Chimène : dépravation morale, transgression imaginaire ou intégration politique ? *La Licorne*, 20 (1991), p. 51-65.

[2] *La Folle Querelle ou La Critique d'*Andromaque, 1668.

assimilant *Britannicus, Bérénice* ou *Phèdre* à des faits divers **.**

Nul universitaire ne serait même aussi affirmatif que Gustave Rudler, qui écrivait encore, vers 1940 : il faut « prendre les personnages non comme des êtres de papier, mais comme des êtres vivants, et les vivre en soi. Il est évident que Racine les a profondément sentis et vécus en lui-même »[1]. Il y a aujourd'hui un consensus pour considérer cette approche comme essentielle pour la réception affective de l'œuvre, mais inadéquate pour en expliquer le fonctionnement.

Cependant le réalisme psychologique n'est pas mort. On s'aperçoit tout à coup que tel auteur d'un article, d'un livre, d'une conférence sur *Andromaque* ou *Phèdre* oublie qu'il s'agit de fictions, leur applique les critères de l'existence réelle, et considère les *acteurs* comme des êtres autonomes, qui auraient pu faire autre chose que ce qu'ils font. J'entends, en 1998, tel collègue regretter « l'incroyable maladresse d'Hermione ». Andromaque, explique-t-il, la suppliait en faveur de son fils :
Laissez moi le cacher en quelque île déserte.
                                                        (v. 878)
Belle occasion d'éloigner à jamais une dangereuse rivale. Au lieu de cela, son orgueilleux défi la renvoie aux pieds de Pyrrhus. C'est raisonner comme si les personnages d'une œuvre pouvaient soudain en changer le cours et le sens, comme si un héros tragique pouvait éviter le malheur pour lequel il a été inventé. Toute maladresse apparente d'un personnage est une adresse du dramaturge, qui maintient son cap tout en nous offrant une péripétie supplémentaire et une touche de psychologie. Mais celle-ci n'est généralement pas la véritable cause de revirements requis par la vision tragique ou par la dialectique dramatique. En l'occurrence, Pyrrhus est passionnément épris d'Andromaque. Bafoué par elle, il ne s'est retourné vers Hermione que par dépit. Et dès qu'il l'a annoncé, on a clairement vu la fragilité de ce revirement (II, 5). Il va revenir vers la veuve d'Hector. Mais au passage l'auteur nous offre une entrevue pathétique et cruelle entre les deux femmes, et il inflige à Hermione la cuisante déception d'une brève illusion, au cours de laquelle elle aura torturé Oreste. Souvent ce sont de tels effets que recherche l'auteur : les expliquer par la cause psychologique inventée pour les justifier, c'est tourner dans un cercle vicieux. Ainsi, certains accusent Bajazet d'inconscience : il supplie Roxane, au nom de l'amour qu'elle a

---

[1] Edition de *Mithridate*, Blackwell, p. XLIII.

pour lui, d'épargner son heureuse rivale. « Si jamais je vous fus cher... » — « Sortez », réplique-t-elle (v. 1565). Prévenus depuis le v. 1457, nous savons que les étrangleurs attendent derrière la porte. Attribuer à l'inconscience du personnage cet effet soigneusement calculé par l'auteur, c'est vraiment jouer au pompier qui veut avertir la victime, et rater le plus bel enchaînement de ce drame.

Parfois, l'on persiste ainsi dans certaines critiques que faisaient les contemporains de Racine. Pour sauver son fils, Andromaque accepte d'épouser Pyrrhus. Mais elle se tuera aussitôt après. Comment croire que le roi continuera à défendre Astyanax contre tous les Grecs après ce contrat de dupes ? Elle est vraiment « trop crédule », écrit Subligny [1]. Oui, si l'on croit à la réalité de la fiction. Mais point n'est besoin d'être Sherlock Holmes pour reconstituer l'enchaînement des véritables causes. Toute cette tragédie repose sur le dilemme où Pyrrhus enferme Andromaque (vous m'épousez ou je livre votre fils) et sur l'ultimatum que les Grecs, Hermione et Oreste imposent à Pyrrhus : vous renoncez à Andromaque et vous livrez son fils ou c'est la guerre. Racine ne pouvait choisir la seconde solution : elle était trop brutale pour le public galant qu'il voulait séduire, et elle était contraire au dénouement traditionnel de cette histoire, qui devait s'achever sur le meurtre du roi par Oreste (or, en dramaturgie classique, on ne doit pas changer le dénouement de l'histoire mais seulement ses motifs et circonstances). Pour sauver Andromaque et son fils, le mariage était donc la seule solution. Pour le dramaturge, elle est excellente, car elle met en cause tous les personnages : Hermione bafouée réagit avec fureur ; poussé par elle, Oreste a une raison de tuer Pyrrhus qui s'insère fort bien dans l'intrigue, alors que sa motivation traditionnelle lui était étrangère [2] ; le meurtre, en plein mariage triomphal, est particulièrement spectaculaire ; il entraîne le suicide d'Hermione et la folie d'Oreste.

Restait à rendre cette idée, qui est dramatiquement si heureuse, psychologiquement acceptable. Racine a imaginé deux garanties : ce mariage est « l'innocent stratagème » que mon « époux m'a commandé lui-même », et je me tuerai dès la

[1] *La Folle Querelle ou La Crititque* d'Andromaque, 1668.
[2] Chez les Anciens, Oreste tue Pyrrhus parce que celui-ci lui a enlevé Hermione — c'est-à-dire pour un motif contraire au dénouement imaginé par Racine.

fin de la cérémonie, « sauvant ma vertu » de toute infidélité (v. 1093-1098). Prévoyant qu'on lui objecterait que Pyrrhus berné se vengerait sur Astyanax, il a chargé Andromaque elle-même de répondre par avance. La victime du bourreau de Troie et du tyran qui exerce un odieux chantage sur la vie de son fils fait soudain son éloge, et avance quatre raisons pour se « reposer sur lui » : les « nœuds immortels » du mariage constituent un engagement irréversible ; les « ressentiments » de Pyrrhus « doivent être effacés », puisqu'Andromaque lui a cédé ; « violent, mais sincère [...], il fera plus qu'il n'a promis de faire » ; il défendra Astyanax pour ne pas céder à l'exigence des Grecs (v. 1085-1092 et 1107-1111). Ne cherchons pas dans ces raisons des vérités absolues : ce sont des justifications plus ou moins vraisemblables d'une décision nécessaire à la poursuite de l'action.

Il est donc regrettable de voir un analyste aussi subtil que Pierre Clarac s'interroger sur les risques pris par Andromaque, dans une phrase réaliste, qui évoque la nuit de noces et qui met au présent ce qui n'arrivera même pas dans la fiction : « En se tuant au seuil de la chambre nuptiale, elle inflige à Pyrrhus l'affront le plus humiliant qu'il puisse recevoir d'elle. Se croira-t-il lié par un serment qu'elle lui aura arraché à la faveur d'un mensonge ? Du moins a t-elle, en toute liberté, pris une décision héroïque » [1]. En toute liberté ? Quant à Marcel Gutwirth, auteur d'un remarquable ouvrage sur Racine [2], il s'interroge, en 1997, sur les conséquences qu'aurait eues la décision d'Andromaque si l'intervention d'un autre personnage fictif ne l'avait rendue encore plus imaginaire — si l'on peut dire — qu'elle ne l'était dès l'origine : « Le pari est de taille [...] ; seulement la vengeance d'Hermione en devance l'exécution. Nous ne saurons jamais si la violence ne l'aurait pas emporté sur la sincérité, sous le coup d'une telle déconvenue » [3].

Les contresens imputables au réalisme psychologique se sont parfois renouvelés avec l'introduction de la psychanalyse. Parfois, elle va chercher dans l'inconscient des *acteurs* les causes de paroles ou de comportements très consciemment calculés par celui qui les leur impose. Ailleurs, elle insiste sur l'originalité substantielle de leur personnalité. Pour expliquer le

---

[1] *L'Age classique*, Arthaud, 1969, p. 244.

[2] *Jean Racine : un itinéraire poétique*, Université de Montréal, 1970.

[3] « De *Pertharite* à *Andromaque* ou les aléas de l'invraisemblance ». *Car demeure l'amitié, Mélanges Claude Abraham*, Biblio 17, p. 23.

comportement de Pyrrhus, Charles Mauron écrit qu' « il est en pleine mue, à l'âge ingrat ». Quant à Hermione, c'est « une Erynnie jalouse, qui veut posséder l'homme et tuer l'enfant » [1]. De plus, cet auteur tend à expliquer l'œuvre comme une conséquence directe de la personnalité de l'homme qui l'a écrite, et à qui il attribue un « caractère névrotique » (p. 331). De son côté, dans une thèse qui « ne manque certes pas d'intérêt », Anke Wortmann, se fondant sur la théorie freudienne, « vise à "expliquer" les personnages raciniens uniquement par des "causes" d'ordre psychologique, en négligeant tous les autres facteurs qui déterminent la construction d'un personnage littéraire » [2]. Dans un résumé en français, l'auteur déclare elle-même que l'on peut « analyser ces personnages imaginaires à l'instar de personnes réelles » et qu'ils « semblent avoir un inconscient ».

Le contresens le plus grave de la lecture psychologique oublieuse de la spécificité du théâtre, porte sur près de la moitié [3] d'un rôle majeur, celui d'Andromaque. D'un côté, ce personnage est une image psychologique et morale, mais de l'autre il joue un rôle. Faute de voir cette dernière vérité, les uns, imputant à son caractère certaines dimensions de son rôle, l'ont accusée de coquetterie — ce que les autres ont refusé avec indignation au mépris du texte, jusqu'au moment où l'on a cru résoudre le problème par le piètre bricolage d'une « coquetterie vertueuse ».

Andromaque est la figure idéale de la fidélité : à son mari, à sa patrie, à son fils. Tout modèle idéal est une image fixe toujours identique à elle-même, une icône — surtout quand il représente la fidélité, et qui plus est à des absents eux-mêmes immobiles : un fils exclu de la scène et auquel le texte n'attribue aucune réaction, une patrie figée dans ses ruines, un mari

[1] *L'inconscient dans l'œuvre et la vie de Racine*, Ophrys, 1957, p. 61 et 64.
[2] Volker Schröder, compte-rendu de Anke Wortmann, *Das Selbst und die Objektbeziehungen de Personen in den Weltlichen Tragödien Jean Racines*, Königshausen und Neumann, Würzburg, 1992. Paru dans *Papers on French Seventeenth Century Literature*, XXI, 41 (1994), p. 605-607. Cette thèse porte principalement sur *Andromaque*. Un autre compte-rendu confirme que Mme Wortmann invite « les personnages principaux [...] à s'étendre sur son divan pour essayer de les amener à lui livrer leurs secrets » (J.-P. Collinet, dans *Studi francesi*, septembre 1993, p. 604-605).
[3] Environ 44 % du texte prononcé directement par Andromaque ou rapporté par Pyrrhus.

défunt, qui n'est évoqué qu'à travers des instantanés, tel qu'en lui-même pour l'éternité. Cette image peut s'animer en personnage lyrique qui confie son secret à Céphise (IV, 1) ou qui évoque devant elle ses souvenirs (III, 8). Mais il y a une nette différence, et même une contradiction, entre la stable identité du modèle moral et du personnage lyrique, et la dialectique du rôle dramatique, qui oblige ce même personnage à parler et agir en interaction avec ses partenaires. Son discours, sa conduite ne sont plus autonomes, mais stratégiques : ce ne sont plus seulement des expressions sincères, mais des moyens en vue d'un but. Même dans la réalité, d'importantes adaptations s'imposent en pareil cas. Elles sont encore plus importantes chez un *acteur* défini par son rôle, qui n'est lui-même qu'un moyen aux mains du dramaturge. A peine le personnage lyrique a-t-il rappelé pourquoi le mariage avec Pyrrhus est inconcevable (v. 992-1008) que le personnage dramatique explique la nécessité de cette union, de ce « stratagème » (v. 1082-1093). Or le rôle dramatique d'Andromaque, qui la confronte à Pyrrhus et à Hermione qui ont pouvoir sur elle, occupe 61 % de son temps de présence sur scène et 53 % de son texte. De plus, j'ai montré que dans les confrontations théâtrales, une réplique est orientée par une double fonction : elle ne doit pas seulement répondre à celui qui vient de parler, mais susciter une nouvelle réaction de sa part : c'est la poursuite de l'affrontement et du jeu théâtral qui importe le plus (chap. 6, *in fine*).

La querelle sur la conduite d'Andromaque a débuté en 1768. Quelqu'un ayant parlé de coquetterie à propos du v. 892, où elle évoque « le pouvoir de [s]es yeux » [1], Blin de Sainmore rejeta cette interprétation comme « indigne également et de son caractère et de la tragédie ». Cette impossibilité morale sera l'argument constant des « anticoquettistes ». Mais lisez donc le texte, répliqueront les réalistes : la coquetterie est évidente ; elle s'explique par les tendances de la nature féminine et se justifie par les terribles contraintes de la situation. « *Le fond* [2], c'est celui-ci : une femme amoureuse encore du mari qu'elle a perdu [...] dépend d'un homme qui a tout pouvoir sur son enfant et qui lui dit : "je le tuerai [...] si vous ne cédez pas" [...]. Une femme qui se trouve dans la *situation* que j'ai dite et qui trouve

---

[1] C'était un contre-sens. Il ne s'agit pas d'une coquette satisfaction, mais au contraire d'« une ironie plaintive », comme le fit remarquer La Harpe.

[2] Je mets en italiques quelques termes caractéristiques de cette réduction réaliste de la fiction artistique.

moyen de la prolonger [...], celle-là est *maligne*. Chaste tant qu'on voudra, mais maligne [...], *cela ne peut être autrement* ». « Eh oui, elle pleure ! Parce qu'il y a de quoi pleurer dans *son affaire*, mais aussi parce que les larmes aiguisent sa beauté, excitent l'amour de Pyrrhus », écrit Sarcey, qui pousse à l'extrême la réduction de la fiction poétique à la réalité, à la vulgarité : « A un moment, elle lui dit : "Retournez, retournez à la fille d'Hélène". Qu'est-ce qu'il y a de plus irritant pour un homme [...] que de s'entendre dire : Non, mon cher, allez donc retrouver votre femme ! Il n'en est que plus enragé après l'autre ». Or, si une femme vous dit : « Oh ! non, laissez-moi [...]. Vous êtes sans aucun doute aimable [...], mais je n'ai jamais aimé et n'aimerai jamais que mon mari. Voyons ! *monsieur, vous qui me lisez*, est-ce que [...] votre *première idée* n'est pas [...] *Tiens ! tiens ! tiens ! Voilà une femme que j'aurai un de ces jours. Ça sera long, ça sera difficile, mais j'y arriverai* » (1886) [1].

En 1803, Geoffroy avait réconcilié le constat réaliste et l'exigence morale dans une formule plus subtile que vraisemblable : Andromaque manifeste « cette coquetterie décente et noble qui s'allie si bien, chez les femmes, à la grande sévérité. Elle a, si l'on peut parler ainsi, la coquetterie de la vertu, le plus puissant et le plus séducteur de tous les genres de coquetterie ». L'idée fut reprise par Nisard, qui améliora la formule. C'est « une coquetterie vertueuse ». « Racine a voulu » qu'Andromaque « fût femme et qu'elle n'ignorât pas la puissance de sa beauté. Elle s'en sert pour se défendre et pour protéger son fils ; c'est de sa vertu même qu'elle apprend l'influence de ses charmes et que lui vient la pensée d'en user » (1857).

Ce réalisme modéré va l'emporter : on admet que la veuve fidèle est réduite, bien malgré elle, à des réactions de finesse. Andromaque, « chaste, droite, sincère, est jetée par Racine dans cette situation où il lui faut tromper et séduire » ; alors, « elle découvre en elle-même les coquetteries instinctives qui apaisent et leurrent un homme » (Mornet, 1925). Mais « il nous est

---

[1] D'autres analyses, tout en restant au niveau psychologique, sont heureusement plus subtiles : Jules Lemaître loue « cette finesse féminine parmi tant de vertu et de douleur, [...] combinaison exquise, et hardie, et vraie » (1908). L'expression « combinaison exquise » rapporte même les choses à l'art de produire des effets esthétiques et non pas à la reproduction de la réalité.

interdit de voir [là...] autre chose que des surprises de l'instinct
féminin de plaire, passagères, toutes en nuances, sans jamais rien
de combiné et de vraiment voulu » (Jacoubet, 1929).
Progressivement, on ne parlera plus de coquetterie, même
vertueuse — car « la coquetterie suppose un consentement et un
plaisir » —, mais de « diplomatie » (Mornet, 1943) : pas de
« coquetterie, mais une diplomatie instinctive », requise par
« l'atroce nécessité » (Jean Pommier, 1962).

La vertu secourue par l'éternel instinct féminin dans une
cruelle situation : on mobilise des notions de poids ! Il est vrai
qu'au plan de l'histoire fictive, il est normal qu'Andromaque,
soumise à un terrible chantage, déploie des trésors de finesse
pour émouvoir Pyrrhus et pour l'amadouer à défaut de le
convaincre, afin qu'il sauve son fils sans exiger qu'elle l'épouse.
Mais il suffit de lire le texte pour constater qu'on ne réussit pas,
en invoquant cette diplomatie nécessaire dans la fiction, à
rendre compte de l'alternance de séduction et de rebuffade, de
supplication et de dédain qui constitue la logique dominante
des affrontements dialogiques entre Pyrrhus et Andromaque.

Geoffroy avait tenté de s'en sortir en distinguant d'une
Andromaque psychologique, fruit de la nature et de la morale,
une Andromaque socio-culturelle. Ce n'est pas seulement,
disait-il, la veuve d'Hector et la mère d'Astyanax : c'est aussi une
grande dame du XVIIe siècle, « ornement d'une cour galante et
polie [...]. Elle n'a de naturel que sa tendresse pour son fils ; le
reste est le résultat de l'éducation, des mœurs et du ton de la
société la plus raffinée » (1803). Mais personne ne semble avoir
remarqué l'évidence : Andromaque n'est pas seulement une
veuve, une mère, une reine. C'est aussi, et dans certaines scènes
c'est surtout un personnage de théâtre, une *actrice* dont les
paroles et attitudes ne peuvent se comprendre si l'on oublie cette
donnée première, qui commande le fonctionnement de la seule
chose que nous connaissons de l'Andromaque racinienne : le
texte.

La partenaire de Pyrrhus sur une scène parisienne ne
saurait être identique à l'idéale veuve d'Hector dans une fiction
utopique. Ses paroles et attitudes doivent animer des
affrontements de théâtre, où chaque réplique est conçue pour
faire réagir le partenaire et repousser ses contre-attaques. C'est
l'*actrice* sinon la provocatrice que le dramaturge doit faire
parler pour faire fonctionner ces scènes, c'est-à-dire un
personnage radicalement différent de l'image de fidélité que
nous présente le moraliste. Leur contradiction ne provient pas

de la complexité d'Andromaque et de l'éternel féminin, ni principalement du fait qu'elle soit jetée dans une situation contraire à sa nature, mais de la coexistence sous le même nom d'une fidélité idéale et d'un rôle théâtral.

La structure fondamentale d'une scène de théâtre et d'une suite de répliques, c'est l'attitude de chacun par rapport à son partenaire. Elle ne s'exprime pas seulement dans le sens de ses paroles, mais dans le style, le niveau de langue, le rythme, le ton — sans parler des gestes et jeux de physionomie. Et même au niveau du sens et des thèmes, l'Andromaque qui se confronte à Pyrrhus ne parle pas vraiment des mêmes choses que celle qui confie à Céphise son amour pour Hector et son fils, et sa répulsion pour le destructeur de sa patrie. Ou en tout cas ce n'est pas dans le même sens : ici Astyanax n'est plus seulement son fils (dans une union tendrement close) mais un enjeu dans un combat, et Hector n'est plus seulement son mari mais un contre-modèle à opposer à Pyrrhus. Et ce d'autant plus que les répliques d'une scène de théâtre existent au moins autant dans leur intention envers leur destinataire et dans leur effet sur lui que dans la tête et le cœur de qui les prononce.

Ce n'est pas le peintre d'un caractère idéal qui écrit les scènes entre Pyrrhus et Andromaque : c'est un dramaturge qui se complaît à son jeu parce qu'il veut séduire le public mondain et la jeunesse galante. Tel est en effet le but principal de cette œuvre de jeune ambitieux [1]. De plus, Andromaque, mise en scène d'une première chute de l'héroïque dans le tragique et des tentatives pour y échapper, est caractérisée par les jeux du paraître, où l'on cherche solution à la crise de l'être. Les personnages — voire le dramaturge lui-même — essaient de compenser leur soudaine impuissance par les déguisements, les poses avantageuses et autres *divertissements* : c'est ainsi que Pascal désignait toutes les activités qui nous occupent suffisamment pour nous éviter de penser à notre misère.

Outre qu'elle tient compte de la spécificité de l'œuvre théâtrale, l'interprétation que je propose correspond à l'esprit de cette tragédie. Si l'on étudie les confrontations qui l'émaillent, l'on constate que les comportements y sont souvent plus

---

[1] Il sera encore question de coquetterie à propos de Junie (v. 432, 949-952, 983-984), bien que cette attitude ne convienne ni à son caractère ni à son rôle, et que *Britannicus* soit une tragédie sérieuse, conçue pour satisfaire les doctes. Il y aura aussi quelques réactions de ce genre chez Bérénice (v. 664-666, voire 972). On n'en retrouvera pas ensuite.

tactiques que sincères. Oreste fait l'éloge du fils d'Achille (v. 143-150) pour mieux s'étonner de son indigne comportement. En réponse, Pyrrhus, au lieu d'avouer sa passion, se pose en généreux défenseur de la veuve et de l'orphelin. Puis quand il décide d'abandonner Andromaque par dépit vengeur, il présente son revirement comme une sage décision — dont il fait endosser joyeusement la responsabilité à Oreste... pour qui c'est la pire des catastrophes. Celui-ci réussit à déguiser sa douleur jusqu'à se présenter devant Hermione d'un air triomphant. Je montrerai plus loin comment celle-ci le désarme et cherche à le mettre en fureur par une argumentation aussi remarquablement efficace qu'insincère — c'est-à-dire que cette scène (III, 2) est un affrontement tactique, qui se soucie avant tout des effets recherchés.

Bien évidemment, Racine n'a pas attribué à la fidèle Andromaque, persécutée par Pyrrhus, le brio artificieux de la fière Hermione surclassant le pauvre Oreste. Toutefois cet affrontement exemplaire nous aide à voir qu'ailleurs aussi chacun contre-attaque sans répondre précisément, pour prendre l'adversaire à contre-pied sans se laisser enfermer dans sa logique — et pour faire avancer ainsi la dialectique théâtrale, par exemple en alléchant pour repousser ensuite dédaigneusement. Ce serait en effet de la coquetterie si c'était imputable à la psychologie du personnage.

Les Grecs réclament le fils d'Hector pour le mettre à mort. Pyrrhus peut le sauver. Il croit donc détenir le moyen de fléchir Andromaque. Son but est de la réduire à supplier, à céder, à remercier : elle évitera obstinément d'y condescendre. Par fidélité à Hector au plan moral. Par amour-propre et fierté de reine aux plans psychologique et socio-culturel. Mais aussi, comme actrice guidée par un dramaturge, pour maintenir la tension, prolonger la scène et réjouir les connaisseurs.

« Me cherchiez-vous, Madame ? » — « Je passais »... Voici déjà la stratégie de l'esquive. Pyrrhus se présente en chevalier servant. Elle le dédaigne ; elle le remet dans sa fonction de geôlier, l'accuse de tyrannie mesquine, le ravale au néant par la majesté du style et par l'évocation de Troie qu'il a détruite, d'Hector et de son fils, seuls objets de son amour. Mais cet amour ne peut ici s'exprimer que dans le cadre d'un affrontement dominé par le chantage du roi et par la stratégie du dramaturge ; un affrontement qui impose à Andromaque un rôle, malgré qu'elle en ait. Ainsi, même sa douleur de mère prépare le terrain pour l'argument décisif, que le dramaturge réserve pour la quatrième réplique de Pyrrhus : le temps d'une première manche dominée par Andromaque, qui le cloue au pilori des génocides (v. 268) et des bourreaux d'enfant (v. 271-272).

Cette domination initiale était nécessaire pour permettre le revirement provoqué par l'annonce du « supplice » d'Astyanax, exigé par les Grecs. Maintenant *la mère* prie et pleure : c'est bien naturel. Mais dans le fonctionnement de la dramaturgie, si l'*actrice* Andromaque s'enveloppe dans sa douleur, c'est pour permettre à l'acteur Pyrrhus de se présenter en sauveur, dans une position avantageuse. L'insistance sur ses larmes et sur sa solitude affective — sans père, sans époux, sans fils — fonctionne comme un appel, de même que le reproche final : « il me faut tout perdre, et toujours par vos coups ».

Les thèmes des tirades suivantes d'Andromaque peuvent être imputés avec vraisemblance à la sincérité du personnage ; mais les comparaisons avec Achille, Hélène et Hector généralement placées en fin de réplique, fonctionnent surtout comme des provocations dans le jeu théâtral. Le comportement de Pyrrhus n'est pas « digne du fils d'Achille » (v. 310). C'est en vain qu'il envisage de reconstruire les « sacrés murs que n'a pu conserver mon Hector » (v. 336). C'est en vain qu'il prétend remplacer cet époux incomparable :

Sa mort seule a rendu votre père immortel.
Il doit au sang d'Hector tout l'éclat de ses armes ;
Et vous n'êtes connus tous deux que par mes larmes.
(v. 360-362)

Et puis ce conseil supérieur, sinon dédaigneux :
— Retournez, retournez à la fille d'Hélène (v. 342) —
avec une répétition un peu lasse, voire légèrement agacée, comme devant un gamin qui s'obstine dans une prétention capricieuse. Si on les considère comme imputables à Andromaque, ces dédains insistants sembleront un peu déplacés chez une personne de si grande qualité morale, et ils sont bien imprudents chez une mère qui ne peut compter que sur cet homme pour sauver son fils. Ils procèdent surtout de l'art d'un dialoguiste soucieux de faire réagir l'interlocuteur, et de séduire le public par sa subtilité.

Le second affrontement est rapporté par un récit qui permet de ne garder de l'attitude d'Andromaque que l'essentiel pour la dramaturgie : ce qui fait réagir Pyrrhus. L'importance des provocations s'y confirme : l'incessante invocation du mari défunt a surtout pour effet et pour raison d'être de faire réagir

le prétendant. Il croyait arriver en sauveur d'une mère
désespérée : elle ne le voit même pas. Elle ne regarde
qu'Astyanax ou plutôt l'image d'Hector qu'elle embrasse
ardemment.

Tu l'as vu comme elle m'a traité.

Cent fois le nom d'Hector est sorti de sa bouche.
Vainement à son fils j'assurais mon secours.
C'est Hector, disait-elle, en l'embrassant toujours.
Voilà ses yeux, sa bouche et déjà son audace,
C'est lui-même ; c'est toi, cher époux, que j'embrasse.

(v. 644 et 650-654)

Pour l'auteur de ces vers, seules importent deux choses : la
satisfaction du public, et la réaction de Pyrrhus, qui permet le
revirement de toute la situation. Quant à la cause de ces paroles
dans la fiction, c'est-à-dire à l'attitude d'Andromaque, elle ne
l'intéresse que comme moyen pour produire ces deux effets
auxquels la mère d'Astyanax ne pouvait penser. C'est pourquoi
il évite de la montrer, et ne présente la scène qu'à travers la
réaction du roi, et après que celle-ci se soit déjà manifestée au
détriment d'Oreste. *Spectaculairement* bafoué, Pyrrhus rêve
d'une revanche également *théâtrale :*

Retournons-y. Je veux la braver à sa vue,
Et donner à ma haine une libre étendue.
Viens voir tous ses attraits, Phœnix, humiliés.

(v. 677-679)

Dans cette réaction, la vérité psychique se combine
heureusement avec le dynamisme dramatique et l'avantage
spectaculaire. En revanche le début de la troisième rencontre est
avant tout un moment de théâtre, aux limites de la
vraisemblance psychologique. Il est directement précédé par
une intervention de Céphise qui conseille non pas la coquetterie,
mais une stratégie. A votre place, j'irais voir Pyrrhus :

Un regard confondrait Hermione et la Grèce.

(v. 889)

Cependant la scène ne va pas être dirigée par cette tactique du
personnage, sur laquelle Andromaque ironise au passage (v.
892), mais par celle du dramaturge.

Elle commence comme une scène de dépit amoureux, où
chacun affecte d'ignorer l'autre tout en le surveillant et en
s'efforçant d'attirer son attention, annonçant même à la

cantonade une fausse sortie pour l'obliger à *rompre son silence obstiné* (v. 895), à le rappeler, à le supplier [1]. Pyrrhus arrive : il

---

[1] « Feignons de sortir, afin qu'il m'arrête », dira la Silvia de Marivaux (*Le Jeu de l'amour et du hasard*, III, 8). Ce procédé théâtral était bien connu depuis longtemps. On le trouve notamment dans *Stratonice*, tragi-comédie de Quinault (1657). Aimée du prince Antiochus, Stratonice feint de le haïr, alors qu'elle en est éprise :

> STRATONICE
> O Dieu ! le prince sort.
> ANTIOCHUS
> Evitons sa rencontre.
> STRATONICE
> Evitons son abord.
> ANTIOCHUS
> Montrons que je la hais.
> STRATONICE
> Montrons que je l'abhorre.
> TIMANTE *à Antiochus*
> Vous avancez toujours.
> ZÉNONE *à Stratonice*
> Vous demeurez encore.
> ANTIOCHUS
> Allons, retirons-nous.
> STRATONICE
> Allons, sortons d'ici.
> ANTIOCHUS, *à Stratonice*
> Hé quoi ! vous me fuyez !
> STRATONICE
> Vous me fuyez aussi.
> (II, 6)

Ce dialogue passe pour la source des v. 890-900 d'*Andromaque*. Je dirai que c'est seulement le point de départ possible d'un texte autrement plus subtil, que l'on pourrait aussi rapprocher de la célèbre scène entre Mariane et Valère (*Tartuffe*, II, 4), où des didascalies précisent les comportements. Valère annonce que tout est fini : « il fait un pas pour s'en aller et revient toujours ». Neuf (brèves) répliques plus loin, « il s'en va, et, lorsqu'il est vers la porte, il se retourne » :

> VALERE
> Euh ?
> MARIANE
> Quoi ?
> VALERE
> Ne m'appelez-vous pas ?
> MARIANE
> Moi ? vous rêvez.
> VALERE

voit Andromaque face à lui, et il se retourne vers son confident pour lui demander où est Hermione. Symétriquement Andromaque s'adresse en aparté à sa confidente. « Que dit-elle, Phœnix ? » s'inquiète le roi en affectant de ne pas la voir. Les confidents interviennent (comme Dorine dans *Tartuffe*), toujours avec la même symétrie, pour tenter de modifier les attitudes. En vain. « Daigne-t-elle sur nous tourner au moins la vue ? » dit Pyrrhus — sans regarder Andromaque. « Sortons », déclare-t-elle. Dans l'esprit du personnage fictif, il s'agit d'une retraite discrète. Mais dans le fonctionnement réel de cette scène où deux *acteurs* se mesurent, ce serait pour Pyrrhus un camouflet. Il riposte donc par la même manœuvre, mais chargée de menaces : « Allons aux Grecs livrer le fils d'Hector ». Il a gagné : elle ne sort plus, elle lui parle, elle le supplie, elle le flatte, elle lui rappelle ses serments d'amour, elle explique qu'il se méprend sur ses réactions. Il reste inflexible [1]. Parce qu'il est blessé, diront les psychologues : il a besoin de se venger, ou du moins de rendre la réconciliation difficile. Mais théâtralement c'est pour prolonger le second moment de la scène, celui de la *revanche*, au sens qu'on donne à ce terme dans un match, dans un jeu. Elle se terminera par le même jeu de scène que la première : un parallélisme de fausses sorties : « Allons [...] Allons ». Mais la distribution de ce vers 924 est inverse de celle du v. 900, tout comme le résultat : cette fois c'est Andromaque qui empêche Pyrrhus de partir.

Hé bien ! je poursuis donc mes pas.

Adieu, Madame.

MARIANE
Adieu, Monsieur

C'est alors que Dorine intervient pour les réunir.

La dignité de la tragédie ne permet ni cette agitation ni ces simulations ridicules, car les enjeux sont plus graves. Mais le procédé théâtral est bien le même ainsi que les rapports entre les *acteurs* ; la symétrie, procédé caractéristique de la comédie, est même beaucoup plus nette : chez Molière, il n'y a qu'un personnage qui fasse mine de s'en aller.

[1] Le texte n'interdit pas de prolonger le dépit amoureux par un petit air boudeur chez Pyrrhus. En tout cas, sa première réplique est d'un alibi assez comique :

Phœnix vous le dira, ma parole est donnée.
(v. 966)

Deux ans et demi plus tôt, dans une pièce que Racine a sans doute vue, puisqu'il travaillait alors pour Molière, Don Juan répondait à une tirade accusatrice d'Elvire : « Madame, voilà Sganarelle qui sait pourquoi je suis parti » (I, 3).

Le troisième moment commence par deux phrases agressives d'Andromaque — par leur contenu et par l'insolence d'un style familier (« Et que veux-tu que je lui dise encore ? ») comme par le fait de parler de quelqu'un, face à lui, à la troisième personne. Ensuite, la prière se mêle aux reproches (v. 927-932), puis viennent même des compliments. Mais voici qu'une fois de plus Andromaque cesse de voir le roi pour s'adresser à Hector, afin qu'il lui pardonne d'avoir cru que son ennemi pouvait lui être comparé. Ainsi se confirme l'unité d'une scène de duel où chacun cherche à faire plier l'autre. C'est finalement Andromaque qui réussit à dédaigner Pyrrhus. C'est lui qui doit proposer une solution, sous peine de perdre la face. Renvoyant Phœnix, témoin gênant de sa mauvaise conscience [1], il la prie de ne pas sortir (v. 947), de faire la paix, de penser à son fils :

> A le sauver enfin, c'est moi qui vous convie.
> Faut-il que mes soupirs vous demandent sa vie ?
> Faut-il qu'en sa faveur j'embrasse vos genoux ?
> (v. 957-959)

Tout cela est psychologiquement fort riche et d'une vraisemblance acceptable. Mais c'est surtout une belle scène dramatique, par ses revirements, et théâtrale par la dialectique des rapports entre les deux partenaires, par un jeu d'effets habilement calculés. Le public peut à la fois participer affectivement et prendre ses distances pour apprécier les artifices de l'auteur de théâtre.

Imputant à une stratégie du personnage les habiletés de l'auteur, les tenants de la coquetterie d'Andromaque tiraient argument de tous les passages que nous venons d'analyser. Emile Faguet avait retourné leur interprétation par une appréciation plus juste des effets des paroles d'Andromaque sur Pyrrhus. Malheureusement, il persistait à les expliquer par la psychologie du personnage. Elle devenait ainsi « épouvantablement maladroite » par ses incessantes invocations d'Hector. « Ruse raffinée, disent les *coquettistes*. Tout de même, elle en met trop... le nom du mort dix fois assené par minute, la

---

[1] Je me place ici à l'intérieur de la fiction. Du côté du fonctionnement de la scène pour le public, si le dramaturge fait dire à Pyrrhus « Va m'attendre, Phœnix », ce n'est pas tellement pour qu'il s'en aille (les confidents savent rester sourds et muets !) mais pour que nous comprenions que Pyrrhus capitule et qu'il en est lui-même gêné.

"scie" du feu mari, non cela cesse d'être habile et pourrait bien n'être que de la candeur. En tout cas, cela semble bien n'irriter que la colère de Pyrrhus et non son amour ; car au sortir de la seconde entrevue avec Andromaque, [...] il est furieux, il épouse Hermione [...]. Pourquoi ? Parce qu'Andromaque l'a crossé du nom d'Hector pendant une demi-heure » (1903). C'est vrai, reconnaît Mornet : « Avant tout c'est d'Hector qu'il lui faudrait [...] parler le moins possible », pour ne pas irriter Pyrrhus. « Or, elle en parle toujours, invinciblement » emportée par son amour (1943). Parler ainsi, c'est vraiment confondre l'analyse du texte théâtral avec une enquête sur des événements réels.

Faire du théâtre, c'est s'identifier à un rôle, à des attitudes par rapport à ses partenaires, en se préoccupant de leurs réactions et des effets sur la galerie. Même si dans la tragédie classique cette stratégie est contrecarrée par un souci de vraisemblance et de dignité, c'est bien ce que fait Pyrrhus :

Hé bien, Phœnix, l'amour est-il le maître ?
Tes yeux refusent-ils encor de me connaître ?

L'orgueilleuse m'attend encore à ses genoux.
Je la verrais aux miens, Phœnix, d'un œil tranquille.

Je reviens vers Hermione, ajoute-t-il.

Crois-tu si je l'épouse,
Qu'Andromaque en son cœur n'en sera pas jalouse ?

Viens voir tous ses attraits, Phœnix, humiliés.

Concluons : dans l'histoire fictive et dans la signification morale de la pièce, Andromaque, incarnation de la fidélité conjugale et patriotique et du dévouement maternel, est le symbole de la valeur morale. C'est de l'incarnation de cette valeur que Pyrrhus est épris, c'est à cette fidélité qu'il veut s'imposer, c'est à elle qu'il se heurte. Telle est, dans son immobilité, la structure fondamentale de l'œuvre. Mais cette structure morale y est mise en dialogue, et soumise aux incessants revirements du théâtre. Pyrrhus passe de la soumission galante au dépit furieux. Le rôle de l'*actrice* Andromaque est de provoquer ces changements, et, plus discrètement, de le faire sans cesse passer de la satisfaction où il se pavane, à une gêne difficile à porter. C'est en cela que consiste son jeu. Mais n'allons pas y voir l'effet de son *caractère* dans un *rôle* qu'elle n'a pas choisi. Quand j'étais enfant, mon cousin, qui dirigeait nos jeux, était le grand garçon : j'étais donc la petite sœur ou le gentil chien.

Le seul compte-rendu que nous ayons des toutes premières représentations de la pièce confirme mon analyse, et montre qu'elle correspond à la signification que Racine a voulu donner à cette scène [1]. C'est la séduisante beauté d'Andromaque et le jeu aguichant de son interprète qui est souligné d'emblée comme la qualité principale [2]. La veuve d'Hector se montre à nous

> pleine d'appas,
> Sous le visage d'une actrice
> Des humains grande tentatrice,
> Et qui, dans un deuil très pompeux,
> Par sa voix, son geste et ses yeux,
> Remplit, j'en donne ma parole,
> Admirablement bien son rôle.
> C'est Mademoiselle Du Parc,
> Par qui le petit dieu Porte-Arc,
> Qui lui sert de fidèle escorte,
> Fais des siennes d'étrange sorte.

Il n'y avait pas, à l'époque, de metteur en scène. Mais l'auteur, surtout s'il avait du prestige et des exigences, donnait des indications de jeu aux comédiens — et Racine dut en donner particulièrement à Marquise Du Parc, qui jouait Andromaque : elle était sans doute sa maîtresse dès l'époque des répétitions.

Un curieux passage du texte même apporte une seconde confirmation. Il nous montre implicitement comment la « fierté » d'Andromaque, c'est-à-dire la farouche et hautaine fermeté que la veuve fidèle oppose aux avances de Pyrrhus, fonctionne, sans qu'elle ait besoin de le vouloir, comme une incitation provocatrice face à un amour qui est ambition de

---

[1] Ou peut-être seulement à la signification que Marquise Du Parc lui a surimposée, dira-t-on : elle était « la plus grande façonnière du monde » et jouait de façon affriolante (Molière, *La Critique de L'Ecole des femmes*, sc. 2. Cf. aussi *L'Impromptu de Versailles*, sc. 4). Oui, mais Racine aurait modéré cette tendance s'il y avait vu un contresens. En revanche, il est possible qu'il ait modifié son texte à partir du jeu de la comédienne : conformément aux habitudes de l'époque, la pièce a été jouée avant d'être imprimée.

[2] Il est vrai que le journaliste Robinet, signataire de ce compte-rendu, est hostile à Racine, et préfère souligner la qualité des acteurs plutôt que celle du texte.

conquête. Andromaque ne cherche nullement à séduire son vainqueur, explique Cléone (toujours prête, en bon personnage utilitaire, à proposer de fausses hypothèses pour susciter d'intéressantes rectifications). Car si c'était le cas, comment expliquer ses « chagrins » et ses réactions dédaigneuses ?

> Contre un amant qui plaît pourquoi tant de fierté ?
> (v. 455)

Hermione répond aussitôt que c'est le meilleur moyen d'aviver la passion d'un homme : si vous lui avouez votre amour, il ne tardera pas à vous dédaigner. Or, ce que Pyrrhus dénonce chez Andromaque, c'est bien son « orgueil » (v. 660 et 899), son « mépris » (v. 921) ; et ce qu'elle reconnaît quand il lui reproche son attitude, c'est en effet un « reste de fierté » (v. 914). Quant à Phœnix, il parle lui aussi des « mépris » d'Andromaque :

> Allez, Seigneur, vous jeter à ses pieds ;
> Allez, en lui jurant que votre âme l'adore,
> A de nouveaux mépris l'encourager encore.
> (v. 680-682)

De tels comportements relèveraient de la coquetterie si c'étaient des artifices imaginés par Andromaque pour parvenir à ses fins. Ce n'est pas le cas. Dans la mesure où ils sont imputables au personnage, ils viennent de sa fidélité inflexible, de sa fierté de reine, de son hostilité au destructeur de sa patrie. Mais c'est du rôle de l'actrice et de sa perception par son partenaire que vient la dimension tactique. A partir de la vraisemblance psychologique des réactions de celui-ci, l'auteur de théâtre a construit un jeu de provocations alternativement ou simultanément séduisantes et irritantes. Ce qui ne veut pas dire que le personnage auquel il les attribue les ait voulues telles. De même, ses larmes séduisent Pyrrhus [1] : mais ce n'est pas pour cela qu'elle pleure. Le même comportement peut avoir telle origine psychologique et une fonction dramaturgique tout à fait différente.

*
*   *

---

[1]   ... en excitant vos larmes,
     Je ne fais contre moi que vous donner des armes.
                         (v. 949-950)

La grande querelle sur la coquetterie d'Andromaque, qui a duré un siècle et demi, semble close. Depuis le renouvellement de la critique littéraire à partir de 1960, l'on ne commettrait plus une telle erreur, me direz-vous. J'aimerais en être sûr. Nous lisons toujours plus ou moins les œuvres littéraires dans une perspective de réalisme psychologique — non sans raison et même avec profit. Le glissement de la lecture à l'analyse, la confusion entre fiction et réalité reste toujours possible. Et si l'on ne parle plus de la coquetterie d'Andromaque, l'on n'avait pas, jusqu'à présent, expliqué son texte par l'analyse de son rôle, comme je viens de le faire.

En tout cas, le même contresens anti-théâtral, qui ne voit pas le fonctionnement dialogique et dramatique sous la signification psychologique, persiste jusqu'à aujourd'hui sur l'attitude de Pyrrhus face à Hermione, dans une autre scène capitale. A l'en croire, il vient lui avouer sa trahison :

> J'épouse une Troyenne. Oui, Madame, et j'avoue
> Que je vous ai promis la foi que je lui voue.
> (v. 1281-1282)

Et pourquoi faire cet aveu ? Pour se libérer de ses remords — « mon cœur me condamne tout bas » (v. 1279) — pour en être purgé par de cinglants reproches : votre « juste courroux [...] me soulagera peut-être autant que vous » (v. 1303-1304).

Voilà une analyse psychologique intéressante et profonde. Cette démarche est un peu étrange. Mais il est vrai que les gens ont parfois des réactions curieuses. Tant qu'on reste sur le plan psychologique, il est normal de considérer Pyrrhus comme sincère. De cette situation gênante résulte « une scène un peu gauche, où il s'accuse et s'excuse auprès d'Hermione, en homme du monde embarrassé de son rôle ingrat », écrivait Daniel Mornet, résumant en 1947 toute une tradition critique. Or, l'interprétation de Roland Barthes, champion du renouvellement des études littéraires, reste pleinement psychologique. Et elle efface même toute nuance. Pyrrhus, écrit-il, est « dans tout ce théâtre [...] le seul personnage de bonne foi : décidé à rompre, il cherche lui-même Hermione (IV, 5), et s'explique devant elle sans recourir à aucun alibi ; il n'essaie pas de se justifier, il assume ouvertement la violence de la situation, sans cynisme et sans provocation » [1].

---

[1] *Sur Racine*, Points Seuil, p. 78.

Mais Pyrrhus n'est pas seul : quel est le rôle d'Hermione et celui du dramaturge dans cette scène ? Si nous étions dans la réalité, l'égocentrique ingrat pourrait en effet se servir de celle qu'il abandonne comme d'un dépotoir — sans même s'en rendre compte — et lui demander de le débarrasser de ses remords en même temps que de sa présence ! Mais des interlocuteurs de théâtre, dont les répliques sont écrites par le même auteur pour former un seul texte, tiennent un peu plus compte l'un de l'autre.

    Christian Delmas, dont les analyses sont toujours subtiles, a voulu y voir clair. Il faut, dit-il, s'en tenir, pour faire « une interprétation correcte » et « prévenir un psychologisme hasardeux, aux données objectives du texte seul, sans contexte abusif » [1]. Mais en fait il explique tout, abusivement, par la psychologie du personnage fictif, sorte de contexte reconstitué à partir du texte, plutôt que par le fonctionnement du texte même comme affrontement de répliques. Et il ne voit dans les deux tirades de Pyrrhus qu' « une succession de sincérités impulsives », comme dit sa phrase de conclusion. Le contresens d'un tel présupposé vient du fait que la signification d'une réplique de théâtre ne se limite pas au sens objectif du texte qui l'énonce, et qu'elle ne procède pas seulement de l'état d'âme autarcique de son énonciateur. C. Delmas fonde l'objectivité de son étude sur le sens littéral et sur l'analyse des champs lexicaux, c'est-à-dire sur les matériaux du discours, en délaissant sa fonction dialogique, prédominante sur scène Comme le disaient d'Aubignac et Corneille, la parole théâtrale est une action : elle ne peut pas être comprise si on la fige dans sa signification interne et si on l'enracine dans ses origines sans tenir compte des effets que visent l'*acteur*(qui doit susciter la réaction de son partenaire et même le provoquer) et à travers lui le dramaturge, amateur de paradoxes et de péripéties : sur le partenaire, sur la poursuite de l'action fictive, sur celle du processus théâtral, et enfin sur le public.

    C. Delmas analyse finement les tirades de Pyrrhus du seul point de vue de la psychologie de leur énonciateur fictif, comme si elles s'adressaient essentiellement à lui-même. « Le champ lexical dominant [...] est celui de l'auto-critique »,

---

[1] A propos d'un compte-rendu : l'interprétation d'*Andromaque*, acte IV, scène 5, *Cahiers de littérature du XVIIe siècle*, III (1981), p. 152-159. Repris et complété dans *Mythologie et mythe dans le théâtre français (1650-1676)*, Droz, 1985, p 211-222.

balancé par un « discours autojustificatif [...]. Le cœur de Pyrrhus est le champ clos où s'affrontent des forces dont il n'est finalement que le spectateur impuissant à moins d'en être le jouet ». « La violence des remords [...] précipite [...] le roi auprès d'Hermione pour décharger sa conscience [...]. Après quoi, libéré de sa mauvaise conscience et réconcilié avec lui-même, il vole avec ravissement vers le bonheur ». Telle est « la logique du comportement du roi » ; telle est sa « motivation exclusive » : « le soulagement de sa peine ». Il « aspire éperdument à se mettre en paix avec sa conscience ». Cette « sincérité » est « trop anxieuse et incertaine de soi pour n'être pas brutale envers autrui ».

Tout cela n'est juste que sur un certain plan : celui de la psychologie du personnage. Mais il faut prendre aussi en considération le rôle de l'*acteur*. Ce qui se passe dans la « conscience » d'un personnage fictif ne saurait être la « motivation exclusive » de ce qui est aussi une action de l'*acteur* sur son partenaire, calculée par l'auteur de théâtre. Pyrrhus ne s'exprime pas seulement face à sa conscience, mais aussi face à Hermione et au public. Son arrivée a été voulue par le dramaturge comme une perturbation. Hermione la ressent d'abord comme un espoir : elle croit qu'une nouvelle fois il revient à elle. Or, l'espérance illusoire suscitée pour être cruellement déçue, est une structure usuelle du théâtre tragique [1]. L'ingrat se livre à un « aveu dépouillé d'artifice » lit-on dans le texte. Mais cette formule par laquelle Hermione (ou plutôt Racine) caractérise sa tirade, est amèrement ironique, comme toute cette réplique. Il met un soin étrange pendant vingt vers (1277-1296) à écarter toute justification possible de sa conduite, toute excuse ou circonstance atténuante. Est-ce seulement « pour décharger sa conscience » ou aussi et surtout pour rendre son acte plus librement insolent et insultant ? [2] Les

---

[1] De plus, Pyrrhus parle de cette surprise sur un ton différent de la suite de la tirade — comme s'il était déjà assez content de l'effet qu'il produit. Il me rappelle la réaction de Néron devant la surprise de Junie (*Britannicus*, v. 527-528). Mais on pourrait me soupçonner d'interprétation hasardeuse doublée de contextualisation abusive.

[2] Dans leur excellente édition d'*Andromaque*, R.C. Knight et H. T. Barnwell observent que Pyrrhus (v. 1290 et s.) et Hermione (v. 461 et s.) donnent deux versions légèrement différentes du comportement initial de Pyrrhus. « C'est sans doute Hermione qui ment ou se trompe elle-même », écrivent-ils (p. 164). Je crois plutôt que le dramaturge a écrit ce qui convenait le mieux à

derniers vers de sa première tirade forment une excellente fin
de réplique : c'est une provocation directe à la réaction de
l'interlocutrice : « Eclatez contre un traître » :

> Donnez-moi tous les noms destinés aux parjures.
> Je crains votre silence et non pas vos injures.

Ce n'est pas une contextualisation abusive que de
rapprocher tel passage ambigu d'une œuvre d'autres passages
analogues de la même œuvre, plus explicites. Nous avons déjà
vu que les confrontations d'*Andromaque* sont pour la plupart
des compensations vengeresses. Celui qui est bafoué où même
celui qui est heureux [1] cherche un rival pour l'accabler et jouir
si possible de sa fureur impuissante — qu'il s'applique à
susciter.

Ainsi, Pyrrhus s'est déjà livré à un autre simulacre d'aveu
autocritique. Bafoué par Andromaque, il est venu se venger sur
Oreste. J'ai eu tort, lui dit-il, de combattre « la force » et
« l'équité » de « vos raisons » : « je l'avoue » ; « j'ai songé
comme vous » que je me trompais, que j'allais commettre un
crime.

> Je ne condamne plus un courroux légitime,
> Et l'on vous a, Seigneur, livré votre victime.

Mieux : vous aviez raison aussi pour ce qui concerne Hermione.

> Je l'épouse. Il semblait qu'un spectacle si doux
> N'attendît en ces lieux qu'un témoin tel que vous.
>   (II, 4).

C'est de la même façon que Pyrrhus de nouveau se disculpe, en
reportant sur sa victime la responsabilité de la torture qu'il lui
inflige (v. 1341-1355). En soulignant l' « indifférence »
d'Hermione, il peut passer des « remords » à « l'innocence » de
ses « heureux soupirs ». Mais, comme le montrent les deux
derniers vers, ce discours est surtout une provocation : Pyrrhus
plaide le faux pour obliger son interlocutrice à laisser éclater le
vrai.

Hermione nous propose une interprétation très claire de
l'aveu sincère et insolemment provocateur de Pyrrhus et de son
appel explicite à l'injure :

> Pour plaire à votre épouse il vous faudrait peut-être

---

l'émotion recherchée dans chacun de ces passages — sans se rendre compte
d'une légère divergence.

[1] Mais le bonheur du sujet tragique ne peut se mettre en scène ; contraire à sa
condition, il ne peut avoir de contenu concret.

Prodiguer les doux noms de parjure et de traître.
Vous veniez de mon front observer la pâleur
Pour aller dans ses bras rire de ma douleur.
Pleurante après son char vous voulez qu'on me voie.
Mais, Seigneur, en un jour ce serait trop de joie.

Elle ne répond pas à une demande en apparence pathétiquement sincère, parce qu'elle y a décelé un piège. Nourrie dans l'univers racinien, elle en connaît les détours, pour avoir été elle-même chargée de les pratiquer.

Admirez sa stratégie face à Oreste (III, 2). Chargé d'annoncer un mariage qui est pour lui un désastre, celui-ci réussit à se présenter en sauveur : il a paru et tout est résolu. Un vague accusé de réponse minimal élude cette proclamation, et elle contre-attaque en le mettant, par des termes *précis*, en face de son impossible mission :

On le dit. Et *de plus* on *vient* de m'*assurer*
Que vous *ne* me cherchiez *que* pour m'y préparer.

Puis, évitant de répondre à une question gênante, elle s'applique, en feignant de s'étonner (« Qui l'eût cru »...), en lui imputant de fausses explications (« Je veux croire avec vous »...) à faire prononcer par lui la délicieuse vérité :

Non, Madame, il vous aime, et je n'en doute plus.

Pour que le régal soit complet, il faudrait l'épicer d'une belle fureur impuissante du rival bafoué. Pour cela elle se déguise en innocente victime de vénérables vérités générales magnifiquement formulées [1], pour conclure qu'elle allait néanmoins transgresser son devoir en sa faveur et que le malheureux a raté le bonheur de bien peu ! Il éclate en fureur dénonciatrice : « Ah que vous saviez bien, cruelle... ». Mais il se maîtrise aussitôt. Elle est déçue, comme l'avoue le commentaire que l'auteur lui attribue à l'intention de ceux qui ne comprennent pas les ressorts des scènes de théâtre :

Attendais-tu, Cléone, un courroux si modeste ?
(v. 833)

Revenons à la scène entre Pyrrhus et Hermione. Est-ce la replacer dans un « contexte abusif » que d'inviter à lire leur affrontement à la lumière de ces deux autres qui consistent à provoquer et torturer en se drapant dans l'innocence et

---

[1] Elle va y recourir aussi mensongèrement pour échapper à la supplique d'Andromaque (v. 881-882). Face à Pyrrhus, elle dira tout le contraire, plus vraisemblable (v. 1357-1362).

l'autocritique ? Pour Christian Delmas, Hermione « s'abuse en s'imaginant un objet de risée pour le couple ennemi ». Je crois au contraire que Racine nous indique par sa bouche la signification de la scène. Car ce qu'elle dit correspond et au fonctionnement du théâtre et à celui de l'univers racinien, où, du moins pour les personnages avides des quatre premières pièces, un bonheur « n'est pas un bonheur s'il ne fait des jaloux » (*La Thébaïde*, v. 1444).

Non seulement l'auteur d'*Andromaque* avait déjà mis en scène par deux fois ce type de réaction, comme on vient de le voir, mais entre ces deux scènes il l'avait pareillement analysé par la bouche de la victime. Pyrrhus, disait Oreste, n'aime pas véritablement Hermione :

Le cruel ne la prend que pour me l'arracher.

« Mon désespoir le flatte ». Quant à elle, elle « jouira » « de mes pleurs ». Et s'il décide de l'enlever, bien qu'il sache qu'elle ne l'aimera jamais, c'est pour l'empêcher de rire de lui dans les bras de Pyrrhus — comme celui-ci se rirait d'Hermione dans les bras d'Andromaque.

Selon C. Delmas, Pyrrhus est tellement enfermé dans sa problématique qu'il a « la naïveté » de croire à l' « indifférence » d'Hermione parce qu'elle est garante de sa propre « innocence » (v. 1345-1346) : « pareille bévue, qui met la princesse hors d'elle [...] est d'une inconscience rare ». Je crois au contraire que Pyrrhus affirme le faux pour obliger l'autre à dire le vrai, à proclamer qu'elle l'aimait passionnément. C'est une tactique fondamentale du dialogue théâtral. C'est ainsi que procédait Hermione elle-même face à Oreste, sur le même thème et dans le même but. Voyez les vers 810-815 et la réponse d'Oreste, si délicieuse à entendre : « il vous aime ».

Ici encore, les témoignages sur les représentations de 1667-1668 confirment la pertinence de mon analyse. Après avoir souligné le jeu aguichant d'Andromaque, Robinet dit qu'à la fin Hermione « feint par adresse » de se promettre à Oreste, pour le décider à « immoler Pyrrhus » afin de « se venger de l'outrage » qu'il lui fait en épousant Andromaque

À dessein de se railler d'elle
Par une niche trop cruelle.
(26 novembre 1667)

Dans la Préface de *La Folle Querelle ou La Critique d'*Andromaque, achevée d'imprimer le 22 août 1668, Subligny est encore plus précis : dans sa rencontre avec Pyrrhus, Hermione est « outragée jusqu'au bout » : il ne s'est même pas donné la peine de « dissimul[er] à ses yeux le mépris qu'il faisait d'elle ». Il aurait dû lui « témoign[er] du regret d'être infidèle, au lieu de lui insulter ». Peut-on, dans ces conditions, continuer à expliquer cette scène comme « l'autocritique » d'un homme animé par le « remords » ?

Christian Delmas analyse la scène selon un seul axe : celui de la problématique intime du personnage, sensible dans la seconde moitié de sa première tirade (v. 1297-1308). Il en omet trois autres, qui dominent les trois quarts du discours de Pyrrhus : l'axe des rapports entre les deux personnages, l'axe de l'*acteur* et celui du dramaturge. Le discours de Pyrrhus n'est pas seulement une autoanalyse. C'est aussi une contribution à une scène de théâtre [1].et à un affrontement tactique, dans un monde où, dès que l'on s'exprime sincèrement, on perd la partie (cf. v. 456-460, 522-528, 605-624, 805-833...). Et c'est enfin un

---

[1] C'est ce qu'oublie aussi Georges Forestier dans les notes aux v. 1284, 1286 et 1352 de son édition. Il voit « la sincérité de Pyrrhus [...], et non un Pyrrhus ironique et provocateur », dans un passage qui est « d'abord la transposition d'une des scènes les plus célèbres de l'*Enéide*, la séparation de Didon et d'Enée ». Non. C'est la transposition d'un seul aspect du texte virgilien dans une perspective et un genre tout différents. L'*Enéide* est la célébration de son héros éponyme ; la tragédie tend au contraire à la dénonciation de Pyrrhus. Si « le pieux Enée » abandonne Didon, c'est pour « obéir aux ordres des dieux » (IV, v. 393-396). Jupiter, « dont la volonté dirige le ciel et la terre » (v. 268-269) vient de lui reprocher de « s'attarder chez la nation ennemie » (v. 235), trahissant sa patrie, et oubliant sa mission historique. Contrairement à celui de Pyrrhus — qui trahit son passé, son père et sa patrie en épousant Andromaque —, son départ est un retour dans le droit chemin. Enfin, c'est en secret qu'il prépare sa fuite. Et c'est Didon qui vient l'invectiver.

mouvement de dérision tragique : dans la misère de notre condition, il n'y a de satisfaction substantielle que dans la douleur infligée aux autres. Toute la difficulté est d'évaluer l'importance relative des divers aspects de cette parole qui est à la fois une analyse psychologique, une stratégie dramatique, une vision tragique et sa sublimation poétique.

Chapitre 8

La lettre ou le cœur et l'esprit ?
Comment lire Racine ?

> *« Triste plaisir universitaire, convenons-en, que celui qui consisterait à n'examiner des œuvres de chair, de cœur et de sang que comme des techniques poétiques ou dramaturgique [...]. C'est par un mal de vivre et une soif de bonheur plus que jamais présents — autrement dit une ontologie [...] — que Racine sera sauvé »* [1]

J'avais vingt ans. Je n'étais jamais entré dans un musée, et me voici à l'exposition Van Gogh. Dès la première salle, c'est un choc : submergé par la violence d'Enfer. Un monsieur m'a jeté un œil sévère. Il regardait quelque chose, à la droite du tableau. Je me suis approché à mon tour de la petite étiquette sur le mur : « Champ de blé aux corbeaux ». Je me suis reculé. Bien sûr : c'était ça — tout simplement. Je me suis senti mieux, et j'ai continué mon chemin, pour regarder le portrait du Père Tanguy, un Breton que je ne connaissais pas. Car pour les champs de blé, j'en avais déjà vus beaucoup plus que ce Van Gogh, qui les faisait trop jaunes.

C'est dix ans plus tard que j'ai revu, revécu ce tableau, et compris que ce n'était pas un vrai champ de blé, mais que Van Gogh avait figuré, révélé dans cette apparence son tourment de vivre. « Champ de blé aux corbeaux ? » A la lettre oui. Mais cette violence sombre sur la plénitude ensoleillée, ces oiseaux de mauvais augure sur la moisson nourricière, en esprit c'est « Meurtre au cœur de l'été », c'est l'assassinat de la vie.

---

[1] Jean Emelina, *Les tragédies de Racine et le mal*, *Œuvres et critiques*, XXIV-1 (1999), p. 113.

Dix ans de perdus pour avoir confondu l'œuvre et l'étiquette ! Alors, ne venez pas me dire que Van Gogh a peint des *Tournesols dans un vase*, et Cézanne des *Rochers à Fontainebleau*. S'ils n'ont pas rendu sensibles, à travers une combinaison de formes et de couleurs, une vision de l'homme, un rapport au monde, la misère de notre condition ou une raison de vivre, ces fleurs et ces cailloux ne me concernent pas. Mais tout le monde n'est pas de mon avis. Certains jugent sur l'étiquette, sans chercher la substantifique moëlle. La *Symphonie en ut majeur* de Witt passait pour fort belle tant qu'on la croyait de Beethoven. La valeur de *L'Homme au casque d'or* est tombée de 13 à 3 millions de marks du jour où il n'a plus été attribué à Rembrandt.

L'œuvre est une forme-sens, et il est bien plus important de reconnaître l'intérêt de chacun de ces aspects que de débattre pour savoir lequel précède, fonde ou domine l'autre. Les uns, plus philosophes, soutiennent que la vision fonde la manière, le style. Les autres, plus pragmatiques, répondent que le choix et la combinaison des signifiants constituent ce que les premiers perçoivent comme vision. Quoi qu'il en soit, toute grande œuvre est à la fois un style et une vision, une construction technique et une fable symbolique. C'est une vision de l'homme ou du monde exprimée non pas abstraitement, en langage philosophique, mais sur le mode sensible, à travers une composition de signifiants qui ne doivent pas être considérés dans leur singularité d'individus, d'événements, de paysages particuliers et ponctuels, mais dans leur exemplarité emblématique. J'espère que vous ne lisez pas les pièces de Racine à la lettre, comme des récits d'anecdotes : Oreste aime Hermione, qui aime Pyrrhus, qui... ; Junie et Britannicus vivent un amour heureux, mais le tyrannique Néron... ; Titus et Bérénice sont passionnément amoureux et ils allaient se marier aujourd'hui, malheureusement... ; à peine mariée, Phèdre s'est éprise du fils de son époux... Car ce n'est pas seulement dans la foi que « la lettre tue », tandis que « l'esprit donne la vie » [1] : c'est chaque fois que l'idéal, les valeurs ou bien tout simplement le sens, le bonheur ou la beauté sont en jeu. Chaque fois qu'il est question de l'homme. Or, c'est bien de l'homme, du sens de la vie, du bonheur dans l'union de l'être à la valeur qu'il est fondamentalement question dans la tragédie racinienne, sous forme d'histoires grecques, romaines, turques ou bibliques.

---

[1] Saint Paul, *Deuxième épître aux Corinthiens*, III, 6.

« Une pièce de théâtre ne m'intéresse que si l'action extérieure, réduite à sa plus grande simplicité, n'y est qu'un prétexte à l'exploration de l'homme », écrit Henry de Montherlant dans ses *Notes de théâtre*. Une profonde exploration de l'homme à travers une action fort simple, qui en est le support emprunté à l'histoire ou à la légende : voilà Racine.

Ne me dites pas qu'il a magnifiquement restitué la rivalité d'Agrippine et Néron, ou de Pyrrhus et Oreste, ou le drame pathétique d'Iphigénie. Je vous répondrai comme Beaumarchais : « Que me font à moi, sujet paisible d'un État monarchique du XVIIIe siècle [ou d'un État démocratique de l'an 2000], les révolutions d'Athènes et de Rome ? Quel véritable intérêt puis-je prendre à la mort d'un tyran du Péloponnèse ? au sacrifice d'une jeune princesse en Aulide ? Il n'y a dans tout cela rien à voir pour moi, aucune moralité qui me convienne », aucun enjeu qui me concerne. Ces histoires de jadis « n'offrent aucun sens moral à l'esprit » des hommes d'aujourd'hui. « Il n'y a ni moralité ni intérêt au théâtre sans un secret rapport du sujet dramatique à nous » [1].

Une tragédie classique est à la fois une composition artistique (c'est-à-dire artificieusement significative et satisfaisante), une histoire vraisemblable et une vérité symbolique. Il faut la considérer selon ces trois perspectives, puisque c'est la qualité de l'invention, de la composition et de l'expression artistiques qui fait la séduisante vraisemblance et l'exemplarité véridique. J'espère que vous êtes bien de cet avis. Mais regardez ce que font les livres, ce que vous faites, si vous êtes étudiant, ce que je fais moi-même parfois. Quand on nous demande de présenter une tragédie de Racine, c'est par un résumé de l'histoire anecdotique que nous répondons, sans parler de sa signification. Quand nous étudions les personnages, ce n'est pas vers nous que nous les tirons, mais vers leurs homonymes originaux, morts depuis deux mille ans. Prenez Titus et Bérénice. Ils ont réellement existé. Mais quand un écrivain — surtout au XVIIe siècle — prend pour héros des personnages réels, son travail consiste à les libérer de leur individualité contingente et des particularités de leur biographie accidentelle pour les rendre exemplaires, retrouver en eux une nature humaine permanente, poser à travers leur histoire un problème général et s'adresser par leur bouche à tous ses contemporains et à toute la postérité. Pourtant au lieu

---

[1] *Essai sur le genre dramatique sérieux*, paru en tête d'*Eugénie*, 1767.

d'expliciter ce message universel, le moindre « petit classique »
vous précise qui furent ces personnages dans leurs petites
particularités. Puis il ne vous parle que vaguement, en termes
abstraits, de l'admirable vérité de cette peinture des sentiments
humains. Vous n'y trouverez rien (et dans les « grandes »
éditions non plus) sur les rapports qu'il peut bien y avoir, deux
mille ans après, entre ces deux individus et vous, qui n'êtes ni
empereur ni reine, ni palestinienne ni romain. Personne ne vous
a jamais invité à vous demander « si *tout* homme n'est pas
toujours, dès lors qu'il est dit que son père meurt[1], un
"empereur de Rome" », c'est-à-dire un être « qui a soudain, ou
qui croit avoir, *tout* pouvoir, sur lui et le monde. Et qui éprouve
alors — c'est une tragédie — que ce pouvoir, l'avoir (ou croire
l'avoir), c'est déjà, précisément, le perdre, se perdre, esclave de
son propre empire sur soi. Vespasien vivant, la loi du père était
là, présente, pesante... et le fils, aussi bien, *pouvait* obéir à cette
loi, ou la transgresser » — au moins en paroles, par ses
promesses à sa belle. « Mais, Vespasien mort, son fils le
remplace, Titus *incarne* maintenant la loi du père. La loi, il ne
l'a plus devant lui, il l'a *en* lui ; il ne la subit plus, il la *devient*...
La loi, maintenant, c'est lui. Comment désobéir à la loi quand
on *est* la loi ? » N'oublions pas l'autre moitié : « demandons-
nous si *toute* femme aimée n'est pas *toujours*, pour qui l'aime
"reine d'Orient" [...]. Et demandons-nous alors si de
l'"empêchement" n'était pas là, toujours, qui traînait, essentiel, au
cœur même de *tout* amour, de *tout* pouvoir d'aimer »[2].

Si vous lisez une œuvre littéraire — sauf en cas de pure
corvée scolaire — c'est parce qu'elle vous procure une
satisfaction esthétique, affective et intellectuelle. Son étude, tout
en fournissant divers renseignements, devrait donc avoir pour
but d'approfondir cette satisfaction. « Nous ne cherchons à
connaître que parce que nous désirons de jouir », déclarait
Rousseau[3]. A quoi peuvent servir des renseignements
circonstanciels, des descriptions objectives et des analyses
techniques qui n'accroissent pas le plaisir esthétique et l'émotion
de la lecture, la réflexion morale ou philosophique qui la suit ?

---

[1] J'ajouterai : ou dès qu'il devient adolescent, ou dès qu'il rêve, à n'importe
quel âge.
[2] D. Mesguisch, dans *La Nouvelle Revue Française*, juillet-août 1997.
[3] *Discours sur l'origine et les fondements de l'inégalité parmi les hommes*,
1755.

Georges Forestier vient de publier une remarquable édition du théâtre et des poésies de Racine [1] : des textes minutieusement vérifiés, 70 pages de présentation générale, une notice de 22 pages (en moyenne) pour chaque tragédie, et des notes abondantes. Mais le but de cet énorme travail est historique et technique, et non pas esthétique et philosophique. Voici en quels termes il le définit lui-même. « Les Notices consacrées à chacune des œuvres tentent d'élucider les choix de l'auteur, de présenter en détail les conditions de création et de publication du texte, d'analyser les modèles historiques ou poétiques et les contraintes dramaturgiques et esthétiques avec lesquelles le poète a dû composer pour aboutir à l'œuvre achevée qu'il nous a donnée. Quant à l'annotation, elle vise à l'élucidation historique ou mythologique, grammaticale ou sémantique de vers qui pourraient être jugés difficiles, elle tente d'apporter des précisions d'ordre dramaturgique, et elle présente autant que possible toutes les sources textuelles dont Racine s'est inspiré ou qu'il a récrites afin d'offrir la possibilité de prendre toute la mesure de son *travail* d'écrivain » (p. XCVII).

Si vous voulez étudier le travail dont procède techniquement l'œuvre et connaître tous les documents qui la concernent, voilà l'édition qu'il vous faut. Mais si vous êtes intéressé par le contexte social et mental dont elle procède aussi (car c'est l'expression d'une vision de l'homme, à partir d'une expérience historique de la condition humaine) ou bien par les effets philosophiques, affectifs et esthétiques de cette composition et de cette écriture, par la signification, l'émotion, la beauté de l'œuvre, vous resterez sur votre faim. Ainsi vous serez libre, vous dira-t-on. Oui, libre de tout reconstruire par vos seuls moyens, sans que soient mis à votre disposition les trésors de trois siècles d'interprétation. Pourtant le travail de G. Forestier serait de nature à préciser ou renouveler l'interprétation et l'appréciation de Racine. Mais il refuse de travailler sur ce plan. Cette étude de « *génétique théâtrale* » (qui d'ailleurs ne tient pas suffisamment compte de la spécificité du théâtre) se limite à « l'élaboration de ses tragédies », à la technique de la « dramaturgie », sans s'intéresser à la vision qui en est sans doute le fondement, ni — sauf exception [2] — à sa beauté, à son impact sur le public.

---

[1] Gallimard, Bibliothèque de la Pléiade, 1999, CVI-1801 pages.
[2] Cf. la notice de *Phèdre*, p. 1634-1639.

Dans un article célèbre, intitulé « Les deux critiques » [1], Roland Barthes distinguait une critique « positiviste », qui « ne se réclame que d'une méthode objective », qui se donne pour tâche « l'établissement rigoureux des faits », et dont nul « ne songe à contester l'utilité », et d'autre part une critique « idéologique », dont l'objectif est d'interpréter les œuvres, « ou plus exactement de les "faire signifier" par référence à un système idéologique déclaré ». Les premiers, disait-il, refusent de « collaborer » avec les seconds, dont ils considèrent le travail comme insuffisamment scientifique, alors que leur propre travail prétendument objectif est lui aussi un « engagement idéologique », fondé sur « la certitude qu'écrire ce n'est jamais que *reproduire, copier, s'inspirer de*, etc. » (p. 246-248).

Si l'on ne tient pas compte de la restriction polémique de la dernière formule, cette description convient assez bien à mon débat avec Georges Forestier. Toutefois, deux différences témoignent d'un double progrès. D'une part, on ne peut en aucune façon appliquer à Forestier les autres accusations de Barthes contre « la critique universitaire » : supposer implicitement que l'œuvre est l'expression de son auteur, attribuer son originalité à son génie, ne pas tenir compte du « réseau fonctionnel » de l'œuvre et lui chercher des explications hors du champ littéraire [2]. D'autre part, mon interprétation de Racine ne procède pas de l'application à son œuvre d'un « système idéologique déclaré », venu de l'extérieur, comme chez le marxiste Goldmann, ou le freudien Mauron. J'analyse ses tragédies comme fictions littéraires stratégiquement composées (chapitres 2 et 3) et comme œuvres de théâtre, c'est-à-dire comme jeux de rôles (chapitres 4 à 7). Jusque là, je suis fondamentalement d'accord avec Forestier, même s'il réagit contre certains indices de mon interprétation, déjà sensible dans cette partie de mon travail, et à juste titre puisqu'il n'y a pas de lecture ni d'analyse, aussi rigoureuse et objective qu'elle se veuille, qui n'implique une interprétation, comme je le montre dans le présent chapitre. Celle que je propose se fonde sur une analyse actantielle des tragédies, c'est-à-dire sur leur propre système de signification (chapitres 11 et 12). Et je montre qu'elle correspond fort bien au système idéologique de

---

[1] Paru dans le *Times Literary Supplement* en 1963, et repris dans *Essais critiques*, Seuil, 1964, p. 246-251.

[2] L'application de ces reproches au travail de Raymond Picard était d'une surprenante injustice.

l'époque, à la vision de l'homme qui imprégnait profondément Racine et la grande majorité de ses contemporains — ce qui m'amène à éclairer la signification implicite de l'œuvre à partir de cette conception explicite, et à partir des raisons de son audience exceptionnelle à ce moment (chapitre 10). Cette reconstitution de la vision de l'homme qui s'exprime dans la structure signifiante de l'œuvre donne à son interprétation un fondement historique et une profondeur philosophique. Elle est certes hypothétique, comme la reconstruction de la genèse d'*Andromaque* ou de *Phèdre* — et comme tout travail scientifique. Mais elle prouve sa validité par la cohérence des découvertes qu'elle permet. J'espère qu'on ne se contentera pas de l'approuver ou de la rejeter par quelques adjectifs qualificatifs, et que des analyses critiques précises permettront de l'améliorer.

Le choix méthodologique restrictif de G. Forestier procède, à mes yeux d'une tendance fâcheuse et erronée dans le travail universitaire et dans l'effort pour constituer une science de la littérature, dont la critique génétique sera une partie fondamentale. Une tendance fâcheuse parce qu'elle remplace la relation nourricière entre le lecteur et l'œuvre, qui est un plaisir, une émotion, une méditation, par une étude ingrate, faite d'érudition et d'analyse technique, et dont les bénéfices esthétiques et philosophiques sont trop maigres. On se justifie en affirmant que seul un tel travail est sérieux et scientifique. Et quand, dans mon édition du théâtre de Racine [1], après avoir donné tous les renseignements dont nous disposons, et expliqué le choix du sujet et la genèse de la pièce, j'en propose une interprétation et une appréciation, certains me disent : attention ! soyez prudent et objectif, respectez les faits, ne hasardez pas d'affirmations non vérifiées. Je voudrais montrer que c'est là non seulement une attitude inadéquate face à des chefs-d'œuvre de l'art, du cœur et de la pensée, mais une conception erronée de la science.

*

*   *

Ce qui est concrètement constatable rassure nos esprits paresseux. Mais *Andromaque* n'existe que dans sa perception affective et esthétique, et dans son interprétation philosophique.

---

[1] Hachette, La Pochothèque, 1998.

Je l'ai montrée à mon très objectif appareil photo. Il m'a dit :
« c'est un rectangle, ou plutôt un parallélépipède rectangle ». Je
me suis adressé à l'ordinateur. « Andromaque ? Ce sont huit
personnages, à Buthrot, en Epire, qui prononcent 1648
alexandrins composés de 1207 vocables, dans une tragédie de
Jean Racine (1639-1699), dont les phrases se caractérisent par
la plus faible longueur moyenne associée à l'écart-type le moins
élevé, avec un coefficient de variation de 0,73 ». « Et tout le
reste est littérature », a-t-il conclu. On ne saurait mieux dire.

    Eh oui ! l'œuvre littéraire est subjective. Mais nous aussi :
quelle heureuse coïncidence ! Nous pouvons donc la
comprendre — à condition de ne pas refuser de l'éprouver et de
l'interpréter, ce qui est de toute façon inévitable. Car elle n'existe
que dans les rapports sémantiques, affectifs et esthétiques entre
ses signifiants, que doit reconstruire toute lecture. Et cette
lecture est animée par la culture, l'expérience, la motivation,
l'imagination, l'affectivité, la sensibilité, le goût, la subjectivité du
lecteur, puisque sa littérarité est faite d'évocations, de
suggestions et de connotations plutôt que de significations
objectives. « Le problème est de savoir si l'on peut s'en tenir au
sens littéral. Je crois avoir montré que non », écrit René
Pommier lui-même, qui est le champion du degré zéro de
l'interprétation [1].

    Puisqu'on me parle de science, consultons les
épistémologues, spécialistes de la connaissance scientifique. La
majorité des étudiants et enseignants de littérature considèrent,
comme la plupart de leurs concitoyens, qu'il y a « quatre étapes
dans une recherche scientifique idéale : 1) l'observation et
l'enregistrement de tous les faits ; 2) l'analyse et la classification
de ces faits ; 3) la dérivation d'énoncés généraux par induction
à partir de ces faits ; 4) des contrôles supplémentaires de ces
énoncés généraux », qui en assurent la vérification
expérimentale. Or, cette « conception étroitement inductiviste de
la recherche scientifique est insoutenable » et « personne ne la
suit dans une démarche scientifique » ; loin de n'être
« introduites qu'à la troisième étape, par une inférence inductive
à partir des données recueillies auparavant », les hypothèses sont
indispensables dès le départ : sans elles, observation, « analyse et

---

[1] *XVIIe siècle*, 190, janvier 1996, p. 220. Comment s'en tenir au sens littéral
d'œuvres poétiques, dont certaines, de surcroît, tournent autour du double sens
d'un oracle, des discours d'Atalide, ou d'un mot clef (le *sang* de la famille
d'Œdipe, les *nœuds* de *Bajazet*, l'*autel* d'*Iphigénie*, le *trésor* d'*Athalie*) ?

classification sont aveugles ». « Les hypothèses et les théories scientifiques ne sont pas *dérivées* des faits observés, mais *inventées* pour en rendre raison » [1].

Tous les épistémologues répètent cette vérité première : « Toutes les observations (et plus encore toutes les expériences) sont imprégnées de théorie : elles sont des interprétations à la lumière de nos théories » ; « un savoir observationnel pur, vierge de toute théorie, s'il était seulement possible, serait complètement stérile et dénué d'intérêt » [2]. « Il n'existe pas de connaissances résultant d'un simple enregistrement d'observations, sans une structuration due aux activités du sujet ». D'emblée, les observations « sont toujours dirigées et encadrées par des schèmes d'action », dans un « processus fonctionnel d'intégration » [3].

Ne me demandez pas de respecter objectivement les faits, puisque « les faits ne sont pas des entités *dans le monde*, mais des corrélats d'énoncés sur le plan de l'*argumentation* » [4], et puisque « *les théories ne procèdent jamais des faits* » [5] ? Tout « chercheur a l'espoir secret d'une connaissance *objective* [...]. Or, de Hume et Kant jusqu'aux épistémologues contemporains, l'opinion est quasi unanime : cet espoir est vain [...]. Ce que nous appelons la réalité n'est qu'une synthèse humaine approximative [...]. L'exploration scientifique du monde est [...] sans espoir d'atteindre une "réalité" indépendante de l'observateur », de sa position, de ses capacités, de ses intérêts, intentions et présupposés [6]. « L'objet scientifique [est] irréductible à l'objet perçu » [7]. Pour autant qu'elle existe,

---

[1] Carl Hempel, *Eléments d'épistémologie*, Colin, p. 17-23. Philosophe et physicien, C. Hempel a enseigné à Yale, Harvard, Columbia et Princeton. Son manuel, publié en 1966 et traduit en 1972, est toujours en vente.

[2] Karl Popper, *The Self and its brain*, 1977, p. 134, et *Conjectures et réfutations*, Payot, 1985, p. 23.

[3] Jean Piaget, dans *Théories du langage, théories de l'apprentissage*, éd. M. Piatelli-Palmarini, Seuil, 1982, p. 53. « Les idées ne sont pas superposées à la perception ; en réalité, elles la fabriquent [...]. Une perception résume tout un état de la croyance ou de la science » (Robert Lenoble, *Essai sur la notion d'expérience*, Vrin, 1943, p. 44-45).

[4] Jurgen Habermas, *Connaissance et intérêt*, Gallimard, 1986, p. 357.

[5] Georges Canguilhem, *La Connaissance de la vie* (1952), Vrin, 1965, p. 49.

[6] Jean Hamburger, de l'Académie des sciences, *La Philosophie des sciences aujourd'hui*, Gauthier-Villars, 1986, p. 2, 5 et 6.

[7] Gilles-Gaston Granger, article *Objet* de l'*Encyclopedia Universalis*.

« l'objectivité ne consiste jamais en une simple lecture des faits bruts, mais en une structuration qui situe le donné dans un ensemble de relations qui le dépassent et l'encadrent, mais permettent seules de le déterminer »[1]. C'est dans cette structuration que consiste la théorie, invention d'un modèle qui ne se contente pas de construire un système de relations entre des données observables, mais qui « implique toujours *l'existence d'entités imaginaires dont on postule l'existence* »[2].

En conclusion, « ce qui fait l'homme de science, ce n'est pas la *possession* de connaissances, d'irréfutables vérités, mais la *quête* obstinée et audacieusement critique de la vérité »[3], qui n'est qu'un système cohérent d'hypothèses reconnues comme adéquates et efficaces pendant une certaine période, en réponse à une certaine façon de poser les problèmes. « Le but premier d'une discipline scientifique n'est pas tant d'accumuler des connaissances [...] que de faire naître [...] de nouvelles structures de pensée »[4], d'ouvrir de nouvelles recherches, en fonction de l'évolution de nos interrogations et de nos motivations. On se rend même compte que celles-ci peuvent orienter la recherche sur des voies dangereuses, et qu'il faut soumettre la science et ses techniques au contrôle de l'éthique, pour éviter qu'elles ne soient trop au service des passions et des intérêts[5].

Voilà ce que nous disent les spécialistes de la scientificité des mathématiques, de la physique, de la biologie. Est-ce aux sciences humaines de prétendre maintenir une « objectivité » dont ils dénoncent le caractère illusoire ? Evidemment non, et d'autant moins que leur particularité est d'étudier des objets qui, contrairement à ceux des sciences de la nature, ont en eux-mêmes des significations par rapport aux paramètres humains, c'est-à-dire en relation avec ce qui constitue notre subjectivité[6].

---

[1] Jean Piaget, *Logique et connaissance scientifique*, Gallimard, Encyclopédie de la Pléiade, 1976, p. 760.

[2] René Thom, de l'Académie des sciences, dans J. Hamburger, *op. cit.*, p. 11.

[3] Karl Popper, *Logique de la découverte scientifique*, Payot, 1978, p. 287.

[4] Paul Germain, secrétaire perpétuel de l'Académie des sciences, dans J. Hamburger, *op. cit.*, p. 49.

[5] Cf. Anne-Françoise Schmid, *L'Age de l'épistémologie : Science, ingénierie, éthique*, Kimé, 1998.

[6] C'est sur cette spécificité qu'insiste G. G. Granger. C'est pour lui un point « tout à fait fondamental. Les faits que les sciences de l'homme prennent pour objet ont un sens. D'une manière ou d'une autre ce sont des *signes* », déjà pris

Les objets qu'étudient l'historien, le sociologue, le psychologue ou le spécialiste de littérature sont des réactions à des situations qui les dépassent et qui n'y sont que très partiellement explicitées. Leur compréhension passe donc par « la mise en rapport d'un système de forces — latent — à un système de significations, qui à la fois le cache et l'exprime » [1]. Ceci me semble particulièrement net pour les études littéraires et artistiques : leurs objets sont conçus en réaction à la perception subjective d'une situation ; ce sont des fictions animées par une aspiration souvent trop peu consciente pour s'y expliciter ; et elles sont destinées à toucher et séduire l'imagination et la subjectivité.

*
*   *

C'est en tenant compte de ces principes épistémologiques que j'écris ce livre, et que j'ai proposé, dans mon édition de Racine, une analyse de sa vision tragique et une interprétation renouvelée de chacune de ses pièces. De même, c'est inévitablement par conjecture et non par constatation objective que Georges Forestier a reconstitué le « travail » de Racine et la genèse de ses œuvres, ses modèles et contre-modèles, les « contraintes » avec lesquelles il « a dû composer », « les choix » qu'il a faits. Ce que je regrette, c'est d'une part qu'il n'ait pas réfléchi aux hypothèses impliquées dans ses conjectures, ni à certaines raisons philosophiques des choix de Racine, qui ne s'expliquent pas seulement par la dramaturgie. Et d'autre part qu'il se soit arrêté en route, au moment de considérer l'œuvre achevée dans sa plénitude et dans ses effets.

Prenons l'un de nos différends. Quel est le sujet de *Britannicus* ? [2] « Grave question », reconnaît G. Forestier, « puisque les réponses qu'on peut lui apporter déterminent les

---

dans un système (article *Epistémologie* de l'*Encyclopedia Universalis*). Les sciences humaines sont évidemment encore plus orientées et intéressées que les sciences physiques. Ainsi, « *tout* compte-rendu historique doi[t] nécessairement opérer une sélection » et « ce que nous sélectionnons reflète inévitablement nos intérêts » (Steven Shapin, *La Révolution scientifique*, Flammarion, 1996, p. 22).

[1] Id., article *Objet*.

[2] J'ai relevé diverses réponses à cette question dans Racine, *Théâtre complet*, La Pochothèque, 1998, p. 917.

interprétations de la pièce ». « Le sujet est *d'abord* la mort de
Britannicus », affirme-t-il, s'autorisant d'une affirmation de
Racine lui-même [1]. Oui, au sens où le champ de blé est le sujet
du tableau de Van Gogh, avant la transformation de ses formes
et de ses couleurs par la vision du peintre. « La mort de
Britannicus » est un énoncé minimal, qui réduit toute l'action à
une seule de ses conséquences présentée en termes neutres, sans
s'interroger sur la signification de cette action, sur la
problématique qu'elle illustre, sur la vision dont elle procède.
Car il ne s'agit pas du tout d'une simple mort, mais du meurtre
d'un sympathique innocent par son propre demi-frère, qui lui a
déjà volé le trône et qui voulait lui prendre sa fiancée, d'un
meurtre perfide, sous couvert d'embrassement [2], au repas
solennel de réconciliation à la face des dieux (v. 1620-1627). Si
l'on veut être *touché* par un meurtre, c'est à la victime qu'il faut
s'identifier : c'est la position que conseille Racine à ses
spectateurs, dans la Préface de *Bérénice*. « Qu'ils se réservent le
plaisir de pleurer et d'être attendris », sans « s'embarrasser » des
« règles » de l'art — ni sans doute de l'analyse de l'œuvre. Mais
à partir du moment où nous étudions la pièce, nous ne pouvons
pas nous limiter à cette position : c'est du côté du criminel et de
la situation générale que se trouvent les explications du meurtre
d'un innocent. C'est ainsi que nous remontons à la motivation et
à l'intention majeures de ce meurtre : il est dirigé contre
Agrippine ; c'est dit dans le texte comme dans la Préface. C'est
elle et Néron que Racine s'attache à peindre, et non pas le pâle
Britannicus, victime d'un conflit dont il n'est pas la cause, et qui
n'est pas seulement une lutte d'ambitions doublé d'une rivalité
politique. Car celles-ci sont aussi la figuration d'antinomies
morales constitutives de notre condition et de notre
personnalité — c'est-à-dire fondamentales, insolubles et
ruineuses : c'est en cela seulement que *Britannicus* est
véritablement tragique.

　　　Tout auteur dramatique pose d'abord le dénouement :
c'est le moment le plus frappant et le plus lourd de signification,
et tout le reste est orienté où même partiellement inventé pour y
aboutir. C'était cet événement là que les dramaturges classiques
ne devaient pas modifier, tandis qu'ils étaient assez libres

---

[1] « Ma tragédie n'est pas moins la disgrâce d'Agrippine que la mort de
Britannicus » (seconde Préface).

[2] 　　　J'embrasse mon rival, mais c'est pour l'étouffer.
                                                    (v. 1314)

d'aménager sa préparation. Ils ont donc tendance à dire que c'est le sujet, l'action de la pièce. C'est « sa mort qui est l'action de ma tragédie », dit l'auteur de *Mithridate*. Cette pièce « a pour sujet Joas reconnu et mis sur le trône ; et j'aurais dû dans les règles l'intituler *Joas* », écrit- celui d'*Athalie*. « Mais la plupart du monde n'en ayant entendu parler que sous le nom d'*Athalie*, je n'ai pas jugé à propos de la leur présenter sous un autre titre, *puisque d'ailleurs Athalie y joue un personnage si considérable* [1], et que c'est sa mort qui termine le pièce ». Cet embarras nous rappelle à l'évidence : *sujet*, chez les dramaturges du XVIIe siècle, n'a pas le sens que nous lui donnons. Aujourd'hui, c'est « ce qui, dans une œuvre littéraire, constitue le contenu de pensée sur lequel s'est exercé le talent créateur de l'auteur », dit le *Petit Robert*. La définition de Furetière était beaucoup plus concrète : « En poésie, le *sujet* est la matière qu'on traite, l'événement qu'on raconte, qu'on met en une belle disposition et qu'on enrichit d'ornements ». Mais « le contenu de pensée » de *Phèdre* est loin de se réduire à l'événement de la mort d'Hippolyte et de sa marâtre. Il en va de même pour *Britannicus.* ne réduisons pas ce que l'œuvre veut dire à ce qu'elle dit, ni tout son processus à son dénouement, surtout quand c'est un revirement qui le contredit (*Mithridate, Iphigénie, Esther*).

Le problème de la distorsion entre le sens habituel de *sujet* et sa signification restreinte en dramaturgie se posait déjà pour Racine. Jusqu'à *Iphigénie*, soucieux principalement « de plaire et de toucher » (Préface de *Bérénice*), il donne à ses pièces le nom des victimes. Il a changé de perspective quand, devenu plus moraliste, il a considéré que « la véritable intention de la tragédie » visait « autant à instruire [les] spectateurs qu'à les divertir » (Préface de *Phèdre*). Contrairement à tous ses prédécesseurs, sauf Sénèque, il n'a pas intitulé sa nouvelle tragédie *Hippolyte*, mais *Phèdre et Hippolyte* (1677), puis *Phèdre* (1687). Mais déjà le problème traité dans *Andromaque, Britannicus, Bérénice* et *Bajazet* se situait du côté de Pyrrhus, Néron Titus et Roxane et non pas chez leurs victimes.

Pour travailler correctement, il ne faut pas confondre des choses bien distinctes : le dénouement, que les dramaturges classiques appellent l'action, le sujet de la pièce, mais que nous ne devons pas continuer à nommer ainsi aujourd'hui, sous peine de confusion ; l'intrigue, dont ce dénouement est le résultat et la

---

[1] C'est moi qui souligne.

cause finale, et qui est l'action, le sujet concret de la pièce, au sens que ces termes ont de nos jours ; les motivations qui animent les *acteurs* de cette intrigue, et dont l'ensemble conflictuel constitue la problématique, le sujet moral de la tragédie. C'est ce dernier qui est le fondement de l'intrigue fictive, qui n'est qu'une *fable* emblématique : « elle est feinte et elle contient allégoriquement une vérité morale » [1]. C'est évidemment cette vérité morale et l'art de sa mise en œuvre qui importent le plus pour le public — et surtout pour la postérité, qui n'a que faire d'une anecdote révolue si elle n'a pas une signification exemplaire. Dans le meilleur des cas, cette portée symbolique universelle transforme le nom du protagoniste en patronyme de toute une catégorie d'hommes: Œdipe, Antigone, Faust, Hamlet, Don Quichotte, Dom Juan, Tartuffe, Alceste, Phèdre, Bérénice... Toute tragédie est plus ou moins un mythe exemplaire.

« L'erreur la plus grave serait de réduire une pièce de Racine à l'histoire anecdotique qui y est contée », alors que celle-ci n'est que l'illustration d'un « conflit de valeurs » [2]. Cette restriction serait d'autant plus inadéquate que chaque élément de ces compositions dramatiques a une signification plus fonctionnelle que référentielle (cf. chapitre 5). Evénements et personnages ne sont pas là pour leur réalité propre, mais à titre de signifiants exemplaires, définis pour donner figure concrète à une problématique générale mise en œuvre dans une intrigue. De plus, ces histoires sont des fables hautement poétiques, où le sens figuré, métaphorique, symbolique ou allégorique l'emporte sur le sens propre et dénotatif [3]. Personne ne croit à Vénus ni au monstre marin, qui ont une place importante dans la signification de *Phèdre*. Et j'espère que personne ne croit non plus que Thésée a été enfermé « six mois » par un tyran « dans des cavernes sombres [...] voisin[e]s de l'empire des ombres » (v. 965-967), et qu'il est revenu quelques instants après que la nouvelle de sa mort ait permis à sa femme de déclarer une

---

[1] Le Bossu, *Traité du poème épique*, I, 7. Cf. chap. 2.

[2] Lucien Goldmann, *Recherches dialectiques*, Gallimard, 1959, p. 199, et *Racine*, L'Arche, 1956, p. 14.

[3] Lu au premier degré, le texte de Racine est parfois absurde ou ridicule. Essayez de lire au sens littéral ces deux vers de *Phèdre* (429-430) :

On craint que de la sœur les flammes téméraires
Ne raniment un jour la cendre de ses frères.

passion incestueuse. Hautement invraisemblable au plan du réel, cette coïncidence se justifie par ses effets dramatiques, mais aussi par sa signification symbolique : l'oubli de l'interdit est toujours une illusion sinon un piège, et il ne tarde pas à être sanctionné.

Nous sommes donc condamnés à reconstruire la signification de chaque tragédie de Racine, et à l'interpréter. Tout le monde le fait. La signification d'une œuvre est l'ensemble hiérarchisé de tous les rapports entre tous les signifiants qui la constituent. Ces signifiants sont très nombreux et très divers dans leur importance et dans leur nature, depuis la moindre connotation ou le moindre phonème jusqu'au personnage principal et à l'événement décisif. Chacun est perçu différemment par chaque lecteur, en fonction de son expérience, de sa culture, de ses repères, normes et valeurs ; et personne ne construit tout à fait le même ensemble. De plus, chaque époque — sinon chaque metteur en scène ou lecteur — l'interprète selon une perspective différente. Le XVIIe siècle était surtout sensible à la touchante tendresse et aux pathétiques douleurs. Le scientisme positiviste de la fin du XIXe siècle poussait à une lecture réaliste. Zola se prêtait facilement à une réduction sordidement anecdotique et les intellectuels distingués qui ne l'aimaient pas tenaient à montrer que Racine avait fait tout aussi vrai sans tomber dans la vulgarité. « Sauf *Athalie* peut-être, et sauf *Iphigénie*, toutes les tragédies de Racine recouvrent en quelque façon des événements familiers de l'existence quotidienne », écrit Brunetière. « Roxane assassinait hier le Bajazet qui la trompait et s'asphyxiait sur son cadavre. Phèdre se jettera demain dans la Seine, et tous les jours [...] il y a quelque Titus qui brise et broie le cœur de quelque Bérénice » (1885 et 1880). Néron est un jeune homme « impatient d'échapper à la tutelle impérieuse de sa mère, amoureux d'une jolie fille qu'il a rencontrée en chemise, et jaloux de son frère à qui elle s'est fiancée en secret » écrit Sarcey, dont j'ai déjà cité l'interprétation d'*Andromaque* [1].

---

[1] Cf. chap. 7. Ce type d'interprétation se maintiendra longtemps, grâce notamment à *L'Histoire de la littérature française* de Lanson, encore en vente aujourd'hui : « Racine fit régner [...] la vérité dans sa tragédie [...] : une femme délaissée qui fait assassiner son amant par un rival, voilà *Andromaque* ; une femme trompée se vengeant sur sa rivale et son amant, voilà *Bajazet* ; un homme qui, pour un intérêt ou un devoir, laisse une femme aimée, voilà *Bérénice* ; un vieillard rival de ses fils, voilà *Mithridate* ; une

Eh bien non, Messieurs ! Racine n'écrit pas des drames de boulevard à base de faits divers où le malheur est un accident pathétique et banal. Il ne parle pas « des événements familiers de l'existence quotidienne », des querelles de famille, des intrigues pour s'offrir une vierge ou la femme d'autrui, des malheurs accidentels où ne triomphent et ne périssent que les corps ou les fortunes [1]. Comme le disait Antoine Vitez, « Racine est notre grand poète philosophe », bien qu'il n'explicite pas sa vision comme le fait Shakespeare. Il écrit des tragédies, où le malheur est fondamental et inévitable, parce qu'il résulte de l'antinomie des principes constitutifs de notre condition et de notre nature (cf. chap. 11). Malheur essentiel et si j'ose dire immatériel : le meurtre et le suicide n'en sont que des conséquences. Le public le perçoit : il se sent concerné, et c'est pour cela qu'au lieu de les huer comme des tyrans, il respecte ces frères humains que sont Roxane, Mithridate, Phèdre ou Athalie, et peut-être même Néron.

Dans la grande libération des désirs et des idées symbolisées par mai 68, l'on a interprété à tour de bras, sans trop se soucier des faits : ils sont pesants, bornés, têtus ; ils empêchent l'envol de la pensée [2]. On se régalait de Racine, lu à la lumière de Marx [3], de Freud [4] ou du structuralisme

---

belle-mère amoureuse de son beau-fils, et le haïssant, le persécutant pour ne pouvoir s'en faire aimer, voilà *Phèdre*. Ne sont-ce pas les éternelles tragédies de la vie réelle, les sujets toujours les mêmes que les journaux et les tribunaux offrent à notre sensibilité [...] ? C'est la simple, générale, humaine vérité que Racine veut montrer ».

[1] Je parle ici du côté noir, que privilégient la tragédie et sa lecture réaliste. Mais cette approche réduit aussi en mesquineries les aspects positifs. Quand Junie entre chez les Vestales, il est oisif d'épiloguer sur la possibilité d'une exception à la règle selon laquelle on n'y recevait que des filles âgées de six à dix ans. Mais il est tout aussi incongru d'en faire une entrée au couvent, au risque d'évoquer la solution dévote d'un chagrin d'amour. La signification de ce geste ne peut être que symbolique : Junie rejoint son véritable lieu, l'espace sacré, inaccessible à la violence concupiscente, malgré sa toute-puissance temporelle.

[2] « Commençons donc par écarter tous les faits, car ils ne touchent point à la question », disait un illustre prédécesseur (Rousseau, *Discours sur l'origine de l'inégalité*). Cette formule de visionnaire fait bien rire ceux qui n'y ont pas assez réfléchi (cf. V. Goldschmidt, *Anthropologie et politique. Les principes du système de Rousseau*, Vrin, 1983, p. 125-167).

[3] Lucien Goldmann, *Le Dieu caché. Etude sur la vision tragique dans les "Pensées" de Pascal et dans le théâtre de Racine*, Gallimard, 1955 ; *Jean*

brillamment éclectique de Barthes (cf. chapitre 14). Des lectures qui modelaient hardiment le texte. Mais le principe de réalité n'a pas tardé à prendre sa revanche sur les rêves soixante-huitards. Nous avons réappris à être raisonnable — c'est-à-dire à n'avoir pas plus d'idées en tête que de sous en poche. Dès 1985, j'ai souvent eu l'impression de parler à des crayons avides de descriptions factuelles et d'analyses techniques : ils s'arrêtaient, un peu inquiets, quand je proposais les hypothèses théoriques et les perspectives historiques qui me semblaient nécessaires pour interpréter les faits et même pour les établir. Ce n'était plus l'heure de se lancer, de se risquer, de philosopher, de politiquer. Soyons prudents et objectifs, se disaient-ils : « et leurs oreilles sont devenues sourdes, et ils ont fermé les yeux, de peur que leurs yeux ne voient, que leurs oreilles n'entendent, que leur cœur ne comprenne »[1]. Ne comprenne surtout la tragédie — qui pourtant nous assaille en cette période qui a perdu repères, normes et valeurs, en cette société si riche qui réduit à la misère le quart de ses membres.

Il est vrai que l'auteur de cette formule était un malin qui se moquait de ceux qui, en sont temps, interprétaient les textes à la lettre. « Je leur parle en paraboles », disait-il : ainsi, « en voyant ils ne voient point, et en écoutant ils n'entendent ni ne comprennent point »[2]. Mais toute « fable » poétique n'est-elle pas une sorte de parabole ?

Notre époque n'est pas celle de la poésie[3] ni de la spiritualité. C'est celle de l'ordinateur, du portable et d'Internet. Celle de la haute technologie. Alors dès la sixième il faut classer les textes selon une typologie et en faire la lecture méthodique, à partir de relevés systématiques et d'analyses objectives à l'aide d'outils et de grilles qui permettent de repérer les champs lexicaux, et de distinguer les techniques de la narration ou de la description de celles de la poésie ou de l'argumentation ; et il faut déjà en faire l'analyse actantielle et dramaturgique. Au

---

Racine dramaturge, L'Arche, 1956 ; *Situation de la critique racinienne*, L'Arche, 1971.

[4] Charles Mauron, *L'Inconscient dans l'œuvre et la vie de Jean Racine*, Ophrys, 1957 ; rééd. Corti, 1969 ; *Phèdre*, Corti, 1968.

[1] *Evangile selon saint Matthieu*, XIII, 15 et 13.

[2] *ibid.*

[3] « Il faut du solide, et un honnête homme ne doit faire le métier de poète que quand il a fait un bon fondement pour toute sa vie », écrivait Racine, confronté lui aussi, à vingt et un ans, aux dures réalités.

lycée on y ajoutera la recherche des embrayeurs, déterminatifs et modalisateurs sans oublier les isotopies. On apprendra aussi les noms des principales figures de rhétorique, en attendant de déguster les plus subtiles à l'Université, où l'on sera initié à la critique génétique. A quand, par clonage d'Internet, des machines pensantes qui auront le triste avantage d'ignorer nos pathétiques problèmes d'êtres vivants ?

Trêve de sarcasme : ces outils, ces méthodes, ces catégories sont très utiles, à condition de ne pas être utilisés dans un travail purement mécanique, oublieux des caractères distinctifs des textes *littéraires*, qui ne sont pas tous de Ponge ou de Robbe-Grillet. N'est-ce plus pour approfondir et affiner sa pensée, sa sensibilité, sa finesse, son goût qu'on les étudie ? L'école doit-elle considérer ces notions comme vagues, subjectives, élitistes et réactionnaires — c'est-à-dire les réserver aux enfants de bonne famille, qui les acquièrent en dehors des classes ? Et qui a dit que la critique génétique doit se limiter à la genèse des formes ?

On a rejeté l'ancienne façon d'étudier les textes en la qualifiant d'*impressionniste*. Il est vrai que les techniques actuelles n'existaient pas : on analysait le texte avec son intelligence et sa sensibilité personnelles. Etait-ce une telle catastrophe ? Le seul tort était de présenter ces impressions subjectives comme des vérités. La bonne solution est d'utiliser les outils et les méthodes pour trouver dans l'analyse des procédés d'écriture l'explication des significations et des effets esthétiques et affectifs ressentis à la lecture — et d'enrichir leur perception par cette analyse. De toute façon, ne croyez pas que l'utilisation de ces techniques puisse être purement objective. J'ai assez lourdement répété plus haut qu'il n'y a pas d'observation possible sans hypothèse sous-jacente, ni de lecture sans interprétation — surtout pour un texte littéraire.

L'œuvre, ce n'est pas ce qui fut écrit, ni ce qui reste sur la page, d'où toute l'expérience existentielle et culturelle nécessaire à l'appréciation est absente. C'est ce qui est lu. Et lire c'est accorder telle importance à chacun des innombrables signifiants, en actualiser telle connotation possible, et l'intégrer en de multiples réseaux que chaque lecteur reconstitue à sa façon, à un niveau et d'un point de vue particuliers. Toute lecture est sélection et reconstruction, en partie par anticipation. Enfin le sens de l'œuvre est perçu en bonne partie à travers les émotions qu'elle procure. Bref, tout le monde interprète inévitablement. Les uns en le signifiant ou même en explicitant leurs hypothèses, les autres sans le dire, ou même en croyant ne pas le faire.

Les interprétations sont libres, et toutes celles qui ne contredisent pas gravement le sens littéral sont recevables. Mais toutes ne se valent pas. La plus satisfaisante [1] est celle qui organise le plus d'indices textuels dans la structure signifiante la plus cohérente [2], replacée dans la perspective la plus ample : elle articule cette structure sur les présupposés idéologiques et artistiques de l'époque, les intentions, la problématique et le travail de l'auteur, les particularités du genre, les sources de l'œuvre, et, sans contredire le sens littéral, elle favorise la lecture figurative et symbolique, tenant même compte, à titre d'harmoniques, des transpositions ou applications les plus diverses. Car le sens et l'intérêt d'une œuvre ne sont pas seulement dans ce qu'elle dit, mais dans ce qu'elle veut dire, ou peut vouloir dire, dans ce qu'elle rappelle ou suggère, et même dans ce qu'elle cherche à masquer ou à fuir. Et cela dans la langue, la culture et l'ensemble des références de son temps, mais aussi dans celles du nôtre et des époques intermédiaires.

L'interprétation la plus intéressante pour la sensibilité, le cœur et l'esprit (qui sera aussi, objectivement, la plus riche) est celle qui lit le texte « littéralement et dans tous les sens », selon la formule de Rimbaud, celle qui, sans trahir le sens littéral, fait fonctionner l'œuvre avec la plus grande hardiesse esthétique, affective et philosophique. « Mais vous allez trop loin », me disent certains. Ça commence où, trop loin, quand il s'agit d'épanouir sans risque sa pensée, sa sensibilité, son affectivité ? Ceux qui me parlent ainsi ne réfutent pas mes interprétations, tellement appuyées de citations et références que mes livres en sont fâcheusement alourdis. Ils les rejettent sans examen, parce qu'elles les dérangent. Si j'ai renouvelé la lecture de Racine, ce n'est pas en imposant à ses œuvres des éclairages extérieurs. C'est en les replaçant dans la condition humaine et dans la vision de l'homme contemporaines que j'ai trouvé leurs structures signifiantes. Certes, tout cela est explicitement

---

[1] Je parle ici des interprétations que font les lecteurs, les enseignants et les chercheurs, les élèves et les étudiants. Le travail des metteurs en scène me paraît un peu différent : leurs interprétations doivent être aussi des adaptations, dont la dimension séductrice peut-être légitimement supérieure à la dimension critique.

[2] La nature de cette « cohérence » varie selon l'esprit de l'œuvre : elle peut être baroque, burlesque, surréaliste ou « incohérente ».

hypothétique — mais pas plus que ne le sont implicitement toute analyse technique qui se veut objective ou toute lecture spontanée, qui se croit fidèle parce qu'elle est frileusement soumise.

Le refus de la signification philosophique de la tragédie me rappelle une époque où l'on faisait étudier *Phèdre* aux adolescents, bien que le sexe fût prohibé. On effleurait le problème pour l'exorciser. Je crois au contraire qu'« un livre doit être la hache qui brise la mer gelée en nous » sous une carapace d'habitudes. Sinon, « à quoi bon le lire ? » (Kafka).

Pour cela, il faut libérer les potentialités de l'œuvre. Il faut surtout, à travers la « fable » anecdotique, la composition dramatique et le sens littéral, chercher la signification emblématique et symbolique de l'œuvre au niveau philosophique et moral. Je qualifie d'emblématique chez Racine ce qui est une figure représentative de toute une catégorie de la psychologie morale et relationnelle : le traître Narcisse, le vertueux Burrhus, la pure Junie, le naïf Britannicus, le tyrannique Néron, l'impérieuse Agrippine. Mais j'y ajoute le qualificatif de symbolique ou d'allégorique [1] pour bien marquer que je ne parle pas d'êtres concrets (Agrippine) ni seulement de figures emblématiques (la catégorie des personnages détenteurs de l'autorité morale), mais aussi de la figuration d'un principe abstrait (la loi). A la limite, les rapports entre ces diverses figures symboliques constituent le mythe de la condition humaine vue par l'auteur de *Britannicus* ou de *Phèdre* : le désir de la fille de Pasiphaé confronté à la conscience de la fille de Minos, à la loi (qui sera viciée, dans la décision de Thésée, par ce désir calomniateur), à la valeur qui le repousse (Hippolyte) et au bonheur dont il ne peut accepter d'être frustré.

*
*   *

Mais pourquoi, direz-vous, imposer à un texte du XVIIe la manie interprétative d'un intellectuel d'aujourd'hui ? Racine et ses contemporains ne cherchent pas toutes ces complications [2].

---

[1] C'est le second terme qu'emploient les théoriciens du XVIIe siècle. Mais je préfère le premier, qui fait penser à une signification plus universelle. L'allégorie est parfois une transposition précisément ciblée.

[2] Je ne suis nullement en désaccord avec Odette de Mourgues, qui réagissait dès

Profonde erreur ! Je ne me contenterai pas de répondre que « critiquer signifie comprendre un auteur mieux qu'il ne s'est compris lui-même » [1], ni que les hommes n'ont pas attendus Freud ou Lévi-Strauss pour mettre en pratique, dans leur vie et dans leurs fictions, ce que ceux-ci ont expliqué beaucoup plus tard. Car nos ancêtres étaient bien plus habitués que nous à une lecture symbolique : comme observateurs et déchiffreurs d'un monde peuplé de signes, d'une société pleine de distinctions symbolisées, d'œuvres d'art allégoriques, et comme lecteurs d'une Bible cryptée et d'œuvres littéraires considérées comme des « fables » emblématiques.

« L'homme médiéval est un perpétuel déchiffreur » [2]. C'est aussi le cas de ses descendants du XVIIe siècle. Ils n'avaient pas encore mis en œuvre le projet cartésien de se rendre « comme maîtres et possesseurs de la nature » [3], et de la concevoir comme une simple mécanique. Dépassés et souvent effrayés par les processus naturels, ils y voyaient les manifestations de forces cachées dont ils cherchaient partout des signes. De plus, pour le christianisme, le monde est la création de Dieu et nous ne devons pas regarder les choses en elles-mêmes, dans leur apparence visible, mais les interpréter comme signes de la présence divine et de significations qui ne sont pas directement visibles. En 1691, Nicolas Fontaine, admirateur dévoué de Port-Royal, publie un *Dictionnaire chrétien où sur différents tableaux de la nature l'on apprend par l'Ecriture et les Pères à voir Dieu peint dans tous ses ouvrages et à passer des choses visibles aux invisibles* (666 p. in 4°). « Il n'y a point de chrétien qui ne sache que Dieu a donné ses créatures à l'homme comme un tableau visible où [...] il a peint ses grandeurs invisibles », déclare la première phrase. Ainsi, Adam « voyait [...]dans tous les objets sensibles » la manifestation des « merveilles d'un autre monde ». « Mais, depuis le péché originel, l'homme n'a plus été capable de voir ainsi spontanément à travers l'apparence des choses, parce que,

---

1967 contre la tendance à interpréter « symboliquement tous les aspects de la tragédie racinienne » en lui appliquant des systèmes qui lui sont étrangers. Il faut, disait-elle, « replacer Racine dans le contexte d'une esthétique, celle du XVIIe siècle, qui fut la sienne » (*Autonomie de Racine*, p. 11 et 14). C'est bien ce que je fais.

[1] Friedrich von Schlegel, *Literary Notebooks*, 983.

[2] J. Le Goff, *L'homme médiéval*, Seuil, 1989, p. 34.

[3] *Discours de la méthode*, VI.

« au lieu de les considérer dans la vue de Dieu, il ne les a plus regardées que pour la satisfaction de son amour-propre » et de sa « concupiscence ». Pour « remédier en quelque sorte à un si grand mal », ce *Dictionnaire* précise la signification de dizaines d'objets, d'animaux, d'éléments ou de notions. Par exemple, pour la lettre j, celle de *jalousie, jardin, jets d'eau, jeunesse, jeux, joie, joug, jour, journal, juge, jugement, jument* et *juriconsultes*. On va ainsi de la lettre A, symbole de Dieu, qui est « l'alpha et l'oméga »[1], c'est-à-dire « le commencement et la fin de toutes les choses », jusqu'au Zéphyr, image de la grâce divine, rafraîchissante et revigorante.

Or, les interprétations indiquées dans ce *Dictionnaire*, parfois multiples, sont souvent bien plus hardies, bien plus éloignées de la réalité apparente que celles que je propose. Ainsi, l'abeille figure le Saint Esprit (comme elle, « il a le miel et la cire ») ; ou « Jésus-Christ, qui ne nous a d'abord apporté que son miel » mais qui « viendra ensuite faire sentir son aiguillon » ; ou « les âmes saintes qui volent de tous les côtés avec un plaisir spirituel » ; ou le croyant : « comme l'abeille recueille son miel sur diverses fleurs, le chrétien de même doit par la charité tirer le bien de tout ce qu'il voit dans les autres ». De plus, ce chétif insecte doué de tant de qualités « nous avertit par là que nous ne devons juger de personne par sa mine ». Enfin, « l'Ecriture compare encore aux abeilles la violence des persécuteurs ». Cette vision allégorique du monde fut longtemps confortée par l'audience considérable du néoplatonisme. « Ai-je pas vu en Platon ce divin mot, que Nature n'est rien qu'une poésie énigmatique ? comme peut-être qui dirait une peinture voilée et ténébreuse, entreluisant d'une infinie variété de faux jours à exercer nos conjectures »[2].

Ce n'est pas seulement dans la nature que nos ancêtres voyaient partout signes et symboles. C'est aussi dans l'histoire, secrètement conduite par la divine Providence, selon des voies complexes, dont ils s'ingéniaient à repérer les manifestations. C'est dans la vie d'une société divisée en ordres, communautés, confréries et lignages qui se distinguaient par des armoiries et autres symboles. Et c'est enfin dans la vie culturelle et artistique. Les fêtes religieuses ou officielles, la célébration de Dieu, du roi, des grands, des corps constitués, des victoires et autres événements marquants donnaient lieu à des manifestations à

---

[1] Première et dernière lettres de l'alphabet grec.
[2] Montaigne, *Essais*, II, 12, éd. Villey, p. 536.

forte dimension allégorique : la plus connue est le culte du Roi-Soleil.

L'architecture, les vitraux, les sculptures, la disposition des jardins [1], la musique, les médailles, blasons et armoiries sont pleins de symboles que nous ne percevons plus spontanément. Des tapisseries exécutées vers 1664 sur des cartons de Le Brun célèbrent Louis XIV à travers la représentation des quatre éléments. « C'est par ces peintures ingénieuses qu'on veut apprendre la grandeur de votre nom à ceux qui viendront après nous, et leur faire connaître par ces images allégoriques ce que des paroles n'exprimeraient avec pas assez de force », écrit Félibien, protégé de Colbert, dans un commentaire quasi officiel (1665). La tapisserie qui représente la mer après la tempête est « une figure du calme que la paix et le mariage de Votre Majesté ont mis dans l'Etat après les troubles et les agitations des guerres civiles ».

Les fêtes officielles se déroulent dans de grandioses décors, qui sont allégoriques tout comme les spectacles que l'on y donne. Présentant son *Ballet royal de Flore* (1669), Benserade écrit que cet ouvrage, « pris dans son sens allégorique, marque la paix que le roi vient de donner à l'Europe, l'abondance et le bonheur dont il comble ses sujets, et le respect qu'ont pour sa majesté tous les peuples de la terre » (p. 5). Racine lui-même fit parvenir à *La Gazette de France* un compte-rendu du feu d'artifice organisé à Uzès le 18 décembre 1661 pour célébrer la naissance du Dauphin : « Après que la Renommée [...] eut fait sonner trois fois un cor [...], une colombe partit d'un autre côté toute en feu, qui, tenant en son bec un rameau d'olive, vint allumer l'artifice ». Puis on « découvrit un rocher fort élevé, vomissant des flammes de toutes parts, au sommet duquel paraissait la Paix avec une corne d'abondance en l'une de ses mains, et s'appuyant de l'autre sur un Dauphin, ayant à ses pieds les Vertus Cardinales qui jetaient quantité de fusées ».

Outre qu'elles représentaient volontiers des scènes bibliques ou mythologiques par elles-mêmes allégoriques [2], la

---

[1] Je pense notamment au Labyrinthe du parc de Versailles, avec ses trente neuf haltes où autant de groupes sculptés illustraient chacun une fable. L'entrée était marquée par deux statues : celle de l'Amour, qui nous égare, et celle d'Esope, dont la sagesse nous montre le bon chemin.

[2] « Les tableaux, les estampes, les tapisseries, les statues [...] sont autant d'énigmes pour ceux qui ignorent la Fable » (Rollin, *Traité des Etudes*, 1726-

peinture et les œuvres graphiques étaient souvent pleines de
symboles, dont beaucoup échappent au regard d'aujourd'hui :
symboles du pouvoir (armes, couronnes, mappemondes), de la
célébrité (trompette), du savoir (livres, instruments
scientifiques), des faux biens et plaisirs de ce monde (bijoux,
vin, pipe, jeux, instruments de musique), de l'éphémère vanité de
la vie (crâne, flamme, fumée, fleur, bulle, cheveux, tout ce qui
est beau et fragile). Tel objet ou animal est l'attribut d'un
personnage biblique, historique ou mythologique qui a une
signification précise, depuis le lion ailé de saint Marc jusqu'au
tambourin de Bacchus. Un chien et même un rabot (parce que
les charpentiers sont sous le signe de Saturne) peuvent signifier
la mélancolie, une flûte la séduction galante, une couronne de
fleurs la luxure. Polyvalence et ambiguïté ne sont pas exclues :
la Madeleine pénitente signifie la conversion, mais c'est encore
une pécheresse bien séduisante ; la flamme peut figurer l'amour
de Dieu et l'élan vers le ciel aussi bien que la fragilité de la vie ;
le livre peut symboliser la sagesse ou la prétention. Même les
couleurs étaient soumises à une symbolique socio-culturelle, à
travers l'héraldique, mais aussi dans l'habillement [1] et dans la
mentalité : le bleu était la couleur de la Vierge, du roi de France
et de la loyauté ; le rouge pouvait signifier le courage ou la
charité, mais aussi la colère ou l'orgueil ; le jaune pouvait
figurer richesse ou noblesse, le vert vigueur, jeunesse ou beauté,
mais ces deux couleurs ainsi que les rayures et bigarrures
symbolisaient aussi le désordre, la félonie, voire la folie.

Regardez *Le Tricheur à l'as de carreau* de La Tour (vers
1635). Ce n'est pas seulement une scène de genre, une
magnifique composition de formes et de couleurs, structurée
par l'orientation des mains et des regards. C'est aussi une leçon
morale, probablement inspirée par la parabole de l'enfant
prodigue qui, ayant réclamé sa part d'héritage, « s'en alla dans
un pays étranger fort éloigné, où il dissipa tout son bien en
excès et en débauches », et tomba dans la misère avant de
revenir, assagi par l'expérience, chez son père qui lui fit le
meilleur accueil [2]. Regardez les riches habits du jeune homme,
sa suffisance bouffie d'adolescent sans expérience, se livrant au

---

1728, vol. 3, t. IV, l. 4, ch. 1).

[1] Seuls les nobles avaient droit de se vêtir autrement qu'en noir — qui était
d'autre part le signe du deuil depuis le concile de Trente, où avaient également
été fixées les diverses couleurs des vêtements liturgiques.

[2] *Evangile selon saint Luc*, XV, 11-32.

vin, aux femmes et au jeu ; et la couleur verte du manteau du tricheur. Pour les gens cultivés du XVIIe siècle, l'art est essentiellement spirituel, et d'autant plus qu'ils ont le souci de se distinguer du vulgaire, qui ne le perçoit que par les sens. « Il est vrai que le raisonnement qui se trouve dans la peinture n'est pas pour toute sorte d'esprits : mais ceux qui ont un peu d'élévation se font un plaisir de pénétrer dans la pensée du peintre, de trouver le véritable sens du tableau par les symboles qu'on y voit représentés, en un mot d'entendre un langage d'esprit qui n'est fait que pour les yeux immédiatement » — c'est-à-dire qui ne s'adresse à la vue qu'au premier degré [1].

Il y avait, à la jonction du dessin et du texte, un art qui a connu un vif succès de 1580 à 1660 au moins, notamment pour la psychologie morale : l'emblème, alliance d'un dessin et d'une légende qui en explicite la signification [2]. Le P. Menestrier définit « l'art des emblèmes » — au début d'un ouvrage de 1662 qui porte ce titre — comme « l'art de peindre les mœurs et de mettre en image les opérations de la nature pour l'instruction des hommes ». L'*Iconologia* de l'Italien Cesare Ripa (1593), recueil d'emblèmes « où les principales choses qui peuvent tomber dans la pensée touchant les vices et les vertus sont représentées sous diverses figures », est « nécessaire » aux « orateurs, poètes, sculpteurs, peintres », etc., comme le dit l'adaptation française de 1636, illustrée à partir de 1644, plusieurs fois rééditée, et réellement influente jusqu'au milieu du XVIIIe siècle. Le dernier des *Entretiens d'Ariste et d'Eugène* du P. Bouhours (1671) est fondé sur l'idée que la devise est une des plus belles créations de l'esprit.

C'est dans la lecture du livre par excellence, la Bible, que la symbolique avait la plus grande importance. Car, sous un sens littéral, qui parle le plus souvent de choses temporelles, surtout dans l'Ancien Testament, elle passait pour avoir un sens figuratif, symbolique ou spirituel, infiniment plus important que le premier. « Tout le monde convient que le but de l'Ancien Testament est de représenter Jésus-Christ, mais Jésus-Christ caché sous le voile des figures » [3]. Cette signification spirituelle

---

[1] Roger de Piles, *Cours de peinture par principes*, 1708, Gallimard, 1989, p. 225.
[2] Cf. A. E. Spica, *Symbolique humaniste et emblématique : l'évolution et les genres (1580-1700)*, Champion, 1996. Un millier de recueils d'emblèmes ont été publiés au XVIIe siècle, et parfois souvent réédités.
[3] Bernard Lamy, *Introduction à l'Ecriture sainte*, 1699.

se divise elle-même en un sens allégorique ou analogique (qui
concerne notamment l'Ancien Testament, en tant qu'il prédit,
sous des figures à décrypter, ce que révélera le Nouveau), un
sens moral ou tropologique (qui nous indique ce que nous
devons faire), un sens anagogique (qui annonce ce qui se
passera au Ciel) [1]. Ainsi quand le livre de l'*Exode* raconte
comment les Israélites se sont échappés d'Egypte où ils étaient
esclaves, c'est une allégorie de la rédemption des hommes par le
Christ, une figure morale de la conversion de l'âme, qui se libère
de son asservissement au péché, et l'annonce de son passage de
la misère d'ici bas au royaume des cieux. Saint Augustin célèbre
la « profondeur admirable » de cette révélation qui n'est pas
directement compréhensible. « En vue de nous exercer, la
parole divine nous a présenté non pas des idées immédiatement
accessibles, mais des mystères à scruter dans le secret, et à
arracher au secret ; elle nous oblige ainsi à une recherche plus
zélée » [2].

La lecture figurative passait pour indispensable, surtout
pour l'Ancien Testament. Pris au sens littéral, certains passages
se contredisent : « Il faut donc par nécessité qu'ils ne soient que
figures » [3]. D'autres, ne peuvent être que « figures ou
sottises » [4]. Seule une lecture symbolique perçoit le *Cantique
des Cantiques* comme un beau poème à la gloire de Dieu, dont

---

[1]   Littera gesta docet,
        Quid credas allegoria,
        Moralis quid agas,
        Quo tendas anagogia,
disait un quatrain mnémotechnique : « La lettre enseigne ce qui s'est passé,
l'allégorie ce que tu dois croire, la morale ce que tu dois faire, l'anagogie le lieu
vers où tu dois te diriger ». On appliquait également cette méthode à l'*Enéide*
de Virgile et aux *Métamorphoses* d'Ovide.

[2] *Confessions*, XII, 14, 17, et *De Trinitate*, XV, 17, 27.

[3] Pascal, *Pensées*, Laf. 257.

[4] *Ibid.*, 267. « Tout ce qui, dans la parole divine, ne peut se rapporter, pris au
sens propre, ni à l'honnêteté des mœurs ni à la vérité de la foi, est dit, sachez-
le, au sens figuré ». « Ainsi, un homme de sens rassis ne croira d'aucune
manière que les pieds du Seigneur ont été arrosés d'un parfum précieux par une
femme à la façon dont on arrose d'habitude les pieds des hommes voluptueux
[...]. La bonne odeur, c'est la bonne renommée que chacun obtient par les
œuvres d'une vie sainte en marchant sur les traces du Christ, et en répandant,
pour ainsi dire, sur ses pieds le plus précieux des parfums » (saint Augustin,
La Doctrine chrétienne, III, X, 14 et III, XII, 8.)

le nom n'y apparaît pas : sans elle, il verse dans l'érotisme [1]. La lecture littérale de la Bible n'est pas seulement une insuffisance, c'est un contresens coupable et catastrophique, qui empêche l'accès à la vérité et au salut. Car, dit toujours Pascal — que je prends à témoin comme représentatif du christianisme de l'époque, et fort proche de l'ancien élève de Port-Royal — « Dieu s'est voulu cacher » (Laf. 242). « On n'entend rien aux ouvrages de Dieu si on ne prend pour principe qu'il a voulu aveugler les uns et éclairer les autres » (Laf. 232). Il a voulu que son texte même opérât la discrimination entre les cupides orgueilleux qui ne voient que le sens littéral, favorable à leurs ambitions en ce monde, et les humbles, qui le lisent avec foi et amour. « Dans [s]es promesses [...], chacun trouve ce qu'il a dans le fond de son cœur, les biens temporels ou les biens spirituels » (Laf. 503). Cette divergence d'interprétation, révélatrice de la nature de chacun, conduit à la foi ou à l'erreur et finalement au salut ou à la damnation éternelle. Si la parole et la conduite de Dieu étaient limpides, tout le monde y croirait sans le moindre mérite, et beaucoup sans sincérité. Il nous a laissé une liberté qui est aussi une lourde responsabilité : « Il y a assez de clarté pour éclairer les élus, et assez d'obscurité pour les humilier. Il y a assez d'obscurité pour aveugler les réprouvés, et assez de clarté pour les condamner et les rendre inexcusables » (Laf. 236).

Bien qu'il soit opposé à une interprétation excessive, et veuille « parler contre les trop grands figuratifs » (Laf 254) [2], Pascal affirme avec insistance que dans « la religion des Juifs [...], la vérité n'était que figurée » (Laf. 826 ; cf. 245 et 501). « Le Vieux Testament est un chiffre » (Laf. 276) et « les prophètes ont un sens caché, le spirituel, dont ce peuple était ennemi, sous le charnel, dont il était ami » (Laf. 276 et 502). C'était une idée généralement admise, comme le montre le *Dictionnaire* de Furetière (1690) : « Le Vieux Testament est une perpétuelle allégorie des mystères contenus dans le Nouveau ». « La Manne était une figure de l'Eucharistie. La mort d'Abel était une figure [...] de la Passion de Jésus-Christ » [3]. De même la circoncision passait pour un rite

---

[1] On peut en dire autant de nombreux textes mystiques, jusqu'au début du XVIIe siècle.

[2] Parmi ces « trop grands figuratifs » on peut ranger Jean Hamon, pour qui Racine avait une grande admiration.

[3] Articles *allégorie* et *figure*.

allégorique : « saint Paul est venu apprendre aux hommes [...] que la circoncision du corps était inutile, mais qu'il fallait celle du cœur » (Pascal, Laf. 270).

La différence entre sens littéral et signification symbolique persiste dans le Nouveau Testament. C'est notamment le cas pour les paraboles, histoires métaphoriques à visée didactique, qui sont susceptibles de plusieurs interprétations et parfois paradoxales, comme celles du fils prodigue, des ouvriers de la onzième heure ou de l'intendant malhonnête. Et encore plus pour l'*Apocalypse*, tissée de multiples références allusives à l'Ancien Testament, et caractérisée par un symbolisme souvent obscur, susceptible d'interprétations diverses. Le Maistre de Sacy et Thomas du Fossé — proches de Racine — accompagnent leur traduction de la Bible, parue de 1667 à 1693, de « l'explication du sens littéral et du sens spirituel », comme l'indique le titre de leur ouvrage. Le Maistre de Sacy avait d'ailleurs publié, avec l'aide de Nicolas Fontaine, une *Histoire du Vieux et du Nouveau Testament représentée avec des figures et des explications édifiantes tirées des saints Pères, pour régler les mœurs dans toutes sortes de conditions* (1670). Cet ouvrage sera connu sous le nom de *Figures de la Bible*. Dans *Athalie*, le grand-prêtre attire cette reine dans le Temple (où il lui tend un piège) en parlant d'un « trésor » qui y serait caché. Il veut parler de Joas, seul survivant de la lignée de David, d'où naîtra le Sauveur. Mais elle comprend qu'il s'agit d'argent [1]. Dans une note pour « justifier l'équivoque du grand-prêtre », qui est de son invention, Racine signale des termes à double entente de Moïse et de Jésus lui-même : « Détruisez ce temple, et je le rebâtirai en trois jours », dit-il : « mais il entendait parler du temple de son corps, qui ressuscitera au troisième jour » [2].

A la jonction de la vie socio-culturelle et de la littérature, les sermons, les discours académiques, les emblèmes, les livrets de ballet puis d'opéra sont nourris d'allusions allégoriques. Et la pédagogie est fondée en bonne partie sur le décryptage symbolique des grandes œuvres de l'Antiquité [3]. Toute cette

---

[1] v. 1584, 1590, 1649, 1715, 1727, 1778.

[2] Cf. *Evangile selon saint Jean*, II, 19-20.

[3] « Notre manière de parler est simple, propre et sans détour », mais « celle des Anciens était pleine de mystères et d'allégories. La vérité était ordinairement déguisée sous ces inventions ingénieuses ». (Le Bossu, *Traité du poème épique*, 1675, I, 2). On n'y cherchait pas seulement des vérités

habitude culturelle de repérages de signes et de déchiffrement symbolique influait d'autant plus facilement sur la lecture des œuvres littéraires qu'elles s'y prêtaient d'elles-mêmes. La littérature telle que nous la concevons est principalement esthétique. Mais tout au long de l'Antiquité, du Moyen-Age et de la Renaissance, jusqu'à Rabelais, Ronsard, d'Aubigné ou d'Urfé, elle était surtout idéologique et constituée de « fables » en grande partie symboliques ou allégoriques. « La poésie [...] suivant l'opinion générale des Anciens est une philosophie primitive, qui nous instruit dès l'âge tendre dans la morale et dans la raison », écrit Le Tasse [1], et Rabelais avertit son lecteur « qu'au sens littéral [...] pas demeurer [...] ne faut », mais « à plus haut sens interpréter » le texte. Il faut « rompre l'os et sucer la substantifique moëlle, c'est-à-dire ce que j'entends par ces symboles pythagoriques » [2]. Il n'était pas nécessaire de s'exprimer par des mythes (depuis Platon jusqu'aux romans du cycle du Graal) pour être l'objet d'une lecture morale sinon philosophique, comme c'était notamment le cas d'Homère. Quant à la beauté poétique, elle était ressentie par les uns comme une séduction moralement dangereuse, et par les autres comme l'épiphanie de la valeur et de la vérité : « toute beauté procède de cette souveraine bonté que nous appelons Dieu » [3].

Nous avons vu au chapitre 2 que depuis Aristote jusqu'à Rapin, la « fable » était considérée comme « l'âme » de l'œuvre littéraire, qui ne peut exister sans elle, surtout dans le cas de la tragédie et de l'épopée. Or, la fable est une fiction symboliquement véridique, un agréable « déguisement allégorique », selon une formule du P. Le Bossu, qui insiste fermement là-dessus [4]. Ainsi, « l'allégorie, dans la commune opinion des bons esprits, fait partie de l'idée du poème » —

---

morales, mais une déformation des textes de l'Ancien Testament, considérés comme fondateurs de toute la culture antique. Ainsi, dans un ouvrage qui fit le tour de l'Europe, l'Anglais Bogan montrait systématiquement la correspondance entre Homère et la Bible.

[1] *Discours du poème héroïque*, I, trad. F. Graziani, Aubier 1997, p. 149.

[2] Prologue de *Gargantua*.

[3] Honoré d'Urfé, *L'Astrée*, II, 2.

[4] « La fable », c'est « la manière de dire les choses par allégories [...], sous lesquelles les vérités que le poète veut enseigner sont agréablement déguisées ». « Elle est feinte, et elle contient allégoriquement une vérité morale » : telles sont ses « deux parties essentielles » (*Traité du poème épique*, 1675, I, 5 et I, 7).

c'est-à-dire de son essence —, écrit Chapelain, pour qui les poètes « se résoudront toujours plutôt à fausser la vérité, laquelle n'est en leur ouvrage que par accident, qu'à [dé]laisser l'allégorie, qui y doit être par nature », parce qu'elle est nécessaire pour « réduire l'action à l'universel », pour donner une exemplarité générale à l'histoire racontée [1]. Rendre sensibles les notions en jeu et la signification de l'œuvre, et complémentairement donner une portée universelle aux particularités décrites ou racontées, voilà le secret de l'art littéraire aux yeux de la tradition. C'est pourquoi d'Aubignac célèbre « ce bel art des allégories, qui sait peindre la raison et philosopher par signes, qui rend les pensées corporelles et contraint les plus spirituelles d'entrer en commerce avec les sens » [2]. Les fables elles-mêmes « ne se doivent lire superficiellement, mais avec attention et sérieuse recherche [...] du principal sens et de la plus profitable doctrine qu'il en faut extraire » [3].

La domination de l'allégorie est frappante dans les épopées parues au milieu du XVIIe siècle. « L'allégorie doit régner partout dans le poème épique, quoique tous les yeux ne l'aperçoivent pas », affirme Scudéry dans la Préface d'*Alaric ou Rome vaincue* (1654). Par ce héros, je représente « l'âme de l'homme », précise-t-il, « par l'Enchantement où je le fais tomber [...] la faiblesse des hommes », « par le Magicien qui le persécute, les obstacles que les Démons mettent toujours aux bons desseins ; par la belle Amalasonthe, la tentation de la Volupté ; par ce grand nombre d'ennemis qui le combattent, le Monde [...] ; par l'invincible résistance de ce héros, la liberté du franc-arbitre [...] ; par la prise de Rome et par le triomphe de ce Prince, la victoire de la Raison sur les Sens, sur l'Enfer et sur le Monde ». Les épopées de Chapelain, Godeau, Le Moyne ou Desmarets sont faites de la même façon : « Afin de réduire l'action à l'universel, suivant les préceptes, et ne la priver pas du sens allégorique, par lequel la poésie est faite l'un des principaux instruments de l'architectonique [4], je disposai toute ma matière de telle sorte que la France devait représenter l'Ame

---

[1] Préface de l'*Adone* de Marino, 1623, et Préface de *La Pucelle*, 1656.

[2] *Lettre à Cléonte, ou Défense du royaume de coquetterie*, 1659, p. 14.

[3] Jean Baudouin, *Mythologie ou explication des fables*, 1627, p. 5.

[4] C'est-à-dire de la structure fondamentale de notre poésie, de notre vision du monde. « En philosophie », l'architectonique est la « méthode qui coordonne les diverses parties d'un système » (Littré, *Dictionnaire*)

de l'homme en guerre avec elle-même, [...] le roi Charles la volonté [...], l'Anglais et le Bourguignon les divers transports de l'appétit irascible », Dunois la vertu, Jeanne d'Arc « la grâce divine, qui veut affirmer la volonté, soutenir l'entendement, se joindre à la vertu [...], assujettissant à la volonté les appétits irascibles et concupiscibles » [1].

Les spécialistes de la tragédie classique soulignent qu'elle était elle aussi — quoique de façon plus discrète — « dominée par un allégorisme qui favorisait de perpétuelles allusions » [2], C. Delmas consacre dix pages à « allégorisme et poésie » : « l'histoire mise en forme dramatique désigne un au-delà de l'événement, "dit autre chose" qu'elle-même : elle illustre en acte un problème de gouvernement ou de morale politique », elle « engage le plan des valeurs et une vision générale du monde [...] qui dépasse les conflits interpersonnels » représentés. « Les personnages, tout autonomes qu'ils sont, demeurent en quelque façon conçus comme les "figures" de forces psychiques antagonistes » [3].

Je n'ignore pas que la seconde moitié du XVIIe siècle, surtout après 1680, est marquée par un recul de l'allégorisme, de la pensée symbolique et, en conséquence, de la poésie, art de figuration des correspondances, et de tout ce qui est au-delà de la réalité immédiatement perceptible. Balzac déjà estime qu'il ne faut pas recourir sans discernement à « une si charitable figure » que l'allégorie, « qui ne refuse son assistance à personne », et qui peut être « le dernier remède des mauvaises fables et de la poésie déplorée » [4]. « La raison [est] offensée » par les

---

[1] Chapelain, Dédicace de *La Pucelle ou la France délivrée* (1656).

[2] J. Truchet, *La Tragédie classique en France*, P.U.F., 1976, p. 94.

[3] *La Tragédie de l'âge classique*, Seuil, 1994, p. 232-237.

[4] *Œuvres diverses*, Amsterdam, 1664, p. 344. En revanche, je ne saurais considérer l'objection que Balzac fait à Heinsius comme opposable à ce que je viens de dire. Il déclare seulement que le spectateur ne se préoccupe pas du sens allégorique, dont il ne nie nullement l'importance : « Je ne nie pas, Monsieur, qu'on ne puisse interpréter les fables, et qu'il ne se trouve des vérités cachées sous les fictions poétiques. Les Furies peuvent signifier les passions qui travaillent les méchants, et les remords qui accompagnent les crimes. Mais, Monsieur, dans les tragédies nous jugeons de leur apparence et non pas de leur secret ; de ce qu'elles déclarent, et non pas de ce qu'elles signifient. nous les considérons comme la poésie les pare, et non pas comme la morale les déshabille ; dans le sens littéral, et non pas dans le sens mystique. Celui-ci exerce la subtilité du grammairien ; celui-là borne

« absurdités » allégoriques de la littérature médiévale, déclare Chapelain [1], qui n'en tombera pas moins dans le même excès : leur allégorisme fut l'une des causes de l'échec des épopées dont j'ai parlé plus haut [2].

La raison et le goût, qui s'affinent à partir de la Fronde dans une société en panne de transcendance, refusent une figure qui la supposait, qui s'exprimait sans discrétion, et qui était ressentie comme caractéristique d'une époque et de cultures contre lesquelles s'affirme la France de Louis XIV. « Ces allégories dont les Espagnols et les Italiens font leurs délices, sont des figures extravagantes parmi nous », écrit le P. Bouhours en 1671 [3]. « Le génie de notre siècle est tout opposé à cet esprit de fables et de faux mystères. Nous aimons les vérités déclarées, le bon sens prévaut aux illusions de la fantaisie [= de l'imagination] ; rien ne nous contente aujourd'hui que la solidité et la raison », déclare Saint-Evremond [4]. La principale cause du net recul de l'allégorisme est une transformation radicale du rapport des hommes au monde. Au lieu d'y chercher des signes d'un au-delà, ils veulent désormais analyser son fonctionnement pour le maîtriser à leur profit. La contemplation symbolique commence à reculer devant une pensée scientifique expérimentale soucieuse d'objective efficacité, qui considère la réalité en elle-même, et non comme la manifestation de forces transcendantes et la représentation d'un au-delà. C'est très net chez Bayle à propos de la comète de 1682.

Cette révélation épistémologique transforme même l'étude de la Bible. Des novateurs commencent à s'intéresser bien plus à la littéralité du texte qu'à ses significations figurées. Apparue avec le *Traité théologico-politique* de Spinoza (1670), cette tendance se retrouve en France chez Siméon, Moïse ou Grand-Morin, et surtout chez Richard Simon. Dès l'*Histoire critique du*

---

l'intelligence du spectateur. L'un est la Scène, l'autre l'Ecole. Le peuple regarde des Furies, et les doctes devinent des passions » (Guez de Balzac, *Discours sur une tragédie intitulée* Herodes infanticida, 1636).

[1] *Dialogue de la lecture des vieux romans*, 1646; dans *Opuscules critiques*, éd. Hunter, p. 216.

[2] Signalons aussi l'échec d'une œuvre de l'abbé d'Aubignac, *Macarise ou La Reine des Iles Fortunées, Histoire allégorique contenant la philosophie morale des Stoïques*, 1664.

[3] *Entretiens d'Ariste et d'Eugène*, VI.

[4] *Sur les Anciens*, texte écrit vers 1685.

Vieux Testament (1678), il attaque violemment la lecture allégorique, même telle que l'ont pratiquée les Pères de l'Eglise. Cette nouvelle orientation l'emporte assez rapidement. Le commentaire de Cornelius est le dernier qui accorde une importance majeure au sens symbolique de la Bible.

Mais il faut bien voir les limites de cette transformation mentale, qui ne s'opère encore que chez quelques savants. La grande majorité refuse la nouvelle approche de la Bible et dénonce comme piètres et sacrilèges ce que Bossuet appelle des « minuties. grammaticales »[1] ; Richard Simon est exclu de l'Oratoire et son *Histoire critique du Vieux Testament* mise au pilon ; non seulement la lecture figurative de la Bible se maintient mais elle se développe dans une tendance qualifiée de « figurisme », que l'on trouve par exemple chez Du Guet (1649-1733), ami de Port-Royal et bien connu de Racine. J'ai montré plus haut que la vision allégorique du monde restait très vivace, et que des gens proches de l'auteur d'*Athalie* s'appliquaient à la répandre.

En 1684, l'oratorien Bernard Lamy cite les savants qui, de Grotius (1650) et Vossius (1668) à Huet[2] et Thomassin[3], « ont fait voir clairement que les Grecs et tous les peuples sont venus des enfants de Noé, que leurs fables sont des histoires véritables de l'Ancien Testament, qu'ils savaient par tradition, et qu'ils ont altérées par plusieurs mensonges »[4]. La suspicion rationaliste contre le fabuleux et la réaction des Modernes contre les Anciens ne font, au début, que renforcer cette interprétation allégorique, qui était alors un véritable contrat de lecture[5].

Dans les arts, l'allégorisme reste spectaculaire vers 1670 et 1680. Au château de Versailles, il n'est sans doute pas aussi systématique que dans la conception initiale de Le Vau.

---

[1] Ses *Elévations sur les mystères*, écrites de 1695 à 1697, insistent sur la signification figurative de l'Ancien Testament. Malebranche proteste contre « la lettre qui tue, parce qu'elle n'élève point l'esprit vers celui qui seul nous donne la vie » (*Traité de la Nature et de la Grâce*, 1679, Premier Eclaircissement).

[2] *Demonstratio evangelica*, 1680.

[3] *La Méthode d'étudier et d'enseigner chrétiennement et solidement les lettres humaines par rapport aux Lettres divines et aux Ecritures* (1681-1682, 3 vol. in 8° de 622, 727 et 790 p.).

[4] *Entretiens sur les sciences*, éd. Clair et Girbal, P.U.F., 1966, p. 109.

[5] Cf. Aurélia Gaillard, *Fables, mythes, contes. L'esthétique de la fable et du fabuleux (1660-1724)*, Champion, 1996, p. 77-79.

Néanmoins, architecture, décoration et jardins illustrent le mythe du Roi-Soleil, qui règne par la force et l'amour sur les jours, les saisons, les peuples et les siècles. La Grande Galerie est une allégorie de ses triomphes entre 1661 et 1678. En 1682-1683, le P. Menestrier publie *La Philosophie des images*, et Roger de Piles persiste à considérer la peinture comme une philosophie figurative. Enfin, l'allégorisme mythologique, politique et moral triomphe à l'opéra.

C'est seulement en 1724 que paraîtra l'essai *De l'origine des fables* — c'est-à-dire des mythes et des religions païennes — commencé sans doute avant 1700, où Fontenelle les présente comme un « amas de chimères, de rêveries et d'absurdités ». Il faut cesser de « s'imaginer que sous ces fables sont cachés les secrets de la physique et de la morale [...]. Ne cherchons donc autre chose dans les fables que l'histoire des erreurs de l'esprit humain » (p. 353 et 384-385). Comme le rappelle Aurélia Gaillard, vers 1680 le terme de *fable* n'évoque pas encore une imagination erronée, mais au contraire une fiction moralement utile. Le *Dictionnaire* de Richelet (1680) la définit comme « un discours qui imite la vérité et dont le but est de corriger agréablement les hommes ». La vogue des fables ésopiques et des contes allégoriques est remarquable dans les deux dernières décennies du siècle. L'ancienne pensée peut cohabiter avec la nouvelle : Newton, qui est le premier savant moderne, reste aussi un adepte de la pensée magique et de l'alchimie.

Il est vrai que la croyance dans le fabuleux a régressé : l'allégorie devient plutôt ornementale. En littérature, la dimension idéologique recule au bénéfice d'une séduisante esthétique. La grande allégorie philosophique disparaît, mais elle est remplacée par l'allégorisme badin des nouvelles satiriques [1]. L'allégorie mythologique, qui reste courante en poésie devient généralement une banalité sclérosée [2], purement

---

[1] *La Nouvelle allégorique, ou Histoire des derniers troubles arrivés au royaume d'éloquence* de Furetière (1658) met en scène la princesse Rhétorique, soutenue par son premier ministre Bon sens et son grand prévôt Persuasion, contre l'agression du prince Galimathias. Charles Sorel réplique par la *Relation véritable de ce qui s'est passé au royaume de Sophie, depuis les troubles excités par la Rhétorique et l'Eloquence* (1659). Cette forme d'écriture se poursuit dans *Le Parnasse réformé* (1668) et *La Guerre des auteurs anciens et modernes* (1671) de Gabriel Guéret, et encore dans l'*Histoire poétique de la guerre nouvellement déclarée entre les Anciens et les Modernes* de Callières (1688).

[2] Boileau en fait la démonstration dans le passage même où il recommande

ornementale, mais Racine réussit à lui redonner vie dans *Phèdre*, notamment à travers Vénus, Neptune, le Soleil, Minos, le labyrinthe et divers monstres. Même la littérature véridique inaugurée par Bayle et Fontenelle recourt parfois à des allégories, faute de pouvoir s'exprimer librement [1], ou à des « fables », pour faire accepter un exposé philosophique au public mondain (Fontenelle, *Entretiens sur la pluralité des mondes*). Le chef-d'œuvre de la fin du siècle, *Télémaque*, est un roman allégorique, une « savante parabole » comme dit une clé publiée dès 1699.

Il y a surtout un domaine où l'écriture reste figurative : c'est celui de la psychologie morale, où la vision de l'homme s'exprime par les actes et les discours de personnages emblématiques, qui ne sont pas saisis dans leur originalité individuelle, mais dans leur représentativité typologique, parfois explicitée dans le texte :

> Adieu, servons tous trois d'exemple à l'univers
> De l'amour la plus tendre et la plus malheureuse,
> Dont il puisse garder l'histoire douloureuse.
> (Bérénice, v. 1502-1504)
> Et ton nom paraîtra dans la race future
> Aux plus cruels tyrans une cruelle injure.
> (Britannicus, v. 1691-1692)

Rappelons (dans la traduction de Racine, qui ajoute ce que je mets en italiques) la distinction fondamentale que faisait Aristote entre la littérature et l'histoire. « La poésie est quelquechose de plus philosophique et de plus parfait que l'histoire. La poésie est occupée autour du général, et l'histoire ne regarde que le détail. J'appelle le général ce qu'il est convenable qu'un tel homme dise ou fasse, vraisemblablement ou nécessairement. Et c'est là ce que traite la poésie [...] *empruntant les noms de tels ou de tels pour les faire agir ou parler selon son idée. L'histoire au contraire, ne traite que le*

---

cette allégorie mythologique. Grâce à elle, écrit-il,

> Tout prend un corps, une âme, un esprit, un visage,
> Chaque vertu devient une divinité,
> Minerve est la prudence, et Vénus la beauté.
> (Art poétique, III, v. 164-166)

[1] Cf. la *Relation curieuse de l'île de Bornéo*, de Fontenelle (1686), où s'affrontent la reine Mréo (Rome) et la prétendante Eénégu (Genève, symbole du protestantisme). Ou les romans utopiques à visée politique.

détail ; par exemple ce qu'a fait Alcibiade ou ce qui lui est
arrivé ». C'est cette même distinction que l'on retrouve chez le P.
Le Bossu : dans le poème épique « les personnes et les actions
sont feintes, allégoriques et universelles, et non historiques et
singulières » (p. 8).

« Il n'est […] pas de l'essence de la fable d'être
allégorique, il suffit qu'elle soit morale », écrira Marmontel,
résumant la réduction intervenue dans la seconde moitié du
XVIIe siècle [1]. Or, l'enseignement de la morale par la fable
littéraire était la préoccupation majeure des doctes. « Il faut que
le profit [moral] soit la dernière fin de la poésie et non pas le
plaisir », écrivait Chapelain dans les *Sentiments de l'Académie
sur Le Cid* (1637). Le P. Rapin confirme que c'est toujours la
position des doctes en 1674. « Il est vrai que la poésie a pour
but de plaire, mais ce n'est pas son principal but […]. La fin
principale de la poésie est de profiter […] en purifiant les
mœurs par des instructions salutaires » (I, 7). Bien entendu,
celles-ci ne doivent pas être assénées dogmatiquement — ce qui
les ferait rejeter. « Le théâtre doit être instructif au public par la
seule connaissance des choses représentées », dit l'abbé
d'Aubignac (IV, 5), et Rapin estime que la tragédie « est une
leçon publique plus instructive que la philosophie, parce qu'elle
instruit par les sens, et qu'elle rectifie les passions par les
passions mêmes » (II, 17). N'allons donc pas croire que Racine
prend au premier degré l'histoire de Néron et de Titus ou la
légende d'Iphigénie et de Phèdre, à une époque qui percevait la
littérature gréco-latine comme l'illustration de vérités morales.

Mais, direz-vous, les créateurs sont d'un autre avis que les
doctes. Oui, dans la mesure où ils opposent leur art de plaire à
la tyrannie des règles — ce qui n'a guère de rapport avec notre
sujet. Pour ce qui est de la signification, ils refusent de
soumettre leurs œuvres à une orientation moralisatrice. Mais ce
sont bien des problèmes moraux qu'ils mettent en scène — ou
des problèmes politiques, mais ce n'est plus fondamentalement
le cas chez Racine. Ce que dit Christian Delmas de la
signification figurative de la tragédie classique est donc
pleinement justifié.

Implicitement, intuitivement, sans passer par la succession
des diverses opérations que distingue le théoricien, Racine, pour
choisir un sujet de tragédie, se comportait selon la « manière de
faire une fable » que nous indique le P. Le Bossu. « La

---

[1] Article *fable* de l'*Encyclopédie*.

première chose par où l'on doit commencer pour faire une fable est de choisir l'instruction et le point de morale qui doit lui servir de fond, selon le dessein et la fin que l'on se propose [...]. Il faut ensuite réduire cette vérité morale en action ». Enfin, tandis que l'auteur comique va « rendre l'action plus singulière [...] par des noms d'hommes inventés à plaisir », l'auteur tragique va « chercher dans l'histoire les noms de quelques personnes à qui l'action feinte soit vraisemblablement ou véritablement arrivée, et la raconter sous ces noms connus, avec des circonstances qui ne changent rien au fond ni à l'essence de la fable et de la morale ». « C'est [...] corrompre la nature de la fable épique, aussi bien que des fables communes, que de commencer par chercher un héros », précise-t-il (I, 6, 7 et 10). On trouve un écho d'une telle démarche dans l'avis au lecteur de *Nicomède*. Corneille écrit que cette tragédie a pour thème « la grandeur de courage [...] combattue par la politique » et sans « autre appui que celui de la vertu ». « L'histoire qui m'a prêté de quoi la faire paraître en ce haut degré est tirée de Justin », précise-t-il ensuite.

Les créateurs faisaient d'autant plus facilement le lien entre un personnage et sa signification qu'ils étaient entraînés depuis l'enfance à classer les hommes selon une typologie morale, et, réciproquement, à trouver une figure représentative pour chaque défaut ou qualité : Apollon, Mars, Hercule, Vénus et les autres divinités ; Alexandre, Auguste, Mécène, Antoine, Cléopâtre ; Job, Salomon, David, Esther ; Achille, Ulysse, Andromaque, Didon, Enée, Bérénice et tant d'autres figures de l'histoire, de la Bible ou de la littérature, jusqu'au fidèle Céladon et à l'inconstant Hylas. A cette époque, « on pense et on s'exprime en modèles, exemples, emblèmes, figures »[1].

Depuis Homère, Hérodote, les tragiques et les comiques, Plutarque, Sénèque ou Quintilien, la littérature, l'histoire, la philosophie morale et la rhétorique avaient enrichi une galerie typologique que propageaient auteurs, prédicateurs, moralistes et manuels. Des ouvrages célèbres étaient entièrement fondés sur une telle typologie : les *Vies parallèles* de Plutarque, *La Cour sainte* du P. Caussin, *Les Femmes illustres* de Scudéry, ou *Les Peintures morales où les passions sont représentées par tableaux, par caractères et par questions nouvelles et curieuses* du P. Le Moyne. « Je donne des corps et des visages à la cruauté, à la tristesse, au désespoir », précise-t-il. Ainsi,

---

[1] Georges Couton, Corneille, *Œuvres complètes*, t. III, p. 1604.

Andromaque, Néron, Bérénice, Mithridate, Iphigénie, Esther ou Athalie étaient des figures emblématiques avant que Racine ne les eût mis en scène. Et c'est comme telles qu'il les a traités malgré quelques modifications. Il y était d'ailleurs tenu par l'exigence de vraisemblance et de bienséance, qui demandait de représenter les personnages connus tels que la tradition les avait exemplarisés, et tels que « l'opinion et le sentiment ordinaire des hommes » aimait à se les figurer (D'Aubignac, I, 2).

Racine ne met pas en scène la vérité du Néron historique, mais une image de Néron pour illustrer une idée, un problème qui le préoccupe. « Vous avez suivi, soutenu et presque toujours enrichi les grandes idées que les Anciens ont voulu nous donner, sans s'attacher à dire ce qui était », lui écrit son ami Guilleragues. « Vous savez mieux que moi que, dans tout ce qu'ont écrit les poètes et les historiens, ils se sont plutôt abandonnés au charme de leur brillante imagination qu'ils n'ont été exacts observateurs de la vérité » [1].

Ce n'est donc pas seulement par extrapolation légitime de lecteur, mais c'est aussi en conformité avec les tendances du XVIIe siècle que je vois dans les personnages de Racine des figures de divers aspects de la nature humaine, et dans leurs rapports une image de notre condition et même de notre personnalité. « La tragédie réside non pas dans la destinée personnelle de Britannicus ou de Néron, mais dans les rapports qui interdisent au frère de se comporter en frère, qui dessinent au fils un avenir qui doit passer fatalement par le meurtre de sa mère » [2].

Cette vision morale commande sa dramaturgie et se manifeste par sa poésie, même quand celle-ci n'étend pas la psychomachie à l'échelle de l'univers et de la mythologie, comme elle le fait dans *Phèdre*. Tout au long du texte, des métonymies transforment les individus en agents de forces morales : ils sont le *front* de l'honneur, le *cœur* du courage, de l'amour ou de la douleur, le *bras* de l'exploit, une *bouche* qui promet, une *main* qui donne ou qui se donne, un *œil* qui épie ou domine, un *visage* qui révèle leurs secrets. Même les métaphores banales de la vie (jour, lumière), de l'amour (feu, flamme, brûler) et de la soumission (captif, chaînes, fers, joug)

---

[1] Lettre du 9 juin 1684. Et certains s'obstinent à considérer ce même Guilleragues comme un *exact observateur* de lettres portugaises qu'il se serait contenté de traduire !

[2] M. Gutwirth, dans C. Venesoen, *Racine, mythes et réalités*, 1976, p. 66.

déréalisent ce dont elles parlent, pour mieux en souligner la signification symbolique [1]. Dans *Phèdre, Esther* et *Athalie,* de multiples mots concrets sont employés pour leur connotations symboliques : les *monstres* bien sûr, mais aussi les sensuels *cheveux,* la fougue des *chevaux,* métaphores des passions qu'Hippolyte ne maîtrise plus [2], les *forêts* où Phèdre voudrait se livrer à ses désirs, et tant d'autres objets ou animaux [3].

---

[1] « En dépit du caractère réputé conventionnel de la langue classique, je crois mal à la sclérose de ses images. Je crois au contraire que cette langue tire sa spécialité (et sa très grande beauté) du caractère ambigu de ses métaphores, qui sont à la fois concept et objet, signe et image » (Roland Barthes, *Sur Racine,* p. 58).

[2] Vers 1535-1550. « Nous mettrons un frein à la bouche d'un cheval fougueux, quand nous réprimerons en nous les plaisirs » (Bossuet, *Elévations sur les mystères,* IV, 8).

[3] Agneau, arbre, bords, caverne, colombe, corne, crier, crin, croupe, épée, fange, fleur, lin, lion, lis, loup, oiseau, paille, pain, plomb, riant, roseau, rosée, rouge, sel, trompette, vautour, ver, voûte, etc.

Chapitre 9

Racine : un disciple d'Aristote et un imitateur d'Euripide, égaré en plein christianisme ? [1]

> « Ce n'est pas dans Montaigne, mais dans moi que je trouve tout ce que j'y vois » (Pascal, Pensées, Laf.. 689).

Pourquoi diable, au lieu d'étudier les choses dans leur particularité, les ramener à des modèles extérieurs ? « Tu ressembles à ta mère ! » Quand ma femme parle ainsi, j'ai vraiment l'impression qu'elle a renoncé à me comprendre, collé dans un herbier, catalogué comme irrécupérable. Or, prenez n'importe quelle introduction à l'œuvre de Racine ou à l'une de ses tragédies. Une partie en sera consacrée à parler des sources. Et si possible — dans le cas de *Britannicus* par exemple — on vous fournira des documents historiques et des photos des statues qui représentent (peut-être) les protagonistes. Même pour les sujets légendaires — *Andromaque*, *Iphigénie*, *Phèdre* — vous pourrez contempler dans vos petits classiques des tas de statues et d'autres cailloux et des bouts de fresques crétoises ou pompéiennes, dont Racine n'avait pas la moindre idée. Ce n'est pas l'intelligence, mais le coût de l'opération qui contraint certains éditeurs à vous priver de ces beaux gadgets.

Pourquoi cette insistance sur les sources, réelles ou fantaisistes ? Parce que c'est plus facile — on a les documents — et plus prudent que d'essayer de reconstituer les motivations de Racine, sa problématique et sa vision de l'homme — ce qui serait tellement plus utile pour introduire à son œuvre. Je

---

[1] Sur le rapport de Racine aux Anciens on lira une riche mise au point d'Emmanuel Burry, Les Antiquités de Racine, *Œuvres et critiques*, XXIV, 1 (1999), p. 29-48.

montrerai que ce n'est pas impossible (chapitres 10 à 12). Ces reconstitutions sont certes des hypothèses, mais on peut les consolider par les explications qu'elles permettent. N'est-ce pas ainsi que procède la science ?

Et bien, non ! On ramène *Britannicus* à Tacite, *Phèdre* à Euripide et la tragédie racinienne aux préceptes d'Aristote, et on en fait l'analyse génétique et dramaturgique. Ça c'est du solide, de la science technique appuyée sur des faits objectifs. Ça vous délivre du tragique, du pathétique, de l'esthétique et de tout ce qui pourrait vous concerner. Et ça vous pose un maître. S'il s'agissait d'éprouver, de goûter *Phèdre* (mais l'école n'a-t-elle pas des missions plus sérieuses ?), mon appréciation ne vaudrait pas plus qu'une autre, et mon affectivité, mon imagination, ma sensualité amorties risquent même d'être moins inventives que celles de mes jeunes étudiants. Tandis que si je peux les dominer du haut d'Euripide et d'Aristote, quelle savante supériorité sur ces ignorants éblouis ! Le triomphe serait de démontrer à ces ardents morveux que poésie ni tragédie n'ont aucun rapport avec des motivations vivantes, que tout est affaire de culture, de travail, de technique [1]. Pour Christian Delmas, « le génie de Racine aura été d'opérer [...] une synthèse personnelle entre un moule commun hérité [la théorie aristotélicienne de la tragédie classique], et une fidélité littérale, retrouvée à travers la *Poétique* d'Aristote, à l'esprit de la tragédie antique » [2]. Bref, Racine n'est pas l'enfant de Port-Royal et de la sévère morale augustinienne qui s'est lancé dans le monde, la cour et le théâtre pour satisfaire son avidité de grandeur, de reconnaissance et de plaisirs, mais qui ne peut chasser de sa mauvaise conscience les valeurs qu'il a trahies. C'est la dramaturgie aristotélicienne faite homme. Un point c'est tout.

---

[1] « L'inflexion si souvent soulignée de la tragédie racinienne vers la tragédie de "caractère" [...] ne s'explique pas d'abord par une prédilection nouvelle pour l'analyse psychologique, mais par une contrainte dramaturgique engagée par le point de départ tout aristotélicien de la création dramatique » (C. Delmas, Stratégie de l'invention chez Racine, *Littératures classiques*, 26, janvier 1996, p. 42). Si l'ancien élève de Port-Royal en vient à mettre en scène des déchirements intimes, ce n'est pas parce qu'il ressent en lui-même l'antagonisme entre avidité et conscience dont parlent tant de contemporains. C'est tout simplement en disciple d'Aristote, « en imaginant d'étendre le champ d'application de la lutte entre proches [...] au champ clos [...] de la conscience individuelle » (*ibid.*, p. 49).

[2] *Ibid.*, p. 49.

Le malheur c'est que cette présentation restrictive est largement inexacte. La poésie est fille de Mémoire ; mais elle est encore plus le produit de son temps. Racine est infidèle aux préceptes d'Aristote, même quand il s'en réclame, et il transforme considérablement la signification des sujets qu'il emprunte, même quand il imite soigneusement ses modèles dans certaines apparences. Tout simplement parce que les problèmes qui les motivent et les solutions philosophiques et artistiques dont il dispose sont ceux de son temps — bien différents de ce qui se passait deux mille ans plus tôt. Ecrire, au XVIIe siècle, pour un auteur de tragédie, c'est s'inspirer des Anciens. Mais ce n'est pas les reproduire objectivement. C'est adapter à un nouveau système de références les vérités morales, politiques ou philosophiques dont telle œuvre, histoire ou légende est perçue comme l'illustration. Je concède qu'une étude sérieuse doit s'appuyer sur une analyse génétique. Je crois même que c'est la première chose à faire. Mais elle ne conclut pas que Racine reproduit les Anciens. Elle montre quels aspects de l'œuvre-source il a sélectionnés, et dans quelle mesure il les a respectés ou transformés. Elle permet ainsi, — une fois prises en considération les incitations et les contraintes du genre, des circonstances, de l'idéologie, des gens influents, du public —, d'élaborer des hypothèses sur des facteurs plus personnels : la vision, les intentions, la problématique de l'auteur.

C'est par l'étude des auteurs romains que Racine s'est formé, comme tous les hommes cultivés de son temps, et de plus par celle des chefs-d'œuvre grecs que la plupart n'avaient lus qu'en traduction latine ou même française. Homère, Sophocle et Euripide, Cicéron et Virgile, étaient les modèles dont ils se réclamaient pour la psychologie comme pour l'art, dont la théorie leur semblait tout entière contenue dans Aristote, Horace et Quintilien. « L'antique et constante admiration qu'on a toujours eue pour [leurs] ouvrages, est une preuve infaillible qu'on les doit admirer ». « Si vous ne voyez point les beautés de leur écrits, il ne faut pas conclure qu'elles n'y sont point, mais que vous êtes aveugle, et que vous n'avez point de goût »[1]. Il faut donc s'en inspirer. Mais ce n'est pas pour les reproduire, c'est pour aboutir comme eux à une beauté fondée sur la vérité, à un art qui soit la composition rationnelle d'analyses justes et d'émotions vraies.

---

[1] Boileau, *Réflexions sur Longin*, VII (1694).

Car si les gens du XVIIe siècle admirent les Anciens, ce n'est pas pour leur originalité inimitable, mais parce qu'ils y voient une juste imitation de la Nature, à la lumière de la raison, qui est son inscription consciente en chacun de nous. Bref, ils trouvent dans les chefs-d'œuvre grecs et latins la réalisation d'un idéal qui est le leur : c'est pourquoi, quand leur mentalité se modifie, ils changent la composition du panthéon, expulsant notamment Sénèque, qui y dominait au XVIe siècle et dans la première moitié du XVIIe. « Les règles du théâtre ne sont pas fondées en autorité, mais en raison » [1], et la *Poétique* d'Aristote « n'est à proprement parler que la nature mise en méthode et le bon sens réduit en principes » [2]. Les Anciens ne sont que des interprètes ; les règles ne sont que des moyens, et ce ne sont pas les seuls, ni même les plus directs. Les créateurs sont donc fondés à les considérer comme « quelques observations aisées que le bon sens a faites sur ce qui peut ôter le plaisir », et qu' « il fait aisément tous les jours sans le secours d'Horace ni d'Aristote » [3]. Comme ceux-ci ne sont que les représentants de la raison et du goût, une œuvre qui plaît à un public subtil et sensé est solidement validée, malgré les éventuelles critiques des interprètes de ces représentants, qui en jugent beaucoup moins directement. Un homme aussi sérieux que Pierre Nicole — l'un des solitaires de Port-Royal, où il fut le maître de Racine — affirme que l'agrément intuitif des honnêtes gens assume la même fonction que le jugement discursif des spécialistes des règles, mais avec plus de finesse et de sûreté. « Il faut donc s'élever au-dessus des règles, qui ont toujours quelque chose de sombre et de mort. Il faut ne concevoir pas seulement par des raisonnements abstraits [...] en quoi consiste la beauté [...] ; il la faut sentir [...]. Cette idée et cette impression vive, qui s'appelle *sentiment* ou *goût,* est tout autrement subtile que toutes les règles du monde » [4].

C'est aussi ce que dit Racine. « Quelques personnes », tout en y éprouvant émotion et « plaisir », ont craint que *Bérénice* ne fût point « selon les règles du théâtre ». « Je les conjure d'avoir assez bonne opinion d'eux-mêmes pour ne pas croire qu'une pièce qui les touche, et qui leur donne du plaisir, puisse être

---

[1] D'Aubignac, *La Pratique du théâtre*, I, 4 (1657).

[2] Rapin, *Réflexions sur la poétique*, I, 13 (1674).

[3] Molière, *La Critique de l'Ecole des Femmes*, sc. 6.

[4] *Préface du Recueil de poésies chrétiennes et diverses*, 1671.

absolument contre les règles. La principale règle est de plaire et de toucher. Toutes les autres ne sont faites que pour parvenir à cette première. Mais toutes ces règles sont d'un long détail, dont je ne leur conseille pas de s'embarrasser [...]. Qu'ils se reposent sur nous de la fatigue d'éclaircir les difficultés de la *Poétique* d'Aristote ». On peut s'assurer qu'un auteur aussi soucieux de plaire préférera le goût des spectateurs aux préceptes d'Aristote, qu'il les prie de ne pas regarder de près, et que cet habile diplomate saura néanmoins s'en réclamer — du moins verbalement, quitte à les accommoder à ses besoins, comme il le fait dans cette Préface de *Bérénice*, où il contredit Aristote [1] pour faire de la simplicité une règle fondamentale de la tragédie.

Ce ne sont pas seulement Molière, La Fontaine et Racine, témoins intéressés, qui le disent. C'est aussi bien Boileau, docte régent du Parnasse :
Le secret est d'abord de plaire et de toucher.
(*Art poétique*, III, v. 26)
Or, séduire et toucher le public contemporain, c'était nécessairement s'éloigner des Anciens. Car si le fond naturel de l'homme était peut-être identique, son acculturation était nettement différente sur tous les plans. « Il n'y a personne qui ait plus d'admiration que j'en ai pour les ouvrages des Anciens », écrit Saint-Evremond. « Mais le changement de la religion, du gouvernement, des mœurs, des manières, en a fait un si grand dans le monde qu'il nous faut comme un nouvel art pour bien entrer dans le goût et dans le génie du siècle où nous sommes » [2].

La tragédie a été ressuscitée en France, au XVIe siècle, par des savants, admirateurs de l'Antiquité, qui écrivaient pour leurs semblables. Puis le goût d'un public moins intellectuel a poussé au développement d'une dramaturgie romanesque, notamment dans la tragi-comédie. En réaction, à la faveur du grand élan de discipline qui se développe à partir de 1623-1624, les doctes imposent au genre sérieux — la tragédie — des règles élaborées par les disciples d'Aristote (vraisemblance, bienséance, unité d'action, de temps et de lieu). Leurs héritiers — les sérieux enseignants d'aujourd'hui — ne manquent pas d'en parler : elles sont rationnelles, elles sont écrites, c'est du solide. Et de fait,

---

[1] « La structure de la tragédie la plus belle doit être complexe et non pas simple » (*Poétique*, 52b).
[2] *Sur les Anciens*, vers 1685.

Racine les respecte parfaitement. Mais ces règles formelles, qui caractérisent bien plus le XVIIe siècle français que le -Ve siècle athénien, sont bien distinctes de *l'esprit fondamental* de la tragédie grecque.

Tout en se donnant des airs de savant aristotélicien, Racine s'éloigne d'autant plus de cet esprit qu'il veut plaire à un public où les doctes ne sont plus majoritaires comme au XVIe siècle, ni aussi puissants qu'à l'époque de la querelle du *Cid*. Les femmes, et les mondains qui tiennent à leur plaire, y jouent un rôle décisif. Corneille est personnellement opposé aux galanteries et se veut fidèle aux données de l'histoire ou de la légende, fussent-elles violentes. Mais en 1659, il introduit dans *Œdipe* les tendresses de l'amour, devenues « les principaux ornements qui nous gagnent d'ordinaire la voix publique ». Et il évite de montrer les yeux crevés du héros, pour ne pas blesser « la délicatesse de nos dames, qui composent la plus belle partie de notre auditoire, et dont le dégoût attire aisément la censure de ceux qui les accompagnent » (Au lecteur). Ce sont « les dames qui aujourd'hui décident du mérite » des spectacles, confirme l'abbé de Pure [1], et le P. Rapin s'irrite que l'on doive « privilégier si fort la galanterie sur le théâtre, et tourner tous les sujets sur des tendresses outrées, pour plaire davantage aux femmes, qui se sont érigées en arbitres de ces divertissements » (II, 20).

La principale critique des doctes (et des partisans de Corneille) contre Racine est qu'il trahit l'histoire en transformant en galants Alexandre, Pyrrhus, Britannicus, Bajazet, Mithridate, Xipharès et Achille. « Je ne puis être pour ceux qui disent que cette pièce n'a rien d'assez turc », ironise Donneau de Visé à propos de *Bajazet* : « il y a des Turcs qui sont galants, et puis elle plaît ; il n'importe comment ; et il ne coûte pas plus, quand on a à feindre, d'inventer des caractères d'honnêtes gens et de femmes tendres et galantes, que ceux de barbares qui ne conviennent pas au goût des dames de ce siècle, à qui sur toute chose il est important de plaire ».

Ne soyons donc pas plus myopes que les contemporains de Racine. Constatons que leur condition humaine n'était plus du tout celle des Grecs, que leur vision de l'homme était fondée sur le christianisme, fort différent des philosophies et croyances athéniennes, que leurs tragédies ne s'adressaient pas à des citoyens qui en attendaient une réactualisation des mythes fondateurs de leur civilisation, mais à un public dominé par les

---

[1] *Idée des spectacles anciens et nouveaux*, 1668.

courtisans, les gens du monde et les femmes, qui souhaitaient y éprouver des passions entraînantes, des émotions délicieuses, et « cette tristesse majestueuse qui fait tout le plaisir de la tragédie » (Préface de *Bérénice*).

Non seulement l'expérience historique du public de Racine est très différente de celle des Athéniens, mais la culture gréco-latine n'est pas la base principale de la finesse et du goût des femmes et des gens du monde qui y jouent un rôle décisif. C'est à la lecture des Italiens et des Espagnols, des moralistes chrétiens et mondains, de La Rochefoucauld, Mlle de Scudéry, Voiture et La Fontaine qu'ils se sont formés. Et c'est surtout dans l'expérience directe des relations personnelles, des conversations et débats, des stratégies de séduction : la vie de cour et de salon les pousse à un raffinement extrême, dont bénéficient indirectement même ceux qui ne les fréquentent pas. C'est là surtout que s'imposent l'observation et la maîtrise des attitudes, des langages, des sentiments, que s'affine l'art d'analyser, de plaire et de toucher, notamment par les effets du langage et des jeux de physionomie. C'est là que brillent les femmes, animatrices de la vie culturelle et objets de l'attention des écrivains. Elles n'ont pas fréquenté les écoles, elles n'ont pas lu Aristote, Horace, Cicéron ni Quintilien : leur art est plus spontané, plus « naturel » — c'est-à-dire plus marqué par leur expérience sociale immédiate.

*
* *

Quelques vérifications pratiques peuvent consolider ces considérations générales et confirmer l'infidélité de Racine aux sources dont ils se réclame et à l'esprit de la tragédie grecque. Celle-ci a pour but, dit Aristote, de susciter la terreur et la pitié, afin d'épurer ce genre d'émotions. Les doctes du XVIIe, suivi par ceux du XXe, se réclament de cette définition, sans voir — sauf exception — qu'elle ne convient pas du tout à nos tragédies classiques, même en y introduisant un ou deux contresens.

Pour y voir clair, rappelons la raison d'être de la tragédie grecque à son apogée — car elle a duré plus d'un millénaire, du VIe siècle avant J.-C. à la fin du Ve siècle de notre ère, mais elle n'a donné ses chefs-d'œuvre que sur quatre-vingt ans (de 484 à 404). C'est le moment où Athènes, jusque là chef-lieu de canton, est devenue, en l'espace de deux générations, de 510 à 478, la maîtresse du monde. D'une vie rurale, clanique, féodale, soumise aux processus naturels, aux forces transcendantes qui les animent, à l'héritage contraignant du sang, des connaissances, rites et traditions, l'on passe soudain à une société urbaine, commerçante, démocratique, à un monde construit par les hommes, dont plusieurs textes exaltent les libres et fécondes capacités [1]. A une mentalité religieusement soumise à l'ordre naturel et divin succède ou plutôt se superpose un humanisme rationaliste conquérant, tandis que se multiplient, « à un rythme sans précédent, les inventions, les mises en cause du passé et les espérances nouvelles » [2]. Bref, tout un nouveau système de repères, de critères, de normes, de valeurs s'oppose à l'ancien. Celui-ci perd prise sur le réel, mais continue à hanter les consciences, qui ne manquent pas de souligner ses revanches fulgurantes. Celui-là démontre sa fascinante efficacité pratique, au point d'en être inquiétant sinon sacrilège. Leur contradiction fait qu'on ne sait plus où est le vrai, le juste, le bien : les notions fondatrices ont perdu leur évidence. Le rationalisme critique des sophistes révoque en doute toute transcendance et tout absolu au bénéfice d'un relativisme pragmatique où il n'y a d'autre critère que le désir, l'intérêt et les capacités de l'individu, devenu selon Protagoras, « la mesure de toutes choses ». L'homme supérieur, c'est celui qui a le plus de force et d'habileté au service de la motivation la plus vive : « la marque du juste, c'est la domination du puissant sur le faible, et la reconnaissance de sa supériorité », fait dire Platon au sophiste Calliclès [3].

C'est pour mettre en scène, exorciser ou réguler cette crise des structures constitutives de la civilisation et de la culture, c'est-à-dire de la condition et de la personnalité humaines, que s'affirme la tragédie, entre l'époque de la poésie épique et lyrique — qui célébraient l'héritage traditionnel et les forces qui animaient l'homme et le monde — et celle de la philosophie, de

---

[1] Cf. notamment Sophocle, *Antigone*, v. 332-363, où le chœur exalte l'homme avant de le mettre en garde contre un excès d'individualisme. « Il est bien des merveilles en ce monde, il n'en est pas de plus grande que [...] l'homme à l'esprit ingénieux [...]. Bien armé contre tout, il n'est désarmé contre rien [...]. Mais, ainsi maître d'un savoir dont les ingénieuses ressources dépassent toute espérance, il peut prendre ensuite la route du mal tout comme du bien. Qu'il fasse donc, dans ce savoir, une part aux lois de sa ville, et à la justice des dieux » (trad. P. Mazon).

[2] J. de Romilly, *Patience, mon cœur... L'Essor de la psychologie dans la littérature grecque classique*, 1984, p. 10.

[3] *Gorgias*, 483 d.

l'histoire et de l'éloquence politique, où va s'exprimer la maîtrise de l'homme sur sa condition. Pour le moment il s'interroge dans l'angoisse : parallèlement aux « progrès foudroyants de l'analyse psychologique » [1], « la tragédie prend naissance quand on commence à regarder le mythe avec l'œil du citoyen », quand le héros des légendes fondatrices a « cessé d'être un modèle » pour devenir « un problème », quand l'ancien système de repères, de critères et de valeurs, et le nouveau « sont assez distincts pour s'opposer sans cesse pourtant d'apparaître inséparables [...]. C'est cette double référence [...] qui constitue [...] le ressort même de l'action » [2].

Au-delà de la différence des œuvres, de la multiplicité de leurs fonctions, des origines diverses de leurs sujets, cette raison d'être historique de la tragédie du -Ve siècle me paraît fondamentale. Sa qualité même s'explique par la profondeur de cet investissement et par l'adéquation entre le problème de l'heure et les possibilités d'un genre propre à poser et exorciser des conflits essentiels. Tantôt, comme dans l'*Orestie* d'Eschyle, les nouvelles divinités humanistes, Athéna et Apollon, affrontent les vieilles Erinyes vengeresses, dont elles finissent par triompher : véritable révolution que dénoncent leurs cris scandalisés : « Ah ! jeunes dieux, vous piétinez les lois antiques ! » [3]. Ou bien l'être religieux et lignager de jadis s'oppose à l'homme politique d'aujourd'hui, comme dans l'*Antigone* de Sophocle. Pour la piété traditionnelle, Créon, qui interdit d'ensevelir son neveu, commet un sacrilège ; pour la nouvelle raison d'Etat, Antigone, qui rend les devoirs funèbres à un ennemi de la patrie, se rend coupable de haute trahison. Car pour certains la cité l'emporte désormais sur le lignage [4] : « Il faut honorer sa patrie plus encore qu'une mère, qu'un père, plus que tous les ancêtres [...] ; elle est plus respectable, plus sacrée

---

[1] J. de Romilly, *ibid.*, p. 215.

[2] J.-P. Vernant, *Mythe et tragédie en Grèce ancienne*, t. I, p. 7 et p. 14.

[3] *Les Euménides*, v. 788 et 808.

[4] On retrouvera la même transformation au XVIIe siècle, lors du passage du féodalisme lignager à la monarchie nationaliste. C'est pourquoi Chimène pourra ou même devra épouser Rodrigue : dans l'ancien système, c'était le meurtrier de son père ; dans le nouveau, c'est le sauveur de la patrie :

Ce qui fut juste alors ne l'est plus aujourd'hui.

Quoi ? pour venger un père est-il jamais permis
De livrer sa patrie aux mains des ennemis ?
(v. 1175-1184)

[...] au jugement des dieux et des hommes sensés » (Platon, *Criton*, 51a).

Tantôt la nouvelle volonté rationnelle et consciente et l'ancienne détermination par des forces transcendantes s'exercent conjointement dans les mêmes actes, leur donnant deux significations radicalement opposées, comme dans l'*Œdipe-roi* de Sophocle. L'oracle ayant annoncé qu'il assassinerait son père puis épouserait sa mère, ceux-ci prennent la décision qui s'impose : le tuer à la naissance. Mais celui qu'ils en chargent prend pitié de ce bébé : il le remet à un homme qui l'emmène au loin. Devenu adulte, Œdipe prend connaissance de l'oracle : pour y échapper, il s'éloigne... refaisant le chemin en sens inverse. Attaqué à un carrefour, il réagit vaillamment, en état de légitime défense, et tue l'agresseur : c'était son père. Puis, aussi intelligent que courageux, il délivre le pays du sphinx ; en récompense on le choisit pour roi, et on lui fait épouser la reine : c'est sa mère. La peste s'abat sur la contrée : épris de justice et se croyant fin limier, Œdipe décide de rechercher et de punir la faute qui est cause de ce châtiment divin... A tout moment, il s'est comporté valeureusement selon ses lumières d'homme. Mais à chaque fois une force qui le dépasse s'est servi de ses propres décisions pour lui faire accomplir à son insu des erreurs ou des crimes, rappelant aux limites de sa condition cet homme trop sûr de ses capacités. Ainsi, tout en dénonçant les tyrannies de l'ancienne condition humaine, la tragédie met en garde contre les funestes conséquences de l'émancipation excessive que permet la nouvelle, contre l'*hybris*, prétention démesurée, orgueil aveugle qui ne manquera pas de provoquer de justes châtiments. Elle enseigne un juste équilibre entre détermination transcendante et liberté humaine. Pour ce faire, elle suscite la terreur face aux forces transcendantes, et la pitié pour ceux dont elles châtient les excès.

Le tragique racinien procède lui aussi d'une crise du système de repères, normes et valeurs qui, à travers une civilisation, une culture et une idéologie, définissent la condition et la personnalité historiques des hommes. Mais elle n'a pas du tout le même contenu : elle n'est pas centrée sur le problème de la terreur face à des forces transcendantes (remplacées par un Dieu sévère, mais juste et bon), mais sur des conflits politiques, moraux ou passionnels internes à l'humanité. Même quand ils répètent la formule qui définit la tragédie par la terreur et la pitié, les contemporains de Racine refusent explicitement le contenu que lui donnaient les Grecs.

Si l'on traduisait, « dans toute sa force, l'*Œdipe* même de Sophocle, ce chef-d'œuvre des Anciens, rien au monde ne nous paraîtrait plus barbare », écrit Saint-Evremond [1]. « Notre théâtre souffre difficilement de pareils sujets », dit Corneille à propos de ceux que les Grecs ont tiré de l'histoire des Atrides : festin d'Atrée, meurtre d'Agamemnon par sa femme, de Clytemnestre par son fils ; dans l'*Electre* de Sophocle, « la barbarie d'Oreste nous [fait] horreur » [2]. « Les poèmes dramatiques doivent être différents selon les peuples », écrit de son côté l'abbé d'Aubignac ; notre société monarchique et polie ne peut tolérer « les cruautés et les malheurs des rois, les désastres des familles illustres » « que les Athémiens se plaisaient à voir sur leur théâtre » (II, 1).

C'est le Père Rapin qui s'exprime le plus clairement : « La tragédie moderne roule sur d'autres principes » que ceux « de la terreur et de la pitié [...], dont nous ne sommes pas tout à fait si capables que les Grecs. Peut-être que notre nation, qui est naturellement galante, a été obligée par la nécessité de son caractère à se faire un système nouveau de la tragédie, pour s'accommoder à son humeur. Les Grecs [...], qui haïssaient la monarchie, prenaient plaisir, dans leurs spectacles, à voir les rois humiliés, et les grandes fortunes renversées [...]. Les Anglais, nos voisins, aiment le sang, dans leurs jeux, par la qualité de leur tempérament : ce sont des insulaires, séparés du reste des hommes ; nous sommes plus humains, la galanterie est davantage selon nos mœurs, et nos poètes ont cru ne pouvoir plaire sur le théâtre que par des sentiments doux et tendres » (II, 20).

Conformément à la tradition, Racine répète que « la compassion et la terreur [...] sont les véritables effets de la tragédie » [3], et ses éditions collectives, en 1674, 1687 et 1697, s'ouvrent par un frontispice de Le Brun intitulé — en grec — « Terreur et Pitié », qui représente ces deux attitudes de part et d'autre de la muse tragique. Aujourd'hui encore, on dit que ces émotions sont le but de la tragédie classique. Ce n'était pourtant pas l'impression du P. Rapin : « On ne nous propose plus ces

---

[1] *De la tragédie ancienne et moderne*, 1674.

[2] *Du poème dramatique* et *De la tragédie*, 1660. Dans les pages mêmes où il rappelle que l'on doit conserver l'action principale du sujet que l'on emprunte, Corneille montre que l'on est souvent conduit, pour des raisons culturelles, à en modifier la signification (*Œuvres*, éd. Couton, t. III, p. 160-161).

[3] Préface d'*Iphigénie*.

objets étonnants et terribles, qui donnaient de la frayeur aux spectateurs, en leur donnant du plaisir [...]. On sort à présent du théâtre aussi peu ému qu'on y est entré » (II, 21). C'est seulement devant Phèdre, emportée par une passion que tous ses efforts ne peuvent maîtriser, et devant Athalie, victime de la juste mais terrible vengeance de Dieu, que l'on éprouve une frayeur et une pitié analogues à celles que suscitait la tragédie grecque. Si les frères ennemis, Créon, Néron, Narcisse, Aman ou Mathan peuvent être effrayants, c'est dans un tout autre sens.

Réticent à la terreur, le public du XVIIe siècle appréciait beaucoup les « charmes » de « la compassion » et pleurait volontiers à flots. « Soyez si tendre et si émouvant que vous voudrez », dit La Fontaine, je verserai « des larmes avec le plus grand plaisir du monde. La pitié est [...] un très grand plaisir ». « Les belles tragédies [...] nous donnent une volupté plus grande que celle qui vient du comique » [1]. Racine leur « arracha ces larmes qui font le plaisir de ceux qui les répandent », dit son ami Valincour (1699). Mais c'est dans un sens qui ne correspond nullement à la tragédie grecque, car c'est une pitié pour les innocentes victimes des tyrans, et non pas, sauf dans *Athalie*, pour des prétentieux prométhéens qui s'attirent les châtiments divins.

Conçue pour régler les attitudes face aux malheurs et aux menaces, pour favoriser la libération des hommes tout en l'empêchant de devenir prétention excessive, et pour éduquer un citoyen qui doit éprouver assez de terreur et de pitié pour être soumis aux lois et fraternel, sans toutefois en ressentir trop afin d'être assez courageux pour défendre la démocratie contre les coups de force des tyrans, la tragédie grecque suscite terreur et compassion sur la scène afin de permettre au spectateur de les maîtriser dans sa vie, de telle façon que, sans être excessives et paralysantes, elles soient suffisantes pour le rendre raisonnable et respectueux envers l'ordre naturel, divin et social comme envers les autres hommes. Cette épuration, cette *catharsis* s'opère non seulement par la démonstration d'une juste solution des problèmes, mais surtout par le fait d'assister à la représentation de l'histoire terrible au lieu de la subir, ce qui permet d'éprouver cette épuration comme une satisfaction affective et esthétique, comme « le plaisir qui par la

---

[1] La Fontaine, *Les Amours de Psyché et de Cupidon*, 1669, *Œuvres*, éd. Marmier, p. 423-426.

représentation provient de la pitié et de la frayeur » (*Poétique*, 1453 b).

Les théoriciens de la tragédie classique répètent la phrase par laquelle Aristote définit la raison d'être de la tragédie : « en représentant la pitié et la frayeur, elle réalise l'épuration de ce genre d'émotions » (*Poétique*, 1449 b). Mais ils y introduisent un double contresens significatif d'un profond changement culturel. Ils ne parlent pas d'*épurer* la frayeur, la pitié et *les émotions de ce genre*, mais de nous *purger*, par la terreur et la pitié, de nos *passions*, dont la tragédie montre les terribles et pitoyables conséquences. « Sa fin principale est de calmer les passions », qui sont des « troubles de l'âme », dit La Mesnardière (*La Poétique*, 1639). Corneille explique le processus. « La pitié d'un malheur où nous voyons tomber nos semblables nous porte à la crainte d'un pareil pour nous, cette crainte au désir de l'éviter, et ce désir à purger, modérer, rectifier et même déraciner en nous la passion qui plonge à nos yeux dans le malheur les personnes que nous plaignons » [1].

Il est vrai que Racine, lui, évite ces contresens. Il ajoute même à sa traduction une phrase d'explication fort juste : la tragédie, en « excitant la pitié et la terreur, purge et tempère ces sortes de passions. C'est-à-dire qu'en émouvant ces passions elle leur ôte ce qu'elles ont d'excessif et de vicieux et les ramène à un état modéré et conforme à la raison ». Mais on peut traduire fort exactement une assertion sans la mettre en pratique — et même sans comprendre en profondeur sa raison d'être. Je crois que la tragédie racinienne n'opère à aucun moment la *catharsis* aristotélicienne. Car la différence idéologique et culturelle entre les deux époques était trop grande. Traduire catharsis par *purgation* n'est pas un simple contresens ponctuel, mais l'effet d'une divergence fondamentale entre la mentalité grecque et la morale chrétienne. Cette traduction « est étrangère à l'esprit aristotélicien. Nulle part dans la *Poétique* il n'est fait mention d'une vocation morale de la poésie » [2].

Quand les contemporains de Racine, dans leur contresens sur Aristote, disent que la tragédie doit nous purger des excès des passions, c'est à l'avidité de l'ambition et surtout de l'amour qu'ils pensent :

De cette passion la sensible peinture
Est pour aller au cœur la route la plus sûre.

---

[1] *Discours de la tragédie*, 1660.
[2] Hubert Laizé, *Aristote, Poétique*, P.U.F., 1999, p. 82-83.

Peignez donc, j'y consens, les héros amoureux.

[Mais] que l'amour, souvent de remords combattu,
Paraisse une faiblesse et non une vertu.
                    (Boileau, *Art poétique*, III, v. 95-102).

Mais en général, même s'il conduit au malheur, l'amour que peignent les tragédies est bien plus séduisant qu'effrayant, comme le constatent ces mêmes moralistes (avec réprobation), ou par exemple Corneille. « Je doute » « si la purgation des passions se fait dans la tragédie », écrit-il. Celles de Rodrigue et Chimène « font leur malheur, puisqu'ils ne sont malheureux qu'autant qu'ils sont passionnés l'un pour l'autre [...]. Leur malheur fait pitié, cela est constant, et il en a coûté assez de larmes aux spectateurs pour ne le point contester. Cette pitié nous doit [= devrait] donner une crainte de tomber dans un pareil malheur, et purger en nous ce trop d'amour qui cause leur infortune [...] ; mais je ne sais si elle nous la donne, ni si elle le purge, et j'ai bien peur que le raisonnement d'Aristote sur ce point ne soit qu'une belle idée, qui n'ait jamais son effet dans la vérité ». Demandez donc aux spectateurs du *Cid* si cette pièce « a rectifié en eux la passion qui a causé la disgrâce qu'ils ont plainte » [1]. Dans *Alexandre*, *Andromaque* ou *Bérénice*, l'amour est bien plus séduisant qu'inquiétant, et les jeunes couples qu'on trouve dans toutes les tragédies profanes de Racine représentent un véritable idéal. Seuls Roxane, Mithridate et Phèdre peuvent inviter à une purgation de cette passion — car les contemporains ne sauraient s'identifier à Néron ou Eriphile.
   Racine est tout aussi infidèle, sauf pour le personnage de Phèdre, à un autre principe fondamental d'Aristote, celui du *héros médiocre*, dont il se réclame explicitement dans les préfaces d'*Andromaque*, de *Britannicus* et de *Phèdre*. La tragédie, lit-on dans la *Poétique*, ne doit mettre en scène ni le malheur « des justes », qui susciterait l'indignation, ni celui d'un « homme foncièrement méchant », trop peu représentatif de l'humanité, mais celui d'un personnage « intermédiaire », « qui n'a pas mérité » le châtiment par une perversité foncière, mais qui est tombé dans le malheur par suite d'une fâcheuse erreur : un homme de qualité morale ordinaire, « ou alors meilleur plutôt que pire », « un homme qui, sans atteindre à l'excellence dans l'ordre de la vertu et de la justice, doit non au vice et à la

---

[1] *Discours de la tragédie*, 1660.

méchanceté, mais à quelque faute de tomber dans le malheur »
(1453 a).

Dans la traduction de ce passage, Racine commet une
erreur révélatrice de son anthropologie plus augustinienne
qu'aristotélicienne : il parle d' « un homme qui, *par sa faute*,
devienne malheureux » — et non *par quelque faute*. Dans la
première Préface d'*Andromaque*, il est au contraire
rigoureusement fidèle : « Aristote [...] veut [...] que les
personnages tragiques, c'est-à-dire ceux dont le malheur fait la
catastrophe de la tragédie [...] aient une bonté médiocre, c'est-à-
dire une vertu capable de faiblesse, et qu'ils tombent dans le
malheur par quelque faute, qui les fasse plaindre, sans les faire
détester ». Mais il invoque cette autorité pour défendre son
portrait de Pyrrhus, dont il prétend qu'on lui a reproché la
violence. Quand il réécrira cette Préface, il ne reprendra pas cet
argument, reconnaissant implicitement sa mauvaise foi. Celle-ci
est encore plus nette dans la première Préface de *Britannicus*, où
pour se justifier d'avoir « choisi un homme aussi jeune », il
rappelle à ses critiques « les sentiments d'Aristote sur le héros de
la tragédie, et que bien loin d'être parfait, il faut toujours qu'il ait
quelque imperfection ».

En fait, la plupart des personnages de Racine
appartiennent à l'une des deux catégories déconseillées par
Aristote : celle des innocents vertueux et celle des méchants. Et
sur les vingt-trois meurtres ou suicides qu'il met en scène six
sont moralement scandaleux [1] et neuf autres plus justifiés que
ne le souhaitait le théoricien [2]. Dans la tragédie aristotélicienne,
le héros était la victime de ses propres erreurs ou fautes — ce
qui était essentiel pour la vision de l'homme mise en scène et
pour l'effet sur le public : pour le principe et le but du genre.
Chez Racine, il n'y a qu'un seul être de cette sorte. Phèdre est
son seul personnage majeur qui soit une victime « ni tout à fait
coupable ni tout à fait innocente » (Préface), même si l'on peut
rattacher plus ou moins à cette catégorie Etéocle et Polynice,
Taxile, Oreste, Hermione et Pyrrhus, Atalide et Bajazet, Roxane,
Monime et Xipharès, Mithridate, Agamemnon, Eriphile et

---

[1] Ménécée, Hémon, Jocaste et Antigone dans *La Thébaïde*, puis Britannicus et
Hippolyte.
[2] Créon, Taxile, Narcisse, Orcan, Eriphile, Oenone, Aman, Mathan, Athalie.
Il est vrai qu'il s'agit toujours, sauf dans le dernier cas, de personnages
secondaires.

Athalie. Et seuls ces deux derniers sont punis par la justice divine, alors que c'était habituel dans la tragédie grecque.

L'orgueilleux Hippolyte d'Euripide, qui prétendait s'exempter d'une nécessité naturelle, insultant une divinité, était conforme à l'exigence d'Aristote : le pur jeune homme de Racine ne l'est plus, et la « faiblesse » qu'il lui donne en le rendant amoureux de « la fille et la sœur des ennemis mortels de son père » (Préface), outre qu'elle n'en est pas une aux yeux du public, n'est pas la cause du malheur qui le frappe. Quant à Joas, son ambiguïté de descendant du péché originel ne se manifestera que bien après la fin de la tragédie. Dans *Andromaque*, *Britannicus*, *Bérénice*, *Iphigénie* et *Esther*, le malheur des héros éponymes ne vient nullement de quelque faute ou erreur de leur part : ce sont d'innocentes victimes [1]. Et en face Néron est vraiment le méchant dont Aristote ne voulait pas.

*
*   *

Infidèle à la théorie de la tragédie grecque, parce qu'il est influencé par sa culture chrétienne, et par une condition humaine bien différente, Racine l'est également aux textes dont il s'inspire : il les lit à la lumière de son expérience existentielle

---

[1] Un mot encore sur la péripétie avec reconnaissance, fréquente dans les tragédies grecques : Thyeste reconnaît dans ce qu'il mange et boit le sang et les membres de son fils, Iphigénie reconnaît le frère qu'elle est chargée de sacrifier, Electre le frère qui va la sauver, Clytemnestre le fils qui va l'assassiner. Au-delà de ces découvertes d'identité, ce procédé a une importance essentielle dans celles des tragédies grecques qui procèdent d'une erreur ou d'une faute du protagoniste : en voyant venir le malheur, il y reconnaît un châtiment, et du même coup la faute qui en est la cause. Tout *Œdipe roi* est le processus d'une telle reconnaissance. « Ce qui exerce la plus grande séduction dans la tragédie, ce sont [...] les coups de théâtre et les reconnaissances » (Aristote, *Poétique*, 50 a). Contrairement à ce qu'on peut croire à première vue, la reconnaissance existe bien dans les dénouements raciniens, mais transformée par le changement de civilisation. A la place de la reconnaissance d'identité, devenue procédé de dénouement comique, la vraisemblance raffinée substitue une reconnaissance de conscience : Agrippine voit enfin qui est Néron, Hermione ou Mithridate ce que représentent pour eux Pyrrhus ou Xipharès, Bérénice reconnaît que Titus l'aimera toujours, Eriphile découvre qui elle est, Thésée qui est coupable, Assuérus qui sont Aman et Esther, Athalie le Dieu qui l'a conduite à sa perte.

et de l'idée qu'on se faisait alors de l'Antiquité, puis il les adapte à son projet et au goût de son public [1], leur attribuant notamment une galanterie dont ils étaient bien dépourvus.

Qui a jamais cru que la source suscitait la soif ? Elle peut seulement la révéler chez celui qui a des raisons plus intimes d'être altéré. Ce sont ses difficultés et aspirations personnelles, sa problématique de sujet de la condition humaine des années 1660, son ambition de briller dans un genre symboliquement et matériellement rentable qui ont conduit Racine à choisir le théâtre. Puis il a cherché, dans l'extrême diversité des riches magasins du passé, des sujets célèbres déjà élaborés, qui lui permissent d'exprimer et de satisfaire ses motivations. Même si Corneille ne les avait pas déjà traités, il n'aurait pas choisi *Le Cid*, *Horace*, *Cinna* ou *Polyeucte*, qui ne correspondaient pas à ses besoins. Il a au contraire reconnu un terrain propice dans Néron ou Phèdre, qu'il a eu du mal à faire admettre à son public, surpris sinon choqué. Il a imité les Anciens parce que les règles de la tragédie et l'influence des doctes l'y poussaient, et parce qu'il les admirait — mais en choisissant certaines œuvres ou même en se limitant aux aspects qui convenaient à ses besoins et aux possibilités de son temps. J'ai imité Poe, dit Baudelaire, « parce qu'il me ressemblait » : j'y ait trouvé « non seulement des sujets rêvés par moi, mais des *phrases* pensées par moi et écrites par lui vingt ans auparavant ».

Peut-on croire que des matériaux empruntés, aussi nombreux soient-ils, puissent être la véritable source d'une œuvre qui n'existe que dans la mesure où c'est une composition productrice d'effets sémantiques, affectifs et esthétiques irréductibles à ses éléments ? Autant dire qu'une cathédrale a son principe dans la carrière d'où elle est extraite plutôt que dans l'élan qui l'anime. Même un ouvrage aussi étroitement imité que l'Arc de Triomphe n'a pas sa source dans ses homologues antiques mais dans les rêves grandioses de Napoléon, greffés sur l'admiration du siècle des Lumières et de la Révolution pour la vertueuse Rome républicaine. L'imitation sans motivation actuelle n'est que froideur académique : tout le contraire de Racine, La Fontaine ou Molière.

---

[1] Ici, « Andromaque ne connaît point d'autre mari qu'Hector, ni d'autre fils qu'Astyanax. J'ai cru en cela me conformer à l'idée que nous avons maintenant de cette princesse » (Seconde préface d'*Andromaque*). Le sacrifice d'Iphigénie serait trop cruel, son enlèvement par Diane « trop absurde et trop incroyable parmi nous » (Préface d'*Iphigénie*).

« Qu'on ne dise pas que je n'ai rien dit de nouveau, la disposition des matières est nouvelle » [1]. C'est la disposition, à laquelle les classiques accordaient tant d'importance, ce sont les rapports entre les parties qui forment la signification et l'harmonie d'une œuvre. Or, l'auteur d'*Andromaque* et de *Britannicus*, qui se prétend si fidèle à ses sources, en transforme radicalement la disposition. C'est ainsi que l'abeille fait son miel, et que tout être vivant se constitue à partir d'aliments dont il détruit la structure pour les assimiler à la sienne. Un taureau c'est de l'herbe bien ruminée. Expliquer une composition par les éléments qu'elle emprunte à une autre composition organisée différemment dans un tout autre contexte, c'est expliquer le nouvel ouvrage par ce qui « faillit l'empêcher de devenir ce qu'il est » [2]. Avant de confronter quelques tragédies à leurs sources, notons par exemple que les œuvres de Racine sont beaucoup plus centrées sur l'analyse psychologique des individus qui, chez les Grecs, sont encore sommairement dessinés, et fortement intégrés dans leurs communautés familiales.

« Voilà le lieu de la scène, l'action qui s'y passe, les quatre principaux acteurs, et même leurs caractères, excepté celui d'Hermione, dont la jalousie et les emportements sont assez marqués dans l'*Andromaque* d'Euripide », affirme Racine après nous avoir éblouis par dix-huit vers de Virgile, le plus célèbre des poètes. Voilà en effet les éléments de son œuvre, mais dans des rapports tout différents et souvent même inversés [3]. Ici, Pyrrhus abandonne Hermione pour Andromaque, qui domine les autres personnages de sa grandeur morale et de sa majesté. Il la supplie et la menace en vain : elle ne vit que pour Astyanax et pour le souvenir d'Hector. Chez Euripide et Virgile tout au contraire, Pyrrhus, après avoir vigoureusement abusé de celle dont le droit de la guerre faisait son esclave, l'abandonne à un

---

[1] Pascal, *Pensées*, Laf. 696. C'est ce que disait également Poussin : « La nouveauté dans la peinture ne consiste pas surtout dans un sujet non encore vu, mais dans la bonne et nouvelle disposition et expression ; et ainsi, de commun et vieux, le sujet devient singulier et neuf ».

[2] R. C. Knight et H. T. Barnwell, édition d'*Andromaque*, Droz, 1977, p. 8.

[3] G. Forestier constate lui aussi que le travail de Racine « a abouti à tourner presque entièrement le dos à la légende » (p. XXX). Mais, conformément à ses présupposés, il tend à l'expliquer par le fait qu'il y avait, dans un recoin du texte de Virgile, « le point de départ d'une tragédie d'amour ». C'est de là que Racine aurait tout tiré, « au prix d'un extraordinaire travail de composition dramatique » (p. XXIX-XXX).

autre de ses esclaves troyens pour épouser Hermione — qui, chez Euripide, menace Andromaque et son fils : non pas Astyanax, mis à mort devant Troie, mais celui qu'elle a eu de Pyrrhus. Chez Racine, Hermione se promet à Oreste à condition qu'il assassine Pyrrhus pour l'empêcher d'épouser Andromaque ; puis elle le maudit et se tue pour rejoindre Pyrrhus dans la mort. Chez les Anciens, mobiles et conséquences sont inverses : Oreste assassine le roi parce qu'il lui a enlevé Hermione, qui était sa fiancée sinon sa femme. Loin de le maudire et de rejoindre Pyrrhus dans la mort, Hermione s'enfuit avec Oreste — qu'elle n'avait jamais cessé d'aimer et de regretter, selon Ovide. Ainsi, non seulement il y a de grandes différences entre la tragédie de Racine et les sources dont elle se réclame et par lesquelles certains s'obstinent à l'expliquer, mais les rapports entre les quatre protagonistes sont inversés : la structure actantielle, où s'inscrit en bonne partie la signification de la pièce, devient le contraire de ce qu'elle était [1].

En fait, *Andromaque* n'emprunte à l'Antiquité, outre l'arrière-plan poétique de la prestigieuse et douloureuse guerre de Troie, que trois figures : la veuve admirable et affligée, la violente Hermione, le funeste Oreste. Elle les replace dans des positions et une perspective toutes différentes, qui change même les causes et les objectifs des deux derniers caractères, et transforme entièrement celui de Pyrrhus.

Sous ces noms empruntés, qui lui fournissent une métaphore prestigieuse, ce sont des réactions actuelles à un problème actuel — seul capable de le motiver —, que Racine met en scène. *Andromaque* s'explique entièrement par les tendances contemporaines. On a pu montrer qu'elle emprunte ses structures à des œuvres à la mode. En particulier, la chaîne des amours repoussées — Oreste aime Hermione qui le dédaigne pour aimer Pyrrhus qui... — était usuelle dans les romans et les pièces de théâtre depuis plusieurs décennies.

---

[1] Nous devons conserver « l'action principale » — qui est le meurtre de Pyrrhus —, explique Corneille ; mais « les circonstances, ou si vous l'aimez mieux, les moyens de parvenir à l'action demeurent en notre pouvoir » (*Discours de la tragédie*, 1660 ; il disait la même chose dans la Préface de *Rodogune*, en 1647). Mais on ne peut pas soutenir que les changements opérés par l'auteur d'*Andromaque* (où la structure actantielle a encore plus de signification que les événements) portent sur de simples circonstances ni seulement sur « les acheminements » qui conduisent à l'acte décisif.

En 1667, le dynamisme héroïque de l'époque d'affrontements et de constructions idéales est révolu, et la valeur morale est devenue inaccessible, comme l'est ici l'objet de l'aspiration vitale de chaque personnage. En dehors d'une fidélité sans espoir (sinon dans l'au-delà comme chez Andromaque), les êtres avides de bonheur n'ont d'autres recours que les divertissements où ils cherchent à oublier leur impuissance en se pavanant aux yeux des autres et en faisant sur eux la démonstration de leur volonté de puissance. L'amour exprime l'aspiration au bonheur dans l'union avec la figure de la valeur — qui vous rejette, sauf dans le couple mythique, voire fonctionnellement utopique que formaient Hector et Andromaque. Mais faute de parvenir à son véritable but, il devient le plus courant et le plus complet des divertissements : sous les dehors avantageux d'une respectueuse galanterie, c'est une ambition conquérante de la volonté de puissance, qui peut recourir à la violence si elle est repoussée, ou même à la fureur vengeresse si elle est méprisée, c'est-à-dire si l'être est renvoyé à son anxieuse impuissance. Cette interprétation de la pièce est certes discutable. Elle est en tout cas possible, tout comme sa lecture galante. Et toutes deux ont en commun d'être fondées sur l'actualité, et de n'avoir aucun rapport avec ce que disent les sources gréco-latines.

L'auteur de *Britannicus* prétend s'être étroitement inspiré de Tacite : « il n'y a presque pas un trait éclatant dans ma tragédie dont il ne m'ait donné l'idée ». Les commentateurs célèbrent cette vérité : elle est pourtant toute relative, comme nous le verrons au chapitre suivant. Pour *Bérénice*, Racine semble fidèle à Suétone : c'est d'autant plus facile que cette source est très sobre. Mais en fait il a radicalement transformé l'esprit et la signification de cette séparation. Historiquement, le renvoi de Bérénice fut le résultat d'un changement d'existence assumé avec réalisme, sinon d'une cynique prudence politique : devenu empereur, Titus cesse ses orgies impopulaires et contraires à son ambition de gloire, et il renvoie une maîtresse compromettante. Malgré sa tendance à une prudente neutralité, c'est ce qui ressort du texte de Suétone lu, à la suite de M. Charles [1], avec l'œil de l'historien et non pas, comme d'habitude, avec un cœur élégiaque.

Je reproduis ici, dans la traduction de P. Grimal, les deux passages, distants d'une dizaine de lignes, que Racine raccorde

---

[1] *Introduction à l'étude des textes*, Le Seuil, 1995, p. 283-292.

pour en faire la première phrase de sa Préface. Je les replace dans leur environnement littéral, mais aussi, en explicitant entre crochets certaines connotations fort probables, dans le contexte mental d'une Rome hostile aux rois et aux reines, et qui méprisait les Orientaux et encore plus les Orientales, suspectes de lascivité pernicieuse. Le jeune Titus passait pour cupide et cruel et pour débauché, à cause de ses festins tardifs, « de ses hordes de mignons et d'eunuques, et aussi en raison de son amour connu de tous [il ne s'en cachait même pas !] pour la reine Bérénice [une reine, une Orientale !] à qui même [quel scandale !] il avait, dit-on, promis le mariage [...]. On disait ouvertement que se serait un autre Néron. Mais cette réputation finit par le servir et se changer en de très grandes louanges, lorsqu'on ne découvrit en lui aucun vice, mais au contraire les plus grandes qualités », une fois arrivé au pouvoir. En effet, il ne fut pas trop dépensier ; il choisit de bons amis ; quant à « Bérénice, il la renvoya aussitôt de Rome, malgré lui, malgré elle ». Pourquoi cette dernière précision, dont Racine fera son sujet ? D'une part et peut-être surtout pour une raison littéraire : c'est un beau mot d'auteur. D'autre part sans doute parce que personnellement Titus aurait volontiers gardé près de lui cette compagne de plaisirs, qui ne demandait évidemment qu'à rester la favorite d'un empereur. Et peut-être parce qu'ils s'aimaient bien. Rien de plus : un amour passionnel est tout à fait invraisemblable et pour l'époque et pour des compagnons de débauches.

Les connotations explicitées ci-dessus disparaissent de la phrase que Racine fabrique pour la faire lire dans une tout autre perspective. Il n'est plus question de débauches ni de la conversion morale dont le renvoi de Bérénice fut l'une des manifestations. Le terme de *reine*, qui justifiait cette décision politique, disparaît, et il est « si l'on ose dire [...] remplacé » (M. Charles), au même endroit, par un ajout capital : « Titus, *qui aimait passionnément* Bérénice »... La signification de la suite en est radicalement transformée : *même* introduit maintenant un comble d'amour et non plus de scandale, *malgré lui et malgré elle* annonce une tragédie, et « la mention des premiers jours de l'empire de Titus, loin d'être le rappel de la cause du drame, est le paradoxe : c'est quand Titus peut tout qu'il congédie Bérénice » (M. Charles). Je ne veux pas insinuer que Racine est un faussaire. Je montre qu'un auteur apparemment fidèle à ses sources introduit l'histoire qu'il emprunte dans un autre contexte mental, qui lui donne une autre signification, parfois très différente. De ce même renvoi de Bérénice, le P. Le Moyne (1640) et les Scudéry (1642), qui semblaient eux aussi respecter l'histoire, avaient fait un modèle d'héroïsme, conforme à la mentalité de leur génération.

Mais, dira-t-on, *Iphigénie* et *Phèdre* sont fidèles à Euripide. Beaucoup plus qu'*Andromaque*, en effet, mais non pas entièrement. Outre qu'il supprime le rôle de Ménélas et introduit, à la suite de Rotrou, celui d'Ulysse, Racine, conformément à l'attente de son public, développe dans *Iphigénie* une dimension amoureuse à peine esquissée dans sa source. Et il invente la remarquable Eriphile. Celle-ci est conforme à l'esprit de la tragédie grecque dans son rôle de bouc émissaire conduit à sa perte, à travers ses propres efforts vers le bonheur, par des forces transcendantes. Mais elle y est parfaitement étrangère par sa passion amoureuse qui est, sous un regard augustinien, une figure de la concupiscence perverse finalement détruite par la justice céleste. Elle l'est aussi par sa frustration affective d'orpheline, tournée en intense avidité, qui rappelle celle de son créateur. Enfin, la perspective majeure de la pièce est modifiée : la tragédie patriotique écrite à la veille de la défaite décisive d'Athènes est remplacée par un drame héroïco-galant et pathétique, et la piété l'emporte, alors qu'Euripide mettait en question la cruauté des dieux.

On a remarqué depuis longtemps que l'*Hippolyte* d'Euripide est centré sur ce personnage et sur la contradiction entre son aspiration à la chasteté, sa prétention à refuser l'amour et les nécessités que lui imposent la nature et les dieux. Phèdre n'occupe que la seconde place : c'est l'instrument de la vengeance de Vénus contre l'orgueilleux qui la dédaigne agressivement. C'est accessoirement que la déesse se venge aussi sur cette petite-fille du Soleil, parce que celui-ci avait révélé son adultère avec Mars. Chez Racine, Phèdre domine largement toute la pièce, et Vénus n'est plus qu'une métaphore de la concupiscence qui, selon le christianisme augustinien, travaille irrésistiblement tous les descendants d'Adam et Eve, les conduisant au péché et finalement à leur perte. En simplifiant, je dirai qu'on est passé d'une pièce qui montre que l'homme ne peut ni ne doit refuser la sexualité, à une œuvre qui y dénonce la forme extrême de notre funeste avidité. Du texte grec, Racine n'imite guère que les plaintes de Phèdre mourante, les suppliques de la Nourrice, l'aveu que lui fait la reine (I, 3) et l'affrontement entre le père et le fils, raccourci de moitié (IV, 2). Il s'inspire beaucoup plus de Sénèque, qui avait recentré la tragédie sur la passion concupiscente de la reine : c'est notamment de là que vient la scène capitale de la déclaration.

« *Phèdre* est le résultat [...] d'un exceptionnel *travail* créateur », écrivent C. Delmas et G. Forestier [1]. Racine a « combiné la Phèdre austère, chaste et digne d'Euripide avec la Phèdre furieuse, lascive et coupable de Sénèque » ; « en outre », il a « aussi tiré profit des inflexions modernes apportées au sujet [par ses prédécesseurs du XVIIe siècle] pour la rendre jalouse [...] tout autant que pour lui donner la conscience du péché ; à quoi il faut ajouter la haute idée de ce qu'une reine se doit, apprise chez les reines cornéliennes ». Somme toute le bon élève Racine s'est nourri à tous les rateliers du passé. Et même, « se voulant le dépositaire *moderne* de tout l'art des *Anciens* [...], il a pris le risque de faire une Phèdre contradictoire » à partir de « ces images » différentes. Par chance, ce bricoleur était un fidèle disciple d'Aristote : « L'essentiel de son travail a consisté à donner la plus haute cohérence possible à ce personnage qui, chez un autre, serait demeuré éclaté. Il y était aidé par la poétique classique, qui, depuis Aristote mettait justement l'accent à la fois sur la cohérence des caractères [...], et sur la perfection de la reproduction du caractère choisi [...]. Ce souci d'extrême cohérence lui a fait découvrir que la combinaison *a priori* impossible des images contradictoires de toutes les Phèdres antérieures lui permettait de dépasser ce qu'avait d'incohérent chacune d'entre elles » [2].

Il est incontestable qu'écrire une tragédie classique, c'est imiter une *fable* latine ou grecque qui, dans le cas présent, avait déjà fait l'objet de deux élaborations remarquables et de plusieurs imitations. Reste à savoir pourquoi Racine a choisi cette *fable* là, et pourquoi il en a transformé l'esprit de telle façon. Satisfaits d'avoir tout expliqué par des matériaux et une

---

[1] Plus récemment, dans l'édition de la Pléiade, G. Forestier se montre beaucoup plus nuancé. Il dénonce « le mythe d'un théâtre racinien placé sous les auspices de la tragédie grecque » : « la clé de son esthétique tragique est à chercher non point à Athènes, mais à Paris » (p. XVII et XX). Il maintient à juste titre que Racine est nourri d'Antiquité, notamment de Sophocle et d'Euripide, de Virgile et d'Ovide. Mais peut-on soutenir que « tout le génie racinien est dans l'art de l'imitation » (p. LII) ? Sa biographie, son expérience historique de la condition humaine, la vision de l'homme qui lui fut inculquée ne sont-elles pour rien dans sa connaissance des passions, dans son aptitude à plaire, dans son rapport au langage ?

[2] Edition de *Phèdre*, Gallimard, Folio, 1995, p. 22-23.

méthode venus tout droit de l'Antiquité, nos deux archéologues
font l'économie d'une vision propre à l'auteur. Ils ne se
demandent pas un instant si une pensée vivante n'aurait pas pu
motiver Racine dans une activité qu'ils présentent comme
purement technique. C'est d'autant plus surprenant, ou plutôt
d'autant plus révélateur de nos habitudes universitaires, qu'ils
savent parfaitement que Racine était nourri d'une anthropologie
augustinienne qui conçoit notre personnalité comme l'antinomie
de la conscience et de la concupiscence — ce qui est exactement
la définition de « la fille de Minos et de Pasiphaé ». Cette
formule révélatrice ne vient pas de Sénèque, ni surtout
d'Euripide. Loin de reprendre les anciennes célébrations de
Minos, la littérature athénienne l'a « diffamé et injurié », le
présentant comme un ennemi « dur et cruel » [1], à qui Athènes
devait fournir tous les neuf ans sept jeunes gens et sept jeunes
filles qu'il livrait au Minotaure. Si nous étions entraînés à la
lecture des métaphores chrétiennes comme à celles de la
mythologie, nous verrions tout de suite en Phèdre ainsi nommée
une image des créatures issues de Dieu et du péché originel, et
déchirées entre conscience et concupiscence, entre la loi et la
tentation.

Nul besoin d'attribuer à son auteur une manie
d'entomologiste « dépositaire [...] de tout l'art des Anciens » et
« des images contradictoires de toutes les Phèdres antérieures »,
sauvé de l'incohérence par son zèle aristotélicien : la vision de
l'homme qui s'impose à la plupart de ses contemporains et que
ses maîtres de Port-Royal lui avaient particulièrement inculquée,
suffit pour expliquer son « travail *créateur* » [2]. Cette motivation
vivante (et même terriblement angoissante) est la raison
profonde — moins immédiate certes que le besoin d'offrir au
public un couple tendrement admirable — qui a conduit Racine
à prendre le contrepied de ses chers Anciens, en rendant
Hippolyte amoureux malgré lui : pour les augustiniens, tout
homme, depuis la Chute, est caractérisé par le manque et par
conséquent travaillé par le désir — un désir qui ne peut plus

---

[1] Plutarque, *Thésée*, XVI.

[2] Je reprends l'expression de C. Delmas et G. Forestier : mais c'est le second
terme que je souligne. Jean Pommier accordait encore moins d'initiative à
Racine, et encore plus aux êtres de papier dont il s'inspire : « Chez Racine la
Phèdre d'Euripide a honte de celle de Sénèque », écrit-il, comme si ce chef-
d'œuvre procédait vraiment de la rencontre de deux personnages fictifs vieux de
deux mille ans (*Aspects de Racine*, Nizet, 1954).

s'affranchir de la sensualité. Pourquoi Racine serait-il allé chercher deux mille ans en arrière une motivation et une problématique que lui fournissait son expérience personnelle ? Un architecte va parfois chercher ses matériaux au loin ; mais c'est ici et maintenant qu'il trouve les raisons de ses choix et la structure signifiante de son œuvre.

Ne soyons pas sectaire : mieux vaut combiner l'hypothèse de mes collègues et celle que je propose. Mais ils sont tellement assurés de leur archéologie génétique qu'ils ne songent à aucun moment à une motivation actuelle et vivante. Leur fort bonne préface de vingt pages évoque cinquante fois l'Antiquité [1], mais il y est une seule fois question de « conscience chrétienne » (p. 25-26), bien que cette pièce soit présentée comme une « tragédie sacrée » (p. 24), où l'on trouve — Dieu sait pourquoi — des emprunts » à la liturgie de la messe des morts » (p. 14). *Phèdre* n'est pour eux que « la synthèse la plus accomplie entre l'un des plus remarquables sujets de la tragédie grecque et les apports de la dramaturgie française du XVIIe siècle, synthèse soutenue par une langue poétique exceptionnelle en son temps » (p. 7). Mais si cette poésie elle-même était en partie une métaphore cosmique et mythologique de l'antagonisme de nos principes fondamentaux selon la vision augustinienne, qui anime aussi la dramaturgie de cette tragédie de l'aveu, de la confession et de l'expiation ? Si cette vision était l'âme — invisible, comme souvent — d'un tragique racinien qui n'emprunte guère aux Latins et aux Grecs que les moyens anecdotiques et métaphoriques de son expression ?

---

[1] A travers les termes *Anciens, antique, Antiquité, Aristote, Eschyle, Euripide, grec, romain, Sénèque* et *Sophocle*.

Chapitre 10

Les sources du tragique racinien :
une crise historique de la condition humaine, l'anthropologie
augustinienne et une vie anxiogène

· « *Et qu'est-ce que les romans et les comédies
peuvent avoir de commun avec le jansénisme ? »
demandait Racine un jour qu'il était
particulièrement de mauvaise foi*[1]. « *C'est quoi ton
problème avec Dieu ? » m'écrit Georges Forestier,
qui m'accuse de vouloir réduire tout Racine à ma
« sempiternelle anthropologie augustinienne ».
Comme il faut toujours s'interroger sur les
motivations et intérêts de celui qui parle, essayons
d'y voir clair. Je pense fermement que Dieu n'existe
pas, et je me demande comment certains de mes
amis, dont j'admire l'intelligence, réussissent à y
croire. Je suis donc borné. J'essaie de ne pas
aggraver mon cas en étant de surcroît intolérant,
sectaire, intellectuellement raciste, en refusant de
lire les auteurs du XVIIe siècle à la lumière de la
conception chrétienne de l'homme, qui était
nécessairement plus ou moins la leur. Mais je n'ai
aucun intérêt à faire de la propagande pour Dieu,
ni pour un augustinisme tellement plus
culpabilisateur que l'Évangile, ni pour une Eglise si
souvent compromise avec les puissants tyranniques
et si dure pour les pauvres, les Juifs, les femmes,
pour tous ceux qui n'ont pas de pouvoir, pour tous
ceux qui veulent vivre et penser librement. En juin
1945, quand on apprit que, par un véritable*

---

[1] Lettre à l'auteur des *Hérésies imaginaires*, 1666. *Comédie* signifie ici *pièce
de théâtre.*

> *miracle, j'allais quitter ma ferme crasseuse pour entrer au collège, au collège laïque, ma famille devint le sujet des sermons dominicaux : « On agite une petite bourse aux yeux des parents éblouis, et ils vendent leur enfant à l'école du Diable ! » Ils ne cédèrent pas. « Je ne veux plus vous voir », dit le curé, excédé : « vous êtes excommuniés ». Mais les voies de la Providence sont insondables. Peut-être m'envoyait-elle au collège pour devenir le révélateur de l'augustinisme racinien, et pour en être même, comme les Juifs selon Pascal (Laf. 592 et 615) un témoin non suspect, vu que je n'ai aucun intérêt à soutenir cette thèse.*

Pour comprendre un phénomène, il faut à la fois l'analyser en lui-même, dans le fonctionnement de ses constituants, et le replacer dans son contexte, pour retrouver sa fonction, ses tenants et aboutissants. Les contextes de la création racinienne sont multiples : les règles et traditions de la tragédie ; la mode et l'attente du public ; une culture grecque, latine et chrétienne ; la condition humaine dans la première partie du règne de Louis XIV, perçue à travers une biographie et une personnalité particulières ; la vision de l'homme qui prédominait alors. Les trois premiers contextes ont été bien étudiés ; les deux derniers sont plus difficiles à restituer et donnent lieu à diverses querelles. Or, c'est de là que procède la vision tragique qui est le principe dominant de cette œuvre. Seule une vision historiquement adéquate, saisissant un problème essentiel sous la forme qu'il revêt à ce moment, peut tirer le meilleur parti des thèmes, du genre et des langages correspondants pour constituer cet objet assez cohérent et assez métaphorique pour résister aux réinterprétations : un chef-d'œuvre transhistorique. Ce sont donc ces contextes que j'étudierai ici, pour montrer que la condition humaine dans la seconde moitié du XVIIe siècle est caractérisée par une contradiction insurmontable qui la rend insatisfaisante, que le pessimisme de l'anthropologie augustinienne justifie cette perception d'un homme contradictoire voué à l'insatisfaction, et que Racine fit de tout cela une expérience particulièrement marquante.

A première vue, Racine a réussi au-delà de toute espérance, et l'époque où il écrit ses tragédies est un moment heureux. Après vingt quatre ans de guerre et la domination de deux ministres détestés, la France retrouve la paix sous un roi qui fait l'admiration générale, et ne repart en guerre que pour consolider sa domination européenne. Mais il faut bien constater que les écrivains et moralistes des années 1660-1680 sont radicalement pessimistes. Et il faut tenter de l'expliquer. Mon hypothèse [1] est que sous une apparence pleinement satisfaisante se poursuit une grave crise du sens que les efforts de reconstruction, les affrontements et même les difficultés — autant de *divertissements* dirait Pascal — avaient masquée dans la première moitié du siècle. Nous ne sommes des êtres naturels que par notre corps. Notre pensée, notre conscience morale, notre affectivité, nos aspirations, nos goûts, même s'ils sont conditionnés par nos possibilités physiologiques, résultent surtout de l'intégration d'une civilisation, de l'appropriation d'un patrimoine socio-culturel, de tout un ensemble de repères, de normes, de valeurs, de rapports au monde (par la science, la technique, l'économie), aux autres (par la vie sociale), aux pouvoirs (par l'organisation politique), aux valeurs et à Dieu (par l'idéologie, la morale, la religion) et à soi-même (par la conscience et l'image de soi et par la régulation du désir).

Ces rapports évoluent lentement. Mais parfois, au terme d'un long processus historique, ils ont tellement changé que la réalité pratique de certains d'entre-eux est devenue très différente sinon inverse de ce qu'elle était naguère et de ce que sont encore les traditions, les institutions et l'idéologie où ils s'inscrivaient. On entre alors dans une période de crise de la civilisation et de la personnalité historique des hommes. Deux systèmes de repères, de normes, de valeurs coexistent conflictuellement, définissant différemment le vrai, le bien, le juste. Il n'y a pas seulement conflit entre de jeunes loups et de vieilles barbes, mais déchirure à l'intérieur de la personnalité : l'ancien système surplombe et hante encore la conscience, mais perd prise sur les réalités ; c'est le nouveau qui anime les désirs et qui démontre son efficacité, mais il reste réprouvé par la morale et par la raison. Bref, ce qui est fructueux selon l'un des systèmes se révèle inefficace ou pernicieux dans l'autre. Cette contradiction s'inscrit à l'intérieur de la personnalité : les anciennes normes intégrées dans la raison et la conscience

---

[1] Je développerai cette hypothèse dans un livre intitulé *Le XVIIe siècle : une révolution de la condition humaine*, à paraître aux éditions du Seuil à l'automne 2000.

irritent l'impatience des nouveaux désirs ; ceux ci peuvent se révolter, mais leur audace suscite une intime angoisse, sinon un réprobation, et leur avidité mal régulée peut en effet conduire à la catastrophe appréhendée : celle qui frappe Œdipe, Faust, Macbeth ou Don Juan.

Une telle révolution de la condition humaine intervint en Grèce au -Ve siècle, comme on l'a vu, au chapitre précédent.

Elle nourrit les possibilités de la tragédie, qui permet de mettre en scène les conflits fondamentaux, de les exorciser, de proposer un nouvel équilibre des valeurs, de modérer les désirs et de calmer les angoisses, puisque, « en représentant la pitié et la frayeur, elle réalise l'épuration de ce genre d'émotions » [1]. Puis la tragédie disparaît quasiment pendant deux mille ans pour refleurir vigoureusement, dans l'Espagne de Lope de Vega et Calderón, l'Angleterre de Shakespeare et Marlowe, la France de Garnier, Corneille et Racine. Cette résurrection coïncide avec une nouvelle inversion des rapports constitutifs de la condition et de la personnalité humaines, qui s'est produite dans une Europe atlantique dynamisée par l'exploitation des nouveaux mondes et la redécouverte de la pensée antique, entre le siècle de la Renaissance et de la Réforme, qui introduit de nouvelles aspirations sans pouvoir les faire triompher — sauf en Angleterre et dans les Provinces-Unies — et le siècle des Lumières, qui aboutit à la Révolution, c'est-à-dire à la prise du pouvoir par les forces nouvelles [2]. Ce bouleversement est certes plus sensible chez Garnier et ses contemporains ou chez les dramaturges élisabéthains et espagnols qu'il ne l'est sous la sublimation parfaitement polie de la tragédie racinienne. Mais pour être formellement résolu, il n'en reste pas moins fondateur.

Ce qui caractérise l'ancienne condition humaine, encore largement dominante parmi les élites françaises en 1630, c'est une soumission et une adhésion aux diverses formes d'un ordre préétabli, qui définit la place de chacun : l'ordre divin, dont nous sommes les créatures ; l'ordre naturel, dont nous sommes des membres microcosmiques ; une société hiérarchisée, organisée en communautés et fidélités, qui définissent la place de chacun et même sa personnalité ; une pensée déduite des dogmes fondateurs de la Bible, d'Aristote, d'Hippocrate, etc., des traditions et coutumes qui régissent les comportements.

---

[1] Aristote, *Poétique*, 1449 b.

[2] En Angleterre et en Hollande, cette révolution se produit, sous une forme moins radicale, dès le XVIIe siècle.

Mais si je me place en 1685, tout a tellement changé que les élites ont commencé à évoluer de la soumission à un ordre préétabli vers l'initiative créatrice, dans une condition qu'elles maîtrisent — sauf sur le plan politique. Ces gens ne vivent plus sur leurs terres, dans un milieu naturel, mais dans un monde entièrement fabriqué par l'homme. Leur comportement n'est plus dominé par leurs pulsions : ils le calculent pour séduire et parvenir à leurs fins. La hiérarchie héritée de la naissance subsiste, mais elle est concurrencée par celles que l'on se construit par l'argent, par la faveur ou même par son travail dans le cursus des fonctions administratives. A la cour, dans les salons, il s'agit moins de s'affirmer par des qualités héritées, que de se donner une valeur marchande, de séduire par l'art de plaire. Ce ne sont plus les dogmes originels qui garantissent la vérité, comme conformité à un ordre supérieur, en amont ; ce sont des validations expérimentales, comme preuves d'efficacité, en aval. On s'émancipe tellement de l'ordre hérité que quelques-uns, comme Richard Simon, commencent même à soumettre la Bible, la parole de Dieu, à l'examen critique de sa créature. Locke et Bayle proclament que ce qui garantit la validité de la foi, ce n'est pas la soumission à l'orthodoxie, nécessairement relative au pouvoir qui la définit, mais la sincérité de la conscience, même si elle se trompe.

Ainsi, en l'espace d'une génération ou deux, les hommes ont plus ou moins inversé leur rapport à leur condition. C'était auparavant une soumission à l'ordre constitutif de la création divine, de la nature, d'une pensée dogmatique et d'une société de subordination à une hiérarchie héréditaire. Le désir, l'initiative étaient subversifs, et l'émancipation criminelle. Le péché d'Adam avait consisté en ce qu'il « voulait s'élever par dessus sa condition et ne reconnaître plus la soumission qu'il devait à Dieu, mais vivre indépendant comme lui »[1]. Et voici que les hommes prétendent créer leur condition ou du moins la modifier selon leurs désirs, pour leur profit et leur bonheur. Cette inversion se remarque chez le seul philosophe important contemporain de Racine, Malebranche, qui aurait dû en être préservé par son attachement à la tradition chrétienne. Jusqu'en 1677, il considère que la motivation des hommes est ou doit être l'amour de l'Ordre divin. Mais par la suite sa position s'inverse, et de plus en plus nettement : notre seule motivation possible est le désir naturel et invincible d'être heureux. « On ne

---

[1] Saint-Cyran, *La Théologie familière*, III.

peut aimer que ce qui plaît ; si on aime l'ordre, c'est que la nécessité de l'ordre plaît » [1].

La condition humaine a plus ou moins cessé d'être un héritage, une tradition, une adhésion à un ordre antérieur et supérieur, pour devenir plutôt une stratégie où chacun, mû par son *désir*, par *l'amour de soi*, recherche son *utilité*, son *intérêt* — en entendant par ces mots tout ce qui va du *profit* matériel ou social au bonheur et même à la satisfaction de la *libre conscience*. Or, tous les mots que je viens de souligner correspondent à des notions traditionnellement honnies, car elles désignent des aspirations individuelles, particulières, subversives pour l'ordre général, et certaines renvoient de plus aux motivations matérielles et intéressées propres aux classes inférieures, et d'autres au péché originel.

La révolution que constitue la reconnaissance de ces principes jusque là détestés se situe entre Descartes et Bayle, c'est-à-dire dans la période où domine en effet un antihumanisme tragique. Il y avait eu des précurseurs, mais ils étaient significativement rejetés. Marchands et banquiers se réclamaient depuis toujours de l'utilité pour chercher leur profit ; mais ils étaient méprisés. Thomas d'Aquin, qui est un esprit ouvert, affirme que « le négoce [...] a quelque chose de honteux », et en 1601 encore, Laffemas, conseiller d'Henri IV, qui veut promouvoir le commerce, constate « le mépris » dont le marchand est l'objet en France, alors qu'il est honoré dans d'autres pays. De son côté, Machiavel avait accompli une révolution radicale en plaçant la politique sous le signe de l'efficacité intéressée, et non plus de la morale et de la religion. Mais il était honni, même si dans la pratique tous les dirigeants avaient adopté cette nouvelle attitude, dans un monde de concurrences nationalistes, déjà plus proche du temps des affaires que du temps des croisades.

Montaigne est encore un héritier de la tradition. Pour lui, « Nature est un doux guide » (III, 13) et il veut « suivre Nature » et s'y soumettre au point de considérer que « philosopher c'est apprendre à mourir » (I, 20). Conformément à la tradition, il oppose fermement l'*utile* à l'*honnête*, et rapproche le premier terme de *duplicité*, *perfidie*, *abject*, *vicieux*, *honteux*, *ignominie*, *prostitution de conscience* (III, 1). Pour Descartes au contraire, « la fin de la philosophie [...] n'était autre que l'utilité du genre humain », pour reprendre une formule de son biographe Baillet

---

[1] *Traité de l'amour de Dieu*, 1697, éd. Robinet, p. 79.

(1691), et sa grande ambition est de construire une science capable de « nous rendre comme maîtres et possesseurs de la nature » [1]. Bien que Richelieu soit grand dignitaire de l'Eglise, c'est l'utilité temporelle qui est le critère de sa politique. Et le but du nouvel *honnête homme* qui s'affirme à partir de 1630 est la rentabilité sociale et symbolique de son comportement. Au XVIIIe siècle, tous les termes détestables soulignés dans la page précédente deviendront des critères de valeur, non seulement pour la prospérité économique, mais pour la vie morale. « Toutes les vertus ne sont telles que parce qu'elles apportent quelque utilité aux hommes » [2]. « L'amour de soi est la seule base sur laquelle on puisse jeter les fondements d'une morale utile » et « des motifs d'intérêts personnels maniés avec adresse par un législateur habile, suffisent pour former des hommes vertueux » [3].

Cette révolution de la condition humaine, ce passage d'un ordre naturel et métaphysique préétabli (auquel on cherchait à se conformer jusqu'à y soumettre ses aspirations) à un ordre économique et politique créé par les hommes pour satisfaire leurs désirs, s'est fait à des moments différents selon les domaines, et non sans péripéties. Seules nous intéressent ici celles de la transformation de la psychologie morale. On distingue clairement cinq étapes : l'extraordinaire élan humaniste de la Renaissance ; la ruine de cette confiance en l'homme, dont les entreprises inconsidérées ont conduit à trente-deux ans de guerre civile ; le retour de la confiance et son épanouissement dans le dynamisme héroïque de l'époque de Descartes et Richelieu ; le pessimisme antihumaniste qui s'accroît au long des années 1640, assurant le succès de Jansénius et de Port-Royal, puis aboutissant à une nouvelle psychologie à partir de La Rochefoucauld. Ce pessimisme se maintient et même s'approfondit sous la splendeur louis-quatorzienne (nous verrons pourquoi), avant le triomphe, au siècle des Lumières, d'un nouvel humanisme qui aura les moyens de s'imposer concrètement. Je parlerai un peu du dynamisme de la troisième étape, pour mieux souligner la gravité de la dépression qui suit, que j'analyserai plus longuement.

---

[1] *Discours de la méthode*, VI.
[2] Gilbert, *Histoire de Caléjava*, 1700, p. 221.
[3] Helvétius, *De l'esprit* (1758), II, 24.

Les aspirations à l'épanouissement dans la puissance et le bonheur, apparues à la Renaissance, puis ruinées par les guerres de religion, s'affirment de nouveau avec un optimisme extraordinaire entre 1624 et 1642 [1]. Parce qu'ils se battent pour construire un ordre nouveau dans une exaltation qui décuple leurs facultés, Richelieu, Descartes ou le créateur de Rodrigue, Horace, Auguste et Polyeucte, croient que l'homme est maître de lui-même [2], et que ses tendances le portent spontanément au bien. Nos passions « sont toutes bonnes de leur nature » [3] ; elles nous fournissent notre énergie, qui fait « les grandes vertus et les hommes extraordinaires » [4]. « Je ne fais aucun doute que nous ne puissions véritablement aimer Dieu par la seule force de notre nature » [5], et réaliser nos idéaux en cette vie. Par conséquent, « c'est l'une de nos propriétés de faire l'acquêt de notre bonheur par notre industrie » [6]. En attendant « la souveraine félicité de l'autre vie », assez facile à mériter, nous pouvons jouir d'une « béatitude naturelle », d'une « parfaite félicité », qui « dépend entièrement de notre libre-arbitre et que tous les hommes peuvent acquérir sans aucune assistance d'ailleurs » [7].

Cet extraordinaire optimisme laisse brusquement place, vers 1640, à une vision fort pessimiste de la nature humaine, que vont confirmer et répandre l'influence de l'*Augustinus*, le comportement de Mazarin et de ses adversaires, les excès et l'échec de la Fronde. Le dynamisme des années trente s'exerçait en deux directions opposées : la maîtrise temporelle, par l'action politique, scientifique et technique, et le renouveau d'une

---

[1] Elles persistent après cette date chez Descartes, qui ne vit pas en France, mais en Hollande, où l'affirmation des nouvelles tendances assure déjà la satisfaction dans la prospérité, fruit de la concurrence des libres initiatives.

[2] Notre « libre-arbitre [...] nous rend en quelque façon pareils à Dieu, et semble nous exempter de lui être sujets » (Descartes, 20 novembre 1647).
   Je suis maître de moi comme de l'univers.
                    (Corneille, *Cinna*, v. 1696)
Signe des temps : en 1670, Corneille ruinera lui-même cette proclamation :
   Maître de l'univers sans l'être de moi-même...
                    (*Tite et Bérénice*, v. 407)

[3] Descartes, *Les Passions de l'âme* (1649), art. 211.

[4] Le P. Le Moyne, *Les Peintures morales*, 1640.

[5] Descartes, lettre du 1er février 1647.

[6] Le P. Yves de Paris, *Morales chrétiennes*, t. I, p. 10 (1638).

[7] Descartes, lettres du 18 mai, du 21 juillet et du 4 août 1645.

religion exigeante, hostile aux fausses valeurs de ce monde, et surtout aux compromissions morales que les politiques acceptent en leur faveur. Le conflit entre ces deux tendances est si vif que Richelieu, après avoir emprisonné le garde des sceaux Marillac (1630) et fait exécuter son frère le maréchal (1632), fait arrêter celui qu'il considère comme leur successeur à la tête du parti dévot, Saint-Cyran. Mais, tandis que le pouvoir, contraint par les besoins de la guerre à des mesures très sévères, est ressenti comme une tyrannie, le prestige du prisonnier se répand parmi une élite qui commence à douter de la validité de l'action en ce monde. Dès 1637, Antoine Le Maistre — que le jeune Racine, jusqu'à seize ans au moins, appellera son « papa » — renonce à sa brillante carrière d'avocat, et au bel avenir politique qu'on lui prévoyait. Il se retire, avec quelques autres personnes d'élite, auprès du monastère de Port-Royal.

En août 1640 paraît à Louvain l'*Augustinus* de Jansénius, très sévère pour la vie en ce monde et pour notre « nature corrompue » par le péché originel. Irrésistiblement soumise au désir, même quand la raison le condamne, elle « n'a point de liberté à faire le bien » et ne peut que « faire le mal volontairement », à moins que ce même désir ne soit attiré par la délectation de la grâce, qui est « un secours actuel de Dieu, nécessaire pour chaque bonne action ». Au total, notre comportement est si peccamineux que, malgré des différences toutes relatives, nous méritons tous « une très juste damnation » éternelle. C'est par pure miséricorde que « Dieu en délivre quelques-uns »[1]. L'*Augustinus* est reçu en France comme la lumineuse explication de ce qu'on y ressent : malgré onze cents pages in-folio très serrées de dissertations abstruses en latin, il est aussitôt réimprimé à Paris (décembre 1640 ou janvier 1641) puis à Rouen (1643). Malgré sa condamnation par l'Eglise et l'Etat, il exercera une profonde influence, et presque tous les grands écrivains des années 1660-1680 seront des amis ou admirateurs de Port-Royal, haut lieu du « jansénisme ».

La vigueur de Richelieu et de ses adversaires avait soutenu la mentalité héroïque ; le machiavélisme de Mazarin — qui lui succède en 1643 —, le mépris dont il est l'objet, la prétentieuse médiocrité de ses opposants, aggravent le pessimisme antihumaniste. Toute la psychologie, toute la conception de l'homme bascule dans les années 1650, quand les caprices meurtriers des principaux Frondeurs ruinent l'image des nobles

---

[1] Arnauld, *Apologie pour Jansénius*, 1644 et 1645.

et montrent qu'ils n'ont généralement d'autre motivation que l'intérêt. Leur défaite est la victoire de Mazarin, champion de la politique machiavélienne, et celle des financiers, devenus tellement nécessaires à l'Etat qu'ils en sont les maîtres. Sous l'absolutisme triomphant, les fils des anciens héros ne sont plus que des courtisans : leur vie consiste dans une concurrence pour la faveur. Ainsi, un peu partout le comportement est devenu une stratégie intéressée. C'est ce que souligne La Rochefoucauld dès sa première maxime, où il proclame la fausseté de la vision de l'homme qui triomphait vingt cinq ans plus tôt : « Ce que nous prenons pour des vertus n'est souvent qu'un *assemblage* de diverses actions et de divers *intérêts*, que la fortune ou notre *industrie* savent *arranger* » (M. 1). La nature humaine est ainsi faite, considère-t-on désormais, qu' « en vouloir bannir l'intérêt, ce serait vouloir ôter d'une machine les ressorts qui la font mouvoir » [1].

Cette stratégie intéressée annonce le comportement et la psychologie de l'ère libérale : la révolution dont je parle est bien le passage du féodalisme à un libéralisme [2] qui ne s'imposera que plus tard aux plans économique et politique, mais qui fonctionne déjà dans la vie relationnelle. Ses motivations dominent la mentalité des gens du monde, et constituent le thème principal de la littérature entre 1660 et 1680. Le développement de Paris, de la cour et des salons a déraciné les nobles pour les jeter, avec d'autres élites, sur un marché de libre concurrence où il ne s'agit pas d'être, mais de faire valoir son paraître et ses talents flatteurs pour en tirer profit. Comme le dit Madame de Motteville, « la maison des rois est comme un grand marché, où il faut nécessairement aller trafiquer pour nos intérêts » [3]. Un marché où la concurrence est vive : « Tout en un temps, il faut songer aux moyens de conserver ce que nous possédons, d'acquérir ce qui nous manque, de rendre vains les efforts de ceux qui nous contrarient, de surmonter la haine et l'envie, de reculer ceux qui sont devant nous, d'arrêter ceux qui nous suivent », lit-on dans les avertissements que Faret donne à son honnête homme [4]. Pour tirer le meilleur parti de la vie de

---

[1] Jean de Silhon, *Le Ministre d'Etat*, 1661 (éd. de 1662, p. 78).

[2] On pourrait présenter le XVIIe siècle comme le passage de Don Quichotte, chevalier tragiquement désuet (1605-1615) à Robinson Crusoé, qui s'épanouit dans l'invention de l'entreprise capitaliste (1719).

[3] *Mémoires*, coll. Petitot, t. 37, p. 247.

[4] *L'honnête homme ou L'Art de plaire à la cour* (1630). Ed. Magendie, p. 70.

salon, il faut se faire stratège sans scrupules, comme Célimène. Il n'y a pas de place, dans ce nouvel univers, pour un adepte des anciennes vertus, comme Alceste.

Mais cette nouvelle société, ce nouveau comportement et ses motivations — l'intérêt, l'amour de soi, le désir — se heurtent à deux contradictions. D'une part, ils sont radicalement condamnés par la morale et la religion — et encore plus qu'ailleurs à Port-Royal, antipode de la cour et du monde, où se sont retirés ceux qui en refusent les compromissions [1] : c'est le moment de rappeler que Racine y fut formé avant de se précipiter dans le monde et à la cour. D'autre part ce comportement contraignant, qui se révélera tellement fécond dans la concurrence de la libre entreprise, où la recherche de l'intérêt particulier produit la prospérité générale [2], est stérile ou même prédateur dans la concurrence pour la faveur, où l'on ne peut augmenter sa part qu'au détriment des autres. Ainsi, les gens que nous décrit *La Princesse de Clèves* sont absorbés dans les intrigues épuisantes et frustrantes de l'ambition courtisane et de l'amour donjuanesque : « on songeait à s'élever, à plaire, à servir ou à nuire ». Mais « la cour ne rend pas content ; elle empêche qu'on ne le soit ailleurs », dira La Bruyère (VIII, 8).

Ajoutons que l'absolutisme louis-quatorzien s'impose à l'admiration, empêchant de chercher une explication politique à une insatisfaction qui ne peut donc avoir d'autre cause que notre corruption naturelle. Et cette admiration non plus n'est pas vraiment satisfaisante, parce que le régime est assujettissant, et parce qu'il se présente comme un ordre parfait [3], achevé : il

---

[1] « Il suffit que le monde souffre et approuve une chose pour pouvoir conclure qu'un chrétien doit l'éviter et la condamner, car qui ne sait que le monde est l'ennemi irréconciliable de Jésus-Christ, et que ses sentiments sont si opposés à ses maximes qu'il est impossible d'observer les lois de l'un sans violer celles de l'autre ». (Jacques Boileau, *De l'abus des nudités de gorge*, 1675, début).

[2] Nicole comprend cela dès 1675, et Boisguillebert l'affirmera clairement en 1707, soixante neuf ans avant Adam Smith. Bien que « le seul désir de profit soit l'âme de tous les marchés », ces échanges que tous « entretiennent nuit et jour par leur intérêt particulier [...] forment en même temps, quoique ce soit à quoi ils songent le moins, le bien général de qui, malgré qu'ils en aient, ils doivent toujours attendre leur utilité singulière » (*Dissertation sur la nature des richesses*, V ; éd. Hecht, t. II, p. 826).

[3] Le désir est toujours altéré, et la contemplation de la perfection même ne saurait le satisfaire, puisqu'elle prétend le fixer. Selon son fils, Racine admirait particulièrement ces vers de Corneille :

L'ambition déplaît, quand elle est assouvie,

n'y a plus rien de grand à entreprendre, ni même à rêver —
comme au temps de Richelieu et de Rodrigue. Le rêve serait
d'être reconnu par la valeur : mais pour l'augustinisme
dominant, la seule valeur véritable est une transcendance qui
nous est radicalement inaccessible, sauf intervention de la grâce.
C'est l'impossibilité de transformer la réalité de leur condition
(que ce soit par l'action économique à laquelle ils ne pensaient
pas encore, ou par l'action politique, impossible sous
l'absolutisme triomphant, et impensable dans un régime perçu
comme parfait) et même de s'en délivrer auprès d'un Sauveur
devenu inaccessible, qui a conduit les Français des années 1660-
1680 à s'en libérer dans sa représentation, à la sublimer dans
l'art, à compenser la crise de l'être historique dans la maîtrise du
rôle théâtral et du paraître esthétique, dans la structure close et
le style abstrait d'œuvres qui ne cherchent pas à agir sur le
monde, comme bientôt celles des philosophes, mais à offrir la
cérémonie autarcique d'un univers de secours.

Les écrivains et moralistes des années 1660-1680 ont tous
à peu près la même vision pessimiste sinon tragique de
l'homme : c'est un être animé d'une intense avidité égocentrique
qu'il ne peut satisfaire ; d'où une intolérable frustration, source
de violence tyrannique, de désespoir torturant, de vains
« divertissements » où l'on cherche l'oubli. Ce qui distingue les
différents auteurs, c'est seulement qu'ils n'abordent pas cette
avidité et ses conséquences dans le même domaine, par les
mêmes moyens ni dans la même perspective. Les-uns
l'analysent, notamment sous le nom d'amour-propre (La
Rochefoucauld, Pascal, Boileau, Bossuet, Nicole et plus tard La
Bruyère). Les autres le mettent en scène : comme appétit de
pouvoir des lions, loups et renards, ou prétention des rats et des
grenouilles (La Fontaine) ; comme égocentrisme absolutiste
(Alceste), monomanie tyrannique (Arnolphe, Harpagon,
Jourdain, Argan) ou fourberie profiteuse (Tartuffe, Dom Juan
et tant de petits escrocs) ; comme principes des intrigues de
l'amour et de la vie de cour, comme impossibilité de réaliser son
idéal et de résister au désir (Mme de Lafayette) ; ou comme

D'une contraire ardeur son ardeur est suivie,
Et comme notre esprit jusqu'au dernier soupir
Toujours vers quelque objet pousse quelque désir,
Il se ramène en soi n'ayant plus où se prendre,
Et monté sur le faîte, il aspire à descendre.

(*Cinna*, v. 365-370)

besoin de s'imposer, d'être reconnu et aimé, comme aspiration à l'inaccessible bonheur (Racine) [1]. Même un auteur comme Guez de Balzac, naguère chantre d'un humanisme héroïque, parle maintenant d'un homme déchu : « le mal est dans son être », « la concupiscence règle tous les mouvements de son âme […]. Sa raison en est l'esclave » [2].

La psychologie de Montaigne, d'Honoré d'Urfé, de Descartes ou du premier Corneille ne permettait pas de comprendre ces nouveaux comportements. Pour les analyser et les expliquer, les contemporains se sont tournés vers une autre anthropologie qu'ils connaissaient bien, qui jouissait d'une grande autorité, mais qui n'inspirait jusqu'alors que les auteurs religieux, celle de saint Augustin, où le principe de nos sentiments et comportements est l'amour de soi déréglé, fauteur de concupiscence et de passions funestes [3].

Notre regard n'est jamais neutre : c'est aussi un jugement qui favorise ou réprouve ce qu'il observe. Hobbes et Spinoza, témoins de sociétés où la révolution libérale et bourgeoise se

---

[1] De son côté, Ferdinand Alquié trouve « dans toutes les philosophies de ce siècle » « une tension et […] un tragique insurmontables », parce que l'homme leur apparaît comme divisé entre un corps et une âme antagonistes, et placé comme « un milieu entre l'être et le néant » (*Les philosophes du XVIIe siècle, XVIIe siècle*, 1962, p. 49-50).

[2] *Aristippe ou De la Cour*, rédigé entre 1651 et 1654.

[3] On pourrait qualifier le nouveau comportement d'*égocentrisme*. Mais ce terme ne sera inventé qu'au début de notre siècle. Même *égoïsme* n'apparaîtra qu'en 1743 (*égoïste* en 1721). C'est pourquoi les contemporains empruntent à la psychologie augustinienne le terme d'*amour propre* ou *amour de soi*, fréquent chez les moralistes religieux pour désigner le coupable narcissisme de la créature déchue, mais rare jusque là chez les moralistes laïcs (deux emplois dans les *Essais* de Montaigne, deux autres dans l'*Astrée*), alors qu'il passera pour notre principe même à partir de La Rochefoucauld.

L'audience de saint Augustin s'accroît très fortement à partir de 1640. Dans les inventaires après décès rédigés entre 1601 et 1641 (qui correspondent à des achats réalisés en moyenne trente ans plus tôt), il vient déjà nettement en tête des auteurs religieux, avec une fréquence supérieure de 58 % à celle de saint Thomas, et à lui seul un cinquième de celles de tous les docteurs de l'Eglise. Les inventaires rédigés entre 1642 et 1670 font apparaître un accroissement de 5 % (tandis que saint Thomas recule de 20 %, tout comme la Bible). En 1671-1700, cet accroissement atteint 126 % tandis que saint Thomas, la Bible ou les autres pères n'ont augmenté que de 50 % par rapport à la première série. A cette époque, on trouve un exemplaire d'Augustin pour deux Bibles (H-J. Martin, *Livre, pouvoirs et société à Paris au XVIIe siècle*, Droz, 1969).

fait dès le XVIIe siècle, élaborent une anthropologie nouvelle, fondée sur le désir comme principe positif, qui souligne la fécondité des nouveaux comportements. En revanche, les moralistes français de 1660, qui regardent leurs contemporains à travers l'anthropologie de saint Augustin, résolument culpabilisatrice du désir et dépréciatrice des biens de ce monde, accentuent à la fois leur avidité et l'impossibilité de la satisfaire, puisqu'ils réprouvent les forces qui les animent. Se sentir insatisfait et coupable, et être incapable d'échapper à sa nature corrompue, « vouloir et ne pouvoir », « avidité et [...] impuissance », telle est pour eux la tragique antinomie de la condition humaine. « Tous les hommes recherchent d'être heureux. Cela est sans exception, quelques différents moyens qu'ils y emploient [...]. La volonté ne fait jamais la moindre démarche que vers cet objet [...]. Et cependant [...] jamais personne, sans la foi, n'est arrivé à ce point où tous visent continuellement » [1]. La Rochefoucauld montre que l'homme est animé d'un amour-propre protéiforme et insaisissable. Pascal le déclare contradictoire et incompréhensible sans sa déchéance par le péché originel. Ils ne se contentent pas de refuser la conception traditionnelle de l'homme, ils proposent une « anthropologie négative », pour reprendre l'expression de K. Stierle [2].

*
*   *

Le théâtre racinien, dans ses moments tragiques, souligne l'avide insatisfaction de personnages épris de figures idéales qui leur sont inaccessibles. Il procède d'une vision de l'homme radicalement pessimiste : nous sommes dominés par nos passions qui nous rendent tyranniques et malheureux parce

---

[1] Pascal, *Pensées*, Laf. 75 et 148. On retrouve la même affirmation chez la plupart des moralistes de l'époque : « Nous voulons tous être heureux, et il n'y a rien en nous ni de plus intime, ni de plus fort, ni de plus naturel que ce désir ». « On ne veut que cela et on veut tout pour cela » (Bossuet, 1668 et 1698). « La volonté, en tant qu'elle est capable d'aimer, n'est que l'amour du bonheur, et [...] tout ce que les hommes font de bien et de mal, c'est à cause qu'ils veulent être heureux » (Malebranche 15 février 1700). Mais, en ce monde, « il faut rire avant que d'être heureux, de peur de mourir sans avoir ri » (La Bruyère, XI, 23).
[2] *Französische Klassik*, München, 1985, p. 81-133.

qu'elles ne peuvent accéder au bonheur qu'elles visent. Si l'on recherche la motivation morale sous la fiction poétique, on peut même dire que cette passion est vouée à l'échec à cause d'une faute antérieure (chez Pyrrhus, destructeur de Troie et chez la meurtrière Athalie), d'un vice de nature (chez Néron, Roxane, Aman) ou d'une sorte de péché originel (dans la conception d'Etéocle et Polynice, fils de l'inceste, d'Eriphile, fruit de l'adultère, ou de Phèdre, fille de la libidineuse Pasiphaé). Leur passion même est l'intense aspiration à être délivrés des conséquences de cette chute en étant reconnus et aimés par un être supérieur. C'est bien ce que dit le christianisme de l'époque — qui est alors la seule conception de l'homme disponible. Comme elle a été particulièrement inculquée à l'élève de Port-Royal, l'inspiration fondamentalement chrétienne de sa vision tragique devrait être une évidence. Comme ce n'est pas le cas, je vais m'attacher à le démontrer et à réfuter les arguments inadéquats par lesquels on la refuse.

Périodiquement, certains prétendent que la vision racinienne de l'homme est « janséniste ». A chaque fois, d'autres démontrent savamment que non : la doctrine « janséniste » ne se retrouve pas dans ses tragédies, dont plusieurs passages la contredisent ; ceux que l'on cite pour le prétendre s'expliquent parfaitement par leurs sources grecques. En apparence, la vérification expérimentale a tranché. En fait, non. Car « toute expérience est réponse à une question, et si la question est stupide, il y a peu de chances que la réponse le soit moins » [1]. Que le fantôme de la théologie « janséniste » soit absent d'une œuvre qui est d'un ordre tout différent, ne prouve nullement que cette œuvre n'exprime pas, sous des métaphores fatalistes ou mythologiques, l'anthropologie morale augustinienne.

Parler de « jansénisme », comme le font même les actuels amis de Port-Royal, sans employer les guillemets qui signalent une distanciation, est un scandale. Contrairement par exemple aux protestants ou aux impressionnistes, qui ont fini par accepter puis revendiquer une appellation inventée pour les discréditer, les admirateurs de Jansénius n'ont jamais accepté cette dénomination. Ils parlent du « prétendu jansénisme », du « ridicule fantôme du jansénisme » [2], et ce refus fut l'un de leurs principaux combats. Pour eux, l'*Augustinus*, comme l'indique

---

[1] R. Thom, dans J. Hamburger, *La Philosophie des sciences aujourd'hui*, p. 17.
[2] Nicolas Fontaine, *Mémoires*, t. II, p. 404.

son titre [1], n'est qu'un exposé de la doctrine de saint Augustin, c'est-à-dire de la meilleure explication du christianisme. Il ne s'agit pas d'une querelle de mots, mais d'un enjeu capital, car le terme de « jansénisme » ne peut désigner qu'une doctrine particulière, différente de la croyance commune de l'Eglise, c'est-à-dire une hérésie. Ceux qu'on accusait d'être « jansénistes » condamnaient fermement les cinq propositions contenant les erreurs de cette prétendue doctrine ; ils faisaient observer qu'elles ne figuraient pas textuellement chez Jansénius et les déclaraient contraires à sa pensée. La postérité leur a donné en bonne partie raison.

Ce qu'on reprochait à l'*Augustinus*, c'était des erreurs sur le rapport entre la grâce et le libre-arbitre et sur l'étendue du rachat de l'humanité par le sacrifice du Christ. C'est-à-dire que le différend portait sur des problèmes philosophiques et théologiques dont une œuvre littéraire n'avait pas à connaître, et qu'il lui était même interdit d'évoquer. De plus, si les prétendus « jansénistes » donnent parfois, comme bien d'autres, des formulations un peu particulières du christianisme, elles varient d'un individu à l'autre : il n'y a pas de corps de doctrine que l'on puisse définir, mais un « ensemble flou » (Jean Orcibal). On peut seulement parler de défenseurs de Jansénius et d'amis de Port-Royal. L'unité du groupe vient surtout de la dénonciation et de la persécution dont il est l'objet.

Enfin les raisons de l'hostilité vigoureuse et parfois acharnée du gouvernement, de l'Eglise et des Jésuites contre les « jansénistes » sont principalement politiques, au sens mesquin comme au sens large et noble de ce mot. Soucieuse d'équilibre et même de pluralisme, Rome ne souhaite pas laisser à saint Augustin le monopole doctrinal que certains lui accordent — et ce d'autant moins qu'il a grand crédit chez les réformés. Jansénius et Port-Royal, qui rompent avec le monde, insistent sur un aspect du christianisme ancien dont l'Eglise vivante, s'adaptant au monde moderne, est en train de se détourner — et les Jésuites poussent résolument à cet *aggiornamento* et même à une complaisance pour les dirigeants de ce bas monde. Quant à l'Etat, il a depuis 1630 une politique résolument nationaliste et

---

[1] *Augustinus, seu doctrina S. Augustini de humanae naturae sanitate, aegritudine, medicina, adversus Pelagianos et Massilienses* (titre de l'édition de Paris, 1640 ou 1641). En fait, la fidélité de cette systématisation, à la limite impossible, est évidemment relative. Mais ses admirateurs ne s'en rendaient pas compte.

utilitaire, voire machiavélienne — jusqu'à s'allier aux puissances protestantes pour entrer en guerre, de 1635 à 1659, contre l'Espagne catholique. Saint-Cyran, directeur spirituel de Port-Royal, s'était vigoureusement opposé à cette politique, dénoncée par Jansénius dans un violent pamphlet, *Mars Gallicus* (1635). Ajoutons que l'Eglise, dépositaire du message du Christ, admettait fort mal qu'Arnauld ou tel autre intellectuel port-royaliste prétendît avoir sa version d'une vérité dont elle avait le monopole [1], lui apprendre quelle était la véritable pensée de saint Augustin, et répondre victorieusement à toutes les condamnations. l'Etat absolutiste n'appréciait pas davantage cette liberté d'esprit. Et pour descendre enfin à la basse politique, rappelons la haine des Jésuites pour la famille Arnauld, dominante à Port-Royal, et dont le père avait joué un rôle important pour expulser cet ordre de France de 1594 à 1603. De son côté Mazarin pardonnait mal aux Solitaires leurs bonnes relations avec son ennemi, le cardinal de Retz.

Ne parlons donc plus de « jansénisme » [2], et restons sur le plan qui est celui de la tragédie racinienne : la psychologie morale, le comportement des hommes et les passions qui les animent. Que découvrons-nous alors ? Que sur ce plan les auteurs religieux des années 1655-1680 (et même au-delà) sont du même avis, dans leur très grande majorité : depuis la chute, l'homme est dominé par la concupiscence, par l'avidité des biens de ce monde, et il est ainsi poussé au mal, même quand il s'efforce de l'éviter. Il y a sans doute des nuances dans l'expression de cette idée, mais les formulations les plus vigoureuses ne viennent pas toujours de Port-Royal. Voici celles de trois personnalités importantes, résolument opposées au « jansénisme » : « Le péché est comme notre âme » (saint Jean Eudes). Il se manifeste par « la pente naturelle et continuelle

---

[1] L'un des reproches les plus fréquents était qu'ils avaient « une audace et une opiniâtreté prête à décider tous les points de la foi et des mœurs autrement que l'Eglise ne les juge » (Bonal, *Le Chrétien du temps*, 1655, III, *Avant-propos*, 35). Bossuet leur reproche « d'apporter des yeux curieux à la recherche [...] des mystères de la religion ». Jansénius prétendait révéler la véritable pensée de saint Augustin, « obscurcie par les disputes des scolastiques » (*Augustinus*, N. L., IV, 27). « Il n'y a pas de voie plus sûre pour connaître la pensée de saint Augustin que l'interprétation qu'en donne l'Eglise », répondait le P. Annat.

[2] Malheureusement, Lionel Acher parle longuement des lectures « jansénistes » de *Phèdre*, en ignorant ceux qui en ont démontré l'inadéquation (*Jean Racine, « Phèdre »*, P.U.F., 1999, p. 92-99).

que nous avons au mal, notre impuissance au bien » (saint Vincent de Paul). « Le péché a perverti tout ce qui est en nous » et « de nous-mêmes nous ne méritons réellement que l'Enfer » (J. J. Olier, curé de Saint-Sulpice).

Pour désigner cette vision de l'homme, je parlerai d'anthropologie augustinienne. Car saint Augustin a mis au point une forme particulière du christianisme, en systématisant un pessimisme sur la nature humaine, la vie en ce monde et les possibilités de salut, qui n'était qu'un aspect de l'Evangile et du christianisme primitif. Cette version convenait à Pascal et à ses contemporains, que leur expérience historique de la condition humaine éloignait du thomisme, plus optimiste. Ce que nous appelons leur augustinisme n'est à leurs yeux que la vérité du christianisme et de la nature humaine. Dans les deux cas, c'est une conception bien différente de celle qui l'emporte aujourd'hui.

Je peux donc recommencer ici l'exposé présenté plus haut, mais sur un autre plan. J'insisterai sur la psychologie morale des passions et non plus sur les motivations intéressées induites par l'évolution sociale ; mais celles-ci sont les bases concrètes de celles-là. Et je ne présenterai pas la seule anthropologie de saint Augustin, Jansénius et Arnauld, mais celle de la grande majorité des moralistes chrétiens de la seconde moitié du XVIIe siècle. A l'origine, « Dieu a créé l'homme avec deux amours, l'un pour Dieu, l'autre pour soi-même », subordonné au premier. Mais, par le péché originel, « l'homme a perdu le premier de ces amours [...] ; et ainsi il s'est aimé seul, et toutes choses pour soi »[1]. Pour le christianisme optimiste d'aujourd'hui, la faute d'Adam et Eve n'a peut-être qu'une signification symbolique : « la doctrine du péché originel semble être une expression mythique de la finitude humaine », lit-on dans le dernier ouvrage catholique sur cette chute[2]. Pour les contemporains de Racine comme pour saint Augustin, il s'agit au contraire d'une rébellion de l'avidité orgueilleuse et sensuelle dont les conséquences furent et demeurent catastrophiques : marqués par ce péché qui se transmet héréditairement, les hommes « sont coupables avant leur naissance » : « il suffit qu'Adam soit leur père pour les

---

[1] Pascal, lettre du 17 octobre 1651.
[2] Louis Panier, *Le Péché originel*, éditions du Cerf, 1996, p. 12-13.

rendre coupables » ¹ — c'est-à-dire « dignes de la mort éternelle » ².

Depuis cette chute, l'homme vit dans l'erreur, la perversion et la frustration. « Pour punition de sa rébellion, Dieu l'a laissé dans l'amour de la créature » et des faux biens de ce monde. « La concupiscence s'est donc élevée dans ses membres, et a chatouillé et délecté sa volonté dans le mal ». Et alors qu'auparavant il maîtrisait toutes ses facultés par le libre arbitre, « et qu'il lui suffisait de connaître le bien pour s'y pouvoir porter », « maintenant il a une suavité et une délectation si puissante dans le mal par la concupiscence, qu'infailliblement il s'y porte de lui-même comme à son bien » ³.

Désir déréglé d'un être livré à « l'amour de soi-même et de toutes choses pour soi » ⁴, la concupiscence est un « mouvement du cœur qui nous porte à jouir de nous-même, ou de notre prochain, ou de quelque objet que ce soit, en l'aimant pour lui-même et non pour Dieu » ⁵. Elle se manifeste par toutes nos mauvaises passions. « Tout ce qui est dans le monde est ou concupiscence de la chair ou concupiscence des yeux ou orgueil de la vie », avait dit saint Jean, dans une formule très célèbre ⁶. La condition de l'homme est d'être pris entre cette funeste détermination par les effets du péché originel et l'aléatoire possibilité d'être sauvé par Jésus-Christ et la grâce divine. « Toute la foi consiste en Jésus-Christ et en Adam, et toute la morale en la concupiscence et la grâce ». « Si l'on ne se connaît plein de superbe, d'ambition, de concupiscence, de faiblesse, de misère et d'injustice, on est bien aveugle. Et si en le

---

¹ Le P. Senault, futur supérieur général de l'Oratoire, *L'homme criminel ou la corruption de la nature par le péché selon les sentiments de saint Augustin*, 1644, p. 855-856.

² Pascal, *Ecrits sur la grâce*, II.

³ *Ibid.*

⁴ La Rochefoucauld, M. S. 1.

⁵ Augustin, *De Doctrina christiana*, III, 10 ; traduction d'Arnauld, *Œuvres*, t. XVII, p. 310. On remarquera que la morale augustinienne réprouve sous le nom de concupiscence ce que la morale laïque commence à reconnaître à partir de 1660 sous le nom d'amour de soi, à cause de l'utilité de ses effets économiques et sociaux que célébreront le siècle des Lumières et le libéralisme.

⁶ *Epître*, I, II, 16 ; trad. Le Maistre de Sacy ; cf. Pascal, *Pensées*, Laf. 544.

connaissant on ne désire d'en être délivré, que peut-on dire d'un homme ? » [1].

Arrêtons-nous un instant. Enlevez de ces citations tout ce qui concerne notre origine et notre salut — c'est-à-dire, aux yeux de l'historien, les mythes que les contemporains de Racine admettaient comme des faits historiques pour rendre compte de la condition humaine telle qu'ils la percevaient, et pour se donner l'espoir d'y échapper. Que reste-t-il ? L'idée — déjà rencontrée à partir d'une étude sociologique et du témoignage des écrivains — que l'homme est animé par une avidité qu'il réprouve mais qui se révèle irrésistible et qui lui sera funeste, après l'avoir souvent conduit à tyranniser les autres pour tenter en vain de la satisfaire. Cette idée imprègne tous les grands écrivains de l'époque, même quand ils la dépassent par le comique, la sublimation artistique, la sagesse épicurienne ou la foi chrétienne : le « janséniste » Pascal, pourfendeur de jésuites, l'antijanséniste Bossuet et le jésuite Bourdaloue, unis sur ce point ; Boileau et Mme de Sévigné, amis de Port-Royal, ce « désert où toute la dévotion du christianisme s'est rangée » [2] ; La Rochefoucauld et Mme de Lafayette (qui évitent toute référence religieuse et qui ne sont même pas pleinement croyants au moment où ils écrivent des œuvres, dont on a néanmoins montré qu'elles étaient fondées sur l'anthropologie augustinienne) ; La Fontaine et Molière, qui voulaient pourtant promouvoir la raison, réformer la société, profiter de la vie. « Aujourd'hui, ce n'est ni la grâce, ni la raison ni la nature même qui nous gouverne, c'est la passion. C'est cette concupiscence dont parle l'Ecriture », s'écrie Bourdaloue [3], en parfait accord avec Pascal pour qui « la concupiscence et la force sont les sources de toutes nos actions : la concupiscence fait les volontaires, la force les involontaires » (Laf. 97). Ces citations, comme celles qui précèdent, si on en limite la portée à la psychologie morale, n'éclairent-elles pas la nature et la raison d'être de la passion racinienne ?

Une passion tragique, puisqu'elle nous rend les artisans de notre propre malheur non seulement pour l'éternité de l'au-delà [4], mais dès cette vie même : « Nous sommes pleins de

---

[1] Pascal, *Pensées*, Laf. 225 et 595.

[2] Mme de Sévigné, lettre du 26 janvier 1674.

[3] *Sermon sur la restitution*, *Œuvres*, 1813, t. VII, p. 382.

[4] « Ce n'est point un paradoxe, mais une vérité certaine, que nous n'avons

concupiscence, donc nous sommes pleins de mal, donc nous devons nous haïr nous-mêmes » [1]. Cela, direz-vous, ne concerne chez Racine que Phèdre. Attendez : Pascal montre également que notre concupiscence se condamne elle-même au malheur, en cherchant le bonheur où elle ne peut le trouver. Dominé par l'amour de soi-même, l'homme voudrait se faire admirer et aimer de tous. Mais « il ne saurait empêcher que cet objet qu'il aime ne soit plein de défauts et de misère », comme tout ce que ce monde peut offrir à son amour ou à son ambition. Sa tragique frustration vient du fait qu'il garde « la capacité de connaître la vérité et d'être heureux », mais qu'il ne peut rien trouver qui la contente. De son bonheur originel, « il ne lui reste maintenant que la marque et la trace toute vide, et qu'il essaie inutilement de remplir [...], parce que ce gouffre infini ne peut être rempli que par un objet infini et immuable, c'est-à-dire que par Dieu même ». « Voilà l'état où les hommes sont aujourd'hui. Il leur reste quelque instinct impuissant du bonheur de leur première nature, et ils sont plongés dans les misères de leur aveuglement et de leur concupiscence qui est devenue leur seconde nature » [2]. C'est par cette théorie de notre double nature de créatures de Dieu et d'enfants du péché originel que Pascal explique la tragique contradiction d'un homme caractérisé à la fois par sa misère actuelle et par sa grandeur et son bonheur possibles, auxquels il aspire en vain, si la grâce ne vient l'animer. Je montrerai au chapitre 12 la profonde analogie entre cette avidité d'un inaccessible bonheur et l'amour tel que Racine le met en scène.

*
* *

On peut distinguer dans la conception augustinienne de l'homme trois étapes : le constat de son état actuel, d'autant plus misérable que sa conscience réprouve les passions qui l'entraînent, et qu'il aspire à une valeur et à un bonheur qui lui sont devenus inaccessibles ; l'explication de cet état

---

point d'ennemi plus à craindre que nous-mêmes [...]. Je suis [...] plus redoutable pour moi que tout le reste du monde, puisqu'il ne tient qu'à moi de donner la mort à mon âme et de l'exclure du royaume de Dieu » (Bourdaloue, *Pensées diverses sur le salut ; Œuvres*, 1830, t. XIV, p. 128-129).

[1] Pascal, *Pensées*, Laf. 618.

[2] *Pensées*, Laf. 978, 119, 148 et 149.

contradictoire par son origine divine suivie de la chute ; et la
résolution du problème, la rédemption par le sacrifice du Christ
et par la grâce qui entraîne une pleine conversion. Cette
distinction est très claire dans la démarche de Pascal, qui insiste
sur la première étape parce qu'il veut faire partager ce constat
aux libertins avant de leur présenter ce qui est spécifique au
christianisme : l'explication et la solution. Racine, lui, se borne à
cette première étape. Il considère l'homme dans le cadre de
l'anthropologie augustinienne, sans recourir à l'explication ni au
remède de la théologie correspondante : ce serait déplacé dans
une œuvre littéraire. Or, il est d'autant plus sensible à
l'entraînement des passions qu'il le vit, dans l'angoisse d'un
ambitieux parvenu qui risque à tout moment d'être renvoyé à
son néant, et dans la mauvaise conscience d'un ancien élève de
Port-Royal. C'est bien pour cela qu'il a une vision tragique de la
condition humaine — sauf lorsque, dans *Alexandre*, *Iphigénie*
et tant de passages galants, il cesse de s'exprimer pour flatter.
L'anthropologie augustinienne n'est certes pas chez lui, comme
chez Pascal, l'expression d'une conviction. Mais ce n'est pas non
plus, comme dans les *Maximes* de La Rochefoucauld, un simple
cadre de référence. C'est l'antinomique carcan dont il ne peut se
dégager, ni en l'oubliant, ni en le dépassant par la théologie
correspondante, sauf dans *Esther* et *Athalie*. Dire que Phèdre est
« une chrétienne à qui la grâce a manqué » [1] serait peut-être
théologiquement juste... si ce n'était littérairement faux. C'est
détruire l'œuvre en lui appliquant un point de vue qui n'est
nullement le sien. Racine met en scène la condition humaine
telle qu'il l'éprouve au niveau de la psychologie morale, des
passions et du comportement relationnel, sans prendre en
considération nos origines ni notre fin ni-même — du moins
jusqu'à *Iphigénie* — notre dimension spirituelle.

Il est vrai que les termes spécifiques de l'augustinisme
n'apparaissent pas chez Racine. Mais il est usuel qu'une œuvre
littéraire n'explicite pas la vision dont elle procède [2] : elle

---

[1] Cette célèbre formule remonte à Voltaire, qui écrivait le 23 décembre 1760 :
« Vous aimez. On ne peut vaincre sa destinée.
Par un charme fatal vous fûtes entraînée.
                    [*Phèdre*, v. 1297-1298]
N'est-ce pas là évidemment un juste à qui la grâce a manqué ? J'ai entendu tenir
ces propos dans mon enfance, non pas une fois, mais trente ».

[2] Pas plus d'ailleurs que son but, qu'il s'agisse de la *catharsis* ou de l'édification
du spectateur ou de son plaisir : « Le principal est de plaire, et c'est ce qui ne

tendrait alors vers le traité de philosophie, ou le sermon : même *Esther* et *Athalie*, œuvres explicitement chrétiennes, ne parlent pas de concupiscence, de péché, de grâce ou de salut au sens religieux, sauf parfois dans les chœurs. Souvent, elle n'énonce même pas les principes dont elle fait vivre les effets sensibles : *tragique* n'apparaît qu'une fois [1], et *passion* quatre fois — et ce n'est jamais dans la bouche d'Hermione, Roxane, Phèdre ou tel autre personnage particulièrement passionnel [2]. « Le poète ne rend jamais raison de ce qu'il dit, comme fait le philosophe, mais il la fait sentir, sans le dire » [3]. Comment le ferait-il, puisque « la plus grande partie de nos pensées nous sont inconnues » bien qu'« elles ne laissent pas [...] de nous conduire, [...] et de nous déterminer dans nos jugements, sans que nous en ayons une idée nette et distincte » [4].

Souvent un grand auteur ressent ce qu'il met en œuvre sans pouvoir l'expliquer nettement, surtout quand il s'agit d'une problématique à laquelle il est lui-même assujetti, sans pouvoir la mettre à distance pour en prendre clairement conscience, et sans pouvoir la résoudre autrement que par un transfert dans l'imaginaire. C'est ainsi que jadis « le mythe [...] apportait des réponses sans jamais formuler explicitement les problèmes » [5].

On comprend qu'un homme assujetti à une vision tragique, c'est-à-dire à une problématique insoluble, soit dans l'impossibilité de la saisir : l'exprimer clairement serait déjà y échapper en partie. Telle semble bien être la situation de Racine [6], remarquablement intelligent dans toute situation

---

se montre point », écrit Racine, en marge de Cicéron, *De Oratore*, I, 29.

[1] *La Thébaïde*, v. 1019.

[2] Créon dans *La Thébaïde*, v. 1429 ; Paulin dans *Bérénice*, v. 498 ; Prologue d'*Esther*, v. 65 ; Mathan dans *Athalie*, v. 937. Ceux qui emploient ce mot parlent toujours des passions d'autrui.

[3] Rapin, *Réflexions sur la poétique*, II, 4.

[4] Nicole : *Traité de la grâce générale*, éd. de 1715, t. I, p. 101.

[5] J.-P. Vernant, *Mythe et société en Grèce ancienne*, Maspéro, 1982, p. 206.

[6] Plus généralement, si les Français des années 1660-1680 ont écrit tant de chefs-d'œuvre littéraires, c'est parce qu'ils étaient assujettis à une condition historique qu'ils ne pouvaient ni résoudre par l'action économique ou politique, ni contester par une analyse philosophique. Ils ne pouvaient même songer à le faire, tellement ils adhéraient au système. Le transfert de leur problème en fictions métaphoriques et sa sublimation esthétique étaient leurs seules et salutaires solutions. C'est pourquoi leur art consiste à transformer une vision fort pessimiste en structures et styles fort harmonieux.

concrète (réelle ou fictive) où l'affectivité est impliquée, mais allergique à la philosophie, qui met la relation affective entre parenthèses pour saisir des rapports fondamentaux dans leur abstraction. Ses maîtres avaient bien remarqué que cette façon de procéder avait « peu de rapport à son génie », et en effet à chaque fois qu'il se mêle de questions philosophiques, « il n'aborde à aucun moment ce qui fait le fond du problème [...]. Il ne semble pas même s'aviser que les choses ont un fond », et il les traite sous un « aspect très littéraire » [1]. Dans son *Abrégé de l'Histoire de Port-Royal*, ouvrage d'une profonde sincérité, il explique tout par des « jalousies » contre Saint-Cyran et ses disciples : « Il importait peu pour l'Eglise que [les cinq] Propositions fussent ou ne fussent pas dans le livre » de Jansénius. « Il parut bien, par le soin que les Jésuites prirent de perpétuer la querelle, et de troubler toute l'Eglise pour une question aussi frivole [!] que celle-là, que c'était en effet aux personnes qu'ils en voulaient » : ils croyaient seulement « que les disputes qu'ils avaient avec [elles] sur la grâce leur fourniraient un prétexte plus favorable pour les accabler » [2]. Racine n'aurait pas inventé ces fictions poétiques s'il avait pu avoir claire conscience du problème qui le travaillait, il n'aurait pas à la fois admiré la société louis-quatorzienne et mis en scène notre condition tragique s'il avait pu percevoir les contradictions qui l'assujettissaient, il n'aurait pas écrit *Phèdre* s'il avait déjà résolu ses conflits intimes par une véritable conversion chrétienne. Il n'a pas choisi ses sujets pour illustrer une morale augustinienne que rejetait à cette époque son avidité de séduire, de réussir et de jouir. Mais il y a exprimé une anthropologie augustinienne qui le hantait, et dont il ne pouvait se délivrer parce qu'elle l'avait profondément marqué, que son expérience la confirmait, et que son époque ne lui en offrait pas d'autre. Le stoïcisme était tombé en discrédit depuis le milieu du siècle, et peu de gens connaissaient l'épicurisme, qui faisait d'ailleurs le même constat que les augustiniens sur le comportement des hommes.

La situation est encore compliquée du fait que si la condition humaine et la vision de l'homme contemporaines me paraissent les bases principales de la tragédie racinienne, ce ne

---

[1] R. Picard, *Racine polémiste*, Pauvert 1967, p. 34 et 40.
[2] *Œuvres complètes*, éd. R. Picard, Pléiade, t. II, p. 70-71 et p. 67. Sur l'allergie de Racine à la philosophie, cf. J. Rohou, *Jean Racine entre sa carrière, son œuvre et son Dieu*, Fayard, 1992, p. 99-108.

sont pas les seules : elle a aussi des bases culturelles antiques, et elle est influencée par la mode. Et surtout la vision augustinienne y est mise en œuvre à travers des sujets et une poétique empruntés d'ailleurs, qui lui imposent leurs péripéties [1], leurs thèmes et leur langage.

« Aucun disciple de Jansénius n'accepterait le lexique racinien du destin », écrit Philippe Sellier, qui connaît parfaitement et l'œuvre de Racine et la tradition chrétienne. « Les vers que l'on cite depuis Voltaire pour montrer la présence de la notion augustinienne de prédestination » [2] « sont anti-chrétiens et auraient fait hurler Jansénius ». Certes. Mais ne confondons pas la pensée de l'auteur tragique avec les images du poète, qui insiste lui-même sur son effort pour « conserver la vraisemblance de l'histoire sans rien perdre des ornements de la fable, qui fournit extrêmement à la poésie » [3]. Cela le conduit à utiliser pour leur potentiel poétique des notions auxquelles il ne croit pas : Vénus, Neptune, les dieux païens, le Soleil, ancêtre de Phèdre, son père Minos, juge aux Enfers — ou aussi bien le destin. Même dans la Préface de *Phèdre*, conçue pour « réconcilier la tragédie avec quantité de personnes célèbres par leur piété et par leur doctrine », c'est-à-dire notamment avec les augustiniens de Port-Royal, Racine écrit que son héroïne « est engagée par sa destinée et par la colère des dieux dans une passion illégitime ». Ni l'auteur ni les destinataires de cette phrase ne croient à ces dieux là, mais à un Dieu dont le comportement est contraire à celui dont il est question. Racine commet-il là une bourde de nature à faire hurler Arnauld et Nicole ? Non, il décrit le processus mythique qui est la

---

[1] Par exemple la décision de Phèdre de se laisser mourir. C'est un comportement répréhensible du point de vue chrétien. Mais c'est une donnée du sujet. Et c'est une bonne façon de montrer à quel point elle est déterminée à lutter contre sa passion, qu'elle n'arrive pourtant pas à maîtriser.

[2]   Vous aimez. On ne peut vaincre sa destinée.
        Pour un charme fatal vous fûtes entraînée.
                                (Phèdre, 1297-1298)

[3] « La fable » n'est pas ici l'histoire fictive racontée dans l'œuvre, mais la légende fabuleuse, les épisodes mythologiques dont elle s'inspire : ainsi, le « voyage fabuleux » de Thésée aux Enfers, imaginé à partir d'« un voyage que ce prince avait fait en Epire vers la source de l'Achéron » (rivière du même nom que le fleuve qui nous sépare de l'au-delà) a permis « le bruit de sa mort » et la déclaration de Phèdre. Ainsi, « la fable » parle d'Aricie : « Virgile dit qu'Hippolyte l'épousa [...] après qu'Esculape l'eut ressuscité » (Préface de *Phèdre*).

médiation poétique normale de sa vision à une époque où tous les poètes imputent les phénomènes physiques ou psychiques à des dieux païens auxquels ils ne croient absolument pas.

C'est le poète qui parle de
Ces dieux qui se sont fait une gloire cruelle
De séduire le cœur d'une faible mortelle.
                              (*Phèdre*, v. 681-682)

Nous devons éviter de prendre ses métaphores à la lettre, et en rapporter le sens figuré au seul cadre de pensée réellement vivant à son époque, le christianisme augustinien. C'est malheureusement plutôt l'inverse que l'on fait habituellement, notamment par la célèbre et stupide formule : Racine a intériorisé la fatalité dans les passions. C'est supposer que la tragédie grecque était dominée par la fatalité — ce qui est discutable. Et surtout c'est aller chercher deux mille ans plus tôt, pour faire une greffe étrange, une notion contraire à la pensée chrétienne, qui n'en avait nul besoin pour affirmer que nos passions, expressions de la concupiscence, nous conduisent au malheur. Voilà ce que Port-Royal avait appris à Racine, que sa mauvaise conscience lui rappelait, que les moralistes répétaient autour de lui.

*
*   *

Mais, insiste Philippe Sellier [1], le recensement des personnages de Racine réfute ces affirmations. « L'univers des tragédies est diamétralement opposé [...] à toute vision augustinienne du monde ». Saint Augustin affirme que les hommes sont « tous mauvais » : « esclaves du péché [...] ils se roulent à travers diverses passions coupables » [2]. Or, dans les tragédies de Racine, sur cinquante-trois personnages « caractérisés moralement », « vingt-sept sont présentés avec insistance comme innocents et vertueux ». « Le vers fameux de l'introspection d'Hippolyte :
Le jour n'est pas plus pur que le fond de mon cœur

---

[1] « Le jansénisme des tragédies de Racine : réalité ou illusion ? », *Cahiers de l'Association Internationale des Etudes Françaises*, 31 (1979), p. 135-148. « Les tragédies de Jean Racine et Port-Royal », *Carnets Giraudoux-Racine*, 3 (1997), p. 41-61.
[2] *La Correction et la Grâce*, 13, n. 42.

a de quoi faire se retourner et saint Augustin et Jansénius et Pascal dans leur tombe ». Et ces personnages vertueux ne sont pas présentés comme des exceptions : Britannicus a « beaucoup de cœur, beaucoup d'amour et beaucoup de franchise, qualités ordinaires d'un jeune homme » (première Préface). Racine est donc aux antipodes des augustiniens : chez lui, « c'est la vertu qui est naturelle » et habituelle. « Tragédies et préfaces ne cessent » de présenter les personnages minoritaires qui pourraient illustrer la thèse d'une vision augustinienne comme « des exceptions monstrueuses, des figures hors du commun », qui ne sauraient représenter « la nature humaine ». « La vertu et l'innocence surabondent » également dans le lexique. Conclusion : « là où saint Augustin voyait la corruption universelle, hormis quelques élus, les tragédies affirment l'innocence universelle, hormis quelques *monstres* ».

Passons sur la formulation : elle est excessive, mais ne saurait invalider la thèse. Le problème c'est qu'elle me semble procéder de trois erreurs de méthode. D'abord sur la fiabilité des Préfaces, apologies plus habiles que sincères. Celle de *Britannicus* insiste sur la moralité de cette pièce, qui avait choqué une bonne partie du public : faut-il la croire, et généraliser la portée de l'une de ses formules apologétiques, destinée à mettre en valeur un héros trop pâle, auquel le dramaturge et l'auteur tragique ont imposé une incroyable naïveté ?

La seconde erreur, la plus grave, consiste à considérer les personnages comme de véritables individus, représentatifs de l'humanité réelle, alors que ce sont des *acteurs*, irrémédiablement différenciés et particularisés par leurs rôles. Dans la réalité, « chaque homme porte la forme entière de l'humaine condition » [1], et je peux donc réunir cinquante représentants de l'espèce pour en avoir une vue d'ensemble, définir ses caratères dominants ou en faire un portrait-robot. Je pourrais faire la même chose avec les cinquante-trois personnages de Racine si chacun d'eux était un personnage autonome et complet, portant en lui la forme entière de la condition et de la personnalité raciniennes. Mais ce n'est pas le cas, car ce sont des *acteurs*, et leurs caractères sont différenciés, particularisés et limités par leurs rôles. Tel homme peut avoir les pieds agiles et tel autre les doigts crochus : si le premier est gardien de but et le second ailier gauche, leur rôle ne leur

---

[1] Montaigne, *Essais*, III, 2, éd. Villey-Saulnier, p. 805.

permettra pas de manifester ces capacités. Chaque *acteur* ne figure que l'un des pôles de notre condition, l'un des ressorts ou l'une des aspirations de la personnalité humaine telle que la met en scène la pièce dont il s'agit. Et si Néron figure le désir qui est le moteur de l'action dont Britannicus est la victime, ils sont très inégalement représentatifs des forces qui nous animent.

L'on ne peut pas juxtaposer sur la même ligne, pour additionner leurs caractères et en faire une moyenne, cinq *acteurs* que leurs rôles placent aux cinq angles d'une pyramide. Ce serait détruire la structure constitutive de l'œuvre, la problématique qui les définit en opposition les uns aux autres, c'est-à-dire la vision de l'homme qui s'y inscrit. Le criminel, la victime et le témoin ne sont pas également représentatifs du drame — même si par extraordinaire ils se trouvaient être, en tant que personnes, semblables dans leur nature, en dehors de ces rôles. Imaginez un roman avec un fourbe meurtrier et ses quatre victimes innocentes : allez-vous en conclure que la vision de l'homme y est optimiste à 80 % ? Ce n'est pas dans la nature de personnages indépendants que s'exprime la vision racinienne, mais dans les rapports conflictuels entre des *acteurs* dont chacun ne figure qu'un des pôles de notre nature. Seule Phèdre est représentative de l'homme réel parce que, composée de deux actants, elle peut incarner à elle seule notre problématique : la contradiction entre conscience et concupiscence. Mais peut-on croire que Néron ou Junie soient autre chose que la figuration de la tentation extrême et de l'aspiration suprême de la personnalité humaine ? Juxtaposerai-je ceux qui figurent ma conscience à ceux qui figurent ma concupiscence, pour en conclure que selon Racine nous avons plus de conscience que de concupiscence ?

Si Junie et Britannicus ne sont que des victimes d'un processus, on ne peut pas les considérer comme représentatifs de l'ensemble de ce processus. Si ce sont des figures idéalistes, ou même plus ou moins utopiques, comme j'ai tenté de le montrer au chapitre 5, ils ne sont pas caractéristiques de l'homme tel que Racine le voit, mais seulement de son aspiration. De même pour dresser le portrait de l'humanité tragique, l'on ne peut prendre en considération les pièces ou les passages d'où le tragique est absent : *Alexandre*, *Esther* et les dénouements de *Mithridate* et d'*Iphigénie*.

Philippe Sellier lui-même conçoit les personnages de Racine comme membres d'un ensemble. Mais il commet, me semble-t-il, une troisième erreur de perspective. « L'opposition entre quelques bourreaux et des essaims d'innocents (jeunes gens sans défense, veuves et orphelins) traverse l'ensemble des tragédies », écrit-il. « Ainsi se répète une même situation dramatique, un même scénario obsédant [...] : la persécution injuste de victimes innocentes », dont Racine avait vécu l'expérience et la hantise à Port-Royal persécuté par les pouvoirs [1]. Cela me paraît juste : ce scénario est au centre de la dramaturgie racinienne et à la base de ses effets pathétiques. Mais, dans les œuvres, c'est la conséquence et non pas la cause du processus, et dans l'inspiration de Racine ce n'est sans doute pas non plus la cause première, ni la cause proprement tragique. C'est la passion de Pyrrhus, Néron, Roxane, Mithridate, Phèdre ou Athalie qui est première. Ce sont eux qui sont assujettis à une condition tragique, dont Andromaque, Britannicus, Bajazet, Monime, Hippolyte et Joas ne font que subir les pathétiques conséquences. En d'autres termes, la tragédie racinienne est une célébration pathétique de l'écrasement de l'innocence non par l'irruption accidentelle d'une force venue de l'extérieur, mais par la violence du désir qui anime irrésistiblement la nature et la condition humaine. Néron n'est pas une exception, mais la monstruosité déchaînée du désir tapi en chacun. Je montrerai dans le prochain chapitre que les pièces de Racine, dans leurs passages tragiques, sont, malgré la diversité de leurs fables, fondées sur une même structure : l'opposition entre une intense avidité, sensuelle et violente (la concupiscence), son objet idéal qui la refuse, la frustrant du bonheur dont elle rêve (et la poussant à le détruire) et le regard d'une conscience qui la réprouve. Cette triangulation a une validité universelle qui fait la grandeur de cette œuvre. Mais à l'époque elle ne peut avoir d'autre origine que l'anthropologie augustinienne éclairant l'expérience d'une crise historique : celle d'un être au désir exacerbé parce qu'il ne trouve plus de valeur accessible.

« L'osmose entre littérature et théologie n'a sans doute jamais été aussi profonde que pendant le siècle de Louis XIV » [2]. On explique par l'augustinisme non seulement la vision de Pascal qui s'en réclame précisément, mais celle de La Rochefoucauld, qui n'avait à l'époque des *Maximes* qu'une foi de routine, et même celle de Mme de Lafayette, qui de son propre aveu ne réussissait pas à être véritablement croyante au

---

[1] Il a écrit là-dessus, dans sa jeunesse, une poésie latine dont on trouvera la traduction dans l'édition Forestier, p. 19-20.

[2] Ph. Sellier, *Pascal et saint Augustin*, rééd. Albin Michel, 1995, p. XII.

temps où elle écrivait *La Princesse de Clèves*. Pourquoi donc, une fois dissipé le malentendu du « jansénisme », refuser d'expliquer Racine par la seule anthropologie disponible depuis l'effacement du stoïcisme vers le milieu du siècle (sauf pour ceux qui, comme La Fontaine et Molière, avaient été initiés à la pensée d'Epicure) ? N'avait-il pas été, plus que tout autre, formé par de sévères augustiniens ? Ils seraient bien surpris de voir qu'on insiste sur leur rôle dans la formation intellectuelle et culturelle de l'auteur de *Phèdre* [1], mais qu'on oublie ce qui était l'essentiel à leurs yeux : sa formation morale et religieuse.

« Que Racine soit "de Port-Royal" n'implique pas qu'il ait subi une influence morale ou religieuse », écrit Raymond Picard. « De l'enseignement de ses maîtres, il a tiré des connaissances, plutôt qu'une vision du monde et une conception du salut » (p. 49). Pour une fois, l'auteur de la magistrale *Carrière de Racine* commet une lourde erreur. Ces maîtres, particulièrement soucieux de la préparation au salut dès l'enfance, se souciaient plus d'éducation morale et religieuse que de connaissances en tant que telles [2]. Nos écoles « étaient plus pour la piété que pour les sciences », écrit l'un d'eux, Walon de Beaupuis : on n'avait « en vue que le salut de ces enfants et la conservation de leur innocence » [3].

Certes, il n'y était pas question de subtilités « jansénistes ». Nous restions « en dehors des querelles théologiques », écrit Thomas du Fossé, élève contemporain de Racine :

---

[1] Cf. J. Rohou, « Racine à Port-Royal : hypothèses sur la formation d'un auteur », *Mélanges Sellier*, 1999.

[2] Cela se comprend, puisque chaque moment pouvait orienter un enfant plutôt vers le salut ou vers la damnation — pour l'éternité. « C'est une étrange condition que celle des hommes dans cette vie. Non seulement ils marchent toujours vers une éternité de bonheur ou de malheur, mais chaque démarche, chaque action, chaque parole les détermine souvent à l'un ou à l'autre de ces deux états [...]. Nous sommes tous sur le bord d'un précipice, et souvent il ne faut que le moindre faux pas pour nous y faire tomber » (Nicole, *Des moyens de conserver la paix avec les hommes*, I, 10).

[3] Racine lui-même parle dans son testament de « l'excellente éducation que j'ai reçue autrefois dans cette maison et des grands exemples de piété et de pénitence que j'y ai vus, et dont je n'ai été qu'un stérile admirateur ». Ailleurs, il écrit qu'« il n'y eut jamais d'asile où l'innocence et la pureté fussent plus à couvert de l'air contagieux du siècle, ni d'école où les vérités du christianisme fussent plus solidement enseignées » (*Abrégé de l'histoire de Port-Royal* ; *Œuvres*, éd. Picard, t. II, p. 58). Toutefois c'est de la formation des futures religieuses qu'il parle ainsi, et non pas des petites écoles.

l'enseignement religieux était « simple et proportionné à la portée de notre esprit ». Aux yeux du fondateur de ces écoles, Saint-Cyran, « pour bien conduire les enfants, il fallait plus prier que crier, et plus parler d'eux à Dieu que leur parler de Dieu ; car il n'aimait pas qu'on leur tînt de grands discours de piété, ni qu'on les lassât d'instruction » moralisatrice. Mais il estimait qu'il « fallait opposer une veille continue à celle du Démon, qui cherche toujours une entrée dans ces petites âmes » [1]. L'essentiel était fermement inculqué — par la parole, par l'exemple et par la mise en situation — : dénonciation de la concupiscence, des passions et des faux biens de ce monde ; formation d'une vigilante conscience morale, ou plutôt d'un sévère surmoi, hanté par la crainte de Dieu et des maîtres. « On nous inspirait surtout la crainte de Dieu, l'éloignement du péché, et une très grande horreur du mensonge » (Thomas du Fossé).

Les enfants « n'ont point d'autre règle que de suivre toutes leurs passions [...], et que de se laisser emporter au torrent du siècle », dit Claude de Sainte-Marthe, adjoint au supérieur de Port-Royal. Ils « ont l'esprit fermé aux choses spirituelles », mais « les yeux ouverts pour le mal ». Or, dans leurs familles, « on ne leur parle presque jamais des vérités de l'Evangile, qui seules les pourraient délivrer [...] de leurs mauvaises inclinations ». Il faut leur montrer leurs « vices spirituels, qu'on ne peut éviter qu'autant qu'on a de lumière pour les connaître » [2]. Il faut leur donner « assez de discernement du mal pour l'éviter », confirme Thomas du Fossé, leur inspirer « peu à peu une haine salutaire pour le péché [...], allumer dans leur cœur le mépris du monde, la fuite des plaisirs passagers et l'amour des biens éternels ». Plusieurs témoignages confirment que c'est bien ce qu'on faisait [3].

La manuel de base pour l'enseignement religieux était un petit volume, *La Théologie familière* de Saint-Cyran. En voici deux extraits. Nous avons trois ennemis : « le Diable, le Monde et la Chair. Le Diable, c'est-à-dire toutes les puissances de l'Enfer. Le Monde, c'est-à-dire la contagion qui est dans la compagnie, la fréquentation et le commerce des hommes. La

---

[1] *Mémoires*, t. II, p. 337 et 335.

[2] *Défense des religieuses de Port-Royal*, 1667, p. 18-22.

[3] « On leur faisait voir que tout est plein de pièges et de dangers dans le monde » (Walon de Beaupuis, *Supplément au Nécrologe de Port-Royal*, p. 30). On s'efforçait de « leur inspirer la fuite et l'aversion de l'esprit du monde » confirme Nicole, l'un des principaux maîtres de Racine.

Chair, c'est-à-dire l'inclination naturelle au mal, que nous sentons dans nous-mêmes » (XIV, 8). « Nous avons toujours dans nous-mêmes, tandis que nous sommes en cette vie, une corruption naturelle, que l'Ecriture appelle concupiscence, qui nous porte toujours contre la loi de Dieu, et nous suscite des tentations et des mouvements qui ne peuvent être surmontés que par la grâce de Jésus-Christ ; et toute la vertu et l'exercice du chrétien dans ce monde consiste à combattre et diminuer peu à peu cette concupiscence » (XII).

Moi aussi, me dit un ami, j'ai eu une formation chrétienne : il ne m'en reste qu'un souvenir désintéressé. Certes. Mais quelle comparaison peut-on faire entre le sommaire catéchisme en langue de bois de nos enfances, et l'éducation d'un homme dont toute l'enfance et l'adolescence ont été dominées par des chrétiens d'une qualité exceptionnelle ? De plus, l'orientation de notre société nous pousse à oublier le christiannisme et à satisfaire nos désirs : consommer toujours plus est même un devoir civique. Racine, lui, ne pouvait éviter de rencontrer sans cesse une Église omniprésente et le prestige de ses anciens maîtres, particulièrement admirés dans les cercles intellectuels. Mais croyons-en surtout son œuvre : il connaît par cœur le *Dies irae*, dont il s'inspire dans *Phèdre*, malgré l'habitude de ne pas mêler les vérités du christianisme aux fictions littéraires ni aux fables païennes.

Si l'on en croit l'un des maîtres, Thomas Guyot, la formation à Port-Royal était moins douce que ne l'avait souhaité Saint-Cyran : « La sévérité et la crainte sont plus nécessaires aux enfants [...] que la douceur et les caresses » [1]. « L'esprit d'un enfant est semblable à un oiseau qu'on a pris dans les bois et qu'on a enfermé dans une cage [...], lorsqu'on commence à le mettre sous la conduite d'un maître » : il ne respire que liberté. Il faut réagir « en le contraignant et resserrant dans les bornes d'une exacte discipline comme dans une cage pour lui apprendre à être sage et vertueux » (p. 114). « Il faut » dresser les enfants, « faire plier leur orgueil sous la créance et l'obéissance à leurs maîtres, afin qu'ayant été comme forcés par l'accoutumance à soumettre leur cœur et leur esprit à l'autorité humaine, ils soient plus disposés, quand ils seront devenus hommes, à se soumettre volontairement au joug de la raison, de la foi et de la loi de Dieu » (p. 86). On organise même à Port-

---

[1] *Lettre politique de Cicéron à son frère Quintus* [...], *avec divers avis touchant la conduite des enfants*, 1670, t. I, p. 83-84.

Royal des jeux concurrentiels, qui permettent aux passions des enfants de se manifester, « afin qu'on ait plus lieu de les corriger de bonne heure, en leur faisant faire plusieurs réflexions importantes sur eux-mêmes ». Bref, on développe chez eux une conscience aiguë de leur funeste concupiscence, et un surmoi vigoureux : l'antinomie tragique est déjà là. C'est cette intériorisation de l'interdiction de l'amour de soi qui rendait ces élèves un peu amorphes [1].

Ils étaient sans cesse surplombés par un regard redoutable — cet œil de Caïn que Racine introduira chez Néron et Phèdre, et même dans *Bérénice*, *Bajazet*, *Mithridate* et *Athalie*. Les maîtres s'appliquaient à ne « perdre jamais de vue leurs enfants » pendant les récréations. Même au dortoir, « les lits étaient disposés de manière que le maître les voyait tous du sien ». « Les châtiments étaient fort rares. Un seul regard du maître faisait plus d'impression que n'auraient fait des traitements sévères ». « Ils avaient trouvé le secret de se faire en même temps et aimer d'eux et craindre ; de sorte que la menace de les renvoyer chez eux, de les rendre à messieurs leurs parents pour leur faire achever leurs études où il leur plairait, était, à leur sens, la plus grande et la plus sensible punition qu'on leur pouvait faire » [2].

A côté de la concupiscence et de l'œil de Caïn qui la surveille pour la réprouver sans cesse, Racine trouvait aussi à Port-Royal le troisième pôle de la triangulation tragique de ses œuvres futures : l'idéal inaccessible. Non seulement c'est ainsi que les maîtres présentaient Dieu, mais ces objets d'admiration et d'amour étaient eux-mêmes des modèles inimitables [3]. Ce « n'étaient pas des hommes ordinaires » [4].

---

[1] « L'admiration gâte tout dès l'enfance. "Ô que cela est bien dit ! ô qu'il a bien fait, qu'il est sage", etc. Les enfants de P. R. auxquels on ne donne point cet aiguillon d'envie et de gloire tombent dans la nonchalance » (Pascal, *Pensées*, Laf. 63).

[2] Walon de Beaupuis, dans le *Supplément au Nécrologe de Port-Royal*, 1735, p. 59.

[3] Ils se voulaient eux-mêmes des modèles, dans le cadre d'une pédagogie de l'imitation. « Comme il est presque impossible que de jeunes enfants, encore assujettis aux impressions des sens, ne fassent ce qu'ils voient faire aux autres, on tâchait de les instruire encore plus par les actions que par les paroles », et de faire en sorte qu'« ils fussent dans une heureuse nécessité de ne faire aussi que ce qu'ils voyaient faire » (Walon de Beaupuis).

[4] Racine, *Abrégé de l'histoire de Port-Royal*.

Idéal « inaccessible », « terreur », vision « funeste et tragique », voilà en quels termes François Bonal parlait de ces « docteurs extrêmes » à l'époque où ils formaient Racine. A leurs yeux, « il n'y a rien de vertueux s'il n'est héroïque [...]. Tout ce qui se peut mieux faire est pour eux très mal fait ; la médiocrité [1] à leur goût est un vice » [2]. Ils ne parlent de notre âge que « comme d'un temps tout à fait réprouvé, incurable et désespéré » (p. 100). Ils nous proposent des « modèles sublimes », des « règles fières et hautaines [...] qui nous bravent au lieu de nous corriger » (p. 152), « une réformation idéale et inaccessible » (introduction). Leur « superbe dévotion [...] ne croit point que les sacrifices soient assez religieux s'ils ne sont passionnés et tragiques. Comme ces amants de théâtre qui pensent que leur scène est plate et froide s'ils font l'amour sans fureur » (p. 144). Bonal dénonce « la terreur » que suscite « cette noire religion toujours effrayée » (p. 145 et p. 144), cette « théologie inhumaine », qui, par ses visions « funestes et tragiques », « tourmente et gêne la conscience au lieu de la guérir » (deuxième partie, p. 11 et introduction).

Or, à cause de sa situation particulière, Racine était encore plus assujetti que les autres élèves à cette formation. A l'enseignement et à la surveillance des maîtres s'ajoutaient celle de sa grand-mère et surtout de sa tante, personnalité exigeante, qui vivaient toutes deux à Port-Royal : elles attendaient de lui qu'il fût exemplaire. N'ayant guère d'autre famille proche, il passait sans doute sur place la plus grande partie de ses trois semaines de vacances. Il n'était pas seulement l'élève, mais l'enfant de ce Port-Royal, où il restera trois ans de plus que ses condisciples, entre 16 et 19 ans, à un âge où le problème des passions devient aigu, et où il pouvait comprendre les fondements théologiques de la morale augustinienne. Sans doute était-il lui-même particulièrement motivé pour adhérer à cette formation. Pauvre orphelin provincial admis par charité dans l'école la plus prestigieuse, parmi des fils de grandes familles (à une époque où la société était fortement hiérarchisée), il éprouvait certainement l'anxiété de pouvoir être expulsé de ce paradis terrestre, n'ayant d'autre alternative que le retour au néant.

Le jeune Racine se serait donc trouvé, à Port-Royal, dans une situation analogue à celle des personnages qui, de Pyrrhus à

---

[1] Au sens de l'époque : ce qui est dans la bonne moyenne.
[2] *Le Chrétien du temps*, troisième partie (1655).

Phèdre, seront les sujets de sa vision tragique : habité par un anxieux sentiment d'insuffisance, et par un intense besoin de reconnaissance et d'amour, épris d'un idéal salutaire mais inaccessible, et placé sous le regard omniprésent et le sévère jugement du maître réprobateur de la concupiscence. Si l'on admet que notre personnalité est moins le développement d'un patrimoine génétique que l'inscription dans notre vision et dans nos comportements de rapports au monde, aux autres, aux valeurs et à soi-même, l'on reconnaîtra l'importance décisive de ce statut dans la formation du futur auteur de Phèdre, fille du désir coupable et du jugement sévère, du futur auteur de *Britannicus*, qui ajoute à ce qu'il emprunte à Tacite (une concurrence pour le pouvoir) cette aspiration à une reconnaissance impossible et ce regard inhibiteur et dénonciateur du désir (cf. chap. 11).

Mais on sait qu'une passion éducative peut produire soit une soumission soit une réaction — surtout à l'adolescence — ou les deux à la fois [1]. Des « rigueurs insupportables » ont un effet contraire à celui qu'elles visent, « car la nature, ne pouvant pas souffrir ces violences, recourt à sa liberté par un grand effort, et, pour n'y point faillir, elle s'emporte jusque dans les autres extrémités » [2]. Ainsi, tout en l'habituant à se soumettre à une discipline, à répondre aux attentes, à se conformer aux modèles — le préparant ainsi à sa remarquable maîtrise artistique et diplomatique — la formation de Racine à Port-Royal a pu favoriser paradoxalement l'avidité passionnelle qu'elle cherchait à réprimer.

Orphelin de père et de mère, il avait pu éprouver une frustration affective précoce [3]. Il avait été élevé par sa grand-

---

[1] Ces excellents éducateurs ne l'ignoraient pas : « L'esprit étant essentiellement libre, il ne saurait perdre sa liberté : rien n'en peut forcer l'entrée s'il ne l'ouvre lui-même volontairement, ce qu'il ne fait jamais par la douleur, mais par le plaisir ». C'est pourquoi il ne faut jamais tenter d'imposer la vérité : ce serait aller à l'échec. Il faut « la présenter à l'esprit ou avec toute la clarté ou avec tout l'agrément possible, afin qu'elle y entre ou par la lumière de la conviction ou par la douceur de l'amour » (Thomas Guyot, *Lettre politique de Cicéron à son frère Quintus [...], avec divers avis touchant la conduite des enfants*, 1670, t. I, p. 83-84).

[2] Yves de Paris, *Des Miséricordes de Dieu en la conduite de l'homme* (1645), Avant-propos.

[3] Mais rien n'est sûr en la matière, surtout à l'époque : les orphelins étaient nombreux, l'affection parentale bien moins vive qu'aujourd'hui, la prise en

mère paternelle, qui était pauvre, tandis que sa sœur était chez le grand-père maternel, riche et considéré. Bien plus tard, il dira, selon son fils, que ce patriarche recevait toute la famille aux principales fêtes, « qu'il était, comme les autres, invité à ces repas, mais qu'à peine on daignait le regarder ». A Port-Royal, il se sent peu de chose devant des maîtres célèbres et remarquables, et parmi des condisciples d'excellentes familles. De plus on lui enseigne le néant de la créature, et sa culpabilité.

Tout cela a pu le rendre avide de réussite, de reconnaissance affective, et même de jouissance. Il a pu être animé par cette concupiscence, cette anxieuse et coupable avidité insatiable d'un être de néant — que dénonçait l'enseignement augustinien. Sa situation favorisait le désir et la crainte, l'identification émotive, le besoin d'amour et le rêve plutôt qu'une conscience objective [1]. Sa brillante réussite scolaire venait sans doute de la sensibilité, de l'affectivité et de l'imagination. Enfant, il aspirait à se conformer aux attentes de ses maîtres : à l'adolescence, sa personnalité fonctionnera de la même façon, mais pour se conformer à ses désirs et à ses rêves.

A Port-Royal, on accordait une grande place à l'enseignement de la littérature, pour apprendre aux élèves d'importantes vérités psychologiques et morales, former leur jugement, les habituer à une langue élégante et précise. Mais la satisfaction que nous donnent les belles fictions peut exciter dangereusement l'imagination et la sensibilité. « Il est certain que ce plaisir naît principalement de la concupiscence et qu'il ne fait qu'entretenir et fortifier les passions », écrivait Malebranche [2]. C'est notamment le cas pour les œuvres romanesques. Or, Racine penchait sans doute de ce côté : c'est pour cela qu'il était et restera un littéraire. C'est ce dont témoigne, me semble-t-il, l'anecdote du roman d'Héliodore, qu'il aurait acheté trois fois et finalement appris par cœur parce que ses maîtres confisquaient à chaque fois pour le brûler cet ouvrage trop favorable aux passions. Elle me semble enjolivée,

---

charge par la famille élargie et le voisinage plus importante. Et surtout Racine était en nourrice, si bien que l'on ne sait rien de précis de ses rapports avec ses parents. Reste qu'Astyanax, Joas, Eriphile (*Iphigénie* 421-426 et 586-588) témoignent de sa sensibilité, originelle ou rétroactive, au statut des orphelins.

[1] Il restera toute sa vie extrêmement sensible (Cf. J. Rohou, *Jean Racine entre sa carrière, son œuvre et son Dieu*, Fayard, 1992, p. 109-113).

[2] *La Recherche de la Vérité*, II, III, 5 (1674).

mais non pas entièrement inventée, puisqu'elle provient de Valincour, qui avait été l'ami de Racine.

C'est sans doute, parce que cet élève brillant en classe de lettres mais passionnellement impulsif n'avait pas la maturité rationnelle nécessaire, que ses maîtres retardèrent de trois ans son entrée dans le « cours de philosophie, dont les épines avaient peu de rapport à son génie » [1]. Nous n'avons qu'un seul billet adressé à l'adolescent par son « papa » Antoine Le Maistre (éloigné par ordre royal), en cette période de la vie qui « est la plus agréable [...] mais [...] aussi la plus dangereuse, parce que les passions y sont maîtresses de la raison » [2]. C'est bien cette crainte des passions qui s'y affirme : « Faites mes recommandations à Mme Racine et à votre bonne tante, et suivez leurs conseils en tout. La jeunesse doit toujours se laisser conduire et tâcher de ne point s'émanciper. Peut-être que Dieu nous fera revenir où vous êtes. Cependant, il faut tâcher de profiter de cette persécution, et de faire qu'elle nous serve à nous détacher du monde, qui nous paraît si ennemi de la piété ».

Dans ses lettres d'Uzès, Racine confirme lui-même qu'il était jusque là peu capable de maîtriser ses passions. Maintenant, parmi tous ces moines, il me « faut être régulier avec les Réguliers, comme j'ai été loup avec vous et les autres loups vos compères », écrit-il à La Fontaine (11 novembre 1661). Il faut « être sage [...] ou du moins le faire » (24 novembre 1661). « Je gagnerai cela [...] que j'apprendrai à me contraindre. Ce que je ne savais point du tout » (30 avril 1662). « J'ai un peu appris à me contraindre », confirme-t-il le 16 mai.

Mais, dira-t-on, l'auteur des tragédies n'était plus influencé par des maîtres avec qui il avait rompu. Il avait renié son

---

[1] Godefroi Hermant, *Mémoires*, XX, 5. Cet ami de Port-Royal était chanoine à Beauvais au moment où Racine y faisait ses classes de lettres, dans le collège dont il avait été régent. Les études de philosophie commençaient par la logique, et un autre ami de Port-Royal, Claude Joly, précise que « toute cette méthode dont on use pour argumenter en forme par syllogismes, quoique bonne et louable d'elle-même, est épineuse et désagréable, à moins qu'on ne trouve des sujets capables d'en profiter [...]. Il n'appartient pas à tout le monde de vouloir être philosophe » (1675). « Les belles-lettres [...] ont un certain charme qui fait trouver beaucoup de sécheresse dans les autres études », dira Racine lui-même (lettre du 5 juin 1698). « M. Despréaux a raison d'appréhender que vous ne perdiez un peu le goût des belles-lettres pendant votre cours de philosophie », écrit-il à son fils le 1er octobre 1693.

[2] Le P. Senault, *Le Monarque*, 1661 ; éd. de 1664, p. 285.

« éducation toute sainte » pour s'adonner aux « passions [...] de
la concupiscence », comme le dira Tronchai dans l'épitaphe
qu'il composera pour lui. Oui, mais ne réduisons pas toute la
problématique de l'auteur à l'attitude qu'affichait l'homme
social. Pouvait-il s'être entièrement débarrassé, dans l'intimité de
sa conscience, de ce qu'on lui avait si longuement, si
soigneusement inculqué ? Peut-on se délivrer de son surmoi et
de l'œil de Caïn, comme Néron l'a cru ? Sa mère lui répond que
ses crimes ne feront que le rendre plus aigu, jusqu'à en faire le
poignard du suicide. C'est ce que confirme l'histoire d'Athalie,
ou celle de Titus, qui croyait pouvoir suivre sa passion parce
que son père était mort : il ne savait pas que le sentiment de la
Loi était inscrit en lui-même et se révélerait le jour où, devenu
libre, il serait donc responsable. Nous n'avons, dit-on, aucun
document sur la vie intime de Racine, aucune confession. Si :
son œuvre, où il met en scène le tourment de la passion face à
l'idéal inaccessible et à la réprobation de la conscience — toutes
choses qui ne sont généralement pas dans ses sources.

Le créateur de Pyrrhus, de Néron, de Roxane, de Phèdre,
d'Aman et de Mathan met en scène la condamnation de la
rébellion à laquelle il s'est adonné, et qui confirme dans sa
mauvaise conscience la vérité de l'enseignement de ce Port-
Royal dont tout le monde parlait. Même ceux qu'ils n'avaient
pas formés ne pouvaient éviter d'être peu ou prou hantés par
l'image de ces admirables Solitaires qui étaient l'antipode d'une
vie mondaine et courtisane condamnée par tous les moralistes.
On ne se libère pas de son surmoi : « D'une enfance toute
tournée vers le ciel, qui ne garde encore aujourd'hui, en même
temps que des souvenirs de délices, une impression d'effroi ? »,
écrit, en connaissance de cause, François Mauriac dans sa *Vie de
Racine* (p. 10).

L'ancien élève de Port-Royal pouvait-il ne pas se rappeler
ce qu'on lui avait dit des difficultés, déceptions et amertumes de
la vie mondaine, et aussi du « feu de la concupiscence, qui entre
par les yeux et par les oreilles dans la substance de l'âme [...]
pour la faire mourir de plus en plus devant Dieu, à mesure
qu'elle vit et se donne du bon temps devant les hommes » [1].
Quand rivaux ou critiques réagissaient vivement contre
l'agressive ambition de l'auteur de *Britannicus*, ne l'obligeaient-
ils pas à se souvenir d'autre chose encore ? « La corruption de la

---

[1] Saint-Cyran, *Lettres chrétiennes et spirituelles*, XCIII, éd. de 1674, t. II,
p. 230.

concupiscence [...] est comme le levain du diable » ; « toute la force du diable est dans la cupidité » [1].

Mon Dieu, quelle guerre cruelle !
Je trouve deux hommes en moi.
L'un veut que plein d'amour pour toi
Mon cœur te soit toujours fidèle.
L'autre à tes volontés rebelle
Me révolte contre ta loi.

Hélas ! en guerre avec moi-même,
Où pourrai-je trouver la paix ?
Je veux et n'accomplis jamais.
Je veux. Mais, ô misère extrême !
Je ne fais pas le bien que j'aime,
Et je fais le mal que je hais.

Ce cantique, publié en 1694, et inspiré de saint Paul [2], est l'œuvre d'un homme revenu à la foi depuis douze ou quinze ans. Mais l'auteur de *La Thébaïde* et de *Britannicus* ne s'est-il pas dit à peu près la même chose, quoique peut-être en sens inverse ?

Est-il possible d'oublier la morale augustinienne dont on a été nourri quand on se lance dans ce qu'elle réprouve au plus haut point : la vie mondaine, l'ambition courtisane, les plaisirs sensuels et le théâtre ? « Le but de la comédie [= du théâtre] est d'émouvoir les passions [...] et au contraire tout le but de la religion chrétienne est [...] de les détruire autant qu'on le peut en cette vie » [3]. C'est ce qui se dit plus que jamais au moment même où Racine s'y engage malgré la violente opposition sans doute de ses maîtres, et en tout cas de sa chère tante, religieuse à Port-Royal, qui était sa mère spirituelle [4]. Voici ce qu'elle lui écrit [5] : « J'ai donc appris avec douleur que vous fréquentez plus

---

[1] Arnauld d'Andilly, *Instructions chrétiennes tirées des Lettres de Saint-Cyran*, I, I, 93 et I, II, 45 (1672).

[2] *Epître aux Romains*, VII. Toutefois, comme le fait remarquer G. Forestier, Paul ne parle pas explicitement de deux hommes ni de guerre entre eux.

[3] Le prince de Conti, *Traité de la comédie*, 1666.

[4] « C'est elle qui m'apprit à connaître Dieu dès mon enfance, et c'est elle aussi dont Dieu s'est servi pour me tirer de l'égarement et des misères où j'ai été engagé pendant quinze années », écrira-t-il le 4 mars 1698.

[5] Datée du 26 août, cette lettre ne porte pas d'indication d'année. J. Mesnard a montré que la date de 1663, admise jusqu'à présent, ne pouvait convenir : la lettre parle d'un « voyage » de Racine pour aller voir sa tante. Or, depuis

que jamais des personnes dont le nom est abominable à toutes les personnes qui ont tant soit peu de piété, et avec raison, puisqu'on leur interdit l'entrée de l'église et la communion des fidèles, même à la mort, à moins qu'ils se reconnaissent [1]. Jugez donc, mon cher neveu, dans quelle angoisse je peux être, puisque vous n'ignorez pas la tendresse que j'ai toujours eue pour vous, et que je n'ai jamais rien désiré, sinon que vous fussiez tout à Dieu dans quelque emploi honnête. Je vous conjure donc [...] de rentrer dans votre cœur pour y considérer sérieusement dans quel abîme vous vous êtes jeté ; [...] mais si vous êtes assez malheureux pour n'avoir pas rompu un commerce qui vous déshonore devant Dieu et devant les hommes, vous ne devez pas penser à nous venir voir ».

Peu avant la création de *La Thébaïde* par Molière (20 juin 1664) éclate le scandale de *Tartuffe* (représenté le 12 mai) et de *Dom Juan* (créé le 15 février 1665), tandis que Racine prépare une seconde pièce, *Alexandre*, pour la troupe de ce diabolique Molière, qui la donnera à partir du 4 décembre 1665. Le 31 décembre paraît une lettre de Nicole où, sans nommer son ancien élève (mais peut-être en pensant à lui, quoi qu'il ait prétendu par la suite), il écrit qu' « un faiseur de romans et un poète de théâtre est un empoisonneur public non des corps, mais des âmes des fidèles, qui se doit regarder comme coupable d'une infinité d'homicides spirituels ». Racine réplique avec une

---

1661 au moins elle réside à Port-Royal de Paris et non pas au monastère des Champs, où elle est renvoyée, ainsi que les autres récalcitrantes, en juillet 1665, pour y être isolée jusqu'au printemps. Elle pourrait être de 1660 (bien que la première phrase implique une récidive) : c'est le 5 septembre que Racine apprend que son *Amasie* est refusée par les comédiens. Ou de 1661 : en juin il achève le plan d'une nouvelle pièce sur Ovide, et il ne partira à Uzès que fin octobre — si une visite aux religieuses des Champs était alors possible —. Ou de 1665, au moment où il écrit *Alexandre*, créé le 4 décembre. En août 1667, il achève *Andromaque*, créée le 17 novembre. Mais la rupture est déjà consommée et Racine semble répondre indirectement à cette lettre en janvier 1666, dans sa diatribe contre Nicole. En conclusion, 1660 ou 1661 me paraissent les hypothèses les plus probables : après, son engagement théâtral est déjà irréversible, et il est improbable qu'il ait promis d'y renoncer. Mais si cette lettre était de 1676, comme le pense Jean Mesnard, mon argumentation en serait renforcée : ce serait l'indice d'un long et intense conflit (Racine et Port-Royal : autour d'un épisode inconnu, *La « Guirlande » di Cecilia, Studi in onore di Cecilia Rizza*, éd. R. Galli Pellegrini, Schena-Nizet, 1996, p. 557-565).

[1] *Se reconnaître* : reconnaître ses erreurs, se repentir.

hâte et une violence [1] révélatrices de sa mauvaise conscience. Au passage, il répond à l'une des formules de sa tante, qu'il n'a pas oubliée : « Pourquoi voulez-vous que ces ouvrages d'esprit soient une occupation peu honorable devant les hommes et horrible devant Dieu ? » Le conflit avec Port-Royal se prolongea jusqu'en mai, et rebondit un an plus tard, quand Nicole publia son *Traité de la comédie,* accompagné d'un Avertissement fort sévère pour le « jeune poète » et pour sa lettre, où « tout était faux [...] et contre le bon sens ». Entre temps, le prince de Conti, quatrième personnage du royaume et ancien libertin et protecteur de Molière, devenu sévèrement religieux, avait publié contre le théâtre un *Traité de la Comédie et des spectacles selon la tradition de l'Eglise* (décembre 1666). *Tartuffe,* remanié et complété, est repris le 5 août 1667 et aussitôt interdit derechef, avant d'être autorisé à partir du 5 février 1669. En 1671, l'abbé de Voisin publie une *Défense du Traité de Mgr le Prince de Conti touchant la comédie,* accompagné d'une seconde édition du traité de Nicole, qui sera encore republié en 1675. Le tout s'inscrit dans un violent conflit entre les mondains et les rigoristes, entre Louis XIV et la Compagnie du Saint-Sacrement (qui doit réduire considérablement ses activités à partir de 1666), entre les pouvoirs et Port-Royal jusqu'à la Paix de l'Eglise à la fin de 1668.

Ainsi, l'ancien élève des Solitaires devenu jouisseur mondain et auteur de théâtre, ne pouvait éviter le déchirement entre ses passions et une mauvaise conscience que les circonstances se chargeaient de tenir en éveil. On observera d'ailleurs que tout en dépeignant les passions de façon fort séduisante pour son public, le créateur de Créon et des frères ennemis, de Taxile, de Pyrrhus, Hermione et Oreste, de Néron, Agrippine et Narcisse, de Roxane, montrait aussi que ces passions, loin de satisfaire ceux qui en sont possédés, les frustrent douloureusement, les rendent tyranniques sinon criminels, et leur préparent une fin funeste. Avec Mithridate, Eriphile, Phèdre et Thésée, il les dénonce même explicitement.

Les rigoristes ne niaient pas la réalité du bonheur mondain [2]. Mais ils le disaient superficiel, grevé d'amertume,

---

[1] Sur cette querelle, cf. J. Rohou, *Jean Racine entre sa carrière, son œuvre et son Dieu,* Fayard, 1992, p. 227-233. On trouvera les textes dans Racine, *Œuvres complètes,* éd. R. Picard, Pléiade, t. II (1960).

[2] « Le péché a ouvert les yeux aux hommes pour leur faire voir les vanités du

éphémère et fauteur de mauvaise conscience. L'ancien élève de Port-Royal éprouvait la véracité de ce diagnostic. Il savait que sa faveur auprès du roi, de Mme de Montespan, de Condé, de Colbert et du public pouvait être mise en cause à tout instant. Son ambition, sa réussite, sa morgue, ses railleries, la galanterie de ses œuvres lui valaient de vives réactions qui l'atteignaient profondément. Car c'était un anxieux qui avait tendance à « prendre tous les événements avec trop de sensibilité ». Il était « mélancolique et s'entretenait plus longtemps des sujets capables de le chagriner que des sujets propres à le réjouir », et son fils, auteur de ces formules, lui impute cet aveu : « la moindre critique, quelque mauvaise qu'elle ait été, m'a toujours causé plus de chagrin que toutes les louanges ne m'ont fait de plaisir ». « Vous savez comme la moindre chose m'embarrasse », écrit-il lui-même : les soucis vont « m'achever » (8 octobre 1697).

Pour réussir, dans sa vie sociale comme dans son œuvre, il lui faut se soumettre aux règles et aux attentes, se contraindre d'autant plus qu'il est toujours inquiet et perfectionniste. Mais dès qu'il n'est plus dans ces situations de dépendance qui l'obligent à se censurer, il se libère, il se venge par une violence hargneuse, passionnellement tyrannique. Voyez, outre sa virulence contre ses anciens maîtres, la première Préface de *Britannicus* contre Corneille, et la charge finale de celle de *Bérénice* contre Villars — où il explique pourtant pourquoi il aurait dû ne pas lui répondre.

Ainsi, à l'époque des tragédies comme aux petites écoles de Port-Royal, Racine était porteur de la contradiction entre passion et conscience qui caractérise son œuvre, sur laquelle insistait l'anthropologie augustinienne, et qui travaillait effectivement la seconde moitié du dix-septième siècle, où la morale traditionnelle se raidissait contre le développement de l'avidité intéressée.

Sans être un produit ni une transposition, l'œuvre de Racine est tributaire de son expérience sociale et de sa formation morale. Structurée par la contradiction augustinienne, elle a une fonction compensatrice de la mauvaise conscience induite par le carriérisme de son auteur. Sous une élaboration secondaire très soignée — pour parler comme Freud — il met en scène la condamnation de ses propres violences, les transférant sur de véritables boucs émissaires,

---

monde avec plaisir » (Nicole, *Traité de la comédie*, 35).

depuis Etéocle, Polynice et Créon, ou Agrippine, Néron et Narcisse jusqu'à Phèdre, Aman et Mathan — retrouvant peut-être, au plan personnel, la fonction initiale de la tragédie pour la cité grecque. L'œuvre stigmatise les fausses valeurs que poursuit l'auteur dans sa vie d'ambition et de jouissance. Alors que c'est un fervent admirateur de Louis XIV, tous les souverains de ses tragédies, en dehors d'Alexandre et Assuérus, peu significatifs, et de Titus, accablé par sa fonction, sont coupables, souvent par nature, en tout cas par l'exercice de leur pouvoir, qui incite à la tyrannie du désir. Seuls incarnent la valeur ceux qui sont dépouillés de tout pouvoir et de toute ambition.

Les choix existentiels de Racine, expression probable de sa motivation la plus profonde, font de lui un arriviste et un flatteur. Or ce sont ces attitudes là que l'œuvre traite le plus sévèrement. Lieu commun, certes. Mais ici Créon est plus odieux que dans la tradition, Narcisse est chargé d'un rôle abominable qu'il ne joua pas, et surtout Racine invente pour Aman, taraudé par le souvenir de son néant et de ses soumissions et compromissions, et pour Mathan, traître à son Dieu et travaillé de remords, des confidences qui rappellent sa propre existence. Enfin il prononce contre ces flatteurs arrivistes quatre condamnations générales, certes banales, mais d'un genre assez rare dans son œuvre [1]. La très originale confession d'Aman, l'ancien esclave devenu premier ministre, mais que torture le regard d'un esclave resté digne, sonne comme une transposition du trajet de son auteur :

J'ai su de mon destin corriger l'injustice.
Dans les mains des Persans jeune enfant apporté,
Je gouverne l'empire où je fus acheté.
(*Esther*, v. 450-452)
Pour la grandeur de mon roi — mais aussi pour devenir son tout-puissant ministre et pour le rester —,
J'ai foulé sous les pieds remords, crainte, pudeur ;

J'ai fait taire les lois et gémir l'innocence ;

J'ai chéri, j'ai cherché la malédiction.
(v. 867-871)
Cependant, des mortels aveuglement fatal !
De cet amas d'honneur la douceur passagère

---

[1] *La Thébaïde*, v. 1289-1292 ; *Britannicus*, v. 183-190 ; *Phèdre*, v. 1320-1326 ; *Athalie*, v. 1387-1402.

Fait sur mon cœur à peine une atteinte légère.
Mais Mardochée assis aux portes du palais,
Dans ce cœur malheureux enfonce mille traits :
Et toute ma grandeur me devient insipide,
Tandis que le soleil éclaire ce perfide.
                              (v. 456-462)
« Tous les jours », ce « vil esclave »
         D'un front audacieux me dédaigne et me brave.

         Son visage odieux m'afflige et me poursuit ;
         Et mon esprit troublé le voit encor la nuit.
                        (v. 417-418 et 435-436)
Pour l'esclave qui s'est élevé par de criminelles compromissions
dans les fausses grandeurs de ce monde, le regard de celui qui
figure l'intransigeance morale dans le dénuement temporel, c'est
l'insupportable regard du double, de celui qu'on devrait être : le
regard de la mauvaise conscience.

La morale chrétienne est la catégorie essentielle de la
vision dans *La Thébaïde*, *Britannicus*, *Bajazet* ou *Mithridate*, et
l'on pourrait dire que l'aporie tragique de leurs protagonistes
appelle implicitement une conversion, sinon une rédemption.
Certes, rien n'explicite cette orientation ni même ne l'insinue,
sauf peut-être la transformation finale de Mithridate, son
contexte et les termes qui l'accompagnent. Mais à partir
d'*Iphigénie* il y a, sous le recours à la mythologie, une véritable
conversion religieuse de la tragédie. Tous les *acteurs* de cette
pièce se définissent principalement par rapport à l'exigence
divine, et l'une des structures majeures, inventée par Racine,
oppose la piété filiale et religieuse d'Iphigénie, soumise jusqu'au
sacrifice, à la diabolique concupiscence d'Eriphile. Les dieux
qui conduisent toute l'action, et qui se révèlent finalement
justement sauveurs et justement vengeurs, sont bien plus
présents que chez Euripide : par leur grand-prêtre, par tous ces
héros qui descendent d'eux, par l'*autel* et le *sacrifice*, par le
sentiment de *respect* et le frisson d'*horreur* qu'inspire le sacré.
Ces termes sont bien plus fréquents qu'ailleurs, tout comme
ceux qui disent la présence de l'Esprit dans le monde physique :
le soleil, le vent, le tonnerre et les éclairs. « L'émotion cosmique
qui accompagne la théophanie finale rappelle bien plus
l'Ancien Testament que la littérature grecque. Le poète se
souvient même du miracle où Elie fait tomber sur l'autel le feu
divin [v. 1773 ; cf. *Athalie*, v. 119-121]. Ce ciel qui s'entrouvre

rappelle maint verset de la liturgie de l'Avent, de même que le vers :
> Elle portait au ciel notre encens et nos vœux » [1]

Cette évolution se confirme dans *Phèdre*, animée par la poétique de la transcendance, par la hantise de la faute, par le besoin d'une purgation sinon d'une expiation, par une dramaturgie de l'aveu, sinon de la confession. *Sacré, profane, profaner* et des mots qui peuvent témoigner d'un effroi religieux — *formidable, horreur, redoutable, terreur, terrible* — sont cinq fois plus fréquents que précédemment, et leur importance se confirmera dans les tragédies sacrées.

Le religiosité d'*Iphigénie* n'avait rien d'augustinien — sauf chez Eriphile. En revanche, « la fille de Minos et de Pasiphaé », qui résulte d'une réorganisation par Racine des données d'Euripide et de Sénèque, illustre parfaitement l'anthropologie de Port-Royal. Le P. Thomassin la considérait comme conforme à la vision augustinienne, « la loi de justice brillant aux yeux de son âme, et sa passion l'entraînant presque malgré elle » [2]. Et selon Louis Racine, le grand Arnauld aurait dit à Boileau que cette tragédie « nous donne cette grande leçon que lorsqu'en punition des fautes précédentes, Dieu nous abandonne à nous-même et à la perversité de notre cœur, il n'est point d'excès où nous ne puissions nous porter, même en les détestant » [3]. Il suffit de supprimer les quatre derniers mots pour que la phrase s'applique à plusieurs des personnages majeurs des tragédies précédentes.

Cette pièce, écrit Ph. Sellier « étincelle d'une poésie de la faute, du péché et du remords », « avec des emprunts indubitable à la paraphrase » du *Dies irae* par Le Maistre de Sacy. C'est éclatant pour les v. 1277-1286, mais l'influence de ce poème du jour de la colère divine « s'est étendue à toute la pièce, qui apparaît comme une tragédie hantée par la comparution » [4]. J'ajouterai que Racine souligne beaucoup plus

---

[1] Ph. Sellier, *Les tragédies de Jean Racine et Port-Royal*, *Carnet Giraudoux-Racine*, 3, 1997, p. 53-54.

[2] *Méthode d'étudier* (1681), t. I, p. 156.

[3] Louis Racine et le vieux Boileau ont tendance à enjoliver les choses. Mais comme ils sont tous deux augustiniens et amis de Port-Royal, leur témoignage philosophique doit être pris en considération, même si l'on peut douter de son exactitude factuelle.

[4] Article cité, p. 54-56.

que ses sources la piété filiale et religieuse d'Hippolyte et surtout, avec insistance, la responsabilité des dieux dans la mort de l'innocent [1]. Je n'en vois pas d'autre explication qu'un transfert de l'angoisse de l'auteur face à la juste sévérité du Dieu augustinien, pour lequel il ne saurait y avoir d'innocent parmi les enfants du péché originel.

Dans *Esther* et *Athalie*, dont l'auteur était redevenu explicitement chrétien, les chœurs chantent surtout la bonté du Dieu qui protège et pardonne et — ce qui sent l'augustinisme — la douceur de sa grâce : cf. par exemple *Esther* v. 1265-1279, où cette tendance est d'autant plus nette que c'est la fin de la pièce, moment de réjouissance. Mais d'autres passages célèbrent sa juste sévérité, et c'est bien « l'implacable vengeance » de ce « Dieu jaloux », « fidèle en toutes ses menaces » que met en scène *Athalie* (v. 112, 727, 1470 et 1488). Il y a même deux passages qui évoquent les aspects les plus sombres de l'Ancien Testament ou de l'augustinisme. Les vers 325-335 d'*Esther* expriment l'idée contestable (déjà réfutée par Ezéchiel, XVIII) du châtiment de jeunes innocents pour la faute de leurs ascendants :

> Nos pères ont péché, nos pères ne sont plus,
> Et nous portons la peine de leurs crimes.

Et *Athalie*, reprenant le thème du *Dies irae*, évoque la culpabilité de lignées entières, révélée au jour du Jugement, quand les méchants

> Boiront dans la coupe affreuse, inépuisable,
> Que tu présenteras au jour de ta fureur
> À toute la race coupable.
>   (v. 839-841)

Mais ce n'est pas seulement par certains thèmes que les tragédies de Racine rappellent la vision chrétienne de l'homme. D'un bout à l'autre de l'œuvre, l'organisation même de la problématique tragique procède de l'anthropologie augustinienne. Inscription de la vision de l'homme dans le jeu théâtral, la structure actantielle comporte trois pôles : la concupiscence, irrésistible, tyrannique et funeste, la conscience qui la réprouve, la valeur et le bonheur dont elle est avide mais qui lui sont inaccessibles par définition. C'est à la démonstration de cette hypothèse fondamentale que sera consacré le prochain chapitre.

Mais que Racine, en tant qu'auteur tragique, mette en scène les difficiles problèmes de la condition et de la

---

[1] Cf. Racine, *Théâtre complet*, éd. J. Rohou, p. 1069-1070.

personnalité humaines à travers l'anthropologie augustinienne, ne signifie pas que sa vision de l'homme s'identifie et se réduise à cette anthropologie. Tout en dénonçant la violence perverse de la concupiscence néronienne, il semble protester, de *La Thébaïde* jusqu'à *Bajazet* au moins, contre un système qui empêche la satisfaction des passions, contre une idéologie qui les réprouve. En nous présentant « la fille de Minos et de Pasiphaé », il a pu exprimer une anxiété plutôt qu'une conviction sur la tragique antinomie de notre nature. Le pôle positif de sa problématique nous intéresse souvent moins que le pôle négatif. Mais c'est aussi notre regard qui est en cause : le public du XVIIe et du XVIIe appréciait fort Britannicus, Bajazet ou Xipharès ; il adorait Iphigénie et ne voyait guère Eriphile. Je crois pouvoir soutenir que le désir coupable est le moteur premier dans la vision qui s'exprime dans l'œuvre. Mais cela ne prouve pas absolument qu'il le fût dans la conscience de Jean Racine ni dans l'intention de l'auteur des tragédies.

Chapitre 11

Le tragique racinien : structure et signification

> « Il y a beaucoup de façons de ne pas comprendre
> Racine, mais le comprendre, c'est assurément le
> percevoir comme tragique » [1]

Les œuvres littéraires ne sont pas des exposés d'idées ; ce sont des compositions formelles : écrire une tragédie, c'est construire un ensemble de thèmes, d'actants, d'événements et de mots. Mais tous ces éléments sont des signifiants destinés à produire des effets affectifs, esthétiques et idéologiques [2]. Et c'est aussi une intention signifiante qui préside à leur sélection et à leur combinaison. Ces effets expriment un certain point de vue (une vision de l'homme, ou plutôt, moins consciemment, un rapport au monde et à la vie) qui est le fondement de la pièce et son principe organisateur, modifié par les conditions de sa mise en œuvre (les particularités du sujet, les tendances du moment, la stratégie de l'auteur). L'importance fondatrice de cette vision est particulièrement nette pour une œuvre philosophique, comme la tragédie — étant entendu qu'en général elle ne préexiste ·pas explicitement au travail dramaturgique et stylistique qui l'exprime, et que Racine, par exemple, ne nous présente pas la condition humaine telle qu'il la contemplerait

---

[1] Raymond Picard, « Racine : comique ou tragique ? » *Revue d'Histoire littéraire de la France*, mai 1969, p. 472.

[2] Le sens n'est pas seulement dans les déclarations explicites qui s'adressent directement à l'intellect. Il procède aussi de la disposition des signifiants et passe par leurs effets affectifs. « Qu'on ne me dise pas que je n'ai rien dit de nouveau, la disposition des matières est nouvelle ». « Les mots diversement rangés font un divers sens. Et les sens diversement rangés font différents effets » (Pascal, *Pensées*, Laf. 696 et 784).

objectivement, mais telle qu'il la rêve (c'est son côté Junie) et
telle qu'il la redoute (c'est son côté Néron). C'est dans la mesure
où le résultat de son travail produit bien l'impression qu'il
souhaite que l'auteur le consacre ou le modifie. Je crois donc
avec Proust que « le style » — et aussi la dramaturgie — « est
une question non de technique, mais de vision ; il est la
révélation de la différence qualitative qu'il y a dans la façon
dont nous apparaît le monde » [1]. Très sommairement, je dirai
que la vision s'inscrit dans les rapports entre les actants dont
chacun figure une position constitutive du problème traité, que
la dramaturgie est le développement dialectique de ces rapports,
où le problème trouve sa solution ou sa confirmation, et que le
style est l'art d'en rendre les diverses étapes à la fois émouvantes
et agréables, tout en exprimant les attitudes des actants et les
caractères correspondants [2]. La poétique théâtrale est l'art de
faire imaginer au public une situation et des personnages dont
les raisons d'être sont philosophiques et morales.

En théoricien qui croit naïvement que la création
artistique peut être un processus pleinement conscient et
volontaire, le P. Le Bossu explique que « l'on doit commencer »
par « choisir [...] le point de morale » qui correspond à « la fin
que l'on se propose » : puis on imaginera une action qui
l'illustre (cf. chap. 2). C'est bien ainsi que les choses se passent,
mais implicitement et au niveau affectif et esthétique. C'est
pourquoi je préfère la description qu'en donne un créateur,
Edgar Poe : « Pour moi, la première de toutes les considérations,
c'est celle d'un effet à produire [...]. Puis je cherche [...] les
combinaisons d'événements ou de tons qui peuvent être les plus
propres à créer les effets en question ». Mais Poe n'envisage ici
que les effets esthétiques et affectifs. A travers eux et aussi
parallèlement, par la signification intellectuelle du langage, s'en
produit un autre, sémantique, voire philosophique. C'est celui-là
que je voudrais étudier dans ce chapitre sur le tragique.

---

[1] Proust affirme même que « pour écrire ce livre essentiel, le seul livre vrai, un
grand écrivain n'a pas, dans le sens courant, à l'inventer, puisqu'il existe déjà
en chacun de nous, mais à le traduire. Le devoir et la tâche d'un écrivain sont
ceux d'un traducteur » (*A la recherche du temps perdu.*, XIV. *Le temps retrouvé*,
II, 3).

[2] « Les figures [de style] sont comme les armes de l'âme ». « Il y a des
figures pour menacer, pour reprocher, pour épouvanter ; il y en a pour prier,
pour fléchir, pour flatter » (B. Lamy, *La Rhétorique ou L'Art de parler* (1670),
II, 11 et II, 10).

Toute œuvre est multiple. Racine, qui s'est lancé dans la littérature par ambition, précise dans la préface de *Bérénice* qu'il écrit afin « de plaire et de toucher », d'offrir aux spectateurs « le plaisir de pleurer et d'être attendris ». On peut admettre que telle est en effet son intention consciente — sauf dans *Phèdre* et les tragédies sacrées, bien plus sérieuses —, même s'il la réalise parfois avec plus de violence, pour des pleurs plus amers. Ce projet de séduction aurait dû détourner du tragique cet ambitieux si habile à se conformer aux attentes. Car aucune partie de son public ne le souhaitait : ni le roi, soucieux de grandeur, et dont la pièce préférée sera *Mithridate*, ni les mondains, amateurs de galanterie, ni la plupart des doctes, admirateurs de la tragédie héroïque. Christian Delmas peut même écrire que « le "tragique"est une catégorie parfaitement étrangère aux représentations de l'âge classique, qui pense la tragédie de façon pragmatique, c'est-à-dire d'abord comme la mise en forme théâtrale d'un certain type d'histoires visant à produire sur le public des affects de crainte et de pitié » [1]. Mais à qui fera-t-on croire que des histoires visant de tels affects ne sont pas (de façon pragmatique, certes, non théorisée) des prises de position philosophiques et morales sur la condition humaine ? Le tragique est essentiel à l'œuvre de Racine. Mais il n'est pas explicité, et il s'est imposé à lui malgé son intention, au point de risquer l'échec avec *La Thébaïde*, *Britannicus*, et *Phèdre*. Ce n'est pas une vision consciente, mais un rapport spontané au monde.

Aussi n'en dit-il rien de clair. La Préface de *Phèdre* comporte un passage d'apologie moraliste ; mais il est assez vague. Seule une phrase peut nous mettre sur la bonne piste : « Les passions n'y sont présentées aux yeux que pour montrer tout le désordre dont elles sont la cause ». En fait, son œuvre va bien au-delà : depuis *La Thébaïde* et *Britannicus* elle montre que le désir est l'expression d'un besoin vital, mais que cet entraînement irrésistible devient vite criminel et funeste pour celui qui le vit, que la conscience est impuissante, que concupiscence et pouvoir sont solidaires, que la vertu et l'innocence sont persécutées. N'est-il pas évident que cette mise en scène pathétique exprime une vision de la condition humaine, et correspond implicitement à une philosophie en acte ? Mais elle n'est jamais explicitée. Il nous faut donc la reconstituer par nous-mêmes, et pour cela définir le tragique,

---

[1] *La Tragédie de l'âge classique*, p. 20.

mettre de côté ce qui ne relève pas de cette catégorie puis
déceler les moyens de son expression.

La notion de tragique, élaborée par la philosophie
allemande du XIXe siècle n'est apparue en France qu'au début
du XXe, et ne s'y est répandue qu'à partir de 1930 et surtout
après 1945 [1]. Elle aurait peut-être surpris nos ancêtres, mais les
choses n'attendent pas d'être nommées pour exister, ni d'être
conscientes pour se manifester dans la vie ou dans l'imagination
poétique. Seul est tragique, au sens philosophique, un malheur
qui est fondamental (il n'entraîne pas seulement la mort, mais la
ruine de la raison d'être) et qui est inévitable et irrémédiable,
parce qu'il résulte de la dynamique de notre condition ou de
notre personnalité, constituées de principes antagoniques qui les
vouent au tourment, sinon à l'autodestruction, souvent à travers
des actes qui se veulent bénéfiques ou salutaires.

Avant de préciser la particularité du tragique racinien, il
faut mettre à part les moments ou aspects de l'œuvre qui ne
relèvent pas de cette catégorie : la majeure partie d'*Alexandre* et
d'*Esther*, la dimension épique de *Mithridate* et d'*Iphigénie* et
leurs dénouements, les chœurs lyriques et la dimension
providentielle d'*Athalie*, les rôles d'Acomat, d'Ulysse et
d'Achille, le style pompeux ou l'esprit galant de divers passages.
Il faut de plus distinguer la vision tragique de l'action
dramatique qui n'en est pas seulement la mise en œuvre
concrète. Elle en est aussi la préparation, dans les scènes
d'exposition puis dans celles où se forme le nœud antinomique.
Même si Racine commence ses pièces à un moment où la
contradiction est déjà virtuellement nouée, il y a un délai où
Pyrrhus et Titus hésitent encore, où Néron et Roxane ne se sont
pas encore heurtés au refus de Junie et de Bajazet, où Xipharès,
Pharnace et Monime, Phèdre, Hippolyte et Aricie ne se sont pas
encore déclarés, où Mithridate et Thésée ne sont pas encore de
retour.

Et surtout « l'objet dernier de la tragédie, c'est la
destruction et le dépassement du tragique » [2]. Elle le résout
parfois concrètement, comme dans *Mithridate*, *Iphigénie* et

---

[1] Elle a été accueillie parfois avec ivresse — ou complaisance. « Tout est
mensonge ; seul existe, seul vaut, seul vit le tragique ! Il est la seule chose
qui compte, qui vaille la peine d'être connue et vécue » (Clément Rosset, *La
Philosophie tragique*, P.U.F., 1960, p. 166).

[2] André Bonnard, *La Tragédie et l'homme. Etudes sur le drame antique*,
Neuchâtel, La Baconnière, 1951, p. 209-210.

Esther et partiellement dans *Andromaque* et *Athalie*, où ceux qui étaient menacés sont finalement sauvés et même triomphants. Parfois moralement, du moins en partie, par l'héroïsme qui permet à Titus et Bérénice de surmonter leur malheur, par le suicide de Phèdre qui « rend au jour [...] toute sa pureté » (v. 1644). Même malheureux, le dénouement met fin à l'angoisse, et donne la satisfaction de retrouver, fût-ce dans l'amertume, un monde en ordre.

L'invention, l'écriture et la représentation de la tragédie résolvent partiellement le tragique par son expression, qui est une libération, et par son transfert sur une fiction que l'auteur maîtrise rationnellement et que le public contemple à distance, comme le terrien de Lucrèce face à la tempête marine. La terreur, la pitié et les émotions de ce genre sont ici heureusement épurées, disait Aristote. Pascal célébrait la supériorité du « roseau pensant » dans la catastrophe [1], où les disciples de Nietzsche puisent une fière joie, dont on peut trouver une esquisse dans les dernières paroles d'Athalie. Enfin, le tragique, parce qu'il exprime ce qui dépasse nos possibilités de maîtrise rationnelle, s'exprime généralement par le langage et l'imagination poétiques, et se résout partiellement dans cette sublimation qui nous présente le malheur au plan esthétique, transformant son expression en beauté [2].

Il faut aussi distinguer la condition tragique, qui est celle d'êtres dont la personnalité même est constituée d'antinomies irréconciliables, de la simple situation tragique de ceux à qui le malheur est imposé de l'extérieur, sans que leur valeur ni leur raison d'être puissent en être atteintes, même dans la mort : Andromaque, Britannicus, Bérénice, Monime, Iphigénie, Hippolyte. Enfin, il ne faut pas confondre le malheur tragique et ses effets pathétiques sur les victimes et les témoins — en l'occurrence notamment sur le public. Ces deux dernières distinctions sont particulièrement importantes. Car la confusion est fréquente : elle est entretenue par ce que dit Racine lui-

---

[1] « L'homme n'est qu'un roseau, le plus faible de la nature, mais c'est un roseau pensant [...]. Quand l'univers l'écraserait, l'homme serait encore plus noble que ce qui le tue puisqu'il sait qu'il meurt, et l'avantage que l'univers a sur lui : l'univers n'en sait rien » (Laf. 200).

[2] La tragédie, à travers ses fictions poétiques, « exprime [...] la revendication de l'esprit qui prétend dépasser les apories, au moins sur le plan imaginaire de la création esthétique » (C. Delmas, « La mythologie dans *Phèdre* », *Revue d'Histoire du Théâtre*, 1971, p. 71).

même, par nos réactions de spectateurs ou de lecteurs, et par l'usage, où *tragique* s'emploie au sens de *pathétique*.

Ce que lecteurs et spectateurs d'une tragédie racinienne rencontrent d'abord ce n'est pas la vision philosophique qui en est le principe ; ce sont ses effets affectifs, esthétiques et moraux. C'est à l'appréciation de ceux-ci que l'on s'arrête : c'est l'attitude littérairement adéquate. Mais ces effets ont des causes, qui nous influencent à travers eux, sans même que nous le percevions clairement. Nous entretenons avec le monde extérieur, réel ou fictif, deux rapports bien différents. Nous pouvons en éprouver les effets sur notre sensibilité, et en analyser les mécanismes avec notre intelligence, pour découvrir les causes de ces effets : savoir que la terre tourne autour du soleil et goûter d'autre part, bien installé dans un jardin immobile, la sensation du soleil levant ou couchant. Chacune de ces attitudes a sa pleine pertinence, mais seulement dans son domaine. Et chacune, sélectionnant des indices particuliers, construit à partir de la même réalité des objets bien différents : pour nos sens, le sel est blanc, et salé ; mais notre définition scientifique du chlorure de sodium ne s'attarde pas à ces effets, que pourtant elle explique. Une œuvre littéraire ou artistique est faite pour être éprouvée, goûtée dans ses effets esthétiques et affectifs et, surtout dans le cas d'un texte, dans ses effets idéologiques. Mais on peut aussi l'étudier, l'analyser — c'est ce que nous faisons, vous et moi, en ce moment. Il importe alors de ne pas prendre les effets pour leurs propres causes. C'est une erreur particulièrement lourde dans le cas d'un mécanisme ou d'un processus dans lequel l'observateur se trouve enfermé (un train, un bateau, le système solaire, un processus dramatique, une sublimation psycho-poétique). Le fonctionnement des causes est alors l'inverse des effets qu'on ressent : on voit les berges fuir à reculons, le soleil tourner autour de la terre ; on adhère aux effets agréablement douloureux de la tragédie, et à leurs justifications fictives. Mais dès qu'on étudie l'œuvre pour en connaître les causes au lieu d'en subir les effets, il faut changer radicalement de perspective.

Ecrivant pour émouvoir le public, Racine, dans les préfaces qu'il compose à son intention, parle de ses œuvres du point de vue de leur réception : il les définit non par la vision tragique qui en est le principe, mais par leurs effets pathétiques. Sauf pour *Les Frères ennemis*, *Alexandre*, *Mithridate*, *Phèdre* et *Athalie*, où le nom de ces protagonistes s'imposait par leur rôle dominant comme par leur célébrité, il donne à ses pièces le nom d'un être admirable et persécuté : Andromaque, Britannicus, Bérénice, Bajazet, Iphigénie, Esther. « Les personnages tragiques » écrit-il, en se réclamant d'Aristote, sont « ceux dont le malheur fait la catastrophe de la tragédie » [1], et la première Préface de *Britannicus* présente cette victime comme « le héros de la tragédie ».

Certaines tragédies grecques, surtout chez Euripide, portent en effet le nom d'une innocente victime (*Alceste, Andromaque, Hécube, Les Troyennes, Iphigénie en Aulide*) ou celui des femmes du chœur qui déplorent pathétiquement le malheur (*Les Choéphores, Les Phéniciennes, Les Suppliantes*). Mais d'autres ont pour héros éponyme un personnage dont le malheur résulte plus ou moins de son propre comportement : *Antigone, Héraklès furieux, Hippolyte, Œdipe-roi, Oreste, Prométhée enchaîné*. Et Aristote affirme nettement que dans la tragédie, « on ne doit pas voir des justes passer du bonheur au malheur » mais un homme qui « doit, non au vice et à la méchanceté, mais à quelque faute, de tomber dans le malheur » (1452b-1453a). Racine avait traduit ce passage célèbre, et il se réclame de cette théorie du héros « médiocre » dans les préfaces d'*Andromaque*, de *Britannicus* [2] et de *Phèdre*.

C'est pour deux raisons fort intéressantes que Racine contredit Aristote dont il se réclame. D'une part l'anthropologie augustinienne alors dominante ne présente pas les hommes comme susceptibles d'être involontairement coupables de « quelque faute », mais comme radicalement corrompus par la concupiscence et animés d'un tyrannique amour de soi : le personnage de base sera donc Néron ou Phèdre, et en face son innocente victime. D'autre part, la tragédie du XVIIe siècle est moins directement philosophique que celle des Grecs. Elle ne cherche plus une épuration cathartique de la frayeur et de la pitié, mais une agréable compassion relevée de quelque frayeur : « le plaisir de pleurer et d'être attendri » (Préface de *Bérénice*). Elle cherche le pathétique et met donc en avant d'innocentes victimes, dont le malheur émeut sans donner à réfléchir autant que celui d'Œdipe ou de l'Hippolyte grec [3].

---

[1] Première Préface d'*Andromaque*.

[2] L'auteur de la préface de *Britannicus* ne manque pas d'audace apologétique quand il présente l'extrême jeunesse de ce personnage comme un exemple de cette « imperfection » requise par Aristote chez « le héros de la tragédie ».

[3] Cf. mon édition du *Théâtre* de Racine, p. 1048-1050.

Or, le malheur d'Andromaque ou de Britannicus n'est pas véritablement tragique puisqu'il n'est nullement de leur responsabilité : imposé de l'extérieur, il reste fondamentalement accidentel. Les efforts de Pyrrhus et de Néron pour les enfermer dans un cruel dilemme [1] ne peuvent atteindre leur conscience ni ruiner leur valeur ou détruire leur amour, et ils gardent toujours la possibilité de s'en échapper par la mort, qui n'effraie pas ces êtres spirituels : elle leur permet même de rejoindre leur véritable lieu. C'est seulement dans la mesure où les victimes ont quelque responsabilité dans le malheur qui les frappe qu'on peut parler à leur sujet de condition tragique. Contrairement à Andromaque, et à Iphigénie, Junie et Bérénice n'en sont peut-être pas absolument exemptes [2]. Mais c'est seulement dans *Bajazet*, *Mithridate* et *Phèdre* que s'affirmera cette responsabilité des victimes. Atalide se laisse enfermer dans la contradiction tragique parce que, contrairement à ce qu'elle voudrait, elle reste trop égoïstement inquiète sur elle-même, et n'aime pas assez Bajazet « pour renoncer à lui » [3] ; Monime et

---

[1] Pyrrhus impose à Andromaque, pour sauver « le seul bien qui [lui] reste et d'Hector et de Troie » (v. 262) d'épouser le destructeur de Troie et le fils du meurtrier d'Hector. De même, Néron réussit momentanément à imposer à Junie une situation tragique : elle devrait, pour sauver Britannicus, non seulement renoncer à lui mais lui persuader qu'elle ne l'aime plus, « le désespérer » (v. 667-756).

[2] Bérénice est victime d'un Titus qui sacrifie l'amour à la gloire, le désir au devoir. Mais « cette ardeur » vertueuse, c'est elle qui « l'a jadis allumée » en lui, alors qu'il « suivait du plaisir la pente trop aisée » (v. 502-508) :
> Je lui dois tout Paulin. Récompense cruelle !
> Tout ce que je lui dois va retomber sur elle.
>   (v. 519-520)
C'est la vue de Junie qui a cristallisé le désir du monstre encore assoupi. C'est dans son affrontement avec la première femme qui le refuse (v. 411-426) et avec son heureux rival que « Néron découvre son génie » et sa « férocité » (v. 800-803). Je montrerai plus loin que le bonheur des futures victimes agit comme une intolérable provocation sur leurs persécuteurs cruellement frustrés. Mais ils ne portent en cela nulle responsabilité. Selon J.-M. Apostolidès toute leur attitude est « un défi au pouvoir ; par leur innocence, leur silence, leurs craintes, par leur impuissance même à se révolter, ils l'invitent à franchir les bornes de leur vie privée, et à se muer en tyrannie ». L'excès de cette interprétation se lit dans sa formulation même.

[3]   J'aime assez mon amant pour renoncer à lui
déclare-t-elle (v. 836), et puisque son péril
>   ne pouvait finir qu'avec ma vie,
>   C'est sans regret aussi que je la sacrifie.

Xipharès se sentent coupables face à Mithridate ; l'insensibilité d'Hippolyte agit comme une provocation sur Phèdre, Aricie et Vénus, et cette attitude excessive le contraint à un douloureux reniement, à un « désaveu honteux » (v. 68 et 529-539). Mais malgré ces amorces, la tragédie de la conscience déchirée ne se développera que chez Mithridate et Agamemnon pour s'affirmer chez Phèdre : c'est-à-dire chez des sujets de l'antinomie tragique, et non pas chez leurs victimes. Il est impossible, texte en mains, de centrer *Andromaque* ou *Britannicus* comme Goldmann a voulu le faire [1], sur le dilemme de conscience de la mère d'Astyanax et de Junie, prises entre l'exigence du tyran et celle du dieu caché. Ce sont d'abord des tragédies de la passion frustrée, dont le tragique de la conscience divisée n'est encore qu'une conséquence.

Spontanément nous avons tendance à nous identifier aux innocentes et sympathiques victimes et à privilégier les effets esthétiques. Mais au plan philosophique les causes du malheur importent plus que l'émotion qu'il provoque. Et il faut bien constater que Racine lui-même analyse plus longuement et plus précisément Néron, Roxane, Mithridate, Phèdre et Athalie que Britannicus, Bajazet (au demeurant assez fades), Monime et Hippolyte. De plus, ce sont bien les premiers nommés qui sont, dans les rapports actantiels comme dans la dramaturgie, les sujets de l'action, c'est-à-dire ceux dont le désir et les initiatives la provoquent, la dominent et entraînent sa conclusion. Ce sont eux, généralement, qui sont les actants centraux, c'est-à-dire ceux qui sont en relation directe avec chacun des autres, et ceux

---

(v. 961-962)

Mais, en fait, elle ne réussit pas à se délivrer tout à fait de la réaction jalouse qu'elle évoquait plus haut :

> De mille soins jaloux jusqu'alors agitée,
> Il est vrai, je n'ai pu concevoir sans effroi
> Que Bajazet pût vivre, et n'être plus à moi.
> Et lorsque quelquefois de ma rivale heureuse
> Je me représentais l'image douloureuse,
> Votre mort (pardonnez aux fureurs des amants)
> Ne me paraissait pas le plus grand des tourments.

(v. 682-688)

Au dénouement, elle accusera ses « funestes caprices » d'être responsables de la mort de celui qu'elle aimait sans pouvoir pousser la générosité jusqu'au sacrifice (v. 1722-1733).

[1] Il reconnaît lui-même que Junie se situe à la « périphérie » d'une pièce où l'appel de Vesta ne retentit nullement.

par qui passent les rapports entre les actants les plus éloignés [1]. Ce sont aussi les actants de base, c'est-à-dire que les autres sont définis à partir d'eux beaucoup plus que l'inverse : Burrhus et Narcisse incarnent les deux faces de Néron, Britannicus se définit comme son rival, Junie comme son objet idéal et fantasmatique, Agrippine comme la contrainte qui le gêne. Depuis les frères ennemis et Pyrrhus jusqu'à Phèdre et Athalie, c'est aussi le malheur et souvent la mort de ces personnages là qui marque le dénouement de la tragédie, et pas seulement celle des victimes désignées, qui sont souvent sauvées : dans *Alexandre*, *Andromaque*, *Mithridate*, *Iphigénie*, *Esther* et *Athalie*. Enfin nous verrons plus loin que c'est bien chez ces personnages que se trouve l'origine de l'antagonisme moral, et que c'est eux que l'idéologie de l'œuvre réprouve comme responsables. Cela ne signifie pas que Néron soit plus important que Junie ; mais c'est bien en lui que se trouve la source du problème dont elle n'est qu'un révélateur et une victime ; dans une certaine mesure, c'est à partir de lui qu'elle est conçue, comme un idéal *a contrario*, sinon comme un rêve.

Nous avons donc de fortes raisons de distinguer soigneusement la condition tragique, parce qu'elle est chez Racine dominante et fondatrice, de la situation tragique, de leur mise en scène dramatique, de leurs effets pathétiques et de leur sublimation esthétique. C'est sa vision tragique, c'est-à-dire le sentiment que le malheur est inhérent à notre condition, et résulte des antinomies de notre personnalité, qui l'a guidé dans le choix de la plupart de ses sujets et dans leurs principales transformations, notamment pour y introduire des innocents destinés à être persécutés, des couples antagoniques, des personnalités divisées, des contradictions insolubles, même par le meurtre, qui ne fait que renforcer l'exclusion morale, la frustration et la dévorante mauvaise conscience du meurtrier. C'est en bonne partie cette vision qui oriente la psychologie, la dramaturgie et la poésie. Elle choisit comme rapport principal l'amour passionnel, aspiration d'un être déchu à l'inaccessible bonheur dans son impossible reconnaissance par la figure de la valeur, et elle lui oppose l'image d'un amour heureux destiné à être rapidement broyé. Cette vision tragique d'antinomies insolubles fonde une dramaturgie où toute initiative ne peut que les aggraver. Elle est d'emblée la révélation d'une terrible vérité

---

[1] Andromaque et Oreste n'ont de rapport qu'à travers Pyrrhus, Junie et Agrippine à travers Néron, Atalide et Amurat à travers Roxane.

(le désir se révolte ou la conscience s'éveille, « Néron découvre son génie » [1], Titus l'impossibilité de ses heureux projets) ou bien l'installation d'une violente contradiction (l'ultimatum des Grecs contre l'amour de Pyrrhus pour Andromaque, la passion incestueuse de Phèdre, celle de Roxane pour Bajazet qui aime Atalide, celle de Pharnace et de Xipharès pour la fiancée de leur père...) puis sa progressive confirmation, à travers l'ironie tragique d'espérances suscitées pour être déçues et du malheureux revirement des initiatives prises pour résoudre la situation ou pour y échapper. Souvent l'acuité de ces situations favorise la force et la précision du style [2], et c'est à partir de la vision tragique que se développe la poésie comme art de « faire quelque chose de rien » [3], et comme salutaire sublimation qui transforme la misère en belle déploration, magnifique fureur ou « tristesse majestueuse » [4], et finalement en plaisir esthétique et cathartique. Confrontation à des forces, valeurs et malheurs qui nous dépassent, le tragique ne peut pleinement se dire que par la médiation poétique, ni s'accepter que dans le soulagement de son cérémonial. C'est enfin la vision tragique qui assure l'unité de *Phèdre*, si riche et si contradictoire par ses emprunts comme par ses inventions.

Cela est d'autant plus remarquable qu'à l'époque les tragédies radicalement tragiques sont rares : ce qui domine c'est l'aventure romanesque et galante, ou le sombre drame à fin heureuse ou malheureuse. Quand il existe, le tragique provient d'antagonismes politiques ou amoureux, dont la dimension morale n'est pas aussi nette qu'elle le sera chez Racine à partir de *Britannicus*. Il y a chez les autres dramaturges peu d'œuvres où la concupiscence soit aussi consubstantielle au personnage de base ; il y en a peu où celui-ci vive le tourment d'une frustration analogue à celle de Roxane, Mithridate, Eriphile ou Phèdre. Et je n'en vois aucune qui ait pour principe l'antinomie entre la concupiscence, l'idéal inaccessible et la loi réprobatrice, qui est au cœur du tragique racinien. Seules les tragédies explicitement chrétiennes du XVIe siècle présentent une structure analogue.

---

[1] *Britannicus*, v. 800.
[2] Je pense aux dialogues entre Britannicus et Narcisse, Agamemnon et Iphigénie, Hyppolyte et Thésée, Athalie et Joas.
[3] Préface de *Bérénice*.
[4] Préface de *Bérénice*.

Racine lui-même a commencé par deux tragédies galantes, autant qu'on en puisse juger par le titre — *Amasie* — ou le thème — la vie d'Ovide. C'est le refus de ces deux tentatives conformes à la mode et à son désir « de plaire et de toucher » qui l'ont conduit vers un sujet grec, à partir de la dernière œuvre de Corneille, *Œdipe*, dont le sujet, proposé par Fouquet, était une exception dans la carrière du dramaturge héroïque. Il revient aussitôt vers la mode avec *Alexandre le Grand*. Mais ce n'est vraiment pas le meilleur de son œuvre. Sa dimension originale, c'est celle qui échappe à la mode, et même à son propre projet, mais qui exprime ce dont j'ai parlé au chapitre précédent : son expérience profonde, la crise de la condition et de la personnalité humaines au XVIIe siècle, et l'anthropologie augustinienne qui lui correspond.

Quand il écrit — au moins jusqu'à *Iphigénie* — sa motivation immédiate est de devenir célèbre, et par conséquent son projet est « de plaire et de toucher » en suivant la mode. Cela donne *Alexandre* et *Esther* ou, dans le meilleur des cas, *Bérénice*, *Iphigénie* et le côté galant d'*Andromaque*. Mais cette ambition ne saurait expliquer la violence de *La Thébaïde*, la noirceur de Néron, Narcisse et Agrippine, la hardiesse de Roxane, Eriphile et Phèdre, la profondeur d'*Athalie* alors qu'on lui demandait de renouveler le triomphe d'*Esther*, c'est-à-dire un gentil drame pieux pompeusement mis en scène. Loin de suivre la mode comme il le voudrait, l'auteur de *Britannicus* et de *Phèdre* ne peut s'empêcher de la contredire : le public, choqué, n'adopta ces œuvres qu'au bout de quelques semaines. Sa vision tragique, assez profonde pour qu'il ne pût s'en saisir et la maîtriser par une claire conscience, était aussi assez forte pour qu'il eût besoin de s'en délivrer par un transfert sur ses fictions, au risque de mettre en péril le projet de son ambition.

*
*   *

Concentrons donc notre analyse sur la condition tragique. Précisons la place qu'occupent chez Racine les antinomies dont elle résulte traditionnellement, afin de cerner son originalité. Dans la tragédie grecque, qui reflète un moment de bouleversements rapides, où les hommes s'émancipaient de toutes les anciennes structures, c'est souvent la contradiction entre notre orgueilleuse liberté et un ordre transcendant : un dieu vengeur agit dans le héros, parallèlement à sa propre volonté, et le conduit au malheur par les actes mêmes par lesquels sa prétention excessive croit assurer son triomphe : il « fait le mal en croyant bien faire » [1]. Ainsi, Œdipe, « le premier » et « le meilleur » des humains (v. 33 et 47) se révèle un « misérable » (v. 1265) à travers les actes par lesquels il avait cru assurer son salut, son bon droit et sa réussite. De même, l'Hippolyte d'Euripide est victime de son farouche refus de l'amour, attitude qu'il considérait comme une éclatante vertu. Cette double motivation et signification de nos actes à notre insu se retrouve chez Eriphile, Œnone, Thésée et Phèdre. Mais Racine ne croit pas à Vénus ni aux dieux qu'invoquent ses préfaces pour expliquer ces aliénations. C'est seulement dans *Athalie* que Dieu « seul a tout conduit » (v. 1774), jusque par les actes de l'ennemie qu'il a leurrée. Vérification faite, c'est donc à tort que l'on définit parfois le tragique racinien par l'idée, chère aux philosophes du XIXe et du XXe siècles, d'un conflit entre notre liberté et la transcendance. Celle-ci n'intervient que dans les tragédies sacrées ; les autres résultent d'antinomies internes à l'homme.

Une autre antinomie fréquente dans la tragédie grecque, c'est la violence sacrilège à l'intérieur du groupe familial, dont l'unité était fondamentale pour les sociétés anciennes, organisées en clans dont les déchirures donnaient lieu à de terribles vendettas, comme chez les Atrides. Aristote lui donne sa préférence. « Le surgissement de violences au cœur des alliances — comme un meurtre ou un autre acte de ce genre accompli ou projeté par le frère contre le frère, par le fils contre le père, par la mère contre le fils ou le fils contre la mère — voilà ce qu'il faut chercher » pour produire la frayeur et la pitié (*Poétique*, 1453b). Plusieurs tragédies de Racine sont effectivement marquées par le fratricide (*La Thébaïde* et *Britannicus* voire *Bajazet* ou même *Athalie*), une forme de « parricide » (*Andromaque*, v. 1534 et 1574), l'infanticide (finalement évité dans *Mithridate* et *Iphigénie*, mais réalisé dans *Phèdre* [2]), l'annonce du matricide ou sa réalisation métaphorique (*Britannicus*, *Athalie*), l'éclatement de couples, le revirement de l'amour en haine, la transformation du sang, principe de vie et d'union, en source de division fatale (*La Thébaïde*), l'utilisation de l'autel, du temple ou des nœuds du

---

[1] Sophocle, *Les Trachiniennes*, v. 1136.
[2] N'oublions pas que Créon, dans *La Thébaïde*, est ravi d'être débarrassé de ses deux fils.

mariage comme lieux ou instruments de la mise à mort (*Andromaque*, *Iphigénie* et même *Phèdre*, v. 1392-1406 et 1553-1554). Mais ces antinomies ne sont pas les principales ni les plus originales, du moins dans les quatre derniers cas ; et même dans *Britannicus*, elles ne peuvent avoir autant d'importance qu'à l'époque où le clan était le noyau de l'existence sociale et culturelle. De plus, elles ne sont pas premières : le fratricide de *Britannicus* ou l'infanticide de *Phèdre* sont les conséquences des antinomies morales entre Néron et Junie ou Agrippine, entre Phèdre et Hippolyte. Enfin, dans cette catégorie de conflits, Racine s'oriente plutôt vers des violences moralement révoltantes, comme la persécution des enfants et d'autres innocents démunis ou vers des transgressions religieuses : la mise à mort à l'autel dans *Andromaque* et *Iphigénie* [1].

Une antinomie plus particulière à Racine et à son temps, est celle de l'amour refusé et de sa réaction meurtrière : A aime B, qui le refuse parce qu'il aime C dont il est aimé. Mais A détient le pouvoir et l'utilise pour éliminer C (ou B). Cette structure domine en effet toutes les tragédies raciniennes sauf *La Thébaïde*, *Alexandre*, *Bérénice*, *Iphigénie* et *Esther*, et se retrouve de façon secondaire ou incomplète dans quatre de celles-ci. Mais, présentée sous cette forme, elle a le grave inconvénient d'être une simple description mécanique, qui ne précise ni la nature des divers personnages ni les motifs de l'amour et du refus, c'est-à-dire les raisons mêmes du processus (cf. chap. 14). De plus elle omet un actant essentiel : celui qui incarne la loi.

*
*   *

Puisque ces antagonismes traditionnels ne rendent pas compte de la structure du tragique racinien, il faut partir de l'analyse de ses œuvres pour découvrir son originalité. Certaines œuvres littéraires à tendance philosophique explicitent plus ou moins leur signification : celles par exemple de Rabelais, Montaigne, Molière, La Fontaine, La Bruyère, Voltaire ou Proust. D'autres sont des compositions artistiques à déchiffrer. Néanmoins leur signification n'est pas dans la seule subjectivité

---

[1] Je ne rappelle que pour mémoire l'idée courante mais insoutenable que le tragique racinien serait l'intériorisation dans la passion de la fatalité grecque.

de leurs interprètes. Elle est l'ensemble hiérarchisé des rapports entre les signifiants qui les constituent [1], tels que ceux-ci sont perçus et ceux-là reconstruits par un lecteur donné.

Depuis la connotation d'un phonème jusqu'à tel thème ou événement majeur, ces signifiants sont multiples, et leurs rapports innombrables. Mais il y en a deux qui ont une importance dominante dans la tragédie classique : les actes ou événements qui constituent la structure dramatique ; et les actants. Ceux-ci sont les supports de ceux-là, et la structure actantielle constitue la problématique dont la structure dramatique est la mise en œuvre — et la confirmation en même temps que la résolution au moins relative au dénouement.

Pour percevoir cette signification figurée et la vision qui s'y exprime, il importe une fois de plus de ne pas considérer les membres de la structure actantielle comme des individus distincts. De même qu'ils assument des rôles dont l'ensemble constitue une seule action, de même ils incarnent des positions dont les rapports conflictuels figurent le problème traité. C'est à partir de ce problème que sont définies leurs positions, et c'est l'évolution des rapports entre ces positions qui dessinera celle de leurs rôles et le cours de l'intrigue. Ainsi, *Le Misanthrope* traite le problème de la sociabilité, c'est-à-dire du rapport entre l'affirmation de son intérêt et de sa vérité, et la reconnaissance de ceux des autres. Il est mis en scène à travers l'antagonisme entre la position d'Alceste qui oppose à tout venant son seul point de vue, érigé en absolu, celle de Célimène, qui satisfait ses intérêts en paraissant complaire à ceux qu'elle exploite, et celle de Philinte, intermédiaire entre intransigeance et complaisance. Et l'on observera que celui-ci est nettement plus complaisant tant qu'il s'oppose à Alceste dans une structure duelle dont il occupe une extrémité, qu'à partir du moment où l'entrée en scène de Célimène le place automatiquement en position médiane dans un trio : il représente dès lors le juste milieu.

Dans la mesure où *Britannicus* exprime une vision de l'homme, où la trouverons-nous ? Dans la noirceur de Néron ? dans la pureté de Junie ? Non, mais dans le rapport entre ces deux personnages fictifs qui sont moins des représentants d'une humanité réelle divisée en deux camps que des figurations anthropomorphes (puisque le théâtre se construit avec des

---

[1] Ce n'est par seulement pour l'harmonie esthétique que la composition de la tragédie classique est particulièrement soignée. C'est aussi parce qu'elle en exprime la signification.

personnages) de deux pôles du problème mis en scène, c'est-à-dire de deux pôles de la condition et de la personnalité humaines telles que cette œuvre nous les donne à voir. Nous avons bien peu de précisions réalistes sur les *acteurs* de la tragédie racinienne : ils n'en sont que plus disponibles pour figurer des positions morales

Je pars donc de l'hypothèse que la vision tragique racinienne est figurée dans ses œuvres par une structure actantielle dont chaque pôle figure l'un de nos principes, l'une des forces auxquelles nous sommes soumis, l'un de nos fantasmes ou l'un de nos rêves [1]. Commençons par la tragédie la plus achevée à tout point de vue : *Phèdre*. Le tragique y résulte de trois antinomies : entre le désir et la conscience, entre le sujet de ce désir et son objet, entre la frustration de ce désir et son rêve. La première est la définition même de Phèdre, « fille de Minos et de Pasiphaé » [2], union antagonique d'une conscience rigoureuse et d'une concupiscence transgressive [3]. Minos est juge à l'entrée de l'au-delà (v. 1280-1288) ; c'est le Père par excellence, figure de la Loi. Pasiphaé s'était enfermée dans la statue d'une vache pour se faire saillir par un taureau : voyez les allusions des vers 249-257 et 1150-1152. La personnalité antinomique de leur fille est vouée par définition au tourment et finalement à l'autodestruction : les violences et les ruses de la concupiscence subvertissent les résistances de la conscience, qui n'aura d'autre solution que de détruire le corps qui en est le support. Racine insiste plus que ses prédécesseurs sur cette intime antinomie [4], et il est le premier à tirer parti de sa

---

[1] Il ne s'agit pas d'une hypothèse exclusive : la vision tragique s'exprime aussi par les antinomies relevées ci-dessus, par des oxymores et par une dramaturgie qui — sauf revirement final — va inéluctablement à la catastrophe à travers la déception d'espérances illusoires et l'ironique retournement des efforts entrepris pour la prévenir.

[2] C'est sa définition dans la liste des « acteurs », et dans le premier vers qui parle d'elle (v. 36).

[3] Ce n'est nullement par malchance que la passion de Phèdre est incestueuse : la transgression de l'interdit fondamental est l'expression de sa nature. C'est pourquoi il est indispensable de s'en tenir au texte, où *inceste* apparaît trois fois (v. 1146, 1149, 1270), et *incestueux* deux fois (v. 1100 et 1624) pour qualifier une relation qu'on aurait aujourd'hui tendance à percevoir comme bien moins coupable puisque Phèdre et Hippolyte ne sont liés ni par le sang ni par une communauté de vie, et qu'il n'y a en aucun cas passage à l'acte.

[4] Cf. mon édition du *Théâtre* de Racine, p. 1048-1053.

généalogie symbolique : Euripide et surtout Sénèque rappelaient les égarements de Pasiphaé, mais ils ne disaient mot de la fonction de Minos [1]. Si l'ancien élève de Port-Royal y pense, c'est sans doute parce qu'il reste marqué par l'importance de la conscience accusatrice.

Car l'union antagonique de l'irrésistible et coupable concupiscence et de la conscience qui la réprouve est bien la définition de l'homme tel que le voit l'augustinisme, et plus généralement un christianisme qui était alors exceptionnellement culpabilisateur [2]. « Le changement le plus essentiel que le péché ait fait dans notre âme, c'est qu'un attrait indélibéré du plaisir sensible prévient tous les actes de nos volontés » [3]. Depuis la chute, l'homme « a une suavité et une délectation si puissante dans le mal par la concupiscence qu'infailliblement il s'y porte lui-même comme à son bien, et qu'il le choisit volontairement ». Nous sommes des enfants d'Adam et Eve dans les entraînements de notre nature spontanée, tout en restant des créatures de Dieu dans l'aspiration de notre conscience raisonnable. « La concupiscence nous est devenue naturelle et a fait notre seconde nature. Ainsi il y a deux natures en nous, l'une bonne, l'autre mauvaise ». La conséquence est une « guerre intestine de l'homme entre la raison et les passions [...]. Il est toujours divisé et contraire à lui-même » [4]. « La passion, c'est-à-dire la concupiscence est un état de l'âme contraire à sa nature, et qui [...] la renverse jusque dans le fond » [5]. Bien entendu, « c'est dans notre chair que le péché règne » : « nos corps [...] sont souvent l'origine et la source du péché » [6].

Mon Dieu, quelle guerre cruelle !
Je trouve deux hommes en moi [7].

---

[1] Les Athéniens présentent surtout comme un tyran ce roi qui leur imposa un tribut sanguinaire.

[2] Cf. Jean Delumeau, *Le Péché et la peur : la culpabilisation en Occident (XIIIe-XVIIIe siècles)*, Fayard, 1984, notamment p. 331-338.

[3] Bossuet, *Traité du libre-arbitre*, X (rédigé en 1677).

[4] Pascal, *Ecrits sur la grâce*, II, et *Pensées*, Laf. 616 et 621.

[5] Nicole, *Essais de morale*, t. IV, 1678. « Il n'en faut qu'une seule pour corrompre le cœur [...] et, par une conséquence infaillible, pour le damner » (Bourdaloue).

[6] Bourdaloue, *Œuvres*, 1826, t. III, p. 82. Ailleurs, il parle des « sales désirs » de notre « corps rebelle et sensuel » (t. I, p. 76 et t. II, p. 87).

[7] Racine, *Cantiques spirituels*, III, v. 1-2. Cf. chap. 10.

La complexité dramatique de *Phèdre* vient du fait que la loi y est figurée non seulement par Minos, le Soleil et la conscience de l'héroïne, mais aussi par Thésée, en tant que roi, mari, père et célèbre justicier. On croit un instant qu'il a disparu, et que le désir est libre : ce ne pouvait être qu'une illusion ou un piège, puisque la loi ne meurt jamais. Mais Thésée, par ailleurs grand séducteur, est une figure de la loi viciée par la concupiscence : cet exterminateur de monstres en a épousé un, et sa justice sera un crime monstrueux.

La seconde antinomie insoluble et grosse de catastrophes est la contradiction radicale entre le sujet dont le désir anime l'action et l'objet de ce désir. Car le désir qui domine Phèdre est une concupiscence sensuelle, coupable par nature, tandis qu'Hippolyte incarne la pureté. Avant d'être brusquement rappelé à la désirante insuffisance de notre condition et à la dimension affective et sensuelle de notre nature, avant d'être contraint à se renier lui-même (mais dans un cadre moralement légitime), il incarnait même le refus de toute forme de relation amoureuse. Ce n'est pas seulement la vue d'un beau jeune homme qui a excité le désir de Phèdre. C'est aussi la confrontation avec l'Autre, avec son antipode, qui l'a renvoyée à son identité différente, à sa particularité sensuelle, et qui, telle une provocation, a réveillé sa concupiscence transgressive, empêchant son « repos », son intégration soumise dans le cadre du mariage (v. 269-278).

Pour résoudre la condition tragique de Phèdre, Hippolyte devrait à la fois satisfaire l'avidité sensuelle de la fille de Pasiphaé, et surtout — ce qui est encore plus impossible — reconnaître en elle ce qu'en vain elle voudrait être exclusivement : la fille de Minos. Figure de l'innocence et de la valeur, s'il acceptait de l'aimer, il la délivrerait de sa concupiscence, de sa déchéance, il la sauverait d'elle-même. Cela n'est pas précisé dans le texte, mais nous pouvons expliciter cette autre signification de la passion de Phèdre à la lumière de ce que disent les moralistes chrétiens de l'époque : tout désir, aussi erroné ou perverti soit-il, reste désir du salut.

Or, non seulement Hippolyte ne peut satisfaire cette aspiration, mais — troisième antinomie —, il [1] confronte Phèdre

---

[1] On pourra me reprocher de parler ici comme si l'*acteur* était responsable de ses actes, et même de leur signification. C'est évidemment l'auteur qui imagine tout cela — sans avoir toujours conscience de toutes les implications. Mais

au bonheur dont il la prive, transformant sa frustration en « tourment » insupportable et en « fureur » meurtrière (v. 1225-1230 et 1254-1260) — dont le seul résultat sera de la rendre encore plus coupable sans la rendre nullement moins frustrée.

Telle est la triple antinomie d'un être réprouvé par sa conscience, rejeté par sa raison d'être et frustré de son rêve. Phèdre est animée par un désir coupable que réprouve sa propre conscience sans que sa volonté puisse y résister autrement qu'en se laissant mourir ; ce désir a pour objet une figure idéale qui ne peut que le rejeter avec horreur, aggravant l'intime contradiction et y ajoutant, avec la honte, une frustration que l'idée du bonheur des êtres valeureux rend intolérable, au point qu'elle accepte le crime qui, sans pouvoir la satisfaire, la rend encore plus détestable à ses propres yeux et la réduit au suicide, où sa conscience cherche justification.

La première de ces antinomies est nettement moins affirmée dans les sources de l'œuvre ; la seconde y est seulement esquissée ; la troisième n'y apparaît pas. En revanche, toutes trois rappellent l'anthropologie augustinienne. Pour elle, c'est bien la concupiscence, perversion du désir, qui est notre ressort monstrueux : c'est elle aussi qui est le monstre dans *Phèdre* ; et c'est déjà en s'adonnant à ses désirs malgré la réprobation du surmoi, que Néron est devenu un monstre : il ne faut pas le percevoir comme un être d'exception, mais comme la figure de la perverse pulsion qui gît au fond de l'homme.

Les deux autres antinomies peuvent avoir elles aussi des origines chrétiennes. Plusieurs auteurs du XVIIe siècle soulignaient que tout désir, quel que fût son degré de corruption, restait une forme d'aspiration vers Dieu, un désir de salut. Pascal et les augustiniens insistaient sur l'avidité de bonheur qui travaille la créature déchue, incapable de s'élever vers la valeur, vers Dieu qui seul comblerait l'abîme de son cœur ; et certains précisaient que la condition des damnés en Enfer consiste à savoir qu'ils en seront éternellement frustrés. « La justice divine condamne ses ennemis à former des désirs sans espérances et à languir pour un bonheur qu'ils ne peuvent jamais posséder » : c'est ce qui « fait leurs supplices »[1].

Le 8 mars 1681 est achevé d'imprimer, avec un privilège du 24 septembre 1679, le t. I de la *Méthode d'étudier et*

---

je préfère ne pas surcharger ma phrase de cette vérité bien différente de celle que je veux faire comprendre ici.

[1] Senault, *De l'usage des passions* (1641) II, II, 1.

d'enseigner *chrétiennement et solidement les lettres humaines par rapport aux lettres divines et aux Ecritures*, du Père Thomassin. Le Ch. 11 du l. I a pour titre « Que les comédies et les tragédies furent d'abord utiles pour la correction des mœurs ». Il résume les plus célèbres et en dégage brièvement la morale. Voici ce qu'il dit de l'*Hippolyte* d'Euripide : « On peut remarquer dans cette tragédie les périls divers et presque inévitables du mariage, et surtout des mariages réitérés. Les combats de Phèdre dans elle-même contre elle-même, la loi de justice brillant aux yeux de son âme, et sa passion l'entraînant presque malgré elle. La nécessité de résister aux passions naissantes pour n'en être pas ensuite dominés. La chasteté d'Hippolyte louable, mais sa fierté blâmable, qui le fait présumer de lui-même, et s'emporter contre Vénus, qui se venge de lui. Combien les imprécations des pères contre leurs enfants son dangereuses aux uns et aux autres. Combien les prières et les vœux sont souvent contraires à ceux qui les font » (p. 156). N'est-ce pas la preuve de la tendance de cette époque à s'intéresser à ce sujet pour des raisons morales d'origine chrétienne ? Et si ce n'est pas pour de telles raisons - et pour son ampleur poétique dont ces antinomies morales sont les principes — que Racine a voulu le traiter, comment expliquera-t-on ce choix d'une tragédie de l'adultère, de l'inceste et de la calomnie ? Par un extraordinaire travail à partir de coïncidences accidentelles ? [1].

Je ne veux pas dire que la structure tragique de *Phèdre* soit une transposition de l'anthropologie chrétienne, mais seulement que son innutrition par celle-ci aide Racine à ranimer et à réorienter le mythe ancien. Le christianisme n'a d'ailleurs pas le monopole de l'expression de ces antinomies : pour la dernière on pense notamment au supplice de Tantale. Le succès des tragédies raciniennes vient en partie du fait qu'elles mettent en scène, sans l'expliciter, une structure anthropologique

---

[1] « Peut-être s'est-il surtout laissé porter par un sujet particulier... et par une actrice [...] ; c'est peut-être aussi parce qu'il savait qu'il avait à sa disposition une actrice exceptionnelle [...] que Racine a pu se laisser aller à donner au personnage de Phèdre une richesse et une importance [...] qu'il n'avait connues dans aucune version antérieure », écrit G. Forestier, qui présente cette pièce comme « un retour à l'esprit véritable de la tragédie grecque », en réaction aux « faciles "merveilles" de l'opéra », et qui refuse toute explication par la morale chrétienne — sauf pour les remords de l'héroïne (p. 1631, 1612 et 1621-1626).

fondamentale et potentiellement universelle : le tourment du désir coupable et frustré, aspirant au bonheur inaccessible de la valeur qui le rejette, sous le regard de la loi qui le réprouve jusque dans sa propre conscience. Mais où donc a-t-il pu la découvrir, sinon dans sa propre expérience d'être animé de passions mondaines que réprouve sa conscience port-royaliste, et avide d'un bonheur qui dépendait d'autrui (du roi, des grands, du public) ? Pas chez les Grecs en tout cas. Car ce tragique de l'aspiration à une impossible union relève d'une perspective inverse du tragique traditionnel de déchirure des alliances, dont nous avons parlé plus haut.

Or, les trois antinomies constitutives de *Phèdre* se retrouvent dans presque toutes les parties tragiques de l'œuvre de Racine, avec cette différence que chaque pôle y est presque toujours figuré par un actant distinct, et non par l'un des principes antagoniques d'un même personnage. Prenons l'exemple d'une pièce nettement différente : *Britannicus*. Nous y retrouvons la concupiscence, qui anime Néron, sujet de l'action. Jusqu'à présent, il vivait sans problème. tout commence quand il rencontre son antipode : car il n'y a de faute qu'au regard de la loi, de déchéance que face à l'idéal, de frustration que devant l'inaccessible bonheur d'un rival. Et c'est alors seulement que le désir se tourne en violence.

La concupiscence néronienne s'est donné comme objet la pure Junie : pour torturer son rival Britannicus, dont elle est la fiancée, pour contrarier Agrippine qui les protège, mais aussi parce que la concupiscence, désir perverti, aspire à violer l'innocence. Mais quand il la fait venir devant lui, malgré une mise en scène érotique, ce n'est pas seulement l'objet de son fantasme qu'il rencontre. C'est aussi son antipode révélateur : une valeur, une pureté où il perçoit vaguement l'indispensable raison d'être dont il est privé : « J'aime (que dis-je, aimer ?) j'idolâtre Junie » (v. 384). Il croyait entrer dans l'ère des plaisirs par la libération de ses désirs tout-puissants. Mais, plus qu'un corps livré à sa merci, il découvre le regard d'une conscience qui le paralyse et dénude sa déchéance, l'obligeant à se rendre vaguement compte de ce qu'il est. Cette première rencontre lui impose un intense besoin, la seconde lui montre qu'il ne pourra jamais le combler. C'est sous le regard de l'ange qui ne peut l'accepter qu'il est devenu monstre, réduit à une violence vengeresse qui ne lui donnera nulle satisfaction positive. Junie face à Néron, c'est « la pureté infligeant au Mal l'impossible désir qui va [...] le livrer en furieux au destin qui le guette » [1]. Ce n'est pas seulement par courage et par amour pour Britannicus (raisons conjoncturelles) que Junie résiste à Néron. C'est parce qu'il y a entre eux l'irréconciliable antinomie qui sépare nos mauvais désirs de notre conscience idéale.

Tout comme dans *Phèdre*, l'antinomie entre le sujet et son objet, entre le désir et la valeur est d'autant plus insupportable que celle-ci, reconnue par une autre figure de la valeur, vit dans le bonheur dont la concupiscence est à jamais exclue. Enfin, quoique la conscience autocritique qui travaille Phèdre ne se soit pas encore éveillée chez Néron, il ne peut échapper à l'œil de Caïn de la loi, qui travaille sa mauvaise conscience. Il est assujetti au regard de son précepteur, le vertueux Burrhus [2], et surtout à celui de sa mère où il a « lu si longtemps [s]on devoir » et qui s'est inscrit dans ce que Freud appelle le surmoi. Dès qu'il songe à satisfaire ses « désirs » dans les « plaisirs », cet « œil enflammé » s'illumine dans son imagination angoissée, lui parle de « saints droits », et le frappe d'inhibition :

Mon génie étonné tremble devant le sien.
(v. 506)

Après le meurtre, la figure accusatrice du juge se dresse devant le fourbe qui parle de mort accidentelle : « Je connais l'assassin » (v. 1650). En prophétesse, Agrippine lui prédit que ses « crimes » ne pourront jamais apaiser ses torturants « remords » ; elle lui assène le jugement de « Rome », du « ciel », de la postérité ; elle lui annonce que jusqu'au suicide qui l'attend, elle sera son œil de Caïn. Tu me tueras ; mais

Ne crois pas qu'en mourant je te laisse tranquille.
Rome, ce ciel, ce jour que tu reçus de moi,
Partout, à tout moment, m'offriront devant toi.
(v. 1680-1682)

La pièce s'arrête sur la consolidation des trois antinomies : le désir de Néron est devenu perversion criminelle ; il est

---

[1] Marcel Gutwirth, La problématique de l'innocence dans le théâtre de Racine, *Revue des Sciences humaines*, 1962, p. 189. Georges Forestier reconnaît que la rencontre entre Néron et Junie, qui n'était au regard du sujet emprunté à Tacite qu'un « épisode » destiné à « donner au déclenchement de l'action un prétexte humain, c'est-à-dire psychologique », est « ce qui fait basculer la pièce dans la tragédie et le personnage dans la monstruosité » (Pléiade, p. 1412 et 1419).
[2]   Je ne l'écoute point avec un cœur tranquille.
(v. 1460)

définitivement exclu de tout bonheur possible et séparé par une barrière infranchissable de Junie, qui a rejoint son domaine : celui du divin ; enfin son jugement éternel est déjà prononcé.

Or, aucune de ces antinomies ne se trouve chez Tacite, que Racine suit souvent de près, mais en reconstituant l'ensemble des relations, pour une disposition et une signification bien différentes. A des affrontements machiavéliques entre des personnes réelles et bien distinctes, qui visent la domination et la jouissance, il superpose l'antagonisme de figures morales, dont les rapports peuvent être perçus comme symbolisant la structure de notre personnalité. C'est net pour Burrhus et Narcisse, mais je crois qu'il ne faut pas en rester là. Néron était certes déjà une figure de la concupiscence, tout comme Agrippine. Mais il n'était confronté à aucune des trois instances spirituelles que Racine superpose à ce conflit temporel : la loi, figurée par Agrippine qu'il divise en deux actants opposés ; la valeur idéale, incarnée par Junie — pour laquelle il a eu bien du mal, dans la Rome néronienne, à dénicher un modèle soupçonné d'inceste — ; et le parfait bonheur d'amour. Cette dernière invention répond certes à la mode et à l'attente du public. Mais nul ne saurait considérer que le rôle de Junie se limite à sa relation avec Britannicus.

Cette même structure quadrangulaire, avec sa triple antinomie, se retrouve dans la plupart des tragédies de Racine, ou du moins dans leurs moments tragiques. Chaque pièce met en scène une histoire particulière ; elles sont inspirées de sources diverses — historiens latins, dramaturges grecs, livres bibliques — et conçues pour des publics un peu différents, parfois en réaction l'une contre l'autre : après les violences de *La Thébaïde*, inspirée des Grecs à l'intention des doctes, les galanteries d'*Alexandre* et d'*Andromaque* s'adressent aux mondains ; *Britannicus* revient à la violence sur un sujet historique et politique destiné aux doctes ; mais la tendresse l'emporte de nouveau dans *Bérénice*, où Rome et la raison maîtrisent la passion et refusent l'Orient, qui vont au contraire triompher dans les intrigues, la sensualité, les meurtres de Bajazet, contre lequel réagira, dans *Mithridate*, la maîtrise de la passion vengeresse. Malgré toute ces différences, on dirait que Racine nous présente toujours, au plan moral, la même structure de la condition et de la personnalité humaines. Bien que toutes mes pièces aillent « vers une fin différente en ce qui concerne leur argument », « le sujet est toujours le même », déclarait

Calderòn en présentant, en 1677, ses quelques quatre-vingts *autos sacramentales y alegòricos.*

Partout, sauf dans *Bérénice*, le sujet dont les initiatives dominent l'action tragique [1] est animé d'emblée d'une avidité perturbatrice, tyrannique [2] et parfois sacrilège : Taxile trahit son pays, Pyrrhus sa patrie, son père, ses serments, son propre passé, Oreste sa mission d'ambassadeur, Roxane la fidélité conjugale, Etéocle, Polynice, Créon, Mithridate, Agamemnon, Athalie brisent les liens les plus sacrés. L'attitude par rapport à cette passion évolue. Dans les quatre premières pièces, Etéocle, Polynice, Créon et Taxile se livrent en aveugles au transport qui les entraîne, pour reprendre la célèbre formule d'Oreste. Si Pyrrhus prend du recul par rapport à sa passion, c'est seulement quand elle est rebutée [3], et Néron quand Agrippine ou Burrhus l'y contraignent. En revanche, Roxane voudrait parfois se défaire de sa passion, Mithridate et Agamemnon encore plus, et Phèdre absolument [4]. Mais ils se rendent compte que c'est impossible, non seulement parce que la séduction entraîne leur volonté, mais parce que cette passion est leur nécessaire réaction à un manque insupportable : nous sommes toujours sous l'influence de l'anthropologie augustinienne.

Par ses transgressions et même par sa nature d'avidité ambitieuse, tyrannique et sensuelle, la concupiscence se heurte à la loi : fidélité patriotique ou conjugale, amour fraternel, filial ou parental, soumission au pouvoir légitime, aux décisions du souverain ou des dieux, respect de la liberté d'autrui. Implicite mais évidente et rappelée par divers personnages dans *La Thébaïde*, *Alexandre* et *Andromaque* (qui est de plus

---

[1] Il est parfois doublé d'un intrigant (Narcisse, Mathan) à qui son rôle accessoire permet d'être assez cynique pour éviter la condition tragique, qu'éprouve au contraire Aman, parce qu'il occupe seul, dans *Esther*, le pôle de la concupiscence.

[2] Même quand la domination de cet actant est justifiée, comme l'est celle de Mithridate sur sa fiancée, elle se révèle affectivement et moralement tyrannique. D'emblée Monime s'est perçue comme une « esclave infortunée » (v. 643 ; cf. v. 255). Au cours de la pièce, cette tyrannie va devenir violence insupportable.

[3] Sauf dans la mesure où l'on pourrait attribuer la scène 5 de l'acte IV à la sincérité du personnage.

[4] Mais non pas Eriphile, ni Aman (bien qu'il en éprouve les douloureuses conséquences) ni Athalie : ils figurent des êtres plus aliénés sinon plus réprouvés.

surplombée par l'image idéale d'Hector), la loi est figurée par un actant dans *Britannicus* (Agrippine) et dans *Bérénice* (Rome) ; parallèlement, elle émerge dans le surmoi de Néron et triomphe dans celui de Titus. Jusque là en effet, Etéocle, Polynice, Créon, Pyrrhus et Néron adhéraient à leurs désirs jusqu'à contester la légitimité de ce qui s'y opposait. Par la suite au contraire, Agamemnon et Phèdre ou même Roxane et Mithridate reconnaîtront la légitimité de la loi jusque dans les moments où ils la transgresseront, et leur passion sera un *trouble* à éviter plus souvent qu'un *transport* auquel on adhère (cf. chap. 12).

A partir de *Bajazet* s'accentue progressivement la présence du « Père », figure de la loi et — contrairement à Hector, Agrippine ou Rome — détenteur du pouvoir de la faire appliquer. Au sultan Amurat — tyran de peu de crédit dans la France chrétienne et dont l'envoyé n'arrive qu'au dénouement, pour une justice sanguinaire — succède Mithridate, qui revient dès que les désirs subversifs se sont déclarés, valorisé par son prestige de résistant et par l'étonnante admiration de Xipharès et de Monime, qui se sentent coupables devant lui [1]. Puis — comme si l'évolution de l'œuvre préludait au retour de son auteur à la foi —, les détenteurs humains du pouvoir (Agamemnon, Thésée, Athalie) succomberont à la concupiscence, qui rend leur justice criminelle : la juste loi est alors représentée par des figures divines. Dans *Esther* et *Athalie*, elle le sera par le vrai Dieu, relayé par Mardochée, remarquable œil de Caïn (cf. v. 418, 424-441 et 459-462) et par Joad, semblable à la statue du Commandeur.

Presque partout, l'avidité de cette concupiscence qui procède d'une insuffisance morale, se heurte au refus de l'être par lequel elle cherche à se faire reconnaître : Antigone, Axiane, Andromaque, Junie, Bajazet, Monime, Hippolyte, Joas. La rencontre de cet antipode qui figure l'idéal secret des sujets avides, tout en excitant leur désir, les renvoie à leur insuffisance, à leur déchéance, à leur culpabilité. Telle est la raison de l'intense besoin qu'ils en ont aussitôt — et que l'on se contente habituellement de signaler comme un énigmatique coup de

---

[1] La structure de cette pièce est différente de celle de *Britannicus*, *Bajazet* ou *Phèdre*, parce que le sujet de la concupiscence (Mithridate) y est par ailleurs la figure de la loi face à la trahison de Pharnace et à la transgression involontaire de Monime et Xipharès. En ce sens, malgré une certaine noirceur, Mithridate ressemble à Titus, et fera, comme lui, triompher la raison sur la passion.

foudre passionnel, ce qui, loin de l'expliquer, lui enlève toute signification. Des obstacles réels mais accidentels séparent le sujet et l'objet de cette passion : Andromaque ne peut épouser le destructeur de sa patrie, le fils du meurtrier de son cher époux ; Antigone, Junie et Bajazet sont déjà engagés ailleurs ; Hippolyte ne peut accepter l'amour de la femme de son père. Mais plus importante que ces contradictions occasionnelles est l'insoutenable antinomie morale qui les sépare. Lorsqu'elle n'est pas encore radicale, comme dans *Andromaque* et dans la première partie de *Mithridate*, le dialogue, l'estime et même un mariage provisoire ou contraint restent possibles. Mais quand son comportement a fait de son fiancé son indigne bourreau Monime refuse absolument Mithridate. Et ce n'est pas seulement à cause d'Atalide — qui d'ailleurs le pousse à la compromission — que Bajazet refuse Roxane : c'est aussi parce qu'il ne saurait aimer « une esclave attachée à ses seuls intérêts » ; il refuse d'acheter sa vie « à ce prix » (v. 718-726).

Dans la mesure où la structure actantielle n'est pas la rencontre d'individus distincts, mais la figuration de notre problématique morale, où la concupiscence est première et fondamentale, la figure de la pureté, comme celle de la loi, est un rêve du désir inquiet autant qu'une réalité. C'est clair pour Athalie. C'est d'abord en songe qu'elle voit l'être idéal : un simple enfant, un parfait innocent, qui pourtant l'assassine. L'être de manque et de culpabilité redoute comme un cauchemar l'apparition de « l'ange exterminateur » qui, fulminant « le glaive étincelant » de la vérité, dissipe le pouvoir de la force et détruit l'impie par l'implosion de sa mauvaise conscience (*Athalie*, v. 1698 et 410). C'est aussi à la lumière de cette apparition meurtrière que je propose de lire les rencontres entre Néron et Junie, entre Phèdre et Hippolyte, entre Eriphile et Calchas dévoilant la vérité de l'oracle : la connaissance de soi est une mortelle révélation.

Ce que Phèdre attend d'Hippolyte (et même Néron de Junie, car leur rencontre ne permet plus que leur rapport soit seulement de volonté de puissance et de sensualité transgressive), c'est une reconnaissance qui soit à la fois un salut moral et un bonheur affectif. Car le bonheur est ici la satisfaction du désir dans son union à la valeur. C'est dire qu'il est impossible pour l'être de concupiscence qui en rêve, mais immédiatement donné à l'être pur, qui se reconnaît en son semblable, s'unissant à lui d'un amour mutuel, qui, pour cette raison, existe dès l'origine et ne peut être que fidélité respectueuse. Mais dans la mesure où c'est la figure de la concupiscence qui est la donnée de base, et le véritable reflet de notre réalité dans l'œuvre, ce bonheur des figures idéales n'est qu'un mirage torturant, qui renvoie une fois de plus à cette condition tragique analysée par Pascal : une avidité impuissante à se satisfaire, à cause de la déchéance qui en est le principe même.

Non seulement la structure de la condition et de la personnalité tragiques est constituée d'antinomies insolubles, mais, comme on le voit, sa dynamique ne fait que les aggraver : c'est la rencontre avec l'idéal et avec la loi qui révèle la concupiscence à elle-même Or, cette prise de conscience ne fait qu'aggraver la frustration du sujet tragique, son sentiment de déchéance et la violence de sa réaction. Comme dit saint Paul, « Je n'ai connu le péché que par la loi ; car je n'aurais point connu la concupiscence si la loi n'avait dit : "Vous n'aurez point de mauvais désirs". Mais le péché, ayant pris occasion de s'irriter du commandement, a produit en moi toutes sortes de mauvais désirs » [1]. C'est cette double rencontre qui suscite une angoisse d'infériorité et de culpabilité, et qui provoque rébellions, trahisons et transgressions. Puis le refus entraîne une réaction tyrannique. Car l'attitude initiale de Taxile, Pyrrhus, Roxane, Mithridate ou Phèdre n'est pas de persécution, bien au contraire. Et Néron, qui était animé d'emblée d'un désir tyrannique, pourrait y renoncer si Junie l'acceptait, de même qu'Athalie se fait suppliante devant celui en qui elle reconnaît le meurtrier de son rêve. C'est l'inévitable rejet, et c'est surtout la découverte du bonheur dont ils sont frustrés qui les accule, tout comme Hermione ou Eriphile à la violence meurtrière [2] qui, loin de leur apporter la salutaire reconnaissance, ne fait qu'aggraver réprobation et antinomie et les enfoncer dans leur détresse et leur culpabilité, entraînant leur suicide immédiat (Créon, Hermione, Roxane [3], Phèdre) ou à terme (Néron) — tandis que

---

[1] *Epître aux Romains*, VII, 7-8.

[2] On pourrait étendre à tous la formule de Taxile :
    Il faut que tout périsse ou que je sois heureux.
                                              (*Alexandre*, v. 1244)
Cf. notamment *Iphigénie* 420 et 508, et *Phèdre* 1257-1258.

[3] En fait, elle est poignardée par Orcan, mais elle avait prévu de se tuer après le meurtre de celui qui est sa raison d'être :
    De toi dépend ma joie et ma félicité.
    De ma sanglante mort ta mort sera suivie. (v. 556-557)

d'autres sont détruits pour avoir trop entrepris de satisfaire leur désir (Etéocle et Polynice, Pyrrhus, Athalie). Ainsi, directement ou non, ce sont les efforts pour accéder au bonheur qui confirment le malheur.

Ces analyses montrent bien que le pouvoir n'est dans la tragédie racinienne qu'un moyen, et non pas un principe, comme le laisse croire la formule « A a tout pouvoir sur B. A aime B, qui ne l'aime pas » (cf. chap. 14). Le pouvoir est un attribut de la figure de la concupiscence [1], parce que son domaine est d'ordre temporel. La force est pour elle le recours normal dans son conflit avec les figures spirituelles qui en sont démunies par définition, de même qu'elles sont généralement dépouillées des biens de ce monde. C'est de la définition morale de chacun des partenaires que découle leur rapport au pouvoir.

Ainsi, l'archétype de la fable tragique racinienne me paraît être l'antinomie entre l'aspiration de notre nature, réprouvée par notre propre conscience, et nos idéaux éthiques et affectifs qui lui sont inaccessibles par définition. L'auteur d'Athalie prend même soin de souligner la présence de cette contradiction chez Joas, qui est, pour le moment, une figure d'innocente pureté. Après la mort de Joad, ce sera un souverain tyrannique et injuste, qui va renier Dieu, « profaner [s]on autel » et faire assassiner le grand-prêtre, son ancien frère de lait. Ce reniement ne sera pas un accident, mais la confirmation d'une tendance irrépressible de la nature humaine, favorisée par « le charme empoisonneur » « de l'absolu pouvoir » et « des lâches flatteurs » (v. 1388-1390). Joas sera « fidèle au sang [...] qu'il a reçu » (v. 1786). Je crois que l'on peut voir dans son ascendance particulière une figure de celle qui grève tous les humains, descendants d'Adam et d'Eve, c'est-à-dire du péché originel qui a perverti les créatures divines. Dans leur commentaire — qui ne paraîtra qu'en 1693, mais dont leur ami Racine connaissait peut-être la substance — Le Maistre de Sacy et Thomas du Fossé écrivent notamment ceci : « Qu'il est donc vrai que les louanges sont étrangement pernicieuses à tous les

---

[1] Qui parfois s'en est emparée illégitimement (Néron et Athalie) ou qui aspire à le faire (Etéocle et Polynice, Créon, Taxile, Agrippine, Pharnace). Dans l'ordre ancien, on mettait souvent en scène le conflit entre le désir et le pouvoir social (*Tristan et Iseult*, *Roméo et Juliette*, *L'Astrée*, *Pyrame et Thisbé*, *Le Cid* ou Camille dans *Horace*). Dans la vision antihumaniste racinienne, qui dévalue le pouvoir temporel, le sujet du désir mauvais devient facilement le détenteur de ce pouvoir.

hommes, depuis que l'affection d'une fausse ressemblance avec Dieu a précipité nos premiers parents de l'état heureux de l'innocence dans le plus grand de tous les malheurs ». Rien n'obligeait Racine à introduire quatre annonces spectaculaires de cette chute tragique [1]. Les chapitres de la Bible consacrés au règne d'Athalie n'en parlent pas [2], et elle est contraire à l'esprit du drame providentiel édifiant qu'on lui avait demandé. Seule la première de ces quatre annonces est aussitôt compensée par celle de la venue du Sauveur et du triomphe du christianisme.

On pourrait ajouter que chacun des principes de l'homme racinien est cruellement contradictoire : une avidité insatiable, une mauvaise conscience ineffaçable, un idéal inaccessible, un bonheur utopique. Le schéma ci-dessous montre bien que c'est la nature d'un être déchu, coupé de sa véritable raison d'être, qui est à l'origine de ces antinomies et d'un processus où conscience et imagination ne peuvent être que torturantes, et l'élan vital mortifère. Tout cela rappelle l'anthropologie augustinienne : je ne veux pas dire que Racine l'adopte ou l'approuve, mais c'est dans ce cadre qu'il travaille. Sa dramaturgie est principalement une succession de vains efforts pour résoudre les antinomies ou pour retarder leur douloureuse révélation. Elle s'achève par un acte de vengeance qui les confirme au détriment du repos de la conscience comme de la satisfaction de la nature.

---

[1] Aux vers 1142-1143, 1287-1291, 1387-1410 et 1784-1800.
[2] Le livre des *Chroniques* raconte le règne de Joas dans le chapitre suivant, dont le quart est consacré à son reniement. Mais dans le livre des *Rois*, le chapitre sur Joas ne parle que de la partie positive de son règne.

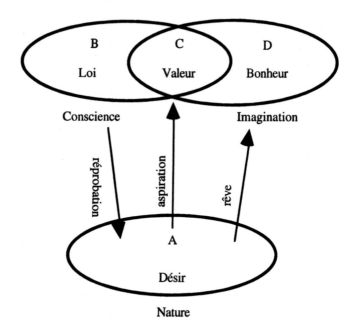

Il me semble que ce schéma regroupe les quatre principes de la condition tragique racinienne, en les replaçant chacun dans sa fonction. Pour passer de cette structure fondamentale au déroulement phénoménal de chaque pièce, autrement dit de l'antinomie tragique à sa mise en œuvre dramatique — dont certaines particularités demeureront toutefois irréductibles —, il faut y ajouter les adjuvants, qui aident à transformer l'antagonisme en action concrète : Narcisse, Achille et Ulysse, Œnone, Mathan ; le metteur en scène Acomat ; Oreste, porteur de l'ultimatum des Grecs et instrument de la réaction vengeresse d'Hermione ; Antiochus à qui Titus veut faire jouer les rôles qu'il ne peut assumer ; ou encore Pharnace : sa déclaration oblige Xipharès à faire la sienne, sa dénonciation alerte Mithridate, sa trahison le contraint à une décision qu'il hésitait à prendre. Il faut surtout introduire en tant que rivaux et victimes, c'est-à-dire dans leur rôle dramatique et pathétique, ceux que je n'ai considérés que dans leur fonction d'antipode dans la structure tragique : Hémon, Britannicus, Atalide, Xipharès, Aricie. Et même d'autres actants fondamentaux qui jouent dans le conflit dramatique un rôle plus ou moins différent de leur fonction dans l'antinomie tragique. C'est notamment le cas d'Agrippine.

La structure que j'ai dégagée me semble clairement dominante dans *Britannicus*, *Bajazet*, *Mithridate*, *Phèdre* et *Athalie* ainsi que dans la partie tragique d'*Alexandre* et d'*Esther*. Je voudrais revenir sur les particularités des quatre autres tragédies. Ce que j'ai dit se vérifie pour le rôle de Créon dans *La Thébaïde*, et pour son rapport avec Hémon et Antigone. En revanche, les frères ennemis sont entièrement plongés dans leur concupiscence ; obnubilés par cette frénésie, ils n'ont ni un objet d'amour ni le sens de la loi : ni rêve ni conscience. Du moins explicitement. Car c'est la loi, c'est leur mauvaise conscience qui condamne ces fils jumeaux de l'inceste à n'avoir d'autre désir, dans leur avidité d'assassiner leur double, que leur mutuelle auto-destruction. Et je suppose que Racine lui-même, à cette époque, était trop absorbé dans le conflit entre sa concupiscence et sa mauvaise conscience entretenue par sa tante et ses maîtres, pour s'adonner tranquillement à des rêves. On remarquera d'ailleurs que le père — qui deviendra le justicier dans *Bérénice*, *Bajazet*, *Mithridate* — est ici le principe de la perversion (Œdipe), lui-même animé d'une odieuse concupiscence (Créon). Dans le développement de la structure tragique, *La Thébaïde* pourrait donc être, plutôt qu'une exception, une première étape : celle de la funeste détermination du désir par le « Père ». La seconde est en effet caractérisée par la révolte du désir contre la figure dominatrice : Alexandre, Hector, Agrippine.

Tout en étant marquée par l'esprit galant et les surprenants revirements d'une tradition romanesque, *Andromaque* soumet à la vision tragique la chaîne des amours refusées, qui aboutissait habituellement à un double mariage avec l'éventuelle exclusion d'un cinquième acteur. C'est dû non seulement à une obstination passionnelle, mais au fait que chacun trouve sa raison de vivre dans l'être supérieur qui le rejette, et qu'Andromaque ne peut accepter Pyrrhus pour des raisons morales après ce qui s'est passé entre eux. Nous retrouvons ainsi la structure présentée ci-dessus, qui l'emporte, me semble-t-il, dans les moments les plus tragiques. C'est une véritable chute qui fait passer Pyrrhus de la plénitude héroïque à la réprobation de ses exploits par sa conscience, et à une frustration morale à laquelle il espère mettre fin en prenant la place d'Hector, en se faisant reconnaître et aimer par sa veuve, vaincue de l'époque héroïque, mais devenue la figure de l'idéal dans la nouvelle époque morale. Ce n'est pas seulement la réaction vengeresse d'Hermione qui le fait assassiner : sa mort est aussi la punition de son défi aux Grecs, de sa trahison, de la transgression de ses serments (v. 1381-1384 et 1501-1514). Quant à Oreste, il est tourmenté dans sa conscience par la justice divine pour avoir suivi jusqu'à la transgression sacrilège (v. 1569-1574) sa passion et la réaction vengeresse d'Hermione, toutes deux affolées par la perspective du bonheur qui leur échappait.

Plutôt qu'une tragédie, *Iphigénie* est un drame pathétique. Racine et ses contemporains ne croient pas aux dieux qui imposent cette épreuve [1], et qui ne sont pas, comme le seront Vénus, le Soleil ou le monstre dans *Phèdre*, des métaphores de forces qui nous travaillent. En conséquence, la pièce est centrée sur le sort de l'innocente et touchante victime et sur le déchirement de son père et de sa mère. Agamemnon aussi est une victime pathétique, puisqu'il est arbitrairement soumis à une épreuve par les dieux. Il est tragique seulement dans la mesure où il est divisé entre conscience paternelle et concupiscence : son ambition est prête à sacrifier sa fille, sans toutefois qu'il réussisse à s'y décider tout à fait, ce qui expose son « orgueilleuse faiblesse » (v. 82) à être ballottée par ses réactions aux interventions des uns et des autres. Seule est pleinement tragique la concupiscente Eriphile. Frustrée de tout bonheur et torturée par celui de sa rivale, elle se donne la mort dès qu'elle prend conscience de sa nature : elle correspond parfaitement à notre schéma. Et il n'est pas indifférent que ce soit une pure création de Racine, qui ne tient ici aucun compte de la mode ni des attentes du public, mais qui veut opposer à la pieuse Iphigénie, dans une perspective religieuse plus augustinienne que grecque, la concupiscence diabolique de son double. La piété de la légitime Iphigénie, que les dieux vont sauver, et la concupiscence de son double adultérin, qu'ils vont détruire, ne pourraient-elles être une métaphore de la duplicité de la créature de Dieu, dénaturée par le péché originel ?

Du point de vue qui est ici le mien, la tragédie la plus originale de Racine est *Bérénice*. C'est sans doute parce qu'il a

---

[1] Je fais pourtant l'hypothèse que c'est parce que les figures transcendantes de la loi lui ont paru plus présentes dans *Iphigénie à Aulis* que dans *Iphigénie en Tauride* qu'il a choisi la première après avoir travaillé sur la seconde. Et surtout sans doute à partir du moment où cette transcendance lui a permis d'imaginer la concupiscente frustration de la satanique Eriphile.

volé ce sujet à Corneille, comme l'estiment tous ceux qui ont étudié la question de près. L'originalité, c'est qu'il n'y a pas ici, comme dans toutes les autres parties tragiques de l'œuvre, un être déchu épris d'une figure supérieure qui le rejette et auquel il répond par la violence, mais au contraire deux êtres valeureux, unis par conséquent dans l'estime et l'amour, et même passionnément épris l'un de l'autre. Mais cette situation radicalement différente n'en est pas moins une nouvelle révélation de la même antinomie de notre condition et de notre personnalité : ici aussi, c'est la conscience, dans laquelle s'inscrit la loi sociale et morale, qui refuse l'entraînement du désir, bien qu'il ne soit entaché d'aucune perversité, ni même d'aucune concupiscence sensuelle. D'autre part, si Bérénice ne sombre pas dans la frustration tragique, grosse d'avides réactions violentes, c'est parce qu'elle reste finalement assurée d'être toujours aimée par celui qui est pour elle la figure de la valeur (v. 1479-1494). C'est cette certitude qui lui épargne les funestes angoisses qui assaillent parfois Atalide, et qui font basculer dans le tragique et dans la vengeance meurtrière Taxile, Hermione, Pyrrhus, Néron, Roxane, Mithridate, Eriphile et Phèdre. Mais si Titus et Bérénice s'élèvent au niveau de la conscience, c'est « malgré lui et malgré elle », c'est au prix du renoncement au désir spontané de leur nature, si bien que le dénouement les laisse comme « opérés de leur raison d'être » (Claudel). La contradiction entre nature et conscience est décidément insurmontable dans la condition tragique, où le bonheur des êtres purs n'est qu'une angélique utopie (cf. chap. 5).

Confrontez les tragédies de Racine à leurs sources : vous verrez que la structure que je viens de dégager n'y figurait pas du tout ou pas entièrement. S'il l'a inventée ou complétée, ce n'est généralement pas parce qu'il en avait besoin pour le fonctionnement dramaturgique. Ainsi, il attribue à Créon, Taxile, Pyrrhus, Roxane, Mithridate, Aman et Athalie une inquiète et avide insatisfaction qu'on ne leur connaissait pas, et qui est le principe de leur angoisse torturante et de leur violence meurtrière. Et surtout il confronte ses actants de base à une loi qui vient s'inscrire en eux pour les réprouver, et à des figures idéales et heureuses qui leur représentent ce qui leur est à la fois nécessaire et inaccessible, manifesté et qu'ils finissent par massacrer après avoir cherché à se les approprier par des moyens inadéquats et répréhensibles. C'est cet élan transgressif et réprouvé vers l'indispensable inaccessible, par une violence funeste aux autres et finalement à soi-même, qui constitue la passion tragique. Sauf chez Phèdre, où toutefois il l'accentue, elle est presque entièrement de l'invention de Racine, qui ne la trouvait guère ni dans ses sources ni dans les modèles dramaturgiques de ses prédécesseurs. D'Andromaque à Joas, il a inventé toutes les incarnations de l'idéal fascinant et inaccessible, sauf Hippolyte, de même que, d'Agrippine à Minos, les plus frappantes figures de la loi et du juge [1], qui ne préexistaient que dans les sources d'*Esther*, d'*Athalie* et à un moindre degré dans celles de *Bérénice*, *Bajazet* et *Iphigénie*. Il transforme Pyrrhus en traître à sa patrie et à ses serments, il attribue à Mithridate, Athalie et Mathan des problèmes de conscience absents de la tradition, il aiguise la conscience de Phèdre, hantée par la faute et la pureté à un degré inconnu de ses prédécesseurs. Cette dimension verticale, cette transcendance morale s'affirme progressivement chez lui, alors que la concurrence horizontale entre des actants de même nature (Etéocle et Polynice, Porus et Alexandre, Oreste, Hermione et Pyrrhus, Néron et Agrippine) était encore importante dans ses premières tragédies, dont les sujets adhéraient avec *transport* à une passion dont leurs successeurs, à partir de *Bérénice*, voudront se départir comme d'un *trouble* [2]. Certes, l'invention de cette transcendance morale a été facilitée par la mode : le public attendait qu'il y eût dans la tragédie un couple tendre et sympathique. Cela pouvait impliquer qu'il fût en butte à une passion rivale. Mais non pas que celle-ci vînt de plus bas vers un idéal qui la rejette. D'ailleurs, non seulement la structure que j'ai dégagée se retrouve partout mais elle s'accentue et se resserre : l'antagonisme moral entre Pyrrhus et Andromaque (devenus ennemis par la malchance d'une guerre) n'est pas aussi net qu'entre Néron et Junie, Roxane et Bajazet, Mithridate et Monime. Ces deux catégories de personnages peuvent sembler étrangères l'une à l'autre, et leur rencontre accidentelle. Mais dans *Iphigénie*, Eriphile est bien le double intime de l'héroïne, l'autre moi dont il lui faut se délivrer. Et dans *Phèdre* les deux pôles antinomiques seront réunis dans la même personnalité : Racine a enfin trouvé le personnage qui signifie ce qu'il voulait dire. Puis, une fois le langage de l'amour abandonné, l'élan de l'être déchu vers la valeur qui le nie se retrouvera dans *Athalie*,

---

[1] Il n'a pas à proprement parler inventé l'admirable Andromaque ni le juge Minos, mais il les a introduits dans des fables où le second ne figurait pas, et où la première avait un rôle tout différent.

[2] Cf. mon édition du *Théâtre* de Racine, p. 964-967.

où (dans une perspective cette fois clairement augustinienne) le rapport de la reine à Joas est le même que celui de Néron à Junie, de Phèdre à Hippolyte. Tout cela montre la capacité prédictive de mon hypothèse, signe, dit-on, de validité scientifique — même si la prédiction *a posteriori* est un peu facile.

Je soutiens donc que cette structure quadripolaire est fondamentale chez Racine, mais seulement dans les parties tragiques de son œuvre. Je pense que ce sont les plus nombreuses et les plus fortes. Et je crois avoir montré que la concupiscence était le moteur initial et principal de cette structure, la source du problème tel qu'il est mis en scène. Mais il n'est pas impossible que Racine soit surtout intéressé par le pôle du bonheur et des victimes. Le travail du dramaturge ne coïncide pas nécessairement avec la vision du penseur, encore moins avec les aspirations du vivant. Quant à l'interprétation du lecteur, elle reste d'autant plus libre que l'œuvre lit à plusieurs niveaux, que chacun peut accorder une importance différente à ses divers pôles, et que, même dans son réalisme, elle peut être un appel, qui incite à protester contre ce qu'elle décrit.

Supposons hardiment que Jean Emelina et Philippe Sellier reconnaissent la justesse de la structure actantielle présentée dans ce chapitre. Cela n'empêchera pas le premier d'accorder plus d'importance au pôle de l'idéal et du bonheur que ne le fait ma bretonne mélancolie. Et si je lui démontre que le pôle négatif a objectivement plus d'importance dans le texte, il pourra me répondre que c'est justement contre cet état de fait que ces œuvres dramatiques et pathétiques nous invitent à réagir. Cela n'empêchera pas le second d'insister sur l'opposition entre bourreaux et victimes, de me faire observer que les premiers semblent être des exceptions sinon des monstres, que les secondes, plus nombreuses, représentent mieux l'humanité racinienne, et n'ont rien de commun avec la conception augustinienne de l'homme. Si je lui dis que sa lecture reste naïvement proche du sens littéral, avec ses événements et ses personnages, il répliquera peut-être que ma façon de voir en chaque actant un pôle de notre personnalité suppose un transfert interprétatif hardi. Enfin, quand Michel Bouvier, « ébloui » par le *Mithridate* d'Eugène Green, m'écrit que « cette mise en scène restitue une grandeur triste et majestueuse qui *prouve* combien la tragédie est une cérémonie à la gloire de l'homme », je me réjouis de le voir dépasser le niveau philosophique auquel je m'arrête ici, pour apprécier l'œuvre jusque dans ses effets (plus spécifiques ou plus importants peut-être que la vision qui en est la base), dans « cette tristesse majestueuse qui fait tout le plaisir de la tragédie » [1].

---

[1] Préface de *Bérénice*.

Chapitre 12

Fonctions et significations de l'amour

L'amour est de fort loin le thème majeur de toutes les tragédies profanes de Racine, sauf *La Thébaïde* et *Iphigénie*, où il a toutefois une assez grande place. Ce simple fait est en lui-même remarquable et demande explication. Car, contrairement à ce qu'on dit souvent, c'est loin d'être un thème constant de la littérature : dans celle des Grecs et des Romains, du Moyen Age, de la Renaissance ou des Lumières, il n'a qu'une importance secondaire et la plupart des grands auteurs n'en parlent pratiquement pas. Malgré le prestige de l'*Astrée* (1607-1627), dont c'est presque le seul sujet, il est rejeté au second plan par la littérature héroïque puis burlesque du second quart du XVIIe s., mais devient au contraire — sauf chez les auteurs religieux (Pascal, Bossuet) ou réalistes et critiques (La Rochefoucauld, Boileau, Molière, La Fontaine) — le sujet dominant entre 1649 et 1678, de Mlle de Scudéry à *Phèdre* et à *La Princesse de Clèves*, pour être ensuite complètement ignoré par les grands auteurs de la nouvelle génération — Bayle, Fontenelle, La Bruyère, Fénelon — et par Racine lui-même dans *Esther* et *Athalie*. La raison en est qu'après 1680, la solution ne peut plus être dans la sublimation stylistique d'une impossible aspiration idéaliste ; il y faut un véritable engagement religieux, ou alors, par un retournement complet, un réalisme critique qui va contribuer à la destruction de tout l'Ancien Régime.

Cette variation spectaculaire vient du fait qu'un thème n'est pas une chose que l'on puisse décrire fructueusement à tout moment, mais un signifiant qui ne peut trouver place à sa mesure que dans une œuvre où sa signification est requise, parce qu'elle exprime une dimension essentielle de la condition humaine telle que cette œuvre la met en scène. Et dans les chefs-d'œuvre, elle l'exprime à la fois directement et symboliquement.

Partons donc d'une définition sommaire de l'amour, qui permette de distinguer ses diverses utilisations possibles comme signifiant dans les œuvres littéraires. On en parle généralement comme si c'était une force autonome, qui s'empare d'un personnage et s'installe en lui [1]. Et l'on distingue plusieurs variétés, insinuantes ou agressives. Mais l'amour n'est pas un cadeau du Père Noël, un accident ni un oiseau de proie [2], c'est l'aspiration d'un sujet pour un « objet » qu'il perçoit comme susceptible de satisfaire ses besoins. La nature de cette aspiration dépend de celle de ces besoins, de la complémentarité entre ce sujet et cet « objet », entre cet être et cette valeur, de ce qu'ils sont l'un par rapport à l'autre. C'est encore plus net en littérature, et notamment au théâtre, que dans la vie, parce que, comme on l'a vu, on n'y trouve pas d'individus réels, mais des actants fonctionnels, dont les rapports constituent le problème traité dans la pièce [3]. C'est pourquoi je ne saurais approuver ceux qui répètent [4] que l'amour est une force aveugle et fatale qui s'empare de n'importe qui à l'improviste. C'est le mythifier, renoncer à le comprendre. Et ceux qui parlent ainsi ne s'appuient sur aucune citation convaincante [5]. Je montrerai au contraire que l'amour est le sentiment qui se développe chez un être confronté à un autre avec lequel il entretient un rapport psychologique ou moral précis. La nature de ce sentiment dépend de celle de ce rapport, et la soudaineté de l'un est l'effet de l'intensité de l'autre.

---

[1] L'auteur de *Phèdre*, qui impute la passion de son héroïne à Vénus, ne saurait être invoqué que par des naïfs qui n'ont nulle idée de la métaphore poétique. « Ce sont leurs désirs déchaînés que les humains appellent Aphrodite » (Euripide, *Les Troyennes*, v. 989).

[2] Allusions à la distinction de Barthes entre un « Eros sororal », qui remonte à l'enfance, et un « Eros-événement » qui est « un Eros prédateur » (*Sur Racine*, p. 16-17 ; cf. ci-dessous, chap. 14).

[3] On trouve chez Quinault et Thomas Corneille de subtiles descriptions de l'amour. Leur infériorité par rapport à Racine vient du fait qu'elles sont moins bien intégrées à une structure d'ensemble, et par conséquent d'une signification symbolique plus limitée.

[4] Comme Jean Emelina, *Racine infiniment*, SEDES, 1999, p. 123-127.

[5] En désespoir de cause, J. Emelina va en chercher une chez Rotrou qui parle d'un « aveugle » et « fatal instinct » (*La Belle Alphrède*, 1636, v. 178-180). Cela ne prouve rien pour Racine.

Le rapport entre deux actants fictifs chargés de figurer deux positions dans un problème, deux principes ou deux pôles de la condition et de la personnalité humaines, ne saurait être identique à la relation entre deux êtres réels. L'amour chez Racine est à la fois, au premier degré, une aspiration physique, affective, morale ou sociale, comme dans la vie. Mais, symboliquement, dans la mesure où l'œuvre est la figure d'une signification universelle, l'amour n'est pas une simple réalité, c'est un langage, qui représente sous une image familière l'aspiration de l'être à s'unir à la valeur qui est sa raison d'être. Dans la fable qui nous est présentée, Phèdre aime Hippolyte pour des raisons que peu de femmes ont eu l'occasion de vivre. Mais en même temps cette fiction particulière est chargée de nous illustrer un tourment plus général, que chacun peut ressentir sous des formes éventuellement assez différentes.

La signification symbolique de l'amour est d'autant plus importante dans la littérature des années 1650-1680 que les mondains et la littérature galante voient alors dans ce sentiment le comble de la civilisation, et le raffinement de l'être humain, tandis que les moralistes augustiniens le dénoncent comme un emportement irraisonné dont « les effets [...] sont effroyables » (Pascal, Laf. 413). C'est un « honteux effet du péché » originel, une forme de concupiscence « toujours mauvaise et déréglée », même dans le mariage, écrit Nicole, ancien maître et futur grand ami de Racine, dans son *Traité de la Comédie* (III), publié en 1667 et réédité en 1675. « Comme la passion de l'amour est la plus forte impression que le péché ait faite sur nos âmes [...], il n'y a rien de plus dangereux que de l'exciter » comme le font les représentations théâtrales.

L'amour, en littérature, est donc un rapport réel et symbolique, dont la nature varie selon trois facteurs : le plan sur lequel il se situe, la valeur respective du sujet et de l'objet qu'il relie, et le degré de dévouement ou d'égocentrisme de chacun. Il peut fonctionner sur tous les plans : sensuel, esthétique, affectif, moral et spirituel — ou même économique et social, puisqu'on peut aimer quelqu'un, en un certain sens, pour son prestige, son rang ou sa richesse. Chez Racine, la bienséance exclut l'amour physique, dit-on : l'impulsif Pyrrhus respecte son esclave et le tyrannique Mithridate sa fiancée ; passionnément épris, Titus et Bérénice se voient tous les jours depuis cinq ans en pure chasteté. Mais nous avons vu plus haut qu'il en va tout différemment dans plusieurs récits : Agrippine évoque à trois reprises le lit où elle a réussi sa carrière.

Il faut donc relativiser cette prohibition. Certes, la bienséance interdisait toute activité sensuelle dans le présent de l'action [1]. Mais Racine sait évoquer le désir sexuel chez Phèdre et même sa perversion sadique chez Néron et Roxane, ou masochiste chez Eriphile [2], lorsqu'il en a besoin pour signifier la concupiscence qui, selon la morale de l'époque, travaille irrésistiblement la créature déchue. « C'est dans notre chair que le péché règne », dans les « sales désirs » de notre « corps rebelle et sensuel », disait Bourdaloue. Le désir physique est loin d'être absent chez Racine : c'est la forme extrême que revêt parfois le principe même de notre condition tragique. N'hésitons pas à le voir, mais ne le regardons pas avec la complaisance d'aujourd'hui : l'amour sensuel, ici, est bien moins un plaisir du corps qu'un tourment de la conscience.

Le second facteur qui fait varier la nature des rapports amoureux, c'est la valeur relative du sujet et de l'objet. Car « le désir naît de deux principales causes : la première est la connaissance du bien en l'objet », « l'autre est l'absence de ce bien » chez le sujet [3]. C'est la réunion de ces deux conditions qui donne l'amour le plus intense et le plus dramatique, surtout quand la distance est si grande que l'objet indispensable en devient inaccessible. Et c'est alors aussi que ce signifiant se révèle pleinement adéquat pour symboliser le rapport entre l'être et la valeur. Ce rapport peut être en effet de trois sortes. Ou bien le sujet coïncide avec la valeur : la figure emblématique est alors celle du sage, qui n'aspire qu'à occuper sa juste place dans l'ordre, à faire coïncider son désir avec la réalité, à demeurer ce qu'il est — figure plus philosophique que littéraire. Une autre figuration possible de cette coïncidence est l'amour réciproque ; mais l'amour heureux n'a pas d'histoire et ne trouve sa place dans une œuvre dramatique que s'il est persécuté, comme c'est en effet le cas chez Racine, même parmi les fadeurs galantes d'*Alexandre*.

Ou bien la valeur est supérieure à l'être, mais de telle façon qu'il peut y accéder et la réaliser par un exploit : les épreuves d'amour peuvent être les moyens de cette élévation

---

[1] Seule Phèdre s'y livre métaphoriquement en présentant sa poitrine à Hippolyte, en lui demandant de la transpercer, en se saisissant de son épée, symbole de virilité, que l'on porte à la hanche comme un phallus (v. 704-711).

[2] Cf. *Britannicus*, v. 385-404 ; *Bajazet*, v. 1326-1329 : *Iphigénie*, v. 489-494 et 675-684.

[3] : Du Refuge, *Traité de la cour*, 1616, p. 57.

dans la littérature héroïco-galante, mais dans la tragédie sérieuse, la figure emblématique pour cette seconde situation sera celle du héros guerrier (Rodrigue, Horace), du saint (Polyeucte) ou du grand homme politique (Auguste), et l'amour ne sera qu'une éventuelle motivation subordonnée renforçant son énergie, comme chez Rodrigue (mais Horace s'en passe et Polyeucte doit y résister). C'est seulement — troisième situation — quand la valeur est radicalement transcendante à l'être, que l'amour est pour lui la seule attitude possible [1] : une admiration dévouée, une supplication, de vains élans et finalement une violence désespérée : une passion tragique.

Enfin, la nature de l'amour varie selon le degré de générosité de celui qui l'éprouve — et ce troisième facteur est évidemment lié au second, car il est plus facile d'être généreux quand on se sent valeureux. « Aimer, c'est vouloir à quelqu'un ce qu'on pense être bon pour lui, et non pas pour soi », déclarait déjà Aristote [2]. Toute la tradition opposera cet amour de bienveillance à l'amour égoïste de concupiscence. « On partage l'amour en deux espèces, dont l'une est appelée amour de bienveillance, et l'autre amour de convoitise. L'amour de convoitise est celui par lequel nous aimons quelque chose pour le profit que nous en prétendons ; l'amour de bienveillance est celui par lequel nous aimons quelque chose pour le bien d'icelle », écrit par exemple François de Sales [3]. Les moralistes optimistes, nettement majoritaires de 1610 à 1640 ou 1645, insistent sur celui-ci. C'est par exemple le cas de Descartes, pour qui ce « qu'on nomme amour de concupiscence [...] n'est qu'un désir fort violent, fondé sur un amour qui souvent est faible » [4]. A partir de 1650, les moralistes affirmeront au contraire que tout amour est convoitise et concupiscence [5].

---

[1] Nous verrons que pour les moralistes chrétiens du XVIIe siècle, tout amour est aspiration — pertinente ou dévoyée — à rejoindre Dieu.

[2] *Rhétorique*, II, 1380 b.

[3] *Traité de l'Amour de Dieu* (1616), I, 13.

[4] Lettre du 1er février 1647.

[5] Oreste, Néron, Roxane et Phèdre reprochent à ceux qu'ils aiment « d'être ingrats », écrit Franziska Sick. « Ce reproche est d'autant plus justifié que les dons de l'amour sont excessifs chez Racine. Les amants passionnés de ses pièces sacrifient tout à l'amour, ils négligent leurs devoirs politiques », ils « se dépensent sans compter, ne reculant devant aucun crime » (Dramaturgie et tragique de l'amour dans le théâtre de Racine, *Œuvres et critiques*, XXIV, 1999, p. 88). Acceptable pour Oreste, cette affirmation est gravement erronée

*
*   *

Ces définitions fonctionnelles nous permettent de mieux comprendre l'évolution de la fonction et par conséquent de la nature de l'amour dans la littérature et la pensée morale du XVIIe siècle. Pour Honoré d'Urfé, qui réagit à la grande crise de trente ans de guerres civiles [1] par un élan affectif et un idéalisme néoplatonicien, cette passion est une aspiration vers Dieu à travers la beauté de sa création. « L'amour c'est un désir de beauté, la beauté et la bonté se confondent [...]. Or, la bonté c'est Dieu [...]. Il s'ensuit que désirer la beauté, c'est désirer la bonté et [...] désirer Dieu » [2]. Dans l'*Astrée*, « amour est la vie de notre âme » et la dynamique d'un univers qui fonctionne par correspondances et sympathies : Dieu a « fait toute chose pour l'amour ». C'est un dévouement, une adoration qui aspire à la fusion mystique : ses effets sont « de servir, d'honorer, voire presque d'adorer la personne aimée » ; aimer, « c'est mourir en soi pour revivre en autrui » [3].

Mais quand Richelieu, Descartes, Rodrigue, Horace ou Auguste s'engagent dans une action concrète pour réaliser leur idéal sur le plan temporel, ils perdent le sens de cet élan spirituel, qui ne saurait être pour eux qu'une évasion. Leur projet rationnel d'intérêt collectif se méfie des engagements affectifs individuels, qui peuvent s'y opposer gravement : voyez Camille, dans *Horace*, qui commet le crime d'aimer son fiancé jusqu'à maudire sa patrie. Pour les partisans de la raison d'Etat, *amor* est l'inverse de *Roma*, qui est alors le modèle politique et moral. C'est un « ami du désordre », un « infracteur de lois » [4]. Ils ne l'admettent que dans la mesure où il est soumis à la raison et aux impératifs socio-idéologiques. Ils le définissent alors comme « une affection volontaire et délibérée de jouir par union d'une chose estimée bonne » [5] : « l'amour d'un honnête

---

pour Néron, Roxane et Phèdre : ils offrent des couronnes, mais à condition qu'on se renie, et qu'on trahisse l'être que l'on aime.
[1] Imputables, estime-t-il comme Montaigne, aux prétentions excessives de la raison, qui a voulu tout réformer obstinément.
[2] *Epîtres morales*, II, 4.
[3] *Astrée*, éd. Vaganay, III, 10, p. 531 ; III, 4, p. 217 ; IV, 3, p. 150 ; I, 8, p. 432.
[4] Tristan, *Panthée* (1637), v. 913.
[5] Jean-Pierre Camus, *Carité*e, 1641. « L'amour est une émotion de l'âme [...]

homme doit être toujours volontaire » et procéder du « mérite » de la personne aimée plutôt que « d'une inclination aveugle » [1]. *L'Amour tyrannique* de Scudéry (1638) montre la défaite de cette passion et le triomphe de l'amour raisonnable.

Une telle maîtrise, une telle liberté de choix supposent que le sujet amoureux ait en lui-même une valeur suffisante pour le rendre capable d'auto-détermination. Cette époque dynamique et optimiste n'en doute pas. Sa confiance en l'homme vient des exploits qui confirment sa nature héroïque. Chez de tels êtres, il faut que

les belles passions
Ne soient que l'ornement des grandes actions.
(Corneille, *Œdipe*, 1659, v. 67-68)

— ou tout au plus une motivation supplémentaire. C'est un rôle qui convient fort bien à l'amour car « il n'y a point de passion qui nous excite plus à quelque chose de noble et de généreux » [2]. Polyeucte et Pauline ne peuvent s'aimer pleinement qu'à partir du moment où leur amour est un élan à l'unisson vers une valeur qui les dépasse. Ces gens là auraient fort apprécié la formule de Saint-Exupéry : « Aimer ce n'est pas nous regarder l'un l'autre, mais regarder ensemble dans la même direction » [3]. Entre 1620 et 1650, seuls ceux qui s'opposent à la tyrannie du pouvoir donnent le premier rôle à l'amour, où ils voient le principe intime de résistance qui animait déjà Tristan et Iseult ou Roméo et Juliette : voyez notamment *Pyrame et Thisbé* de Théophile de Viau (1621), et surtout la *Sylvie* de Mairet (1627), qui met en scène le conflit de l'amour et de la raison d'Etat.

---

qui l'incite à se joindre de volonté aux objets qui paraissent lui être convenables », écrit Descartes, qui affirme, l'heureux homme, que « nous ne pouvons désirer que ce que nous estimons en quelque façon être possible » (*Les Passions de l'âme*, 1649, art. 79 et 145).

[1] Corneille, Dédicace de *La Place royale*, 1637. C'est aussi l'avis de François de Sales, pour qui nous pouvons choisir entre l'amour de soi et l'amour de Dieu. « La volonté n'aime qu'en voulant aimer, et, de plusieurs amours qui se présentent à elle, elle peut s'attacher à celui que bon lui semble ». Et même « la volonté peut rejeter son amour quand elle veut, appliquant l'entendement aux motifs qui l'en peuvent dégoûter, et prenant résolution de changer d'objet » (*Traité de l'Amour de Dieu*, 1616, I, 4).

[2] Saint-Evremond, *De la tragédie ancienne et moderne* (vers 1675).

[3] *Terre des hommes*, VIII, 3.

Or, dans les années 1640, l'Etat, qui apparaissait depuis 1625, sinon depuis l'Edit de Nantes, comme un médiateur salutaire ou même comme le moteur des nouvelles valeurs, n'est plus perçu que comme une tyrannie machiavélique. Pour lui résister, même chez Corneille, dès *Rodogune* et *Théodore* (1645), on se replie sur les valeurs intimes de la conscience morale et de l'amour. Bientôt, l'héroïsme temporel de naguère ne sera plus possible : les grandeurs qu'il visait ne seront plus que de « vains noms », et s'y dévouer ne pourra que rendre « malheureux ». Mieux vaut abandonner ce combat pour se replier sur le bonheur d'amour reconnaît Corneille lui-même : au lieu de résister à celui que vous considérez comme un usurpateur tyrannique,

> Aimez plutôt, Madame, un vainqueur qui vous aime.
> Vous avez assez fait pour moi, pour votre honneur,
> Il est temps de tourner du côté du bonheur [1].

Sur ces entrefaites, les volte-face intéressées et les excès meurtriers de la Fronde (1648-1651) puis son échec viennent ruiner l'image d'une noblesse héroïque. La victoire de l'absolutisme réduit les fils de héros en courtisans, et son achèvement fait qu'il n'y a plus de grands combats à livrer. Tout comme après la défaite des grands seigneurs [2] et des extrémistes catholiques par Henri IV et les « politiques », l'élan idéaliste se réfugie dans l'amour romanesque. « Cette noble passion est plutôt une vertu qu'une faiblesse, puisqu'elle porte l'âme aux grandes choses, et qu'elle est la sources des actions les plus héroïques », déclare Mlle de Scudéry au lecteur de son *Grand Cyrus* (1649). La tragédie s'éloigne des grands sujets politiques pour s'intéresser aux relations affectives. Le développement de la vie de salon et de cour entraîne celui de la civilité et de la galanterie, qui devient la qualité à la mode et la nouvelle façon de se mettre en valeur tout en cherchant satisfaction. Dans les salons comme dans les romans, les femmes favorisent cette forme de civilisation, qui correspond à leurs tendances et qui leur donne de l'importance. L'analyse des relations amoureuses devient un véritable jeu de société. Il ne s'agit plus de transformer le monde, comme l'ambitionnaient Richelieu et Descartes, mais de régler son comportement et de chercher désespérément à être heureux.

---

[1] Corneille, *Pertharite* (1651), v. 733-734 et 1420-1422.
[2] Parmi lesquels le futur auteur de l'*Astrée*.

Pour la beauté de l'antithèse avec Racine, on accorde généralement trop d'importance aux déclarations circonstancielles et polémiques de Corneille contre l'amour [1]. Il ne refuse pas toute présence de cette passion, mais la domination, dans la tragédie héroïque, d'une galanterie contraire à son esprit et à la vraisemblance historique de ses sujets. Ce qu'il réprouve c'est l'excès : le « goût de nos délicats, qui veulent de l'amour partout, et ne permettent qu'à lui de faire auprès d'eux la bonne ou la mauvaise fortune de nos ouvrages » [2]. Comme le dit son admirateur Saint-Evremond, il est bon de « mêler un peu d'amour dans la nouvelle tragédie, pour ôter mieux ces noires idées que nous laissait l'ancienne, par la superstition et par la terreur ». Mais nous faisons un « méchant usage de cette belle passion [...]. Nous mettons une tendresse affectée où nous devons mettre les sentiments les plus nobles ». « Croyant faire les rois et les empereurs de parfaits amants, nous en faisons des princes ridicules », auxquels l'amour « tient lieu de toute gloire et de toute vertu » [3].

Mais la galanterie héroïque — substitut romanesque des exploits guerriers de naguère — qui se développe à partir du *Cassandre* de La Calprenède (1642-1645) [4] et domine la littérature depuis *Le Grand Cyrus* de Mlle de Scudéry (1649-1653) jusqu'à l'*Alexandre* de Racine (1665), n'est que l'une des formes de la vogue de l'amour à partir de 1650. La plus visible, mais la plus superficielle.

Toute la condition humaine s'est trouvée modifiée du jour où, vers 1640, l'action n'a plus permis l'accès à la valeur, et où l'homme a découvert son impuissance à la réaliser, que l'augustinisme est venu lui expliquer comme la conséquence du péché originel, déchéance et perversion de notre nature. Ce

---

[1] La tragédie « demande quelque grand intérêt d'Etat ou quelque passion plus noble et plus mâle que l'amour » (*Discours de la tragédie*, 1660). « L'amour » est « une passion trop chargée de faiblesse pour être la dominante dans une pièce héroïque ; j'aime qu'elle y serve d'ornement et non pas de corps, et que les grandes âmes ne la laissent agir qu'autant qu'elle est compatible avec de plus nobles impressions » (Lettre à Saint-Evremond, 1668).

[2] Préface de *Sophonisbe*, 1663. Corneille était irrité par l'échec de cette tragédie.

[3] *De la tragédie ancienne et moderne*, vers 1675.

[4] Et même du *Pompée* de Corneille (1643), où « chaque jour », d'Italie, de Gaule ou d'Espagne, César « quitte l'épée fumante encor » de sang pour écrire des lettres d'amour à la belle Cléopâtre (v. 391-400).

changement a creusé un vide au cœur du sujet. Dans la vie comme en littérature il s'est replié sur des compensations affectives égocentriques, depuis les *divertissements* qui nous détournent de l'obsédante pensée de notre misère (et parmi lesquels la galanterie occupe une place éminente) jusqu'à l'intense avidité de bonheur signalée au chapitre 10. L'insuffisance du sujet, être de désir et de manque, le prive d'autonomie et asservit sa volonté à son aspiration vers tout objet capable de le satisfaire, confirmant ainsi l'anthropologie augustinienne : « Mon poids, c'est mon amour ; où que je sois emporté, c'est lui qui m'emporte » [1]. La raison ne maîtrise plus une passion qui s'impose comme une attirance irrésistible.

Même chez Corneille, l'héroïsme est devenu une ascèse trop ingrate, et le héros découvre son insuffisance d'homme qui a besoin d'être aimé :

Ah, pour être Romain, je n'en suis pas moins homme.
J'aime, et peut-être plus qu'on n'a jamais aimé.

s'exclame Sertorius (1662), avouant sa « faiblesse », qui quémande « un peu d'espoir » (v. 1194-1202). Tite rêve d'abandonner le pouvoir qui l'accable pour être heureux par l'amour (*Tite et Bérénice*, 1670, v. 1027-1034) [2]. A quoi bon se sacrifier pour une gloire qui ne donne plus sens à la vie ?

Quand nous avons perdu le jour qui nous éclaire,
Cette sorte de vie est bien imaginaire,
Et le moindre moment d'un bonheur souhaité
Vaut mieux qu'une si froide et vaine éternité.

déclare en 1674 le dernier héros de Corneille, Suréna (v. 309-312). Ce bonheur ne peut venir que de l'amour. Mais, dans un monde dominé par la violence au service de l'intérêt, le véritable amour ne peut plus être qu'une « amertume », « un noir chagrin », une « douloureuse et fatale tendresse » condamnée à une mort prochaine (v. 261-270). Le seul espoir de ces derniers héros serait de

Toujours aimer, toujours souffrir, toujours mourir. (v. 268)

---

[1] Saint Augustin, *Confessions*, XIII, 9.
[2] « Tout ce qui survit du comportement généreux procède en réalité de l'amour chez tous les personnages émouvants et souvent sacrifiés que Corneille glisse avec tendresse, mais sans oser leur donner le premier rang, dans toutes les tragédies après *Sophonisbe* » (A. Stegmann, *L'Héroïsme cornélien*, Colin, 1968, t. II, p. 415).

Quoique partie d'une époque et d'une idéologie optimistes, l'évolution de Corneille nous prépare ainsi à la compréhension de Racine.

Désormais, c'est surtout l'insuffisance du sujet qui rend irrésistible l'attrait de l'objet. Mais il y réagit par un réflexe de valorisation de soi, et de prétention conquérante. Même quand il se déguise en galanterie dévouée pour mieux séduire, l'amour mondain des années 1650 et 1660 est donc subordonné à l'amour de soi. Cet égocentrisme intéressé, honni à l'époque des grands dévouements collectifs à des valeurs supérieures, est un réflexe nécessaire à partir du moment où celles-ci sont devenues illusoires (sur terre) ou inaccessibles (au ciel). Selon La Rochefoucauld, Pascal et à peu près tous les écrivains et moralistes postérieurs à 1655, c'est le principe de nos sentiments et comportements. Or, « il n'y a point de passion où l'amour de soi règne si puissamment que dans l'amour ». « Nous ne pouvons rien aimer que par rapport à nous » [1].

Cette « passion de régner » sur autrui, comme dit La Rochefoucauld (M. 68), est fréquente dans les relations réelles de cette époque. On la retrouve en littérature, où plusieurs auteurs insistent sur sa dimension de glorieuse prétention : « Je veux troubler toute la galanterie des autres, faire des femmes et des maîtresses jalouses, être aimée de tout ce qui me voit, donner de la crainte et de l'espérance quand il me plaît […], que l'on ne parle que de mes conquêtes […], que rien n'échappe de ma puissance », déclare une héroïne de Mlle de Scudéry [2]. Mais « je veux n'engager jamais […] mon cœur ; je veux aimer la galanterie, et n'aimer pas un galant ».

L'amour-propre est la source en nous de tous les autres,
C'en est le sentiment qui forme tous les nôtres.
Lui seul allume, éteint ou change nos désirs,

écrit maintenant Corneille, naguère chantre de l'amour généreux (*Tite et Bérénice*, v. 279-281). Les deux héroïnes de *Sertorius* veulent épouser par ambition un homme pour lequel elles n'ont aucun amour. Dans *Tite et Bérénice*, Domitie dédaigne le « ridicule honneur de savoir bien aimer » (v. 222). Elle « n'aime que soi-même » (v. 276), et son objectif est d'épouser un empereur : Tite ou son frère, qu'importe. Malgré

---

[1] La Rochefoucauld, *Maximes*, 262 et 81. « Nous n'aimons dans les autres que nous-mêmes » (Nicole, *Lettres choisies*, Liège, 1734, p. 102).
[2] *Artamène ou Le Grand Cyrus*, IV, 3, p. 415-416.

certaines apparences de galanterie, l'amour a perdu toute
générosité altruiste :

> Chacun n'y fait sa cour et n'aime que pour soi :
> Ce n'est plus un amour, c'est un désir de plaire.
>
> (Boyer, *La Fête de Vénus*, 1669, III, 2)

Parfois, c'est même un projet délibéré de séduire, de dominer —
puis d'abandonner.

Quelques auteurs plus profonds présentent ce
donjuanisme comme une fuite en avant, un *divertissement*, au
sens pascalien. On fait montre de supériorité en réussissant à
vaincre la résistance de l'autre, à s'approprier son désir et sa
liberté. Mais cela fait, il perd tout intérêt, car — selon une
conception que les sceptiques mondains partagent avec les
sévères augustiniens —, les êtres humains n'ont pas de valeur en
eux-mêmes. Il faut donc trouver aussitôt un autre objet, pour
faire *diversion* à son propre néant. Dans *Zaïde* de Mme de
Lafayette, l'amour, fils « de la vanité et de l'ambition », consiste
dans « le plaisir de donner une violente passion à une personne
qui n'en a jamais eue », ou, mieux encore, de se « rendre maître
d'un cœur [...] défendu par une passion » bien enracinée. Telle
est la motivation du séducteur Alamir. Mais « sitôt qu'il était
aimé, comme il n'avait plus rien à désirer [...], il ne songeait
qu'à rompre ». Il sera pris à son propre piège : « Je n'ai pu
aimer toutes celles qui m'ont aimé. Zaïde me méprise et je
l'adore ». Certains moralistes décèlent dans cet amour
donjuanesque une réaction compensatrice à une insuffisance
profonde. La tradition chrétienne préparait à cette analyse, en
dénonçant dans le désir, et notamment dans l'amour,
l'expression d'une indigence. « Le grand Tertullien a dignement
exprimé la nature de cette passion quand il a dit qu'elle est la
gloire de la chose désirée, et la honte de celui qui la désire » [1].
Exaltant quand l'homme croyait pouvoir accéder à la valeur,
l'amour peut devenir maintenant un supplice de Tantale. Depuis
que l'homme s'est détourné de Dieu, source de toute valeur et de
tout bonheur, il ne lui en reste « que la marque et la trace toute
vide, et qu'il essaie inutilement de remplir [...] parce que ce
gouffre infini ne peut être rempli que par un objet infini et
immuable, c'est-à-dire que par Dieu même ». Si nous sommes
transportés de passions, c'est pour tenter « de combler par là le
vide effroyable que la perte de notre bonheur véritable a causé

---

[1] Senault, *De l'usage des passions* (1641), II, II, 1.

dans notre cœur »[1]. Le besoin irrésistible d'une valeur indispensable et inaccessible : telle est la passion tragique.

*

*   *

Après avoir retracé l'évolution de la fonction de l'amour dans la littérature du XVIIe siècle, j'étudierai successivement les cinq formes d'amour qu'il revêt dans la tragédie racinienne : le dévouement héroïque ou chevaleresque, la galanterie, l'ambition de conquête, la passion tragique, le pur amour réciproque.

Racine ironise, à travers le discours d'Oreste, sur l'amour chevaleresque, dont le dévouement grandiloquent est passé de mode. L'amoureux d'Hermione rappelle cet Eraste qui est

un galant d'importance,
Et propre en un besoin à mourir de constance,
Mais si fort hors de mode et du temps de jadis,
Qu'il le disputerait à tous les Amadis.

(Thomas Corneille, *L'Amour à la mode*, 1651, II, 3)
Dès l'exposition, la double énonciation introduit une connotation critique dans les plaintes excessives de celui qui nous invite à le voir « traîner de mers en mers [s]a chaîne et [s]es ennuis » (v. 44). Puis Hermione dénonce son « funeste langage » (v. 505), et on le voit passer soudain des lamentations à l'exaltation dans le même style désuet : « Ah divine princesse... » (v. 529)[2]. Dans la scène 3 de l'acte IV, le contraste entre la grandiloquence d'Oreste — faite parfois de l'accumulation d'expressions contradictoires (v. 1153-1154) — et la brièveté d'Hermione, puis l'hésitation de cet exalté quand il rencontre la réalité (v. 1172-1173), sont une nouvelle manifestation de l'ironie de l'auteur envers un idéalisme inadéquat en un temps de finesse réaliste.

On retrouve peut-être cette légère distanciation de l'auteur devant certaines attitudes d'Antiochus ou quelques propos de Xipharès. Mais ailleurs, l'amour peut devenir héroïque pour affronter un défi extérieur. Il anime Porus contre Alexandre, Taxile contre Porus, Alexandre contre l'univers entier. Il redonnerait à Pyrrhus la vigueur héroïque qu'il a perdue :

Animé d'un regard, je puis tout entreprendre.

---

[1] Pascal, *Pensées*, Laf. 148, et Nicole, *Essais de morale*, III, p. 76.
[2] Cette expression ne se rencontre qu'une autre fois chez Racine, dans le galant *Alexandre* (v. 669).

(*Andromaque*, v. 329)
Il accentue celle d'Achille qui, pour sauver Iphigénie,
    Epouvantait l'armée, et partageait les dieux.
                        (*Iphigénie*, v. 1736)
Il donne à Andromaque, à Monime, à Junie et Britannicus la
force de résister à la tyrannie. Il rend Bérénice (comme
Andromaque) capable d'un suprême sacrifice :
    Ce jour, je l'avouerai, je me suis alarmée.
    J'ai cru que votre amour allait finir son cours.
    Je connais mon erreur et vous m'aimez toujours.
    Votre cœur s'est troublé, j'ai vu couler vos larmes.

    Je vivrai, je suivrai vos ordres absolus.
    Adieu, Seigneur, régnez, je ne vous verrai plus.
                        (*Bérénice*, v. 1480-1494) [1]

Ce dévouement héroïque ne peut se décider
arbitrairement. Pour en avoir la force, il faut à la fois être sûr
d'être aimé, comme le rappelle Bérénice, et être assez certain de
sa propre valeur pour se passer de l'autre, pour être capable de
rester généreux dans une solitude pleinement suffisante. C'est ce
que montre l'exemple de l'anxieuse Atalide.
    Il est vrai, je n'ai pu concevoir sans effroi
    Que Bajazet pût vivre et n'être plus à moi,
avoue-t-elle (v. 683-684).
    J'aime assez mon amant pour renoncer à lui,
proclame-t-elle plus loin, s'efforçant de s'en persuader (v. 836).
Mais elle sera incapable d'un « si grand sacrifice » (v. 838) dès
qu'elle le soupçonnera — à tort — de lui préférer Roxane
(v. 956-974). Dans la condition tragique, le besoin d'être aimé
est trop fort pour qu'on soit capable de se dévouer à l'autre.
    La galanterie est un amour complimenteur qui caractérise,
dans les deux premières tragédies, Hémon, Porus et Alexandre.
On la retrouve ensuite chez Oreste, Xipharès et Achille et, à un
moindre degré, chez Britannicus, Antiochus, Bajazet ou
Hippolyte. Mais aussi chez Pyrrhus, tantôt comme expression
sincère, tantôt comme tactique flatteuse ; et même chez Néron

---

[1] Cette proclamation qui sent la rhétorique du dévouement est
psychologiquement moins convaincante que la sobre fermeté de Junie et de
Monime. Il en va de même quand Andromaque décide d'épouser Pyrrhus puis de
se tuer : la beauté du paradoxe, inspiré par Hector depuis son tombeau, réduit
un peu la crédibilité.

pour qui c'est un masque (v. 531-546). Si l'on se place du point de vue psychologique, on dira que ce respect flatteur est pleinement sincère chez dix personnages sur douze. Il en va autrement si l'on pense que les personnages ne sont que des images suggérées par le discours. Car la galanterie se traduit par une inflation stylistique qui dilue la signification du texte, et qui rend invraisemblables sinon ridicules ses meilleurs moments — et leurs énonciateurs — pour qui n'en partage pas les présupposés. Racine s'est assez rapidement dépris de cette tendance à la mode, qu'il n'attribue pas sans ironie à Oreste (v. 1147-1173) et surtout à Xipharès (v. 171-220, et 656-673). S'il y revient dans *Mithridate* et *Iphigénie*, c'est qu'il y est plus soucieux de plaire au public mondain que dans *Britannicus* ou *Bajazet*.

De toute façon, ce discours n'est parfois qu'une stratégie, comme le montre son utilisation par Néron (v. 531-546), rapidement contraint de jeter ce masque, et même l'attitude de Pyrrhus, qui passe facilement d'une galanterie qui est une flatterie séductrice à la fois sincère et intéressée, à un odieux chantage. Ici encore, l'altruisme n'existe que chez des actants un peu idéalisés. Ceux qui expriment une vision plus réaliste sont emportés par leur égocentrisme, tantôt impérieusement dominateur, tantôt anxieusement quémandeur. Telles sont la troisième forme de l'amour (une réaction conquérante de l'amour de soi, caractéristique de cette époque), et la quatrième (une aspiration de l'être concupiscent à être reconnu par la valeur, qui est propre à la tragédie racinienne).

Chez les personnages les plus marquants de la première partie de l'œuvre — Créon, Taxile, Pyrrhus, Hermione, Néron — l'amour est d'abord, selon la tendance dominante de cette époque, rappelée plus haut, ambition de conquête et de domination, que l'on retrouve même, malgré leur générosité, chez Porus, Alexandre, Axiane et Hermione sinon Oreste. Dans *Andromaque*, chacun délaisse qui l'aime pour rechercher qui le dédaigne. Ce n'est pas seulement un brillant paradoxe d'auteur soucieux de plaire. C'est une réaction de l'amour de soi. Ainsi, Hermione ne s'intéresse pas à Oreste parce qu'il a moins de prestige que Pyrrhus, et parce qu'il se traîne à ses pieds, la fatiguant de « ses pleurs », de son « funeste langage » (v. 848 et 505) et de sa grandiloquence chevaleresque. Tandis que l'autre en la délaissant fouette son amour-propre. Elle nous explique son erreur. Dans la stratégie amoureuse, pour maintenir vivace l'ambition d'un prétendant, il ne faut jamais lui montrer qu'on l'aime : ce serait lui avouer sa « défaite » [1] et par conséquent mettre fin à son effort de conquête [2]. « Hélas ! pour mon malheur », face à Pyrrhus,

> Je n'ai point du silence affecté le mystère.
> Je croyais sans péril pouvoir être sincère.
> Et sans armer mes yeux d'un moment de rigueur,
> Je n'ai pour lui parler, consulté que mon cœur.
>
> (v. 457-460)

Par la bouche de Pylade, l'auteur nous explique que maintenant, pour tenter de réamorcer l'ambitieux désir de l'infidèle, Hermione,

> au moins en apparence,
> Semble de son amant dédaigner l'inconstance,
> Et croit que trop heureux de fléchir sa rigueur,
> Il la viendra presser de reprendre son cœur.
>
> (v. 125-128)

Le rôle des confidents est souvent d'exprimer la surprise du bon sens ordinaire devant des subtilités significatives qu'ils mettent ainsi en relief. Cléone ne comprend pas qu'on puisse dire qu'Andromaque cherche à séduire Pyrrhus. Car, dit-elle, soulignant le paradoxe par une belle formule :

> Contre un amant qui plaît pourquoi tant de fierté ?
>
> (v. 455)

Certes la veuve d'Hector n'est pas coquette (cf. chap. 7). Mais c'est bien son attitude de dédaigneuse supériorité, fût-elle involontaire [3], qui fouette l'ambition de son prétendant.

Avant de recourir au chantage, Pyrrhus tente de séduire Andromaque par la générosité : il lui offre une couronne, il sauvera son fils, il l'adoptera, il reconstruira Troie pour l'y couronner (v. 281-288 et 326-332). A l'origine néanmoins, il

---

[1] Cette métaphore usuelle du langage galant ne se trouve que deux fois chez Racine (*Alexandre*, v. 898, et, par une imputation calomnieuse, *Britannicus*, v. 948).

[2] « N'aimer guère en amour est un moyen assuré d'être aimé », écrit La Rochefoucauld, théoricien de la nouvelle psychologie égocentrique. A l'époque où l'on avait confiance en l'homme, parce que les valeurs lui étaient accessibles dans une société et une pensée en reconstruction, on pensait le contraire. « Pour être aimé, il n'y a point de charme plus puissant que d'aimer » (Le P. Le Moyne, *Les Peintures morales*, t. II, 1643).

[3]   Pardonnez à l'éclat d'une illustre fortune
        Ce reste de fierté, qui craint d'être importune.
                                        (v. 913-914)

ne l'aime pas pour elle mais plutôt contre elle : parce qu'elle le domine moralement, qu'elle lui résiste, qu'elle irrite à la fois son ambition et sa mauvaise conscience. Ah s'il pouvait l'épouser malgré elle, malgré cet Hector qu'elle adore, malgré les fureurs d'Hermione, malgré la Grèce entière qui lui a envoyé tout exprès un ambassadeur pour empêcher ce mariage, et peut-être malgré les dieux à la face desquels il avait fait d'autres serments (v. 1381-1385) ! Quel défi triomphal ! C'est bien dans cet esprit que la cérémonie nous est décrite. Cléone a vu Pyrrhus

> au comble de ses vœux.
> Le plus fier des mortels et le plus amoureux.
> Je l'ai vu vers le temple, où son hymen s'apprête,
> Mener en conquérant sa nouvelle conquête,
> Et d'un œil où brillaient sa joie et son espoir
> S'enivrer en marchant du plaisir de la voir.
> (v. 431-436)

Or, ce n'est pas une adhésion enthousiaste d'Andromaque qui nourrit sa joie. Car elle

> Porte jusqu'aux autels le souvenir de Troie :
> Incapable toujours d'aimer et de haïr,
> Sans joie et sans murmure elle semble obéir.
> (v. 1438-1440)

C'est de la bravade universelle que vient la satisfaction du conquérant. Le récit d'Oreste nous le confirme :

> Pyrrhus m'a reconnu. Mais sans changer de face,
> Il semblait que ma vue excitât son audace,
> Que tous les Grecs, bravés en leur ambassadeur,
> Dussent de son hymen relever la splendeur.
> (v. 1501-1504)

Son discours, et surtout ses derniers mots, qui reconnaissent Astyanax « pour le roi des Troyens », couronnent ce défi par une véritable provocation, dont faisait déjà partie la visite qu'il venait de faire à sa fiancée délaissée pour lui annoncer ce mariage (cf. chap. 7). Rappelons-nous qu'il a songé, dans le même esprit, à épouser Hermione pour faire enrager Andromaque (v. 669-680) et Oreste (v. 618-625 et 737-740).

   Cette réaction impérieuse de la volonté de puissance sera aussi la motivation initiale de Néron, qui fait enlever Junie pour s'opposer à sa mère, pour « le plaisir de [...] nuire » à deux amants (v. 55-58) et pour s'imposer à une jeune fille vertueuse qui ne s'intéresse pas à lui — ce que son amour-propre perçoit

comme un insupportable dédain (v. 411-445) [1]. Sa première
préoccupation d'amoureux prétendu est d'asservir sa liberté,
jusqu'à la torturer (v. 401-404) et surtout à la contraindre à
tourmenter son rival (v. 443-445, 522, 667-684 et 750-756) :
« Je mettrais ma joie à le désespérer » (v. 750).

Cette ambition conquérante disparaît quasiment par la
suite : je relève seulement une évocation fugitive dans *Bérénice*
(v. 648-666), une amorce pour la passion de Roxane (v. 138-
142 et 159-160), une certaine concurrence entre Pharnace et
Xipharès, entre Mithridate et ses fils, entre Eriphile et Iphigénie.
Mais dans *Phèdre*, qui met en scène l'amour sous toutes ses
formes, elle revient en force. Hippolyte, « fier et même un peu
farouche » (v. 638) est ressenti comme un défi, un « superbe
ennemi » [2] par Phèdre, par Vénus (v. 813-822) et même par « la
timide Aricie » (v. 1574), à qui Racine, sans trop se soucier de
vraisemblance ni de cohérence psychologiques, impute l'avide
ambition de dompter cette vierge et rebelle virilité :

> … de faire fléchir un courage inflexible,
> De porter la douleur dans une âme insensible,
> D'enchaîner un captif de ses fers étonné,
> Contre un joug qui lui plaît vainement mutiné :
> C'est là ce que je veux, c'est là ce qui m'irrite.
>   (v. 441-456)

Mais chacun sait que cette belle tirade d'auteur (v. 441-456)
n'est pas l'essentiel de la mise en scène de l'amour dans *Phèdre*.

Si Racine a rapidement renoncé à montrer ce
donjuanisme conquérant, c'est, me semble-t-il, parce qu'il ne
correspondait pas à sa vision de l'homme. Ce n'est qu'une
réaction qui cherche à compenser le problème fondamental :
c'est une affectation de supériorité pour masquer une
infériorité. C'est bien ce que signifie la stratégie d'Hermione. Si
l'ambition de conquête amoureuse a tant d'importance chez elle
et chez Pyrrhus, c'est parce que leur position dominatrice vient
d'être ruinée. Sa « gloire offensée » (v. 1189) accepte fort mal
de subir les dédains qu'elle était habituée à imposer à Oreste :

---

[1] Il va même jusqu'à soupçonner Junie de coquetterie intéressée (v. 413-414 et
545-546). Narcisse développe cette hypothèse : « Peut-être elle fuyait pour
se faire chercher » (v. 947-952). Comme c'est l'auteur qui parle par leur
bouche, tout cela prouve l'importance de l'ambition amoureuse dans l'univers
mental de cette pièce.

[2] V. 272. *Superbe* signifie *orgueilleux*. Ce qualificatif lui est également
appliqué aux v. 58, 127, 406, 538 et 776.

Quelle honte pour moi ! quel triomphe pour lui,
De voir mon infortune égaler son ennui !
Est-ce là, dira-t-il, cette fière Hermione ?
Elle me dédaignait, un autre l'abandonne.
L'ingrate qui mettait son cœur à si haut prix
Apprend donc à son tour à souffrir des mépris ?
Ah dieux !

                              (v. 395-401)

Autant que le cœur de l'amoureuse abandonnée, c'est l'amour-propre de la glorieuse bafouée qui souffre de la « honte » (v. 395, 571, 1216), du « mépris » (v. 130, 400, 550, 552, 1131, 1224), de l' « injure » (v. 422, 1261, 1361, 1482). Voyez la violence de sa réaction, quand Oreste signale ce qui la blesse : « Qui vous l'a dit, Seigneur, qu'il me méprise ? » (v. 550).

De même, Pyrrhus, naguère insolent triomphateur, supporte mal une crise de personnalité qui lui fait douter de ses exploits, accusés maintenant d'être des crimes, et perçus comme tels par sa propre conscience (v. 209-214 et 1341-1343)[1]. Il ne peut accepter d'être dominé par une femme qui lui résiste bien qu'il ait tout pouvoir sur elle, et qu'il lui offre les plus grands sacrifices (v. 687-692). Pour redevenir lui-même, et non plus « le jouet d'une flamme servile » (v. 627-636), il lui faut briser la résistance d'Andromaque : ou la contraindre au mariage, ou bien « braver » cette « orgueilleuse » jusqu'à ce que « tous ses attraits » en soient « humiliés » (v. 660-679). Ce qui excite le plus son ambition amoureuse, c'est le dédain de celle qui le compare à l'inégalable Hector (v. 310, 333-336, 359-362, 650-654, 938-942). Bref, cet amour apparemment conquérant est au fond une réaction pour masquer l'intime insuffisance dont la passion tragique est l'aveu. Comme dit Nicole, c'est pour échapper au « désespoir [...] que l'âme s'agite tant et qu'elle cherche à s'occuper hors d'elle-même de tant d'objets

---

[1] Ce n'est pas seulement parce que les actions du destructeur de Troie gênent celui qui est devenu amoureux de la veuve d'Hector. Plus profondément, c'est parce que les exploits qu'exaltait la génération précédente (celle d'Achille dans la fiction, celle de Richelieu et de l'auteur du *Cid* dans la réalité), sont devenus suspects pour l'antihumanisme de la seconde moitié du siècle, hostile aux fausses grandeurs de ce monde. Ce n'est d'ailleurs pas seulement devant Andromaque que Pyrrhus regrette ses « excès de rage » (v. 197-216 et 1341-1343). Et il ne s'agit pas uniquement de lieux communs et de palinodie tactique.

extérieurs » [1]. L'on passe donc insensiblement de la prétention de posséder qui vous échappe au besoin de se faire reconnaître par qui vous récuse. Mais ce passage ne se verra clairement que chez Roxane et Mithridate.

Jusqu'à *Bérénice*, cet aveu n'est pas explicité : Racine (parce qu'il épouse ses propres avidités et rejette la morale qui s'y oppose ?) met en scène les problèmes du point de vue de la passion, même quand il la réprouve (chez Créon et les frères ennemis ou chez Néron). Dans les quatre premières tragédies, cette passion est un *transport* qui anime les personnages. Ils s'y adonnent sans recul critique de la conscience morale :

Je me livre en aveugle au transport qui m'entraîne,

disait Oreste (v. 98) avant que ce terme ne soit remplacé, trente ans après, par *destin*.

Bérénice est la mise en scène de la résistance à cet entraînement, qui s'accentuera dans les tragédies suivantes, sans doute parce que Racine lui-même prend ses distances par rapport à ses impulsions et se rapproche peu à peu de la morale puis de la religion de son enfance, comme en témoignent sur un autre plan, à partir du même moment, le retour progressif du « Père », figure de la loi, et une dramaturgie de l'aveu qui culminera dans *Phèdre*. Jusqu'à *Britannicus*, la passion était généralement considérée comme un *transport* auquel on adhérait pour y chercher satisfaction, et non pas comme un *trouble* dont il faudrait se délivrer : trente emplois contre neuf. De *Bérénice* à *Esther*, c'est au contraire le second terme qui l'emporte : quarante-trois emplois contre trente-cinq. Pour Roxane, Mithridate, Eriphile ou Phèdre, la passion est un « trouble fatal » dont ils cherchent vainement à « sortir » (*Mithridate*, v. 1417-1421). Cette condamnation se confirme dans *Athalie* : treize emplois contre deux. Le transport de Phèdre n'est pas moins intense que celui d'Oreste, de Pyrrhus ou d'Hermione. La différence c'est qu'elle réprouve le sien, alors que le leur nous était présenté sous un jour favorable, et que celui de Néron n'était condamné que de l'extérieur. Ce tyran romain pourrait passer pour une exception monstrueuse : Phèdre est au contraire la monstruosité que chaque homme doit affronter en soi-même, et Racine voulait nous le faire percevoir. Sa passion incestueuse n'est pas un accident malencontreux, une exception qui ne nous concerne pas. C'est une manifestation révélatrice de la concupiscence qui nous domine tous — selon

---

[1] *De la faiblesse de l'homme*, XII (*Essais de morale*, t. I, 1671).

l'anthropologie augustinienne — et qui est une aspiration scandaleuse à transgresser toute loi morale.

Ce changement de perspective rend explicite ce que cachait la prétention de Pyrrhus et de Néron : leur profonde dépendance morale par rapport à celles qu'ils prétendaient dominer par la violence physique et politique. Roxane, engagée dans le même chantage qu'eux, l'interrompt soudain pour avouer la vérité :

> Dans ton perfide sang je puis tout expier,
> Et ta mort suffira pour me justifier.
> N'en doute point, j'y cours, et dès ce moment même...
> Bajazet, écoutez, je sens que je vous aime.
> ---
> J'affectais à tes yeux une fausse fierté.
> De toi dépend ma joie et ma félicité.
> De ma sanglante mort ta mort sera suivie.
>   (v. 535-557)

Le passage de la suffisance à l'infériorité angoissée et de l'adhésion à la réprobation de la passion entraîne un changement dans la nature des *acteurs*. Jusqu'à *Bérénice* — à part Hermione et, moins nettement, Axiane — c'étaient des hommes qui voulaient imposer leurs sentiments : Créon, Alexandre, Porus, Taxile, Oreste, Pyrrhus, Néron. Quand la passion devient suppliante et la concupiscence scandaleuse, les femmes conviennent mieux au rôle selon une vision traditionnelle : Bérénice, Roxane, Eriphile, Phèdre. Le pauvre Antiochus et le vieux Mithridate, qui se retrouvent en leur compagnie n'échappent pas à une pointe de ridicule.

Cette inversion de perspective ne s'applique pas seulement aux passions violentes. L'affection d'Andromaque et Hector, de Junie et Britannicus était en tout point admirable. Dans *Bérénice*, l'amour, malgré sa perfection morale, se heurte à la conscience. Par la suite, la perspective critique, sinon moraliste, s'accentue : Atalide et Bajazet ne peuvent préserver leur amour que par des mensonges compromettants ; Monime et Xipharès ressentent le leur comme une faute. L'amour d'Achille et d'Iphigénie est exalté, mais Hippolyte perçoit le sien comme une chute dans la faiblesse de la commune condition humaine.

*
*   *

La forme la plus célèbre de l'amour, chez Racine, est une passion refusée qui se tourne en violence. On se contente généralement de la décrire, en la réduisant à peu près à la formule suivante : A a tout pouvoir sur B qu'il aime et qui le refuse parce qu'il est engagé ailleurs ; A réagit par la violence. Commençons par établir plus précisément l'origine de cette passion. Le point de départ est variable. Chez Hermione et Roxane, c'est une admiration immédiatement intense (*Andromaque*, v. 464-470, 1356-1358 et 1423-1426 ; *Bajazet*, v. 138-142 et 153-162) ; mais on ne trouve rien de tel chez Mithridate. C'est une passion soudaine chez Néron et Phèdre ; ailleurs, l'amour ne mérite ce nom qu'à partir du moment où il est rejeté. Mais à y regarder de près, la rencontre de Néron et de Junie, de Phèdre et d'Hippolyte est déjà la révélation d'une antinomie.

C'est là qu'est le problème. Oreste et Antiochus souffrent d'être éliminés par des rivaux plus admirables qu'eux. Mais le tourment de tous les autres est bien plus intense parce qu'ils se sont épris d'êtres moralement supérieurs dont le simple regard les rejette dans leur infériorité (Roxane, qualifiée d' « esclave attachée à ses seuls intérêts » par Bajazet, qui refuse « l'ignominie » « d'un servile hymen », v. 719 et 602), dans leur culpabilité (Pyrrhus, qui pour Andromaque est le bourreau de Troie, et Mithridate dont Monime stigmatise la déloyauté) ou même dans leur tare morale : Néron et Phèdre. La passion tragique est l'intense aspiration de l'être insuffisant et corrompu à être reconnu par la valeur qui le nie. Aspiration strictement impossible à satisfaire par définition, puisque c'est cette rencontre de son antipode qui lui a révélé sa corruption, inscrite dans son désir même.

La naissance de la passion n'est précisément rapportée que chez ceux-ci, à travers leur propre témoignage. C'est une violente perturbation. C'est au moment où « [s]on repos, [s]on bonheur semblait être affermi » par son mariage, c'est-à-dire par la reconnaissance sociale, légale de sa sexualité dans son exercice normal, que Phèdre a rencontré son « superbe ennemi » (v. 269-272). Cette expression — où l'adjectif signifie *orgueilleux*— désigne quelqu'un qui vous impose un sentiment que vous ne voulez pas éprouver, qui porte atteinte à votre intime liberté. L'accusation d'orgueil exprime la réaction de la reine à cette domination et au fait qu'Hippolyte, lui, est insensible à l'amour. Le résultat est une intense bouffée de concupiscence, qui perturbe à la fois le corps qu'elle travaille et la conscience qui, dépossédée de tout contrôle, la réprouve avec effroi. Au moment où les principes contraires de Phèdre se réconciliaient, puisque la fille de Pasiphaé allait vivre sa sexualité « sous les lois de l'hymen », chères au législateur Minos, la rencontre avec Hippolyte fait éclater son intime antagonisme :

> Je le vis, je rougis, je pâlis à sa vue.
> Un trouble s'éleva dans mon âme éperdue.
> Mes yeux ne voyaient plus, je ne pouvais parler,
> Je sentis tout mon corps et transir et brûler.
> Je reconnus Vénus et ses feux redoutables,
> D'un sang qu'elle poursuit tourments inévitables.
> (v. 273-278)

La vue de l'innocence a réveillé la nature profonde de Phèdre. Le texte ne précise pas pourquoi. Il y a deux possibilités complémentaires : la beauté du vierge adolescent a enflammé le désir ; le regard de cette virginité, de cette pureté revendiquée a fait éclater la particularité de la fille de Pasiphaé, la concupiscence qui l'anime, la mauvaise conscience qu'elle en a : elle a rougi et pâli de honte en même temps que de désir. Nous retrouvons la raison d'être de l'expression « superbe ennemi ». La première hypothèse est certes plus réaliste ; mais la seconde convient mieux à une fable littéraire qui est un mythe moral. Je rapprocherai même cette rencontre avec l'Autre, la concupiscence transgressive qu'elle produit et la mauvaise conscience qui en résulte, du péché originel. Auparavant, « Adam et sa femme étaient [...] tous deux nus, et ils n'en rougissaient point ». Quand ils eurent écouté le serpent et mangé du fruit de l'arbre défendu, « en même temps leurs yeux furent ouverts à tous deux ; ils reconnurent qu'ils étaient nus » et ils tentèrent de « se cacher » (*Genèse*, II, 25 et III, 7-8).

La rencontre de Néron et de Junie conforte cette interprétation. Il l'a enlevée par malignité — pour « le plaisir de [...] nuire » (v. 56) — et par concupiscence, « excité d'un désir curieux » (v. 385). Il la fait venir en pleine nuit dans une mise en scène propice aux fantasmes érotiques :

> Belle, sans ornements, dans le simple appareil
> D'une beauté qu'on vient d'arracher au sommeil.

Et parmi

> Les ombres, les flambeaux, les cris et le silence,
> Et le farouche aspect de ses fiers ravisseurs.
> (v. 389-393)

Mais ses fantasmes n'ont pu s'exercer qu'en imagination. Alors
qu'il croyait imposer son désir à un objet érotique, il se trouve
confronté au regard d'un être spirituel qui le force au respect,
jusqu'à réduire son excitation en impuissance :

J'ai voulu lui parler et ma voix [1] s'est perdue :
Immobile, saisi d'un long étonnement,
Je l'ai laissé passer dans son appartement.

(v. 396-398)

Auparavant, il désirait Junie ; maintenant il l' « idolâtre » (v.
384).

Ces deux rencontres sont donc bien celles de la pulsion
érotique et de la pure innocence, et je crois qu'elles figurent
l'antinomie entre notre concupiscence et notre idéal de
conscience. Or, la même contradiction morale sépare Roxane de
Bajazet et Mithridate de Monime. Et si les premiers tiennent tant
à être reconnus par les seconds, ce ne peut pas être, dans des
œuvres qui visent symboliquement à une signification
universelle, parce que ceux-ci auraient quelque qualité physique
ou psychique exceptionnelle — dont il n'est d'ailleurs pas
question. Ce n'est pas non plus seulement pour s'affirmer face à
une résistance. C'est aussi parce qu'ils ont absolument besoin de
cette valeur morale, voire spirituelle [2], devant laquelle ils
ressentent leur coupable infériorité, comme déjà Pyrrhus devant
Andromaque et Hector, dont il fut le vainqueur à l'époque
héroïque. « Nous avons une si grande idée de l'âme de l'homme
que nous ne pouvons souffrir d'en être méprisés et de n'être pas
dans l'estime d'une âme. Et toute la félicité des hommes consiste
dans cette estime » (Pascal, *Pensées*, Laf. 411).

Tout désir intense n'est pas seulement désir de jouissance
physique : c'est un besoin de bonheur sur tous les plans, le
besoin de trouver la plénitude et la justification de son être, ce
qui n'est possible que dans son union à la valeur qui est sa
raison d'être. L'amour n'est pas seulement affectif et sensuel :
c'est aussi un rapport moral et spirituel. C'est ce que signifiaient
les moralistes chrétiens, en répétant que tout amour est désir de

---

[1] Au théâtre, et surtout dans la tragédie classique, faite de discours, la voix est
l'organe par excellence.

[2] Au passage, relevons deux indications sur la dimension religieuse de
Junie — que l'« infidèle » Narcisse tente d'arrêter « d'une profane main »
au moment où, pour conserver à Britannicus « une foi toujours pure », elle se
retire parmi les prêtresses de Vesta (v. 1736-1752) — et d'Hippolyte, que
Phèdre accuse Œnone d'avoir calomnié d'une « bouche impie » (v. 1313).

Dieu. Fait pour aimer son Créateur, l'homme n'a pas cessé, malgré la chute, d'aspirer à l'union avec cet être parfait, seul capable de le combler. « Vous nous avez créés pour vous et […] notre cœur est toujours agité de trouble et d'inquiétude jusqu'à ce qu'il trouve son repos en vous » [1]. La psychologie vérifiait cette affirmation, en décelant au principe de nos sentiments et comportements, surtout après 1650, une avidité insatiable ou, comme dit Pascal, un « gouffre infini [qui] ne peut être rempli que par un objet infini et immuable, c'est-à-dire que par Dieu même » (Laf. 148).

C'était une idée traditionnelle et courante. La *Doctrine spirituelle* du jésuite Lallemant, rédigée entre 1626 et 1635, commence par ces mots : « Nous avons dans notre cœur un vide que toutes les créatures ne sauraient remplir. Il ne peut être rempli que de Dieu, qui est notre principe et notre fin. La possession de Dieu remplit ce vide et nous rend heureux. La privation de Dieu nous laisse dans ce vide, et fait que nous sommes malheureux ». Dans *L'Usage des passions*, qui connut seize éditions de 1641 à 1669 le P. Senault, futur supérieur général de l'Oratoire, écrit que « le cœur de l'homme a une capacité infinie, qui ne peut être remplie que par le Souverain bien […] ; tous les autres biens […] irritent ses désirs et ne les apaisent pas » (II, II, 1). L'homme « a perdu Dieu, s'écrie Bossuet, et toutefois, le malheureux ! il ne peut s'en passer ; car il y a au fond de notre âme un secret désir qui le redemande sans cesse » [2].

Ainsi, toutes les aspirations et même « toutes les plus folles passions qui transportent les hommes ne sont que le vrai amour déplacé, qui s'est égaré loin de son centre » [3]. Tout le problème vient de ce dévoiement. « Dans l'amour […] on

---

[1] Augustin, *Confessions*, I, I, 1 ; trad. Arnauld d'Andilly, 1649.

[2] Sermon pour la profession de Madame de La Vallière (1675), I.

[3] Fénelon, *Lettres spirituelles* ; *Œuvres*, 1851, t. VIII, p. 467. « Tous les esprits aiment Dieu par la nécessité de leur nature ; et s'ils aiment autre chose que Dieu par le choix libre de leur volonté, ce n'est pas qu'ils ne cherchent Dieu, ou la cause de leur bonheur ; mais c'est qu'ils se trompent : c'est que, sentant confusément que les corps qui les environnent les rendent heureux, ils les regardent comme des biens, et par une suite ordinaire et naturelle, ils les aiment et s'y unissent » (Malebranche, *Traité de la Nature et de la Grâce*, 1680, III, 2). On pourrait citer des versions laïques de cette même idée : « L'amour, quelque déréglée qu'elle soit, a toujours le bien pour objet » (Descartes, lettre du 1er février 1647).

cherche ce que Dieu veut nous donner, mais on le cherche où il n'est pas, et par des voies qui n'y mènent pas » [1]. L'apparition de l'Autre, figure de l'idéal, suscite le désir, mais révèle qu'il est concupiscence coupable, ce qui suscite aussitôt un besoin aussi absolu qu'impossible d'être reconnu par cette figure idéale : c'est la frustration tragique de l'être rejeté par ce qui lui apparaît comme sa salutaire raison d'être. Sa réaction sera le recours à la violence ou même la transgression meurtrière qui l'enfoncera dans sa culpabilité.

Revenons à Pyrrhus, Néron, Roxane, Mithridate et Phèdre : c'est bien à une pleine reconnaissance qu'ils aspirent. Si Bajazet avait accepté de m'épouser, je serais, dit Roxane, « souveraine d'un cœur qui n'eût aimé que moi » (v. 1533). Et si Phèdre aime si ardemment Hippolyte, c'est parce qu'il n'est pas, comme son père,

> Volage adorateur de mille objets divers,
> --
> Mais fidèle, mais fier, et même un peu farouche.
>   (v. 636-638)

C'est même une rédemption, une salutaire délivrance d'eux-mêmes que recherche leur élan vers Andromaque, Junie, Bajazet, Monime et Hippolyte [2]. L'amour n'est que la forme offerte par la conjoncture littéraire à l'expression de cette aspiration. Car nous retrouvons exactement la même relation dans une tragédie où Racine a quitté la fiction païenne et le langage de l'amour pour exprimer plus directement la vision de l'homme qui était déjà au principe de ses pièces précédentes. Le rapport entre Athalie et Joas est le même que les précédents,

---

[1] Le P. Surin, lettre du 20 juin 1662.

[2] Michel Bouvier me reproche de montrer Pyrrhus « épris d'une valeur plutôt que d'une femme ». Il propose une interprétation plus spécifique : « Le spectateur que je suis vibre à la passion de Pyrrhus pour une belle veuve dont son père a tué le mari ; ce goût de mort, cette poursuite obsessionnelle de l'impossible me touchent car je les comprends, je les reconnais comme des désirs inquiétants qu'un cœur d'homme peut former, et l'effroi que je ressens à l'idée que mon cœur pourrait en former de semblables accroît mon plaisir d'une émotion fraternelle, mêlée au sentiment qui me rend proche Racine d'avoir été capable de sentir cela ». Cette interprétation extrêmement intéressante précise et enrichit le texte. Je crois que rien ne l'y soutient explicitement, mais rien ne s'y oppose. Toutefois, je persiste à y juxtaposer la mienne, parce que, au-delà des conjonctures particulières, elle permet de dégager la signification morale, essentielle, d'une passion commune à Pyrrhus, Néron, Roxane, Mithridate, Phèdre et Athalie.

mais dépouillé de ce vêtement amoureux qui arrêtait fâcheusement notre attention sur ses apparences réalistes, au détriment de sa signification symbolique. Athalie est un bel exemple de réussite temporelle. Mais cette figure de l'avide concupiscence et de la puissance tyrannique, qui croyait tout dominer, se trouve soudain confrontée à ce qu'elle n'a pu éliminer : la valeur morale et spirituelle, figurée par un faible enfant rescapé du massacre qu'elle a fait de la lignée religieuse de David, qui conduira au Sauveur. Elle le rencontre d'abord dans un cauchemar. Mais Junie et Hippolyte ne sont-ils pas aussi les rêves révélateurs et funestes de Néron et de Phèdre ? Il la fascine par l'épiphanie de sa valeur : « sa douceur, son air noble et modeste ». Mais en même temps il la poignarde. Dans la composition dramatique, conformément à une fonction habituelle du rêve, c'est une annonce du dénouement, où Athalie sera mise à mort pour faire place au règne de Joas. Mais symboliquement, si, comme Néron et Phèdre, elle est frappée d'un trouble qui la hante, lui donne des « remords » et paralyse sa puissance habituelle (v. 484-489 et 870-876), c'est parce qu'elle n'a pu détruire la valeur dont la vue éveille en elle une conscience autocritique et même destructrice [1]. L'apparition de l'ange débusque et terrorise la monstruosité , ne serait-ce qu'en l'obligeant à se regarder, à prendre conscience d'elle-même. Or, relisez *Britannicus* à la lumière d'*Athalie*. Vous verrez qu'il est peu vraisemblable que Néron aime passionnément Junie, au sens ordinaire de ces termes. En revanche vous comprendrez qu'il soit fasciné par ce regard qui le renvoie à sa déchéance criminelle — et dont il espère, sans pouvoir en être clairement conscient, qu'il pourrait l'en délivrer. Ce regard a planté en lui l'amorce d'une mauvaise conscience qui le conduira finalement au suicide (v. 1689-1690).

L'amour concupiscent cherche en vain à se faire reconnaître par la figure de la valeur dont il est le contraire, et qu'il vise par des moyens qui ne peuvent y conduire, comme l'offre des biens de ce monde [2], ou qui radicalisent l'antinomie,

---

[1] C'est pourquoi je ne saurai suivre G. Forestier qui souligne la fonction dramatique de ce songe (p. 1726) sans considérer sa signification morale.

[2]   Seigneur, tant de grandeurs ne nous touchent plus guère,
répond Andromaque à Pyrrhus (v. 333). Antigone refuse rudement le trône que lui offre Créon (*La Thébaïde*, v. 1405-1410). Junie décline l'honneur de partager la couronne de Néron, d'autant plus qu'il l'a volée à Britannicus, et qu'elle aurait « honte [...] du crime d'en avoir dépouillé » l'actuelle

comme la sensualité, la violence, la fourberie : la déconvenue de
Néron (II, 6 à 8) illustre bien ce point, et encore plus celle de
Mithridate, qui s'est radicalement aliéné Monime en l'amenant
par la ruse à l' « aveu honteux » d'un amour auquel elle avait
renoncé (III, 5 et 6, et IV, 4). Je vous avais sacrifié mes
sentiments, lui explique-t-elle,

> Puisqu'enfin, aux dépens de mes vœux les plus doux,
> Je faisais le bonheur d'un héros tel que vous.
> Vous seul, Seigneur, vous m'avez arrachée
> A cette obéissance où j'étais attachée.
>
> (v. 1337-1340)

Les menaces ne peuvent avoir de prise sur des êtres
essentiellement attachés à la valeur morale et prêts par
conséquent à sacrifier leur vie. Tous pourraient dire, comme
Bajazet :

> Ni la mort ni vous-même,
> Ne me ferez jamais prononcer que je l'aime.
>
> (v. 1142-1143)

Le besoin qui travaille Pyrrhus, Néron, Roxane,
Mithridate et Phèdre est vraiment une passion tragique, puisque
s'y démontre la radicale impossibilité de satisfaire leur besoin
essentiel : tout ce qu'ils peuvent faire ne peut qu'aggraver le
conflit entre leur être et l'idéal où ils ont reconnu leur
indispensable et antinomique raison d'être [1], tout en les

---

impératrice (v. 603-632). Monime se considère comme une « esclave
couronnée » (*Mithridate*, v. 255). Phèdre se trompe en croyant séduire
Hippolyte par l'offre d'une couronne (v. 794-806), et Joas refuse le « palais »
plein de « plaisirs » où Athalie veut l'attirer (v. 677-688). Seul Bajazet est
attiré par les moyens qui lui permettraient de s'affirmer comme un héros
(v. 733-742 et 947-954).

[1] Pascal distingue trois ordres incommensurables, séparés par des abîmes
infranchissables : celui des grandeurs terrestres, celui de l'esprit humain, celui
de l'amour de Dieu et de la sainteté. « La distance infinie des corps aux esprits
figure la distance infiniment plus infinie des esprits à la charité, car elle est
surnaturelle [...]. Tous les corps, le firmament, les étoiles, la terre et ses
royaumes ne valent pas le moindre des esprits. Car il connaît tout cela et soi,
et les corps rien. Tous les corps ensemble et tous les esprits ensemble et
toutes leurs productions ne valent pas le moindre mouvement de charité [...].
De tous les corps ensemble on ne saurait en faire réussir une petite pensée ;
cela est impossible et d'un autre ordre. De tous les corps et esprits, on n'en
saurait tirer un mouvement de vraie charité ; cela est impossible, et d'un autre
ordre, surnaturel ». Cela étant, « la tyrannie consiste au désir de domination

enfonçant dans le crime et le dégoût de soi qui les conduira parfois au suicide. On comprend qu'une aspiration si fondamentale se tourne en fureur haineuse quand elle est sûre d'être repoussée, et surtout quand elle se voit frustrée de ce qui est offert à un rival.

Parce qu'elle fait plusieurs déclarations explicites et spectaculaires, on a pris l'habitude d'envisager le passage de l'amour à la haine à partir du cas d'Hermione. Or il n'est pas représentatif, parce qu'entre elle et Pyrrhus il n'y a pas d'antinomie morale. Du coup, elle sent l'abandon dont elle est l'objet comme un scandale qui offense sa fierté, sa « gloire » :

Si je le hais, Cléone ! Il y va de ma gloire,
Après tant de bontés dont il perd la mémoire ;
Lui qui me fut si cher, et qui m'a pu trahir,
Ah ! je l'ai trop aimé pour ne le point haïr !
(v. 413-416)

Ce qu'elle veut détruire, c'est l'ingrat qui la bafoue, mais elle continue à aimer le héros. C'est pourquoi elle hésite entre l'amour et la haine (v. 1396-1429), tout comme Oreste (v. 40-100). C'est pourquoi la passion triomphe, une fois la vengeance accomplie. Elle voulait empêcher le mariage de Pyrrhus, détruire sa liberté, mais non pas sa personne.

Barbare, qu'as-tu fait ? Avec quelle furie
As-tu tranché le cours d'une si belle vie ?
Avez-vous pu, cruels, l'immoler aujourd'hui,
Sans que tout votre sang se soulevât pour lui ?
Mais parle : de son sort qui t'a rendu l'arbitre ?
Pourquoi l'assassiner ? Qu'a-t-il fait ? A quel titre ?
Qui te l'a dit ?
                    ORESTE
            O dieux ! Quoi ? ne m'avez-vous pas
Vous-même, ici, tantôt, ordonné son trépas ?
                    HERMIONE
Ah ! fallait-il en croire une amante insensée ?
Ne devais-tu pas lire au fond de ma pensée ?
Et ne voyais-tu pas, dans mes emportements,
Que mon cœur démentait ma bouche à tous moments ?
(v. 1537-1548)

---

universel et hors de son ordre », en cherchant à obtenir « par une voie ce qu'on ne peut avoir que par une autre ». Exemples de discours « faux et tyranniques : "Je suis beau, donc on doit me craindre. Je suis fort, donc on doit m'aimer" » (*Pensées*, Laf. 308 et 58).

Au contraire, Roxane, Mithridate et Phèdre ne se sentent pas seulement injustement offensés dans leur amour-propre. Plus ou moins consciemment, ils perçoivent que Bajazet, Monime et Hippolyte les rejettent à juste titre dans l'enfer de leur infériorité, de leur culpabilité. Ce n'est pas seulement le libre arbitre d'un ingrat qu'il leur faut détruire, mais un regard, une conscience qui les stigmatise, la nature même d'êtres qui rejettent la leur. De façon significative, il ne sont d'ailleurs pas confrontés à la même chose. Hermione doit faire face à un acte, à un défi, Roxane, Mithridate et Phèdre à un bonheur, à un état moral dont ils sont exclus par leur définition autant que par l'attitude de la personne qu'ils aiment.

On explique ces réactions par la jalousie. C'est se limiter à l'un de leurs aspects. Néron est essentiellement jaloux de même qu'Eriphile. Mais ce n'est pas le seul ni le principal sentiment de Roxane ou Mithridate, ni surtout d'Hermione, qui s'emporte contre Pyrrhus et non pas contre Andromaque. Quant à la « jalouse rage » de Phèdre (v. 1258), elle ne vise pas seulement à éliminer une rivale (v. 1259-1263), mais surtout à détruire à travers elle l'éclatant bonheur dont, « triste rebut de la nature entière », elle est terriblement frustrée (v. 1231-1250).

*
*   *

J'en arrive enfin à la cinquième image de l'amour : celle des couples heureux et persécutés qui touchaient vivement les contemporains [1], et qui nous paraissent parfois fades — notamment du côté des hommes, dont le comportement et le langage désuet sont peu convaincants. Sauf pour Britannicus, Titus et Bérénice, ce sont des *acteurs* que Racine a inventés (Junie, Monime, Aricie) ou dont il a développé l'importance (Hector et Andromaque) ou la qualité morale (Atalide et Bajazet). C'est cette pureté — plus nette que chez la plupart des personnages homologues des autres tragédies contemporaines —

---

[1] Pour les actrices comme pour le public du XVIIe siècle, et peut-être pour Racine lui-même, le rôle d'Atalide avait un peu plus d'importance que celui de Roxane, et celui d'Iphigénie beaucoup plus que celui d'Eriphile. « Il n'y a pas encore longtemps que parmi les acteurs de toutes les troupes, les principaux rôles dans la tragédie n'étaient connus que sous le nom de l'amoureuse et de l'amoureux », écrit Voltaire en 1748 (Préface de *Sémiramis*).

qui les unit en couples fidèles, que leurs malheurs rendent encore plus solidaires (cf. *Britannicus*, v. 645-658).

Ces êtres idéaux et leur amour parfait ne sont ils pas trop beaux pour être vrais ? Je crois que dans des tragédies pathétiques leur raison d'être fonctionnelle l'emporte sur leur vérité référentielle. Ce sont des figures idéalisées, sinon des utopies, en contrepoint à la véritable condition tragique. Ce sont des rôles de victimes plutôt que des personnages représentatifs de l'humanité telle qu'elle est. Dans le fonctionnement de l'œuvre, ils sont subordonnés à la problématique du sujet tragique, qui prend l'un d'eux pour objet, l'autre devenant son rival, et tous deux finalement ses victimes — sauf si la tragédie cesse tout à coup d'exprimer une vision tragique, comme au dénouement de *Mithridate*.

Bérénice montre que le bonheur d'amour est un rêve d'adolescent que même des êtres sans défaut ne parviennent pas à inscrire dans la réalité de leur vie d'adultes responsables. Dans la dramaturgie tragique, Junie et Britannicus ou Hippolyte et Aricie ont moins d'importance en eux-mêmes que par leur effets sur Néron ou Phèdre et par les réactions de ceux-ci. De ce point de vue, leur bonheur est moins une réalité en soi qu'un moyen imaginé par le dramaturge pour susciter la jalousie du sujet concupiscent, mettre le comble à son intolérable frustration et être massacré par sa fureur. Les plus belles formules qui en parlent ne sont pas prononcées par ceux qui les vivent, mais par ceux qui en sont privés, et pour qui c'est « un bonheur dont je ne puis jouir », « un bonheur que je ne puis souffrir », « un bonheur qui m'outrage » [1].

Moyen plutôt que réalité dans le fonctionnement dramatique, ce bonheur idéal pourrait aussi, dans la vision tragique dont procède l'œuvre, n'être qu'un idéal inaccessible par nature [2], une utopie, un mirage torturant, ou du moins la nostalgie d'un paradis perdu, et, dans une perspective augustinienne, l'idéal de notre conscience, que nous sommes impuissants à mettre en pratique, tandis que nous sommes irrésistiblement entraînés par l'autre principe de notre personnalité, la concupiscence que nous réprouvons en vain.

---

[1] *Iphigénie*, v. 417-420, 506-528 et 1085-1140 ; *Phèdre*, v. 1195-1263.
[2] « Malgré la vue de toutes nos misères [...] qui nous tiennent à la gorge, nous avons un instinct que nous ne pouvons réprimer qui nous élève » (Pascal, *Pensées*, Laf. 633).

Sur le plan psychologique enfin, Junie n'est dans une certaine mesure, sous le fantasme érotique, que le rêve *a contrario* de notre concupiscence représentée par Néron, de même que Joas est le fantasme que se forge l'angoisse d'Athalie, en imaginant l'inverse de sa propre déchéance, en la personne d'une victime qui lui a échappé pour devenir son bourreau. C'est assez explicite dans le cas de Phèdre, terriblement torturée par un bonheur qui n'existe que dans son imagination d'être frustré :

> Ils suivaient sans remords leur penchant amoureux.
> Tous les jours se levaient clairs et sereins pour eux.
> Et moi, triste rebut de la nature entière,
> Je me cachais au jour, je fuyais la lumière.
> La mort est le seul dieu que j'osais implorer
> --
> Au moment que je parle, ah, mortelle pensée !
> Ils bravent la fureur d'une amante insensée.
>   (v. 1239-1245)

En fait, ce bonheur sans nuage n'a jamais existé ; ils se sont avoué depuis deux heures un amour qui perturbait l'un et inquiétait l'autre ; ils vivent dans une triste angoisse et ne songent nullement à braver l'épouse de Thésée.

Des exclus de l'amour et des frustrés du bonheur, non par accident mais par la perversion de leur nature, voilà ce que Racine a fait des personnages à l'analyse desquels il s'est particulièrement attaché, des frères ennemis à Eriphile, Phèdre et Athalie. Et pour mieux le souligner, il les a confrontés à des images idéales, irréelles dans le monde comme il va, et qu'ils ne tardent pas à détruire, sauf quand l'auteur renonce à sa vision tragique pour flatter le goût du public, ou lui offrir quelque consolation morale. Qu'il s'agisse de Néron et de Phèdre ou des couples idéaux, l'amour dans son œuvre n'est pas tant la description des relations entre les hommes et femmes de son temps, mais plutôt le langage, le signifiant que lui offrait la mode pour figurer l'aspiration de l'être au bonheur dans l'union à la valeur. Si, au delà de leurs différences, on considère Néron et le couple Junie-Britannicus, Phèdre et le couple Hippolyte-Aricie comme des facteurs contradictoires d'une composition dramatique ayant une signification globale, on admettra que leur rôle à tous est de montrer l'impossibilité du bonheur, c'est-à-dire de l'union, en ce monde, du désir et de la valeur. « Puisque l'amour est inséparable de la félicité, et que la félicité ne saurait résider sur la terre, on ne peut donc aimer que pour ressentir la privation du bien que l'on désire » [1].

---

[1] *Le Triomphe de l'indifférence*, texte anonyme, publié, sans raison décisive, par Bernard Pingaud dans les *Œuvres* de Mme de La Fayette (1957). Ce récit me semble de la fin du XVIIe, sinon du XVIIIe siècle.

Chapitre 13

Universitaires, critiques et metteurs en scène : les frères ennemis [1]

« Jouer Racine sur un théâtre romain du Midi, dans les années 1990 de son tricentenaire, c'est faire surgir autour de "l'événement culturel" la société française telle qu'elle est : élites médiatiques parisiennes amenées là à la vitesse du TGV ; public de l'été venu parce que "le cadre est formidable" ; politiques qui subventionnent pour "faire de l'image". Et puis l'hôte imprévu de la commémoration : l'auteur inconnu d'un livre ignoré, sorte d'Alceste pitoyable, fulminant contre une société où tout se passe sans lui ». « Le moins qu'on puisse dire, est que le tricentenaire de la mort de Jean Racine ne fut pas pour Aimé Coitelet, modeste professeur en retraite, l'occasion qu'il avait espérée de faire connaître ses travaux ». [2]

Le travail d'un universitaire, spécialiste par exemple de Racine, consiste à étudier l'œuvre de cet auteur (et tout ce qui peut l'éclairer : la vie du dramaturge, les goûts et les idées de son temps, la condition humaine et la vision de l'homme à cette époque, la langue et la dramaturgie classiques, la nature du

---

[1] La première tragédie de Racine qui nous soit parvenue s'intitule *La Thébaïde ou Les Frères ennemis*. On trouvera une bonne description de certains personnages évoqués par ce chapitre dans *Les Nuits Racine* de François Taillandier (Editions de Fallois, 1992). En prime, ce roman comporte de pénétrantes remarques sur *Andromaque*.

[2] François Taillandier, *Les Nuits Racine*, quatrième de couverture et première phrase.

tragique, l'histoire de la tragédie...) pour établir exactement les textes et les faits, et proposer des analyses et interprétations pertinentes. Ce travail est inévitablement orienté par les préoccupations et conceptions de l'époque où il se fait, et je crois même qu'il a pour fin dernière de mieux faire comprendre et apprécier l'œuvre par les contemporains — et pas seulement d'accumuler des vérités objectives dans des ouvrages rébarbatifs. Certes un universitaire, homme de science, ne doit pas avancer d'affirmation qui ne soit appuyée sur des observations et vérifications aussi nombreuses et précises que possible. Mais ce ne sont là que des moyens. Malheureusement, il est plus facile d'entasser des observations que d'avoir des idées. Et c'est plus prudent dans une communauté où la plupart croient encore que ce sont ces entassements, et non pas les hypothèses, qui font la science. Si c'était à refaire, au lieu de chercher à comprendre le tragique racinien — quelque chose de fondamental, mais d'invisible, qu'on ne peut reconstruire que par conjecture — je me ferais le spécialiste du point-virgule dans la poésie du dernier quart du seizième siècle. Le point-virgule, ça se compte et ça ne se discute pas. J'aurais été le spécialiste incontesté de mon domaine, un savant respecté (et peut-être, en calligraphiant des points-virgules sur du papier noir, aurais-je pris rang dans ce que l'on appelle l'art contemporain). Bref, un érudit borné, confortablement enlisé dans les sables du passé. Mais ne croyez pas que tous les universitaires soient de cette trempe.

En face, il y a des metteurs en scène qui se limitent à l'essentiel : le génie — ou son double : l'esbrouffe médiatique. Ils peuvent ainsi projeter leur *ego* sur des chefs-d'œuvre qu'ils ne prennent pas le temps d'étudier. « La corporation, trop souvent n'éprouve que mépris pour l'Université, et farde son incuriosité, sa paresse intellectuelle, du cache-misère de l'arrogance », écrit un connaisseur, universitaire et critique dramatique [1]. « Trop souvent ». Pas toujours — loin de là. Et ce mépris est « trop souvent » réciproque. Il y a des metteurs en scène qui ont fait de brillantes études, comme il y a des universitaires qui sont montés sur les planches. Certaines personnalités transcendent leur catégorie socioculturelle : on pourrait reprocher aux remarquables mises en scène de Jean-Marie Villégier d'être trop universitaires, et à l'universitaire Roland Barthes, qui fut aussi homme de théâtre, d'avoir trop fantasmé la mise en scène de Racine. Il y a des metteurs en

---

[1] Louis Van Delft, *Le Théâtre en feu*, G. Narr, Tübingen, 1997, p. 106.

scène très consciencieux. Il y en a même de modestes — au détriment parfois de leur audience et de leur carrière.

Racine n'appartient pas plus au spécialiste chevronné qu'au premier metteur en scène venu. On pourrait même soutenir le contraire : son œuvre est faite pour être jouée, et elle a besoin d'être sans cesse ranimée, réinterprétée — ce qui se fait mieux sur scène que dans un livre. L'idée que la mise en scène doit être *au service du texte* n'est pas seulement restrictive. Elle est utopique. J'espère avoir suffisamment montré qu'un texte n'a de sens et d'intérêt (et même n'existe — sauf dans sa momie de papier) que dans une interprétation. Or, celle-ci est nécessairement libre. Comme le proclame fermement Valéry, « il n'y a pas de vrai sens dans un texte. Pas d'autorité de l'auteur. Quoi qu'il ait voulu dire, il a écrit ce qu'il a écrit. Une fois publié, un texte est comme un appareil dont chacun peut se servir à sa guise — et selon ses moyens ; il n'est pas sûr que le constructeur en use mieux qu'un autre ». Ajoutons que toute interprétation est une violence au texte, parce qu'elle prétend mettre au jour ses implications et même les problèmes fondamentaux auxquels, tel un rêve, il réagit sans avoir pu les expliciter, ou même pour les déguiser.

S'agissant d'une œuvre du passé, l'une des tâches de l'universitaire est de rétablir hypothétiquement sa signification originelle, dans la langue, l'environnement, la culture, la mentalité d'alors ; l'autre de montrer comment elle a fonctionné dans d'autres contextes et comment elle a encore une signification et un intérêt dans le nôtre. La tâche du metteur en scène est différente : il n'a pas à en exposer l'analyse abstraite, mais à la faire vivre physiquement. Mais elle est également double. Il doit certes adapter l'œuvre du passé, afin qu'elle ait sens et intérêt pour le public d'aujourd'hui. Il peut ou doit pousser cette adaptation aussi loin que peut le supporter le texte, modifié par la diction, par le jeu des acteurs, par toute la mise en scène, qui lui donne un nouveau contexte, et peut révéler des significations encore inexplorées. Mais faire vivre une œuvre d'hier pour un public d'aujourd'hui, ce n'est pas seulement adapter celle-là à celui-ci. C'est également l'inverse : c'est nous conduire dans une condition humaine et une vision de l'homme qui n'existe plus [1]. Telle est la raison d'être de la culture : nous

---

[1] Il y a chez Racine, disait Vitez « des choses qui sont lointaines, qui appartiennent à des systèmes de pensée, à des structures qui nous sont difficilement compréhensibles. Mais c'est ça précisément qui est intéressant

faire connaître et même éprouver des formes d'humanité dont nous ne pouvons avoir d'expérience directe, nous enrichir au lieu de favoriser nos complaisances narcissiques, relativiser nos évidences dont certaines sont des préjugés d'ignorants satisfaits.

Trop souvent les metteurs en scène, avides de s'exprimer à travers l'œuvre, de suivre la mode et de plaire (et poussés en ce sens par les médias dans le vent, dont l'approbation apportera subventions et contrats) oublient cette seconde face de leur travail. Ou bien parfois ils l'assument mal. Car tout le monde n'a pas la chance d'Anne Delbée : « femme de plume et de planches, comédienne et metteur en scène, elle vit en intime osmose avec les grands textes de notre littérature » [1]. Il ne suffit pas de lire *Phèdre* pour y retrouver d'un seul coup d'œil tout ce qu'y avaient déposé Euripide, Sénèque, Ovide et des mythes séculaires, tout ce qu'y avaient ajouté le christianisme et plusieurs auteurs français et italiens des XVIe et XVIIe siècles, tout ce que Racine y a inscrit, tout ce qu'y ont superposé trois siècles d'interprétations.

C'est là que les travaux des universitaires pourraient servir à quelque chose — à commencer par les bilans et synthèses qu'ils font périodiquement. Chacun peut en trouver la liste sur les fichiers et terminaux de n'importe quelle Bibliothèque universitaire, ou tout simplement sur son Minitel (36.15 Electre), avec un résumé de chaque ouvrage. Car mieux vaut faire une sélection : sur Racine on publie en moyenne cinq livres par an. « J'ai lu toutes les biographies et les essais universitaires le concernant », déclare Anne Delbée à *La Nouvelle République*. Apparemment elle n'a pas retenu grand chose de tous ceux qui croient en avoir renouvelé la connaissance et l'interprétation depuis quarante ans. « Parmi les très nombreux ouvrages qui m'ont aidé, je tiens à citer plus particulièrement : Paul Mesnard, collection des Grands Ecrivains [1885-1888] ; René Jasinski, *Vers le vrai Racine* [1958 ; cf. chap. 1] ; Sainte-Beuve, *Port-Royal* [1840-1859], François Mauriac, *La Vie de Jean Racine* [1928] » [2]. Rien que

---

quand on travaille les classiques ». « Le but consiste à rendre présent le passé, en l'explorant à partir de textes que l'on ne cherche pas superficiellement à rendre actuels », dit Luc Bondy lui-même, cité dans le fascicule de présentation de *Phèdre* édité par le théâtre de l'Odéon.

[1] C'est ainsi que la présente Alain Dutasta, dans *La Nouvelle République du Centre-Ouest* du 31 août 1998.

[2] Précision donnée à la fin de *Racine, roman* (Fayard, 1997), ouvrage qui

des noms ou des titres impressionnants. Mais j'ai cru devoir en préciser les dates.

J'ai souvent eu l'impression, en voyant Andromaque glisser sur scène comme « un doux fantôme » qui « habite le souvenir » [1], que le metteur en scène et l'interprète n'avaient guère relu que trois vers de Baudelaire :

Andromaque, je pense à vous ! Ce petit fleuve,
Pauvre et triste miroir où jadis resplendit
L'immense majesté de vos douleurs de veuve...
(Les Fleurs du mal. Le Cygne)

Cette image éplorée ne se rendait pas compte qu'elle était aussi une *actrice* chargée d'un *rôle* subtilement actif (cf. chap. 7) dans une tragédie complexe.

Dans l'idéal, universitaires et metteurs en scène devraient collaborer. Peut-être même pourrait-on demander aux premiers de monter sur les planches ou de tenter quelque mise en scène avant de parler de théâtre. Et aux seconds d'indiquer, dans la présentation d'un spectacle, les livres qu'ils ont lus pour le préparer. En fait le système social qui définit leur statut et leur comportement tend à enfermer les uns dans leurs minuties érudites au fond des bibliothèques et à faire pavaner les autres devant publics et médias. Corneille, Racine, Molière, La Fontaine (ou Poussin) se considéraient comme des artisans qui accomplissaient leurs œuvres en appliquant des règles et en imitant des modèles. « C'est un métier que de faire un livre, comme de faire une pendule » (La Bruyère). L'émancipation de l'individu, le culte de la subjectivité depuis le romantisme, le vedettariat décuplé par l'audiovisuel ont complètement transformé cette mentalité. Aujourd'hui, un créateur et ce qu'on appelle un intellectuel ne se définissent pas par la compétence qu'ils ont derrière eux, mais par l'audience qu'il ont devant. L'un des moyens de la maintenir, de retenir l'attention, est de cultiver la nouveauté à tout prix. *Phèdre* est la somme de toutes les combinaisons possibles des signifiants qui la constituent. Quelques-unes ont déjà été brillamment dégagées. Elles sont répertoriées dans des ouvrages facilement accessibles. Mais un metteur en scène dans le vent n'en aura cure. Souvent, trop sollicité, il n'en a d'ailleurs pas le temps. Ce qu'il veut mettre en scène, c'est « *Phèdre* vue par moi » ; mes fantasmes à travers l'œuvre d'un certain Racine. Cette projection narcissique

---

« conjugue la flamme et l'érudition » (quatrième de couverture).
[1] Faguet : *Propos de théâtre*, 1905, t. I, p. 323-324.

féconde l'imagination. Mais il faudrait la confronter au texte — pas l'y substituer.

« Me lisant, semble dire Racine, il vous faudra me dire en vous votre secret. Vous le direz en moi, par moi, sur moi », écrit Daniel Mesguish dans un article brillamment narcissique à propos de Racine [1] : sur treize pages il y en a à peu près une sur cet auteur, éparpillée en divers morceaux — dont l'un au moins est fort intéressant. Affectant d'ignorer les efforts de la recherche universitaire pour révéler toute la complexité de la tragédie racinienne, il s'en prend à « la loi des professeurs », qui n'aiment que les « sens clairs, immédiats, paresseux », estimant qu'aller au-delà est intolérable « irrespect envers Racine [...]. Sans parler de ces cuistres [...] qui se contentent de colporter les commentaires les plus éculés, les plus fades, les plus scolaires [...], évoquant telle "passion si brûlante", et autre "peinture si vraie des sentiments" d'un poète "au style si clair", etc. » Il est vrai que ces gens-là existent. Mais la meilleure façon de collaborer n'est pas de dénoncer les médiocres que l'on peut toujours trouver dans le camp d'en face, dont ce ne sont que les branches mortes.

Il sera question dans ce chapitre d'un troisième groupe : les critiques dramatiques. Puisque leur fonction est de juger de la validité et de l'intérêt des livres sur le théâtre et des représentations, on pourrait supposer qu'ils entretiennent avec universitaires et metteurs en scène des échanges fructueux. C'est oublier que ces trois groupes vivent enfermés chacun dans son secteur, et beaucoup moins en collaboration consciencieuse qu'en concurrence médiatique : celui qui peut s'exprimer est parfois tenté de briller aux dépens des autres. Et quand des raisons éditoriales ou idéologiques donnent à un critique et à un metteur en scène les mêmes intérêts, ils peuvent devenir complices au détriment de la vérité.

Harry Collins et Trevor Pinch [2] ont pris plaisir à montrer que certaines découvertes, même fausses, furent facilement accréditées à cause de la position, du pouvoir social de leurs auteurs, tandis que d'autres furent refusées, parfois pendant plusieurs décennies, parce qu'elles gênaient des intérêts économiques, politiques ou carriéristes, des préjugés moraux ou religieux. Alors, qu'est-ce que la vérité pour un journaliste qui

---

[1] « Les Racine de ma langue ou : de l'être et de l'autre », *Nouvelle Revue Française*, juillet-août 1997, p. 114-122.
[2] *Tout ce que vous devriez savoir sur la science*, Seuil, 1994.

rend compte d'un savant ouvrage ? Ce qui correspond vraiment à une réalité qu'il n'a souvent pas eu le temps d'étudier, vu l'extraordinaire diversification des connaissances actuelles ? Ou bien une affirmation garantie par l'impressionnante audience de celui qui l'a proférée ? Ou bien quelque chose de vraisemblable, d'assez brillant pour séduire sans vérification, quelque chose que les lecteurs seront désireux de percevoir comme une vérité ? Supposez qu'on dise que Racine, créateur de personnages emportés jusqu'au crime par de terribles passions, a empoisonné sa maîtresse, ou que cet habile courtisan, disgrâcié par son cher Louis XIV, en est mort de douleur. Voilà qui est passionnant ; ça se vendra ; par conséquent les médias en parleront. Seuls quelques spécialistes rancis et sans audience savent que c'est faux.

Ceux qui ont eu la faveur des médias pour le tricentenaire de Racine — Jean-Michel Delacomptée, Marc Fumaroli, Serge Koster [1] — n'ont pas fait la moindre apparition au colloque qui a réuni pendant six jours, à Paris, Versailles, Port-Royal et la Ferté-Milon, les spécialistes de Racine. Sans doute pour l'excellente raison qu'ils n'en font point partie, à leurs propres yeux. Mais pourquoi les médias favoriseraient-ils les tâcherons qui connaissent ce dont ils parlent, alors que leur intérêt est d'inviter ou de faire valoir ceux dont la notoriété ou les relations peuvent favoriser les ventes et taux d'écoute, ainsi que la carrière des critiques et présentateurs ?

Imaginez un metteur en scène soucieux de se distinguer par une interprétation apparemment nouvelle (et par conséquent géniale), mais secrètement conforme à la mode auquel le public est conditionné sans le savoir. L'accord entre producteurs et clients étant assuré d'avance, les *médias* dans le vent, soucieux de leur image, et les reporters toujours inquiets de ne pas être dans le coup, feront leur office d'*intermédiaires*, volant au secours d'une victoire qui deviendra triomphe. Seuls des esprits critiques, des réactionnaires, des provinciaux attardés seront mécontents — et surtout les universitaires, dédaigneusement campés sur leur vieil Aventin. Ainsi ont

[1] Seul Georges Forestier a bénéficié d'un traitement comparable : il était impossible de ne pas parler de son édition, puisqu'elle était publiée dans la célèbre collection de la Pléiade. Toutefois M. Fumaroli (*Le Figaro*) et M. Cournot (*Le Monde*) n'ont presque pas rendu compte de son travail, fruit de quelques milliers d'heures : ils en ont profité pour parler eux-mêmes de Racine, en deux longs articles rapidement écrits.

fructueusement fonctionné les avant-gardes — jusqu'à une date récente. Après tout ce qui s'est passé entre surréalisme et structuralisme, entre Jarry et Vitez, Kantor ou Strehler, l'innovation est plus difficile aujourd'hui. C'est plutôt dans ce que les œuvres du passé ont de radicalement différent qu'on pourrait avoir des surprises — si on les cherchait.

*
*   *

Mais venons-en à quelques mises en scène de Racine. Il ne suffit pas qu'un spectacle soit bon. Il faut qu'on en parle, c'est-à-dire que le metteur en scène, les auteurs ou la salle soient célèbres. Autrement *on* n'en parlera pas, puisqu'*on* n'y viendra point. A cela s'ajoute une particularité française : tous les médias nationaux sont parisiens. Ils dédaignent ce qui se passe dans « les régions ». Et comme les intellectuels de province ne lisent que *Le Monde*, *Libé* ou *Le Figaro*, la presse régionale ne parle pas de culture en priorité. C'est donc pour mémoire que je signale une excellente mise en scène de *Britannicus* en 1997 et 1999 à Montpellier, par la toute jeune *Compagnie Nocturne* de Luc Sabot. Une présentation dans *La Marseillaise*, un article (mitigé) dans *Midi Libre* : autant dire que « personne » n'en a parlé.
Le travail le plus original que l'on puisse voir sur le théâtre du XVIIe siècle est sans nul doute celui d'Eugène Green. Pour l'excellente raison qu'il essaie de restituer les conditions et le jeu de l'époque : un espace sobrement sévère, éclairé à la bougie ; des acteurs qui font face au public ; un jeu lent, hiératique, soudain troublé d'une brusque réaction ou d'un frémissement ; une gestuelle codifiée, précise comme celle des danseurs ; une déclamation chantante, avec une prononciation fort différente de la nôtre. On peut ne pas aimer. Mais au moins c'est fort original. Et , aux antipodes de notre tendance au *jeu naturel*, à l'*art naturel* — expressions curieusement antinomiques —, c'est une cérémonie artistique, codifiée, stylisée, qui tient de la musique et de la danse. Le milieu théâtral s'efforce de rejeter ce drôle de canard, que le Ministère de la Culture ne subventionne pas, et que les madias ignorent, à part *L'Express* et *Télérama*. Après *La Suivante*, *La Place Royale* et *Le Cid*, Eugène Green vient de présenter *Mithridate*, à la Chapelle de la Sorbonne, le 26 mai 1999, devant un public d'universitaires majoritairement séduits ou même enthousiastes.

A la reprise, en septembre-octobre, *Le Figaro*, en conclusion d'un article assez bref et fort plat, parle d'un « voyage insolite et envoûtant » ; *Libération* explique longuement le travail de Green et souligne « l'excitante étrangeté » d'un spectacle qui « devient subjuguant » pour qui s'y laisse aller. Pas un mot dans les autres médias.

Laissons les jeunes troupes à leur sort et prenons l'exemple de la plus importante institution théâtrale en dehors de Paris : le Théâtre National de Strasbourg, installé dans une capitale européenne. J'y ai vu en 1997 une remarquable *Andromaque*. Puis j'ai lu les treize comptes rendus qui y furent consacrés : quatre journaux de Strasbourg, un de Bâle et huit de Paris. Deux des quatre journalistes strasbourgeois trouvaient qu'à la première il y avait « encore des hésitations, bien des maladresses dans le jeu des acteurs » : d'où « un certain malaise » (*Hebdoscope*). Cela nous montre que la presse régionale n'est pas en adoration devant des médiocrités locales, comme on le croit à Paris. Car les huit « nationaux » qui ont fait le déplacement — un peu plus tard, il est vrai : le spectacle était mieux rodé — sont ravis : « Un spectacle d'une grande tenue » dans un « dispositif d'une grande pureté » et « une mise en scène pleine de rigueur », où « le verbe de Racine résonne dans sa plénitude » (*L'Avant-scène théâtre*). « Quels que soient les moments de faiblesse des uns et des autres, il y a […] une unité de ton magnifique, un dépouillement grandiose. Tout nous arrive droit au cœur et nous touche, comme une première fois » (*L'Express*). En dehors de cette petite réserve, je n'ai relevé aucun reproche dans ces huit articles.

Pour tous, la qualité majeure était « une lumineuse clarté, et sans emphase », qui restituait « toute l'intensité de la tragédie » (*L'Actualité de la scénographie*). « Cela est beau, simple, sans pathos » (*Le Monde*) : « quelque chose de clair et de touchant », « cette pureté, cette simplicité qui sont la plus parfaite traduction scénique de Racine » (*Le Quotidien du médecin*). « Puisque le texte de Racine est d'une richesse et d'une beauté accomplies, nul besoin d'y ajouter les habituels effets déclamatoires. Bien au contraire, l'excès des sentiments ne s'exprime jamais mieux que dans la parole retenue, sobre, jusqu'à donner un nouveau relief au texte. A condition, bien entendu, que la présence des interprètes soit à la mesure de l'émotion ressentie. C'est assurément le cas » — parce qu'ils ont bénéficié d'une « assez éblouissante direction d'acteurs ». « Miracle à Strasbourg ! » s'écrie *La Revue des deux mondes* :

« le voilà enfin réalisé ce "théâtre élitaire pour tous" qu'Antoine Vitez appelait de ses vœux ».

Seulement voilà : c'était à Strasbourg. Ni les médias nationaux populaires, ni *Le Figaro* ou *Le Point* n'ont fait le déplacement — non plus que *Libé* ou *Le Nouvel Obs*, journaux démocratiques pour qui un provincial vaut presque un Parisien. Pourquoi diable aller si loin pour voir quelque chose de clair, de simple, de pur, mis en scène par un homme qui travaille » avec tant d'honnêteté, de bonne foi, de modestie » (*La Revue des deux mondes*) ? Jean-Louis Martinelli n'a pas encore compris les merveilleuses possibilités qu'offre notre société à un ambitieux qui sait se vendre. Laissons-le à sa modestie pour nous attarder sur deux mises en scène tellement mieux adaptées à notre époque : la *Phèdre* de Luc Bondy et celle d'Anne Delbée.

La première a été créée le 24 février 1998 au « très branché théâtre Vidy de Lausanne […], d'où Bondy surfe avec la mode » (*Le Canard enchaîné* [1]). Il mérite les félicitations de tous les amateurs de Racine pour avoir fait admirer *Phèdre* à des milliers de gens à travers l'Europe : Lausanne, Zurich, Vienne, Oslo, Edimbourg, Berlin, Paris et d'autres villes allemandes et françaises. Plus de spectateurs en une saison que de lecteurs de tous les livres des spécialistes en dix ans.

Mais les opinions sont violemment contrastées. Et, ce qui est significatif — ou inquiétant —, c'est la même qui domine nettement dans chacune des catégories socio-culturelles dont je vais parler. Selon *La Croix*, la générale parisienne, où était invité le Tout-Paris théâtral, ne souleva pas l'enthousiasme : « ce ne fut qu'accès de toux sèches et grasses ». Mais ne concluons pas trop vite : c'est toujours ainsi lors des générales : « l'attention dans la salle n'y est pas des plus sûres ». Sauf chez les journalistes sans doute : ils n'ont pas rédigé leur papier d'avance [2]. Toujours est-il que les grands médias qu'apprécie le monde intellectuel et culturel furent dithyrambiques, sans la moindre réserve sur aucun point. Non seulement sur la « fabuleuse Valérie Dréville » (*Libération*), « cette immense tragédienne » qui nous

---

[1] Pour ne pas rendre ce chapitre illisible, je me suis résigné à ne citer ni les dates des articles ni les noms de leurs auteurs. Je sais bien que ceux-ci expriment librement des avis personnels. Mais dans le cas présent la correspondance entre leurs réactions et l'orientation des journaux est éclatante.

[2] Rassurez-vous : plusieurs journalistes ont vu la pièce à d'autres moments.

offre une « Phèdre souveraine » (*Le Monde*), cette « princesse
[...] née pour interpréter Racine », qui « a la force et la fragilité,
le calme et la fureur des plus légendaires tragédiennes »
(*Télérama*). Mais sur l'ensemble de ce « spectacle lumineux »
(*Libération*). « Distribution exceptionnelle, mise en scène
virtuose [...]. Tout [...] concourt à la réussite de cette *Phèdre*
d'exception [...]. La dramaturgie de Luc Bondy n'est d'aucun
artifice [...]. La virtuosité de Valérie Dréville éclate dans le rôle-
titre, sans obscurcir la performance remarquable des autres
acteurs » (J-L. Perrier, *Le Monde*). C'est aussi l'avis du *Nouvel
Observateur* et du *Français dans le monde* : « La distribution
des rôles et même des voix est remarquable ». France-Culture
(*Staccato*), après avoir salué Valérie Dréville, « absolument
exceptionnelle », et Didier Sandre, « éblouissant », reconnaît les
autres « un peu falots », mais précise que « c'est peut-être
volontaire ».

Les principaux spécialistes de Racine que j'ai pu joindre
et qui avaient vu cette pièce sont au contraire médiocrement
satisfaits, réservés ou vigoureusement hostiles. Peter France est
modéré : « je ne partage pas l'opinion entièrement négative de
certains collègues », me précise-t-il. « Bons acteurs, beau décor,
beaux éclairages », dit Alain Viala, mais « la mise en scène a
trop laissé les acteurs livrés à eux-mêmes ». « Admirable
traitement de l'espace et de la lumière », m'écrit Anne Ubersfeld,
mais une « vue superficielle de la pièce », limitée
« exclusivement à la tragédie passionnelle de Phèdre ». « Valérie
Dréville est souvent sublime, irrésistible », mais sa « prestation
lumineuse [...] et celle, sombre, sobre, efficace de Didier Sandre
éclipsaient tristement les autres personnages (singulièrement
mal traités) [...]. Le choix étrange » de Dominique Frot
« occulte les rapports complexes, moraux et *religieux* entre
Phèdre et Œnone ». « LA-MEN-TA-BLE », insiste Georges
Forestier : « aucune cohérence entre le texte et la mise en scène,
ni entre les hypothèses de celle-ci et le jeu des personnages :
liberté absolue laissée aux comédiens. Un décor pseudo-beau et
d'une signification douteuse » [1].

Personnellement, j'ai un désaccord de fond dont je
parlerai plus loin. Au demeurant, je n'ai été enthousiasmé à

---

[1] Les universitaires que je viens de citer sont des amateurs de théâtre, qui
voient douze, vingt, ou même cent spectacles par an. Seul l'un d'entre eux est
tombé depuis quelques années de vingt à deux ou trois séances. Et certains ont
une expérience d'acteur ou de metteur en scène.

aucun moment. Phèdre et Théramène m'ont paru bons, Thésée tonitruant, Œnone irritante, Aricie inexistante, Hippolyte d'autant plus pâle qu'il joue de son allure de héros du *Titanic*. La diction, parfois peu audible, ne m'a presque jamais offert cette musique qui est l'une des qualités distinctives de Racine. L'élocution de Thésée est saccadée, celle d'Hippolyte rocailleuse ; il avale quelques *e* muets ; d'autres oublient certaines diérèses. Je me serais bien passé de quelques détails : le *croa* qui nous signale que tel passage parle de malheur ; Théramène auscultant le cœur d'Hippolyte pour vérifier qu'il est amoureux ; la main de Thésée sur le pubis d'Aricie... [1]

L'hostilité des universitaires est partagée par des journaux nationaux moins branchés que les précédents, ou plus critiques par rapport aux « intellectuels de gauche dans le vent ». « Complètement bidon », titre *Le Figaro*, qui n'a « rien vu d'aussi chic et plat depuis belle lurette ». « Sandre et Dréville sont des comédiens merveilleux », mais il s'expriment « en pure perte, à cause d'une direction absurde ». Œnone a tout l'air d'une « alcoolique ». Et « que fait-il là, ce jeune homme ? [...]. On s'attend à ce qu'il dise : "Excusez-moi [...]. Où est le métro le plus proche ?" ». « *Phèdre* déracinée », titre *L'Express*. « En voulant superposer son œuvre à celle de Racine, Luc Bondy en fait vraiment trop ». De plus, Œnone est « agaçante », Hippolyte « ânonnant et tout juste sevré ». C'est aussi l'avis de *La Croix*, qui titre sur « une distribution inégale ». « Qu'il est donc beau », cet Hippolyte, s'exclame *Le Canard* : comme un « jeune Eliacin qui se serait trompé de série télé » ou « Johnny Haliday [...] en un peu plus anodin ». Quant à Œnone, « vous voyez la marionnette du beur aux Guignols de l'Info ? On n'en est pas loin ». « Une bonne distribution est la chose la plus importante pour moi », dit Luc Bondy [2]. Or, c'est surtout cette criante inégalité qu'on lui reprochera.

La presse provinciale n'a pas l'enthousiasme généralisé du *Monde*, *Libération*, *Télérama*, *Le Nouvel Observateur* ou *France-Culture*. *Ouest-France* salue « une formidable troupe de comédiens », avec une « seule fausse note : un Hippolyte [...] peu audible, qui symbolise certes l'innocence et la pureté, mais qui ne décolle pas d'un archétype de l'éphèbe ». *La République du Centre* a vu « une *Phèdre* des plus exacerbées » : parfois,

---

[1] Sur les trente-huit comptes rendus (généralement longs) que j'ai lus, deux seulement signalent ce « pelotage ».

[2] Fascicule édité par l'Odéon.

« on frôle l'hystérie ». « C'est *Phèdre* qu'on assassine », titre *Lyon-Figaro*, qui dénonce non seulement un Hippolyte « sans épaisseur », mais une protagoniste « livrée à la seule fureur du désir » et plus généralement des acteurs qui, aux moments pathétiques « tremblotent, chevrotent, s'hébètent, mimant la confusion du cœur et de l'esprit. C'est grotesque ».

Les appréciations sont libres, me direz-vous. Oui, heureusement. Vive la diversité des opinions. Et réjouissons-nous de rencontrer parfois l'enthousiasme. Mais il est bien dommage que les journaux les plus influents aient perdu le sens de la nuance et de l'esprit critique. Ils ne pouvaient ignorer les graves reproches de certains confrères et d'une partie du public [1]. S'ils les jugeaient mal fondés, pourquoi n'y ont-ils pas répondu ? Pourquoi la complaisance a-t-elle triomphé à ce point de l'objectivité critique ? Un an plus tard, à l'occasion de la diffusion télévisée (19 octobre 1999), Fabienne Pascaud maintient qu'on « reste fasciné et pétrifié » « grâce à l'interprétation de Valérie Dréville ». Mais elle ne peut plus ignorer des insuffisances dont elle se débarrasse d'un revers de plume : « Peu importe alors qu'y détonne le jeu de Sylvain Jacques et de Dominique Frot ». Quant au *Nouvel Observateur*, il donne la plume à un nouveau journaliste, qui dénonce « l'exécrable mise en scène de Luc Bondy », son « aveuglement prétentieux », les « pitreries faciles » qu'il impose à Valérie Dréville, la faiblesse d'un Hippolyte « d'une fadeur, d'une inconsistance pathétiques », et d'une Œnone qui semble « demeurée, ou droguée ». « En fonction de quoi », se demande-t-il, « une grande partie de la critique crut-elle devoir encenser ce spectacle contre toute évidence ? »

Dans la presse étrangère (que je suis malheureusement incapable de classer par tendances socio-culturelles), les grands titres sont bien plus critiques que chez nous. Seuls deux articles, sur les vingt-cinq que j'ai lus affichent un enthousiasme sans réserve. « Un chef-d'œuvre », conclut la *Frankfurter Allgemeine Zeitung*. « Le talent extraordinaire de Valérie Dréville nous vaut une expérience grandiose. Mais les autres acteurs aussi [...] jouent de manière souveraine » (*Sankt Galler Tagblatt*). L'avis nettement dominant est qu'il y a « du décevant et de l'admirable » dans « une distribution peu homogène » (*Le*

---

[1] *Le Point* titre sur « La *Phèdre* si controversée de Luc Bondy », qui reconnaît lui-même dans *Le Figaro*, avant le début des représentations en France, que des critiques se sont étonnés du choix de certains comédiens.

Matin). « Une Phèdre bouleversante », dans un spectacle
« captivant, malgré une distribution inégale ». Aricie et surtout
Hippolyte, « en tee-shirt transparent, façon véliplanchiste », sont
« trop pâles, presque transparents » (*Le Journal de Genève*).
Sylvain Jacques est beau : « son torse rayonne à travers sa cotte
de mailles » (*Die Weltwoche*) ; on le croirait « sorti d'un
Caravage ou d'un Pasolini » (*Basler Zeitung*) ; il a même « la
grâce sensuelle de l'innocence » (*Frankfurter Rundschau*). Mais
dès qu'il s'agit de jouer, il est « un peu désemparé » (*Berliner
Zeitung*) : « la richesse verbale de l'intrigue dépasse les
possibilités de sa jolie tête » (*Der Spiegel*). Quant au jeu
d'Œnone, les uns l'admirent, d'autres le trouvent « bien
artificiel » (*L'Hebdo*).

Trois comptes-rendus sont plus ou moins défavorables.
Le *Times Literary Supplement* se tient à bonne distance
humoristique. Il a trouvé le jeu d'Œnone « particulièrement
frappant », les déplacements trop libres, la diction fort bonne
mais parfois peu audible. De Valérie Dréville, il dit seulement
qu'elle « était toujours intéressante à regarder : elle tournoyait,
elle tombait par terre, elle dénudait sa poitrine ». *Der Spiegel* est
sévère et la *Süddeutsche Zeitung* encore plus : ces acteurs sont
« des maîtres de l'exagération ». Non seulement Dominique Frot
(Œnone) mais Didier Sandre (Thésée), « le pire », chez qui « les
consonnes explosent ». « On ne peut que se féliciter qu'il
n'apparaisse qu'à la fin du troisième acte, et qu'il ne crache pas
sa colère plus tôt ». Et même Valérie Dréville. Elle « joue au
début une amoureuse mortellement triste qui susurre. Mais
rapidement elle s'affirme en mégère avide d'amour, alors elle
hurle ». Quand elle apprend qu'Hippolyte aime Aricie, « à partir
des deux simples mots "une autre", elle développe un air de la
vengeance pour lequel deux voyelles lui suffisent : un *u* qui
miaule et un *o* qui engloutit tout et tous. Une possédée ».

Luc Bondy s'affirme hostile à ce qu'il appelle
« l'interprétatorite, une maladie qui permet de ne pas regarder
directement le sujet, et qui pousse presque à la malhonnêteté »
(interview aux *Inrockuptibles*). A la bonne heure ! Toutefois sa
mise en scène résulte nécessairement d'une interprétation. De
quelle perspective procède-t-elle ? Pour la stimuler, il a « relu
l'*Iliade* et l'*Odyssée* », l'*Hippolyte* d'Euripide, *Morales du grand
siècle* de Paul Bénichou et « le remarquable *Racine* de Thierry
Maulnier » [1]. Mais il a « surtout parlé avec le psychanalyste

---

[1] Publié en 1935, c'est encore l'un des meilleurs ouvrages sur la tragédie

André Green » — dont les travaux sur la littérature sont intéressants, et qui a étudié Racine — et il a « lu le petit livre inspirant du psychanalyste Jean Gillibert, *Phèdre et l'inconscient poétique* » [1] (interview au *Monde*).

Il a donc travaillé selon une perspective freudienne, qui est en l'occurrence fort adéquate. La définition de Phèdre, selon la liste des *acteurs* comme selon le premier vers qui la présente est d'être « la fille de Minos et de Pasiphaé ». En français moderne cela se dit : « la fille du ça et du surmoi ». Ou, pour ceux qui ont encore une culture chrétienne, « la fille de la loi morale, inscrite dans notre conscience de créature de Dieu, et la fille du péché originel inscrit dans notre chair de descendant d'Adam et Eve, qui entraîne nos cœurs et nos volontés quelque résistance que nous lui opposions ».

Ces deux formules énoncent la même antinomie. Mais le problème c'est qu'elles la considèrent selon des perspectives opposées. Le christianisme sévère de l'époque de Racine voulait réprimer le désir, considéré comme coupable par nature et funeste dans ses effets. Regardez comment la Préface présente la pièce : « Les moindres fautes y sont sévèrement punies. La seule pensée du crime y est regardée avec autant d'horreur que le crime même. Les faiblesses de l'amour y passent pour de vraies faiblesses. Les passions n'y sont présentées aux yeux que pour montrer tout le désordre dont elles sont cause » [2]. Cette Préface, vous dira-t-on, est faite pour rassurer les moralistes. En partie seulement. Regardez le texte. Est-il vrai, oui ou non, que Phèdre est dominée, malgré tous ses efforts, par un désir qu'elle perçoit comme incestueux ? Est-il vrai qu'elle en a horreur, qu'elle veut mourir pour y échapper, qu'elle *abhorre* cette « fureur », c'est-à-dire cette folie qui la met hors d'elle-même (v. 672-678), que cette passion provoquera finalement sa mort et celle de l'innocent qui en est l'objet ? [3]

---

racinienne (réédition Folio, Gallimard, 1988).

[1] Cet ouvrage édité en 1981 par L'Autre Théâtre est inconnu des bibliographies. L'auteur a bien voulu m'en adresser un exemplaire. Il l'a écrit en préparant sa deuxième mise en scène de *Phèdre*, qu'il analyse scène par scène. Il brille par sa culture, son intelligence, son style, avec toutefois une abstrusion complaisante, si bien que ce petit livre ne saurait être « éclairant » pour des esprits médiocres.

[2] Bondy a lu ce passage. Il le cite dans son entretien au *Figaro*, ajoutant que chez Racine « la passion ne peut conduire qu'à la destruction ».

[3] Certes, l'œuvre est en partie un appel, une dénonciation de la condition

Freud veut au contraire libérer le désir, le déculpabiliser, permettre à l'aspiration refoulée de se manifester. Le but de la vie dans notre culture, n'est plus de réprimer les désirs, comme dans celle du XVIIe siècle, mais de les satisfaire. Automatiquement, *Phèdre* risque donc de fonctionner, dans la perception d'un lecteur d'aujourd'hui, malgré le texte, à rebours de sa signification originelle. Bondy a su parfaitement « adapter » la pièce de Racine « à la vision du monde qui est aujourd'hui la nôtre » (*Die Welt*). Mais du coup cette tragédie apprivoisée n'a plus rien à nous apprendre, puisqu'ici, depuis trente ans, les désirs sont libérés. Aujourd'hui, Phèdre est devenue « déconcertante par les supplices d'un désir que nous ne réprouvons pas »[1]. C'est l'ancienne condition humaine, l'ancienne vision de l'homme, c'est l'horrible terreur de la faute qu'il fallait nous révéler ; nous faire trembler de terreur et de pitié avec la Phèdre augustinienne malgré notre sympathie pour la Phèdre freudienne. Il y a une notion qui est au cœur de cette œuvre et qui n'apparaît pas dans les articles qui en parlent, parce qu'elle était absente de la mise en scène : celle de péché. C'est elle qui fait la condition tragique. « Pour Luc Bondy, la passion amoureuse n'est pas une faute, mais un bonheur », écrit la *Neue Zürcher Zeitung*, qui en conclut à juste titre que « le metteur en scène ne maîtrise pas le difficile problème du tragique ».

« Le plus grand triomphe de cette mise en scène, dit G. H. Durand sur France-Culture, c'est d'avoir su faire vivre ce personnage totalement, c'est-à-dire que l'on passe du frémissement de départ du corps aux véritables convulsions de l'amour [...]. Ce qui compte c'est cette montée impossible de la passion dans le corps de Phèdre » Belle *totalité* en effet que celle d'un être humain réduit à ses pulsions. On nous dit que Valérie Dréville est vraiment « Vénus tout entière à sa proie attachée ». Mais on le dit comme si dans ce vers Phèdre était Vénus et non pas sa proie : la proie d'une passion dévorante qu'elle condamne absolument.

Le tragique de la fille de Minos et de Pasiphaé, c'est d'être l'union antinomique d'un corps travaillé par le désir et d'une âme qui réprouve ce désir avec horreur. Et la contradiction est telle que la pulsion du corps submerge la volonté de l'âme, qui n'a plus d'autre solution que de détruire ce corps. Chez Bondy le tragique s'évanouit : le corps, qui nous est aujourd'hui si cher,

---

tragique qu'elle montre. En partie seulement.
[1] J.-M. Delacomptée, *Racine en majesté*, p. 176.

est omniprésent [1] ; l'âme, que beaucoup de nos contemporains n'ont pas rencontrée, a disparu [2]. Dans son comportement, dans la mise en scène, la fille de Pasiphaé n'est plus la fille de Minos, bien qu'elle le dise dans un texte dont un spectateur non averti ne peut, dans ces conditions, percevoir la portée. Si certains n'ont pas aimé cette Phèdre malgré le talent de Valérie Dréville, que tout le monde souligne [3], c'est qu'il l'ont vu « livrée à la seule fureur du désir », à « l'hystérie » (*Lyon-Figaro* : ce dernier terme se retrouve dans *L'Express, Europe* et *L'Humanité*). Le déséquilibre que cette interprétation introduit entre les deux principes antagoniques éclate même dans les éloges de ceux qui ont cru y voir « une vision renouvelée de l'univers racinien : passion, violence et désir » (*Le Français dans le monde*), « toutes les facettes de Phèdre, fragile et déterminée, sensuelle et odieuse, égarée et ardente, toujours frémissante » (*Ouest-France*).

Toutes les convulsions de la femme travaillée par une passion insatisfaite : voilà la Phèdre de Bondy, que roman, cinéma et télévision vous présentent tous les jours. Ce n'est que la moitié de celle de Racine : la moitié qui nous flatte et ne peut rien nous apprendre. L'autre moitié, l'horreur de la concupiscence dans une conscience dominée par la loi morale et hantée par la transcendance aurait rappelé à certains quelque chose de révolu ; elle aurait étonné les plus jeunes ; elle aurait interpelé nos évidences — comme doit le faire toute grande création.

Ce contresens complaisant ne concerne pas seulement Phèdre. La « farouche » vertu d'Hippolyte est remplacée par un corps d'éphèbe qui figure la candide innocence de la sensualité. L'indignation morale de Thésée bascule dans la passion

---

[1] « Valérie Dréville, ici à la renverse, compose une Phèdre rare : toute la sensualité et le désarroi dans un corps », écrit *Le Journal de Genève* en légende d'une photo. Un tel éloge est exceptionnel : cette frénésie physique est l'objet de plusieurs critiques violentes, sarcastiques ou humoristique. Le problème, c'est que ce choix de mise en scène ne peut rien apprendre à de modernes spectateurs de cinéma. De tels comportements sont devenus banals sans cesser d'être vulgaires. En l'occurrence, ils ravalent un chef-d'œuvre de poésie sous prétexte de faire « moderne ».

[2] Ce mot est généralement absent des articles sur la mise en scène de Bondy, tout comme celui de *conscience*.

[3] Dans ses interviews, l'analyse qu'elle fait de son personnage est moins déséquilibrée que celle de son metteur en scène.

furibonde et tonitruante d'un mâle impérieux qui reste, au mépris du texte, un machiste peloteur de filles. De même, ce n'est pas seulement chez le protagoniste que la condition tragique est supprimée. La tragique contradiction de l'Œnone racinienne consiste à conduire sa maîtresse à la catastrophe en se dévouant pour la sauver, et à se faire maudire par celle à qui elle a tout sacrifié. La nourrice exemplaire se révèle à son insu l'agent de perdition et devient le bouc émissaire. Mais ici, la contradiction disparaît : ce « chétif corbeau geignard » à la « voix éraillée et pleurnicharde » [1], est la figure du tentateur satanique. Ce n'est plus Œnone, mais Narcisse, l'âme damnée de Néron.

Luc Bondy propose une mise en scène qui, cent ans après *L'Interprétation des rêves* de Sigmund Freud, passe encore pour nouvelle. Ce faisant, il flatte les tendances à la mode : excellente façon de plaire. Mais — c'est ce qui a irrité les spécialistes — il contredit gravement le texte, évitant ce qu'il nous dit de plus inattendu, et ruinant le tragique. De plus, l'attrait pour « ces voies nouvelles » impliquait sans doute « le choix, pour les explorer, des comédiens les plus improbables » [2] pour les rôles d'Œnone et d'Hippolyte et peut-être pour celui d'Aricie, « que tente de jouer Garance Clavel » (*Le Quotidien du médecin*). A moins que Sylvain Jacques et elle n'aient été recrutés par complaisance désinvolte.

*
*   *

Je ne vais pas vous infliger une deuxième revue de presse, pour la mise en scène de *Phèdre* par Anne Delbée en 1995 à la Comédie-Française [3]. La présentation qu'elle en fait elle-même

---

[1] *Europe*. Cela dit, s'il s'agit de se distinguer en innovant, il est vrai qu'on n'avait jamais vu une Œnone pareille, et que Dominique Frot assume remarquablement le rôle qu'on lui a défini.

[2] Raymonde Temkine, dans *Europe*.

[3] La presse était très partagée. Anne Delbée « a relevé le défi avec une intelligence pétrie d'élégance » (Geneviève Fidani, *Le Quotidien de Paris*). « On frise l'imposture la plus funeste » (Frédéric Ferney, *Le Figaro*). « Notre fascination, au bout du compte [l'emporte] sur notre irritation » (Philippe Tesson, *Figaro Magazine*). Les réserves ne venaient pas seulement des contresens signalés plus loin : une interprétation erronée peut être très intéressante. Mais plutôt d'un décor et de costumes écrasants — dans leur

dans *La Suprême déclaration d'amour* suffit pour illustrer à la fois ce que je viens de dire sur les adaptations excessives, et ce que j'ai dit au chapitre 1 sur les intéressantes solutions que des historiens improvisés proposent à des problèmes qui n'ont jamais existé.

Ce beau volume [1] est surtout composé de photographies de Lucien Clergue et de croquis de Christian Lacroix. Mais on y trouve aussi vingt pages de Mme Delbée : une d'introduction, six pour célébrer le décor, l'éclairage, les costumes, l'actrice principale et le style de Racine, deux pour évoquer les moments qui précèdent le lever de rideau, cinq pages d'histoire (la création de la pièce en 1677, la cabale, le drame intime de l'auteur qui renonce au théâtre, la reprise de 1680 pour l'inauguration de la Comédie-Française) et enfin cinq pages d'analyse de *Phèdre*.

Anne Delbée connaît fort bien Racine. Elle a publié une sorte de biographie interprétative dont j'ai déjà parlé (chap. 1). Elle a mis en scène *Andromaque, Les Plaideurs, Bérénice* et *Mithridate*. Elle a rédigé des préfaces pour *Andromaque, Bérénice* et *Iphigénie*. Elle montait *Phèdre* pour la septième fois. Cette intime fréquentation aboutit à une interprétation qui n'est pas sans originalité. « Plus j'ai joué et étudié Racine, plus j'ai eu l'impression de mettre les mains à l'intérieur des intestins et du sexe » confiait-elle à *La Nouvelle République du Centre-Ouest* du 31 août 1998. « Pour moi, Racine rencontre Dieu dans le sexe ». J'ai déjà parlé, au chapitre 1, des affirmations historiques de ce beau volume. Mais c'est l'œuvre d'un auteur qui importe — et non pas sa vie. Surtout pour un metteur en scène. J'en viens donc à l'essentiel : aux cinq pages et demie où Anne Delbée renouvelle l'interprétation de *Phèdre*. Une page et demie sur la légende du Minotaure ; quatre pages sur les actes I et II.

La préhistoire de cette tragédie, c'est le coup de foudre de Phèdre et son interminable tourment. Mais pourquoi ne serait-ce pas aussi l'initiation érotique d'Hippolyte, dans la familiarité de la fille de Pasiphaé ? « Phèdre ! Hippolyte la guettait [...] depuis que Thésée la lui avait confié. Elle l'éblouissait par ce secret qui illuminait parfois son visage :

> Je vois de votre amour l'effet prodigieux
> Tout mort qu'il est Thésée est présent à vos yeux,

---

splendeur même —, d'une gesticulation outrée et des hurlements de Phèdre.
[1] J et D éditions, Biarritz et Paris, 1996.

Toujours de son amour votre âme est embrasée.
[…] Il ne cessait plus de l'observer […]. Voici qu'elle l'entraînait au labyrinthe interdit […]. Qui n'aurait succombé à une telle invitation ! Il devenait aussi puissant que son père, ce père séducteur de femmes ». « Heureuse époque », où « comme Hippolyte […], nous faisions nos premiers pas dans le velours rouge incarnat de l'érotisme ».
Racine nous a donné sa version de la naissance de la passion incestueuse :

> A peine au fils d'Egée,
> Sous les lois de l'hymen je m'étais engagée,
> Mon repos, mon bonheur semblait être affermi,
> Athènes me montra mon superbe ennemi.
> Je le vis, je rougis, je pâlis à sa vue.

Anne Delbée en imagine une autre. Phèdre est « effondrée », « repliée dans sa souffrance » depuis le départ de Thésée, « comme une bête malade qui attend son maître ». « Il l'a quittée, laissée comme sa sœur Ariane. Et pourtant elle l'aimait — à la folie ». Mais « il y a ce fils qui ressemble trop à Thésée, qui prend soin d'elle […]. Les mêmes yeux, le même sourire et cette odeur ; la même que celle de Thésée, un peu plus sucrée […]. Depuis six mois, depuis qu'il est parti, le père, elle et Hippolyte s'observent, se frôlent sans cesse ».

Lecteur naïf, j'ai cru jusqu'ici sur la foi de Racine que Phèdre voulait mourir pour échapper à une passion criminelle :

> J'ai conçu pour mon crime une juste terreur.
> J'ai pris la vie en haine, et ma flamme en horreur.
> Je voulais en mourant prendre soin de ma gloire,
> Et dérober au jour une flamme si noire.
> ---
> Mourons. De tant d'horreur qu'un trépas me délivre.
>   (v. 307-310 et 857)

Mme Delbée m'apprend que c'est la rencontre avec Hippolyte qui fut pour Phèdre révélation de l'au-delà et aspiration à la mort. « Ce n'est pas l'amour humain qu'elle ressent cette fois-ci, c'est une rencontre indéfinissable avec un monde invisible, une révélation. Ce n'est pas de la vie, des désirs qu'il est question, mais de mort — seulement de la mort. Elle a rencontré le visage de la mort — ou de la beauté ultime », et désormais « l'humanité est trop étroite pour elle […]. Elle est dans la joie, l'extase — son âme a atteint l'un de ces sommets d'où l'on voit l'horizon autrement ! ».

Chez Racine, c'est pour une raison assez simple qu'Aricie s'est éprise d'Hippolyte. Elle est animée par la glorieuse ambition de dompter ce rebelle,

de faire fléchir un courage inflexible,
De porter la douleur dans une âme insensible,

de séduire malgré lui un homme si différent de son donjuanesque père. Chez Mme Delbée, c'est plus subtilement complexe. Aricie est guidée par sa confidente « Ismène, qui cherche Dieu ! » C'est un « visage énigmatique aussi dangereux que celui de Phèdre [...]. Ismène peut être brutale, elle l'a amenée à un rendez-vous avec Hippolyte [...]. Elle aurait aimé Hippolyte si personne n'avait organisé cette rencontre[1]. A travers cette rencontre, c'est peut-être Thésée qu'elle recherche [...]. Elle s'imagine lui tenant la tête ; si elle avait été à la place de Phèdre, il ne serait jamais reparti [...]. Phèdre et Thésée ! Aricie [...] est devenue jalouse de ces amants-là [...]. Elle rêve à lui [...] ; elle voudrait désespérément le voir à genoux devant elle, l'entourant de ses bras d'homme ».

Hippolyte vient la voir. « Il avoue un amour fou mais elle, pense aux lèvres de Thésée, à ce baiser qu'elle ne possédera jamais, la bouche arrogante de Thésée sur Phèdre... Soudain elle comprend, Hippolyte parle de Phèdre, ne parle que de Phèdre

"Contre vous, contre moi vainement je m'éprouve
Présente je vous fuis ; absente je vous trouve"[2]

[...] Aricie écoute, bouleversée, l'aveu impudique qui ne lui est pas destiné. Elle n'a plus qu'à se retirer sur la pointe de la douleur : Phèdre est là [...], Phèdre est dans les bras d'Hippolyte [...]. Aricie déjà ne voit plus que deux amants enlacés ! ».

Après neuf lignes plus obscures sur l'aveu de Phèdre, cette analyse novatrice s'arrête avant la fin de l'acte II. Dommage : car l'ensemble de cette interprétation conduit « du sang du Minotaure jusqu'au salut de Port-Royal ». Phèdre « sera transcendée, comme irradiée en passant du sexuel au mystique », écrivait Christian Lacroix dans le programme. La représentation commençait par la lecture du testament de

---

[1] Chez Racine, il se trouve qu'en effet Aricie aime Hippolyte et que personne n'a organisé la rencontre qu'il lui a fait demander pour lui annoncer qu'elle est désormais libre.

[2] Dans les éditions de Racine antérieures à l'analyse de Mme Delbée, *vous* désignait Aricie.

Racine, consacré à demander pardon à Port-Royal et à Dieu. Ismène était habillée en religieuse ; parfois elle lisait son missel. Bref, la lecture de Mme Delbée était vraiment originale. On regrette que l'éditeur de *La Suprême déclaration d'amour* ne lui ait accordé que six pages : il en consacre cinquante trois à reproduire le texte de Racine tel qu'on le trouve partout depuis trois cents ans : une vraie banalité. Vous comprenez maintenant pourquoi l'une des photos représente une femme vêtue en religieuse et qui lit son missel ? Pour Anne Delbée, Phèdre n'est pas une chrétienne à qui la grâce a manqué : elle en est illuminée à l'instant même de son aveu incestueux. « Il y a toujours une lumière particulière autour d'une déclaration d'amour [...] — une lumière surnaturelle. Ainsi Phèdre percée de ce rayon salutaire comme la grâce ». « Une Phèdre forte, audacieuse et libre », titrait sans ironie *Le Monde* du 16 décembre 1995. Il est vrai qu'une série de contresens sur le texte peut aboutir à une représentation fort intéressante. Ce sont plutôt des défauts de mise en scène qui rendaient cette *Phèdre* insupportable — et notamment une diction apocalyptique, sombrement hurlante.

Chapitre 14

Contre les fascinants postulats de Roland Barthes

Si Roland Barthes avait su que le brillant essai qu'il écrivait en 1960 pour secouer le conformisme des placides adhérents du Club français du livre, serait devenu la cible principale des adversaires de la Nouvelle Critique, puis un grand classique des études littéraires, peut-être l'aurait-il rédigé avec une attention plus scrupuleuse — et peut-être ce travail honnête n'aurait-il pas eu la fortune réservée aux propos qui séduisent par leurs brillants paradoxes et qui s'imposent par leur audace systématique. Repris en volume en 1963, *Sur Racine* continue sa brillante carrière après avoir déjà battu tous les records de vente des livres de critique littéraire.

Raymond Picard avait aussitôt dénoncé l'« impressionnisme [...] dogmatique » d'un « homme de système » qui pratique « l'extrapolation aberrante » et « la généralisation foudroyante » : « il pénètre tout, il explique tout [...] : il n'y a que la nuance qui lui échappe ». « *Toujours, jamais* : les vérités dont le critique se fait le prophète sont absolues, universelles, définitives » ; il donne « l'hypothétique pour le catégorique [...], l'accident [...] pour l'essence, la rencontre pour une loi ; et toute cette confusion est recouverte par une langue dont la précision ostentatoire est un mirage » [1]. Cette dénonciation satirique était appuyée de nombreux exemples. Mais elle se gardait de dire que les affirmations de Barthes sont toujours très intéressantes, souvent novatrices et pénétrantes, et parfois même fort pertinentes pour l'analyse de la tragédie racinienne. De plus son caractère agressif ne pouvait qu'irriter une partie de l'opinion, dressée contre une tradition

---

[1] *Nouvelle Critique ou nouvelle imposture*, Pauvert, 1965, p. 76, 35-36, 40, 42 et 58.

dont les défauts étaient évidents. Conformes aux nouvelles aspirations, les brillantes formules de Barthes triomphèrent dans le public, malgré les réserves qu'elles suscitaient chez les spécialistes. Et en 1976, son élection comme professeur au Collège de France consacra son importance dans le monde intellectuel [1].

Excédé par la vogue de l'essai *Sur Racine*, « totalement stupide et parfaitement absurde » (p. 412), René Pommier entreprit de l'écraser sous les démonstrations minutieuses, systématiques et myopes d'une copieuse thèse d'Etat soutenue en 1986 [2]. Elle est parsemée de généralisations aussi hâtives que celles qu'elle dénonce [3], et relevée d'injures indignes d'un travail scientifique, contre les « foutaises » de « ce connard inénarrable », qui font frétiller les « jobarthiens » et autres « foutriquets » (p. 398 et 413) [4].

Ma critique sera fondée sur des arguments généralement différents de ceux de Picard et de Pommier. Je la crois plus fondamentale, et je l'espère plus efficace pour discréditer des affirmations totalitaires qui ne résistent pas à une confrontation avec le texte. Mais je commencerai par un hommage. Avec la grande majorité des universitaires d'aujourd'hui, je trouve cet essai très suggestif malgré des généralisations hâtives. Ce fut d'emblée l'appréciation de Lucien Goldmann : *Sur Racine* est « un livre intelligent, passionnel, stimulant, irritant parfois [...], où l'auteur substitue ses propres problèmes et perspectives à la signification objective et littérale du texte » [5]. C'est aussi l'avis d'Alain Niderst : « A lire ce livre brillant, on se sent partagé entre l'admiration et l'irritation. Bien des vérités y sont

---

[1] Il mourut en 1980, à soixante-cinq ans, à la suite d'un accident de la circulation.

[2] *Le « Sur Racine » de Roland Barthes* (SEDES, 1988), qui « reprend l'essentiel » de cette thèse, fait 425 pages, et ne porte que sur les p. 14 à 52 de Barthes. Certains y ont vu de remarquables analyses de textes, une « excellente contribution à notre connaissance du tragique racinien », et une « réfutation si convaincante et définitive que l'essai *Sur Racine* devrait y perdre l'essentiel de son crédit et de son audience » (J.-P. Collinet, dans *L'Information littéraire*, septembre 1990, p. 22).

[3] « On ne trouve jamais, dans aucune tragédie de Racine, la moindre trace de ce qui, selon Roland Barthes, serait au cœur de chacune d'elles » (p. 383).

[4] Je ne relève que quelques expressions. R. Pommier lui-même « espère avoir été dans ce livre aussi discourtois qu'on peut l'être » (p. 413).

[5] *Situation de la critique racinienne*, L'Arche, 1971, p. 113.

révélées », mais, « saisies hâtivement, [elles] sont presque toutes déformées [...]. La même étude, moins rapide et plus nuancée, eût été excellente, mais peut-être, si nous nous reportons en 1960, comprendrons-nous qu'il fallait un peu d'excès, au risque de s'égarer, pour sortir des ornières ». Il faut à la fois « dénoncer les faiblesses » de cet ouvrage « et en retenir le suc » [1].

Je me sens disciple de Barthes quand il essaie de construire . « une sorte d'anthropologie racinienne à la fois structurale et analytique ». Ou quand il considère la tragédie non comme une représentation d'individus et d'événements, mais « comme un système d'unités (les "figures") et de fonctions », où les personnages, que Racine « appelait beaucoup plus justement des *acteurs* [...], reçoivent leurs différences non de leur état-civil, mais de leur place dans la configuration ». Ou quand il dit que « Racine construit tout son théâtre sur [...] la péripétie, et n'y investit qu'après coup ce qu'on appelle la "psychologie" » [2]. Malheureusement, il y a bien d'autres affirmations dans cet essai que je ne peux accepter et dont certaines contredisent les principes mêmes de leur auteur.

Roland Barthes insiste sur l'inévitable et nécessaire relativité de toute interprétation — surtout quand il s'agit de Racine. Car cet auteur se distingue par « un art inégalé » de « cette disponibilité » qui est « l'être même de la littérature [...]. Ecrire, c'est ébranler le sens du monde, y déposer une interrogation indirecte, à laquelle l'écrivain [...] s'abstient de répondre. La réponse, c'est chacun de nous qui la donne, y apportant son histoire, son langage, sa liberté [...]. Et c'est parce que Racine a honoré parfaitement le principe allusif de l'œuvre littéraire qu'il nous engage à jouer pleinement notre rôle assertif. Affirmons donc sans retenue, chacun pour le compte de sa propre histoire et de sa propre liberté, la vérité historique, ou psychologique, ou psychanalytique, ou poétique de Racine [...] ; notre réponse ne sera jamais qu'éphémère, et c'est pour cela qu'elle peut être entière » (p. 7-8). Nous devons « reconnaître [notre] impuissance à *dire vrai* sur Racine », parce

---

[1] *Racine et la tragédie classique*, Que sais-je ?, 1986, p. 118-122. Chez Jean-Louis Backès, l'éloge ne comporte guère de réserves : « C'est un livre fourmillant d'idées, de suggestions, de vues originales. Livre audacieux, qui stimule la recherche et la discussion » (*Racine*, Le Seuil, 1981, p. 187).

[2] *Sur Racine*, p. 5, 15 et 45. Tout au long de ce chapitre, la pagination sera celle de la reprise de cet essai dans la collection Points, aux éditions du Seuil.

que c'est une œuvre littéraire et que, inévitablement, son interprète « lui aussi fait partie de la littérature » (p. 156). Par cette reconnaissance, « l'érudition deviendrait enfin féconde, dans la mesure où elle ouvrirait à des significations manifestement relatives, et non plus parées des couleurs d'une nature éternelle » (p. 155).

Malheureusement, malgré ces intéressantes affirmations, l'essai *Sur Racine* ne se présente nullement comme l'expression éphémère d'une interprétation subjective et relative. C'est la Révélation de la Vérité sous le signe de la Nature éternelle et de la Transcendance absolue : des notions catégoriques ou mythiques, souvent parées d'une majuscule, érigent les forces actantielles en essences naturelles ou sacrées ; des formules impératives ou magiques réduisent la complexité des onze tragédies à un modèle qui n'y correspond pas.

Ce petit livre est truffé de substantifs à majuscules. Dans certains cas, elles correspondent à l'usage ou se justifient aisément : Dieu, le Ciel, le Destin, l'Eglise, le Temple, le Prêtre ; la Nature, le Soleil, l'Eau, la Mort ; l'Etat, le Roi, la Reine, l'Empereur, le Palais, le Pouvoir, la Puissance, l'Autorité. Mais déjà cette sacralisation non seulement du divin, mais de la religion, de la nature et du pouvoir est une façon de nous imposer certaines notions. C'est nous faire respectueusement admirer les principes de la tragédie — ou prétendus tels —, au lieu de nous aider à les démystifier, à les maîtriser par une analyse rationnelle.

Ces majuscules sont encore plus gênantes quand elles hypostasient et sacralisent en catégories déterminantes ou discriminatoires les cadres de la condition humaine, qu'elles soient naturelles (l'Etre, l'Anti-Physis, le Sang, la Semence, le Père, la Mère, le Fils, la Femme — la Femme Consolatrice ou la Femme Vengeresse —, la Vierge Consolatrice, l'Autre), temporelles (le Passé, l'Antériorité, la Mémoire, l'Histoire, l'Evénement), relationnelles (l'Alliance, le Lien, le Double, l'Autre, l'Etranger, le Regard), fonctionnelles (Le Logos, la Raison, Eros, l'Amour, la Praxis), juridiques (le Droit, la Loi, la Légalité) ou morales (le Bien, le Mal, la Faute, le Refus).

Même l'espace est divisé en catégories déterminantes et discriminatoires. Défini par une Nature, déterminé par un Dieu, un Destin, une Loi, un Passé, animé par un Eros, l'homme racinien de Barthes vit de surcroît dans un cadre géométrique de nature magique comme ceux où les enchanteurs enferment leur victimes. Parfois il n'a que deux dimensions, mais elles sont fantasmatiques : « Le lieu tragique est un lieu *stupéfié*, saisi entre deux peurs, entre deux fantasmes : celui de l'étendue et celui de la profondeur » (p. 14) [1]. « C'est finalement l'espace tragique qui fonde la tragédie [...]. Le conflit tragique est une crise d'espace. Comme l'espace est clos, la relation est immobile » (p. 30). Splendide réification dogmatique.

Mais le plus souvent, cet espace est systématiquement divisé en trois — et l'on serait tenté de dire placé sous le signe d'une Trinité, par les majuscules et les termes à connotation sacrée. « Il y a trois Méditerranées chez Racine : l'antique, la juive et la byzantine » et « trois lieux tragiques » : « la Chambre : reste de l'antre mythique, c'est le lieu invisible et redoutable où la Puissance est tapie », et dont « les personnages ne parlent [...] qu'avec respect et terreur » ; « l'Anti-Chambre, espace éternel de toutes les sujétions », séparée de la Chambre par la Porte : « la franchir est une tentation et une transgression » ; et « l'Extérieur », qui, à son tour, « contient trois espaces : celui de la mort, celui de la fuite, celui de l'Evénement » (p. 9-11). Plus loin apparaît une autre géométrie magique, celle de la *symétrie* : « dessin fondamental » de la tragédie. « Le Destin conduit toute chose en son contraire comme à travers un miroir [...]. C'est la conscience de cette symétrie qui terrifie le héros [...]. C'est parce que Dieu manie la symétrie qu'il fonde un spectacle » (p. 46-47). D'autres se contenteraient d'observer que la dramaturgie avance par revirements — et pas seulement chez Racine ou dans la tragédie. Mais Barthes parle en prophète, par métaphores que la logique n'accorde qu'à grand peine. Bien que le tragique consiste à être enfermé dans un espace clos et à y subir cette symétrie anéantissante, « la figure centrale de tout l'univers racinien [est] le schisme [...], la rupture de la Légalité » (p. 121).

On aura perçu les connotations idéologiques qui, s'ajoutant à la sacralisation majuscule, transforment en déterminations contraignantes pour les personnages des notions qui auraient dû être des outils d'analyse pour le lecteur : les clés présentées ne servent pas à ouvrir l'œuvre, mais à la cadenasser. Roland Barthes se livre ici à la mystification qu'il avait dénoncée dans un précédent ouvrage, *Mythologies*. Ce livre, écrivait-il, a

---

[1] Les trois paragraphes dont elle est la conclusion n'éclairent pas tout à fait le sens de cette formule, qui ne me semble applicable qu'à quelques cas particuliers.

pour origine « un sentiment d'impatience devant le "naturel" dont la presse, l'art, le sens commun affublent sans cesse une réalité qui, pour être celle dans laquelle nous vivons, n'en est pas moins parfaitement historique : en un mot, je souffrais de voir à tout moment confondues dans le récit de notre actualité Nature et Histoire, et je voulais ressaisir dans l'exposition décorative de ce-qui-va-de-soi l'abus idéologique qui, à mon sens, s'y trouve caché » [1].

L'auteur de l'essai *Sur Racine* décrit lui-même le genre d'opération auquel il procède, mais en l'attribuant à « la fatalité racinienne : un simple rapport, à l'origine purement circonstanciel [...], est converti en véritable donnée biologique, la situation en sexe, le hasard en essence » (p. 19). Les êtres sont soumis à de redoutables catégories transcendantes, dans un monde où « Dieu, le Sang, le Père, la Loi, bref l'Antériorité devient par essence accusatrice » et accule les gens à une « culpabilité absolue » (p. 49). Transférant sur lui sa propre attitude, Barthes parle des « "dogmatismes" du héros racinien » (p. 50).

Aux notions mystifiées par leurs majuscules s'ajoute fréquemment un vocabulaire religieux, prophétique ou absolu dont l'emploi n'est parfois nullement justifié par les passages dont il est question. « La mort de Pyrrhus n'a pas libéré Andromaque, elle l'a initiée : Andromaque a fait sa conversion, elle est libre » [2]. « Selon une figure propre au Destin, [Junie] *retourne* le malheur de Britannicus en grâce et le pouvoir de Néron en impuissance, l'avoir en nullité, et le dénuement en être [...]. Par un choix aussi motivé que celui du *numen* divin, la Femme Consolatrice devient une Femme Vengeresse, la fécondité promise devient stérilité éternelle » (p. 88). Une bonne formule de conclusion doit à la fois condenser l'information et frapper le lecteur. Celles-ci ne se soucient que du second objectif. Je me demande en vain ce qui permet de parler d'*initiation* pour Andromaque, et plusieurs termes de la seconde citation me paraissent tout aussi injustifiés.

*
*   *

Cet essai *Sur Racine* cherche également à impressionner par un usage fréquent et abusif de la sexualité. C'est encore une

---

[1] Editions du Seuil, 1957, p. 7.
[2] Dernière phrase de la présentation d'*Andromaque*.

façon d'ancrer les personnages dans une Nature — même si l'auteur précise que « ce ne sont pas les sexes qui font le conflit, c'est le conflit qui définit les sexes » (p. 20). Et c'est une autre forme de langage sacré : il parle de fondements qui nous dépassent, et il impose révérence : on ne peut le critiquer sans passer pour demeuré. D'ailleurs, Barthes lui-même met en parallèle violence sexuelle et sacrifice religieux : le « paradoxe insoluble » du personnage tragique, c'est qu' « il ne peut choisir [...] entre le viol et l'oblation » (p. 31). Selon Barthes, la motivation principale de plusieurs personnages de premier plan est « la "scène" érotique » [1], « fantasme érotique » que « le voyeur » se remémore dans « une sorte de transe ». Il qualifie ainsi « l'enlèvement de Junie, le rapt d'Eriphile, la descente de Phèdre au labyrinthe », mais aussi, ce qui est bien discutable, « le triomphe de Titus, le songe d'Athalie » et la scène « où Pyrrhus s'est offert à [la] haine » d'Andromaque (p. 14 et 15). Il voit même un « rapport érotique » entre Néron et Britannicus : « Néron jouit de la souffrance de Britannicus comme de celle d'une femme aimée et torturée » (p. 19).

La dimension sexuelle est certes d'une grande importance dans le sérail et chez Roxane : il faut le voir et le dire. Mais répéter six fois *désir* ou *désirer* en deux pages (p. 97-99), c'est empêcher le lecteur d'apercevoir d'autres dimensions de ce personnage. Quand le vizir s'offre à la venger immédiatement de Bajazet, la sultane s'y refuse :

<blockquote>
Non, Acomat.
Laissez-moi le plaisir de confondre l'ingrat.
Je veux voir son désordre et jouir de sa honte.
Je perdrais ma vengeance en la rendant si prompte.
(v. 1360-1363)
</blockquote>

Le texte est fort clair. Dire, en citant seulement le dernier vers, qu'elle maîtrise le déroulement de « son meurtre comme on conduit un orgasme » (p. 96), c'est fixer l'attention sur un seul aspect, avec un terme inutilement provocateur. Quand à Bajazet, ce « n'est qu'un sexe indécis, inversé, transformé d'homme en femme ». Initialement, « c'est un frelon [...] engraissé par Roxane pour son pouvoir génital [...], réservé, mûri pour le

---

[1] A lui seul, le terme de *scène* entre guillemets a des connotations non seulement théâtrales, mais sexuelles. Cf. notamment la notion freudienne de « scène originaire » ou « scène primitive », premier rapport sexuel observé ou fantasmé par l'enfant.

plaisir de la Sultane ». Mais, « parti d'une sexualité forte, on le sent lentement désexué par la virile Roxane » (p. 96).

Il est excessif et déplacé, quand Andromaque parle de rejoindre avec son fils son mari dans le tombeau (v. 379), de parler « d'érotisme funèbre » et de « ménage à trois »[1]. Ou de qualifier de « désordre charnel » et de « provocation sadique » (p. 21) l'attitude de Bérénice, qui refuse qu'avant l'arrivée de Titus on arrange ses « cheveux épars », ses « voiles détachés » et les traces de ses « pleurs » (v. 969-972). Ou de dire que « dans aucune autre tragédie de Racine, il n'existe un corps à corps aussi nu que celui qui joint Athalie à Joad (c'est-à-dire à Dieu), le fils au Père » (p. 122). Ou que « la contrainte orale d'Hippolyte », paralysé « par la terreur de parler », « est ouvertement donnée comme une contrainte sexuelle : Hippolyte est muet *comme* il est stérile » (p. 110-111). J'accorde qu'il faut systématiquement chercher la dimension sexuelle de la littérature, puisque c'est une fiction qui met en scène nos problèmes en des transpositions imaginaires, et que la sexualité, surtout aux époques qui la censurent, constitue une partie de nos problèmes et de nos transferts fantasmatiques souvent déguisés. Mais faut-il tout ramener à cela — tout et le contraire de tout —, au risque de ne rien voir d'autre et de se contredire ? Page 111, le silence d'Hippolyte est « contrainte sexuelle » ; mais à la page suivante « parler, c'est se répandre, c'est-à-dire se châtrer » — synonymie qui n'est pas évidente !

Roland Barthes observe à juste titre que la distribution des rôles définit les personnages jusque dans leurs caractères sexuels : « c'est leur situation dans le rapport de force qui verse les uns dans la virilité et les autres dans la féminité, sans égard à leur sexe biologique. Il y a des femmes viriloïdes (il suffit qu'elles participent au Pouvoir : Axiane, Agrippine, Roxane, Athalie). Il y a des hommes féminoïdes[2], non par caractère mais par situation » : Taxile, Hippolyte ou « Bajazet, à la fois captif et convoité, promis [...] au meurtre ou au viol » (p. 19). Et « si jamais le rapport de force [...] faiblit, le sexe lui-même tend à se modifier, à s'invertir : il suffit qu'Athalie, la plus virile des femmes raciniennes, sensible au "charme" de Joas, desserre son pouvoir, pour que sa sexualité se trouble : [...] un sexe nouveau apparaît, Athalie *devient* femme » (p. 19). Enfin, il y a

---

[1] « Par une sorte d'érotisme funèbre, elle veut l'habiter, s'y enfermer avec son fils, vivre dans la mort une sorte de ménage à trois » (p. 75-76).

[2] Ajoutons que le sérail est « un habitat féminin ou eunuchoïde » (p. 95).

ceux qui « n'ont aucun sexe : confidents, domestiques, conseillers [...]. Et c'est évidemment dans les êtres les plus manifestement asexués, la matrone (Œnone) ou l'eunuque (Acomat) [1] que se déclare l'esprit le plus contraire à la tragédie, l'esprit de viabilité : seule l'absence de sexe peut autoriser à définir la vie, non comme un rapport critique de forces, mais comme une durée, et cette durée comme une valeur. Le sexe est un privilège tragique dans la mesure où il est le premier attribut du conflit originel » (p. 19). Ce langage, une fois encore, est plus flatteur que véridique — notamment parce qu'il passe sans cesse de la différence sexuée des rôles à la nature sexuelle des êtres : présenté comme une conséquence de la fonction, le sexe n'en est pas moins utilisé comme cause explicative.

Dans tous les passages que j'ai cités jusqu'à présent (et il y en a bien d'autres du même genre) je dénonce une escroquerie intellectuelle — involontaire mais peu importe. Elle consiste à offrir aux lecteurs des notions ou des idées qu'ils vont considérer comme des descriptions du texte ou des outils d'analyse, alors qu'elles procèdent d'une transfiguration mystificatrice suffisamment impressionnante pour que l'esprit d'examen et la raison critique ne puissent guère avoir prise sur elles. Parfois, cette escroquerie se double d'une complaisance séductrice qui la facilite. C'est notamment le cas dans tout ce qui est dit de la sexualité : ces textes furent écrits en 1960, à une époque où la censure moraliste était encore très efficace.

Jusqu'à présent, c'est moi qui ai parlé de mythification. Mais il y a un cas où Barthes, pour conférer à son interprétation des relations entre les personnages de Racine une validité universelle (et peut-être une fois encore pour impressionner ses lecteurs, à une époque où la connaissance de Freud n'était pas très répandue) recourt à une notion qu'il considère lui-même comme mythique, celle de « la horde [2] primitive », où les fils dépossédés de tout par le père s'associent pour le tuer, puis s'affrontent pour la possession de la mère et des sœurs avant de s'accorder sur le tabou de l'inceste. « L'inceste, la rivalité des frères, le meurtre du père, la subversion des fils, voilà les actions fondamentales du théâtre racinien ». Barthes prétend *constater* qu'il ne « trouve sa cohérence qu'au niveau de cette fable ancienne » (p. 15). Mais ces actions sont des exemples

---

[1] Chez Racine, rien ne dit qu'Acomat soit un eunuque. Quant à Œnone, elle parle de ses enfants (v. 235). Mais il est vrai que maintenant elle est vieille.
[2] Sans majuscule !

classiques du « surgissement de violences au cœur des
alliances »[1], caractéristique de la tragédie tout au long de son
histoire. Et aucune pièce de Racine n'établit entre elles la
logique du mythe de la horde. Quant à l' « anthropologie
racinienne » qu'il veut « reconstituer » (p. 5), plutôt que dans
« cette fable ancienne » (p. 15), Barthes aurait mieux fait de la
chercher dans la réalité présente (dans l'anthropologie
augustinienne qui était celle de Racine : cf. chapitre 10) et dans
une donnée permanente : l'affrontement du désir et du pouvoir
établi. Dans les deux pages consacrées à la horde, on ne trouve
pas ces termes limpides de *désir* et de *pouvoir*, ni aucun de leurs
synonymes (mais seulement le verbe *convoiter*). C'est au début
de la section suivante, une fois le mythe installé, qu'apparaît
cette conclusion : « Dans la horde primitive, les rapports
humains se rangent sous deux catégories principales : la relation
de convoitise et la relation d'autorité ; ce sont celles-là que l'on
retrouve obsessionnellement chez Racine » (p. 16). Etait-il
nécessaire de remonter jusqu'à la horde pour trouver ces deux
relations ?

Cette tendance à naturaliser et à sacraliser les choses qui
caractérise l'essai *Sur Racine* contredit fâcheusement la
principale innovation de Barthes : sa lecture fonctionnelle,
structuraliste des œuvres. Ainsi, non seulement il parle très
souvent de sexualité, tendant à réduire l'amour à une « relation
de convoitise » physique (p. 16), mais aussitôt après avoir
souligné que les « *personnages* » ou plutôt les « *acteurs* » de
Racine ne se définissent pas par un caractère, par une nature,
mais par « leur place dans la configuration », par « la fonction
qui les distingue » (p. 15), il les soumet au contraire à une
« force indifférente à son objet » (p. 52), à une puissance
naturelle et transcendante, Eros, principe cosmique fondamental
et dieu de l'amour dans la mythologie grecque. Il ne fait ainsi
que renforcer l'erreur traditionnelle qui consistait à dire que
Racine avait intériorisé l'antique fatalité en soumettant ses héros
à la passion. « L'Eros-événement », écrit-il, « est un Eros
prédateur ». « Le Héros y est saisi, lié comme dans un rapt » (p.
16-17). Faire ainsi de la passion une force vive et non pas un
rapport, c'est s'interdire d'en percevoir la raison d'être et la
signification (cf. chap. 12). De même, l'appellation d' « Eros
sororal », où « l'amant est une sœur dont la convoitise est
autorisée », parce que « ce sont les parents eux-mêmes qui [en]

---

[1] Aristote, *Poétique*, 53b.

ont fondé la légitimité », pousse à une vision biographique bien différente de la signification de l'amour dont il s'agit. De plus, cette conception, juste pour deux cas (Britannicus et Junie, Atalide et Bajazet), est radicalement fausse dans quatre autres : chez Hémon, Titus, Xipharès et Hippolyte, l'amour est également réciproque et ancien (sauf dans le dernier cas), mais il est criminellement contraire à la volonté expresse de leurs pères.

Roland Barthes multiplie les affirmations hardiment absolues : « Tout fantasme racinien suppose — ou produit — une combinaison d'ombre et de lumière [...]. Toutes les captives raciniennes [...] sont des vierges médiatrices et consolatrices [...]. Partout, toujours, la même constellation se reproduit, du soleil inquiétant et de l'ombre bénéfique » (p. 24). Qui a dit que les structuralistes analysent l'œuvre en elle-même, sans lui imposer de carcans extérieurs ?

Picard et Pommier ayant insisté sur la tendance de *Sur Racine* aux généralisations abusives, je n'y reviendrai pas. Je signalerai plutôt que parfois son auteur ne peut se retenir de ruiner ses intuitions par l'excès dogmatique de leur formulation. Il remplace une première expression, qui serait acceptable, par une seconde, qui la transforme en vérité absolue, dont on voit mal le rapport avec les œuvres dont elle prétend dévoiler l'essentiel. Voici un exemple de ce procédé : dans sa troisième pièce, *Andromaque*, « Racine pose une troisième fois la même question : comment passer d'un ordre ancien à un ordre nouveau ? Comment la mort peut-elle accoucher de la vie ? Quels sont les droits de l'une sur l'autre ? » (p. 72). Voyez comment Barthes passe de l'énonciation d'une hypothèse à l'affirmation d'une vérité exclusive. « Voici peut-être la clef de la tragédie racinienne : parler, c'est faire [1], le Logos prend les fonctions de la Praxis et se substitue à elle : toute la déception du monde se recueille et se rédime dans la parole [...]. La tragédie est seulement un échec qui se parle » (p. 60-61). En particulier, *Phèdre*, « la plus profonde des tragédies raciniennes, est aussi la plus formelle ; car l'enjeu tragique est ici beaucoup moins le sens de la parole que son apparition, beaucoup moins l'amour de Phèdre que son aveu [...]. La nomination du Mal

---

[1] On a vu au chapitre 6 que ce n'était pas une exclusivité de la tragédie racinienne. Mais il est vrai que chez Racine l'élaboration et la résolution des problèmes par leur énonciation prennent une importance particulière — surtout dans *Mithridate*, *Iphigénie* et *Phèdre*.

l'épuise tout entier, le Mal est une tautologie, Phèdre est une tragédie nominaliste [...]. La culpabilité objective de Phèdre (l'adultère, l'inceste) est en somme une construction postiche, destinée [...] à transformer utilement la forme en contenu » (p. 109-116).

Parfois, l'auteur de *Sur Racine* nous rend subrepticement complices de son dogmatisme, présenté comme évidence familière : « l'on sait combien, chez Racine, la parole est sexualisée » (p. 95) ; « il s'agit ici de cet Eros sororal, dont on sait qu'il est essentiellement fidélité, légalité, mais aussi impuissance à naître, à devenir homme » (p. 97) ; « on sait que la rupture de la Légalité est le mouvement qui mine la psyché racinienne » (p. 121) ; « l'épreuve d'identité (dont on sait qu'elle est l'épreuve tragique par excellence) »... (p. 122). J'espère que vous n'ignorez rien de cette « contradiction métaphysique que l'on connaît bien : Dieu est vide, et c'est pourtant à lui qu'il faut obéir » (p. 123). Quant à moi, j'admire dans ce livre beaucoup de belles formules et même quelques pages de poésie. Mais parfois je peine à comprendre ce qu'elles signifient et surtout à quoi elles correspondent chez Racine. C'est notamment cas des pages 26 et 27 sur « le *tenebroso* racinien ».

Barthes cherche à dégager le modèle de la tragédie racinienne, la structure fondamentale de son fonctionnement. Je crois que c'est un travail nécessaire pour une analyse scientifique des œuvres littéraires. Je serai beaucoup plus réservé sur sa tendance à ramener à une essence la diversité des contenus, les onze pièces à « une tragédie essentielle », tous les personnages à « l'homme racinien » (p. 14). D'autant plus que sous sa plume féconde un personnage peut se transformer en étonnant Protée. Néron est un être « solaire », un « ravisseur d'ombre » qui se nourrit de larmes (p. 25) ; mais c'est aussi « l'homme de l'enlacement, parce que l'enlacement ne découvre la mort que lorsqu'elle est consommée » ; toutefois « ce "glissement" a un substitut funèbre, le poison » (p. 85). Un poison réfrigérant sans doute : « peut-être parce que la thématique de Néron est d'ordre incendiaire, son arme est logiquement [!] le glacé » (p. 98). On croirait lire le roman policier d'un astrologue. Comme le dit Barthes lui-même, « la notion de Nature est ambiguë chez Racine » (p. 84).

Pareillement, la tragédie racinienne et le tragique en général sont l'objet de plusieurs définitions brillamment catégoriques, qui ne sont pas toujours faciles à concilier entre elles, ni avec les textes de Racine. « La tragédie est essentiellement procès de Dieu, mais procès infini [1], procès suspendu et retourné. Tout Racine tient dans cet instant paradoxal où l'enfant découvre que son père est mauvais et veut pourtant rester son enfant. A cette contradiction, il n'existe qu'une issue (et c'est la tragédie même) : que le fils prenne sur lui la faute du Père, que la culpabilité de la créature décharge la divinité [...]. Tout héros tragique naît innocent : il se fait coupable pour sauver Dieu » (p. 48-49). Voilà une excellente hypothèse pour étudier le comportement d'Iphigénie, d'Eriphile, d'Hippolyte et de Xipharès [2] — dont elle ne rend compte, toutefois, que partiellement. Mais d'une part pourquoi la généraliser à « tout Racine » (et même laisser croire qu'elle vaut pour « tout héros tragique »), alors que Néron a l'attitude exactement inverse devant Agrippine — qui est son « Père » selon Barthes — et que cette hypothèse n'a aucun rapport avec le comportement de la plupart des personnages raciniens ? Pourquoi insister sur *Dieu*, alors que cette idée ne correspond à rien pour *Esther* et *Athalie*, seules tragédies où il apparaît ? [3]. D'autre part comment concilier cette définition de la tragédie comme sacrifice volontaire du fils, avec la fameuse histoire de la horde, marquée au contraire par « le meurtre du père », et où Barthes voit un résumé de « tout le théâtre de Racine » (p. 14-15).

D'autres définitions, renfermées en de belles formules un peu narcissiques, semblent volontairement énigmatiques : « La tragédie est seulement un échec qui se parle [...]. *La tragédie c'est le mythe de l'échec du mythe* [...]. Toutes choses ruinées, la tragédie reste un *spectacle*, c'est-à-dire un accord avec le monde » (p. 61-62).

L'une des innovations paradoxales de Barthes, et peut-être sa thèse majeure, concerne « la relation fondamentale » de la tragédie racinienne. Pour lui, « il ne s'agit nullement d'un conflit d'amour, celui qui peut opposer deux êtres dont l'un aime et l'autre n'aime pas. Le rapport essentiel est un rapport d'autorité, l'amour ne sert qu'à le *relever* [...]. Le théâtre de Racine n'est pas un théâtre d'amour : son sujet est l'usage d'une force au sein

---

[1] Malgré les dictionnaires et malgré le voisinage de Dieu, je suppose qu'*infini* signifie ici *inachevé*. C'est un exemple des énigmatiques coquetteries de style par lesquelles Barthes se plaît parfois à impressionner et à égarer ses lecteurs.
[2] Et peut-être même d'Etéocle et de Polynice.
[3] Barthes n'appuie explicitement cette affirmation que sur une déclaration d'Oreste (*Andromaque*, v. 772-778).

d'une situation généralement amoureuse [...] ; son théâtre est un théâtre de la violence » (p. 28-30).

Il est souvent utile de prendre le contrepied d'une évidence devenue trop solide pour animer les esprits. J'espère l'avoir montré dans ce livre. Cela permet de la relativiser et de révéler des réalités qu'elle masquait. Mieux vaut cependant y regarder à deux fois avant de lui dénier toute validité. On trouve certes chez Racine beaucoup de rivalités et de conflits qui ne sont pas de nature amoureuse : entre Etéocle et Polynice, Alexandre et Porus, Agrippine et Néron, Amurat et Bajazet, Agamemnon et Clytemnestre, Aman et Mardochée, Athalie et Joad ou Dieu, Joad et Mathan. Mais on trouve encore plus de conflits amoureux et autant d'amours non conflictuelles. L'amour est incontestablement le mode d'expression principal, chez Racine, et de l'insoluble antinomie tragique et de sa résolution utopique. La violence n'est que le moyen pratique auquel recourt le sujet tragique pour essayer en vain de s'imposer à qui le rejette et pour détruire le bonheur qui lui est refusé. Dans la « double équation :

A a tout pouvoir sur B
A aime B, qui ne l'aime pas »,

ce n'est pas « le second membre » qui est « fonctionnel par rapport au premier » (p. 29) : c'est l'inverse (cf. chap. 12). De plus, la formulation de Barthes laisse entendre que le rapport entre Néron et Junie, Roxane et Bajazet ou Phèdre et Hippolyte est vraiment et uniquement ce qu'on appelle un rapport d'amour — situé « entre le viol et l'oblation » (p. 31) —, ce qui est loin d'être le cas (cf. chapitre 12). Enfin, comme l'a montré René Pommier, cette équation n'est pas spécifique de la tragédie racinienne. On la trouve dans beaucoup de drames et même dans plusieurs comédies, comme *L'Ecole des Femmes*. Mais le succès de Barthes est de ne pas s'encombrer de détails : il remplace la complexité réelle par la forte unité d'un mythe qui ne s'embarrasse même pas de ses propres contradictions.

« Le langage est une législation, la langue en est le code », écrit Barthes dans sa leçon inaugurale au Collège de France. « Par sa structure même, la langue implique une leçon fatale d'aliénation. Parler, et à plus forte raison discourir, ce n'est pas communiquer [...], c'est assujettir [...]. En chaque signe dort ce monstre : un stéréotype [...]. Je dis, j'affirme, j'assène ce que je répète ». La langue est « fasciste ». Certains furent étonnés par ce propos. Ils se demandaient de quelle langue Roland Barthes voulait parler. Sans doute n'avaient-ils pas lu *Sur Racine*. Fort heureusement, nous apprenons à la page suivante qu'il y a une solution pour « entendre la langue hors-pouvoir, dans la splendeur d'une révolution permanente du langage » : *la littérature*. Relisons donc Racine lui-même : directement dans le texte, au lieu de lui substituer les fantasmes de Roland Barthes.

Orientation bibliographique

Bon an mal an, on publie deux ou trois éditions de l'une ou l'autre des pièces de Racine, ou de tout son théâtre, quatre ou cinq ouvrages sur sa vie ou son œuvre, et une cinquantaine d'articles. En cette année du tricentenaire, ce sera le triple, du moins pour les articles. La liste complète figure dans la *Bibliographie* de Klapp, et dans le fascicule bibliographique de la *Revue d'Histoire littéraire de la France*, qui recensent tous les ans, par siècle et par auteur, tous les livres et articles parus dans le monde sur notre littérature. Vous les trouverez en libre consultation dans les sections littéraires de toutes les Bibliothèques universitaires. Klapp vous indique en plus les comptes rendus, qui vous donnent un résumé de l'ouvrage, avec une appréciation critique. Mais il faut être engagé dans un travail précis de haut niveau pour avoir besoin de sommes pareilles. Consultez donc plutôt votre Minitel (36-15 Electre), qui vous indiquera tous les ouvrages français disponibles sur Racine, avec un résumé de 3 à 5 lignes.

La difficulté n'est pas des trouver des livres, mais de se limiter à ceux qui valent d'être lus. Je vous propose une stratégie applicable à tout grand auteur, aux principales œuvres et aux thèmes majeurs. Repérez sur 36-15 Electre ou sur le fichier de la B. U., ou dans la salle en libre accès, dont le classement est méthodique (par siècle, par genre, par ordre alphabétique des auteurs étudiés) un bilan critique ou un ouvrage de synthèse récent, que vous reconnaîtrez à son titre tout simple (*Racine* ou *Phèdre*) et à sa brièveté (128 pages ou même 96). Ou bien une édition récente de l'œuvre que vous voulez étudier (Folio, G. F., Livre de poche classique). Ou encore une édition de toute l'œuvre de votre auteur, à condition qu'elle comporte une présentation substantielle — placée parfois en fin de volume. Vous trouverez là une synthèse des connaissances et une bibliographie choisie et classée. N'empruntez ou n'achetez un

livre qu'après avoir vérifié qu'il vous apprendra quelque chose :
qu'il ne se borne pas à raconter l'œuvre, qu'il est fait d'idées
appuyées sur une argumentation et des références précises.

Pour la suite, je distinguerai quatre catégories d'ouvrages :
- des synthèses plus étoffées (au delà de 200 pages sur un
  auteur, ou de 150 p. sur une œuvre) ; vous les
  reconnaîtrez à leur titre, constitué du nom de l'auteur ou
  de l'œuvre et parfois d'un ou deux autres mots qui
  délimitent le sujet traité (exemples : *Le Tragique chez
  Racine*, *La Dramaturgie racinienne*, *La Poésie de
  « Phèdre »* [1])
- des essais (180 à 250 pages, avec un titre alléchant, de
  signification imprécise). Ils peuvent être agréables à lire.
  Mais ils n'apportent aucune connaissance nouvelle, et ils
  ne sont pas toujours fiables. Si l'un des auteurs de ces
  Racine et moi vous intéresse, attendez qu'il publie *Moi et
  moi-même*, sans travestir Racine en faire-valoir.
- des biographies. Vous savez ce que j'en pense (cf. chap.
  1) : à moins qu'elle ne soit nettement orientée vers
  l'explication de son œuvre — exercice délicat —, une
  biographie de Racine n'a pas plus d'intérêt que celle du
  premier venu, qui peut être, comme la sienne,
  psychologiquement ou sociologiquement fort
  intéressante. Raymond Picard proposait de remplacer,
  dans la bibliographie racinienne, tel article sur l'origine
  scandinave de la mère du poète par *La Critique du
  jugement* de Kant (*Œuvres*, Pléiade, t. II, p. 1147).
- des ouvrages érudits, reconnaissables à leur titre précis
  ou longuet et à un nombre de pages souvent élevé. Ne
  les consultez que si vous en avez besoin pour un travail
  précis. J'en dirai autant pour la plupart des articles
  sérieux — car il y a aussi des articles de vulgarisation,
  souvent superficiels, et des articles égocentriques,
  brillamment creux sauf exception.

---

[1] Ce n'est pas une publicité : ces ouvrages n'existent pas.

Table des matières

les préceptes d'Aristote (227). Il transforme la signification de la plupart des sujets qu'il emprunte (236).

Achevé d'imprimer par Corlet Numérique - 14110 Condé-sur-Noireau
N° d'Imprimeur : 7768 - Dépôt légal : février 2002 - Imprimé sur DemandStream

Imprimé en UE